Thomas Mann

Große kommentierte Frankfurter Ausgabe

Werke – Briefe – Tagebücher

Herausgegeben von
Andreas Blödorn, Heinrich Detering,
Eckhard Heftrich, Hermann Kurzke, Friedhelm Marx,
Katrin Max, Terence J. Reed, Thomas Sprecher,
Hans R. Vaget, Ruprecht Wimmer
in Zusammenarbeit mit dem
Thomas-Mann-Archiv
der ETH Zürich

Band 11.2

Thomas Mann

DER ERWÄHLTE

Roman

KOMMENTAR

von Heinrich Detering und Maren Ermisch

S. FISCHER VERLAG

Frankfurt a. M.

Diese Ausgabe wird
von der S. Fischer Stiftung gefördert.

Ausstattung: Jost Hochuli, St. Gallen
Satz: pagina GmbH, Tübingen
Druck und Einband: Kösel GmbH & Co. KG,
Printed in Germany
ISBN 978-3-10-048341-6

KOMMENTAR

Zum Andenken an die Übersetzerin
Marga Bauer.[1]

1 Thomas Mann an Marga Bauer, 8. April 1948: »[...] gestern kam der Schluß Ihrer schlicht-genauen Gregorius-Uebersetzung in meine Hände. Ich habe sie gleich studiert und kann Ihnen nicht sagen, wie dankbar ich Ihnen bin für diesen großen, rührenden Gefälligkeitsdienst. Es ist mir natürlich eine große Bequemlichkeit, diese Verhochdeutschung neben dem Original zu haben, in dem mir doch manche Einzelheit dunkel, oder halbdunkel, geblieben war, trotz guter germanistischer Fortschritte. Wenn meine Spät- und Letztformung der vielerzählten Geschichte zustande kommt, so sollte ich um die Erlaubnis bitten, sie Ihnen zu widmen.« (Vgl. hier S. 53-57.)

ENTSTEHUNGSGESCHICHTE

Der Erwählte, erschienen 1951, hat von allen Romanen Thomas Manns zugleich die längste und kürzeste Entstehungsgeschichte. Einerseits ist er, Unterbrechungen durch Reisen, Krankheiten, andere Schreibaufgaben abgezogen, in weniger als zweieinhalb Jahren entstanden.[2] Andererseits entfaltet er einen Stoff, mit dem Thomas Mann zum ersten Mal schon als Student in München 1894/95 in intensiven Kontakt gekommen ist, rund fünfundvierzig Jahre vor seiner eigenen Neufassung.

Als Thomas Mann am 26. Oktober 1950 mit dem Manuskript fertig geworden zu sein glaubt (dessen Schluss dann doch noch überarbeitet werden muss), erinnert er sich im Tagebuch an den Beginn der Arbeiten Ende Januar 1947 und rechnet aus: »Das sind 2 Jahre und 8 Monate minus dessen, was abzuziehen, was alles in allem wohl 5 Monate beträgt.« Das ist nicht ganz korrekt. Bei den Zeiten, die »abzuziehen« sind, handelt es sich um die vier Monate von Juni bis Oktober 1948, in denen *Die Entstehung des Doktor Faustus* verfasst wurde, und die ebenfalls rund viermonatige Europareise, die ihn vom Mai bis zum August 1949 nach Großbritannien, Schweden, Dänemark, in die Schweiz und zu den west- und ostdeutschen Goethefeiern nach Frankfurt am Main und Weimar führte. Nimmt man noch die zweite Europareise von Mai bis August 1950 hinzu, mitsamt dem umfangreichen lebens- und werkgeschichtlichen Essay *Meine Zeit / The Years of my Life*, dann zeigt sich, dass die (weitgehenden, nicht vollständigen) Unterbrechungen der Arbeit am Roman insgesamt deutlich mehr Zeit umfasst haben, die konzentrierte Schreibzeit also nur rund zwei Jahre betrug.

2 Das ist sogar deutlich weniger, als der junge Thomas Mann für das weit umfangreichere, aber auch fast auf einen genialen Rutsch geschriebene Debüt mit *Buddenbrooks* gebraucht hatte, von 1897 bis 1900: »Drei Jahre lang schrieb ich […] mit Müh' und Treue« (*Bilse und ich*; GKFA 14.1, 101).

Die Hauptlinien dieser Entstehungsgeschichte nachzeichnen heißt auch, die großen und kleineren Konzeptionsänderungen zu rekonstruieren, die das Vorhaben von den ersten Anregungen bis zur letzten Textfassung durchlaufen hat.

Vorgeschichte: Im Mittelalter

»Meine Geburtsstadt war Lübeck, eine schöne alte Stadt, nahe der Ostsee, von mittelalterlichem Gepräge«[3]: Wann immer Thomas Mann sich an seine Herkunft erinnert, spricht er vom Mittelalter. Lübeck ist für den *Bajazzo* in einer seiner frühesten Erzählungen 1897 »die kleine, alte Stadt mit ihren schmalen, winkeligen und giebeligen Straßen, ihren gotischen Kirchen und Brunnen, ihren betriebsamen, soliden und einfachen Menschen und dem großen, altersgrauen Patrizierhause, in dem ich aufgewachsen bin«.[4] Immer wieder ist das Mittelalter dieser Stadt in seinen Essays und Erzählungen stumme Gegenwart: in Gestalt der »mittelalterlichen Denkmäler«, für deren Erhalt Thomas Buddenbrook sich einsetzt, und der »mittelalterlichen Sehenswürdigkeiten«, die er dem bayerischen Besucher Permaneder zeigt – »die Kirchen, die Thore, die Brunnen, den Markt, das Rathaus, die ›Schiffergesellschaft‹« –;[5] es prägt die Schulwege des kleinen Herrn Friedemann, »zwischen den Giebelhäusern und Läden hindurch nach dem alten Schulhaus mit den gotischen Gewölben«,[6] und die Schritte des aus der Fremde heimkehrenden Tonio Kröger, »unter den Bogengewölben des Rathauses hindurch [...] auf den Marktplatz, wo hoch, spitzig und vielfach der gothische Brunnen stand«;[7] es begleitet Hanno Buddenbrooks Leiden in »der alten Schule mit den gotischen Gewölben« und »gotischen Korridore[n]«.[8] Die Vergangenheit ist in diesen Erzählungen niemals ganz vergangen;

3 [*Lebenslauf 1936*]; GW XI, 451. 4 GKFA 2.1, 121. Vgl. Wißkirchen 2012.
5 GKFA 1.1, 451 u. 368. 6 GKFA 2.1, 89. 7 Ebd., S. 287.
8 GKFA 1.1, 71 u. 809.

immer erscheint sie als Teil der lebenden Gegenwart, ja manchmal, wie in Thomas Manns Rede über *Lübeck als geistige Lebensform* beinahe wie eine handelnde Figur: »als Stadt, als Stadtbild und Stadtcharakter«.[9]

Nicht erst in den Erinnerungen dessen, der sie als junger Mann verlassen hat, zeigt sich diese Stadt so mittelalterlich. Sie tut es schon in der Zeitschrift, die der Gymnasiast in den gotischen Gewölben des Katharineums konzipiert und unter dem durchsichtigen Pseudonym »Paul Thomas« herausgibt. In der verlorenen ersten Nummer dieses *Frühlingssturm* hat Thomas Mann einen seiner ersten Texte über einen Besuch im einstigen Domkloster und Lübecks mittelalterliche Altäre geschrieben, von dem mehr als diese Erinnerung nicht übrig geblieben ist. Ebendiese Gegenwart des Vergangenen aber ist nicht nur Gegenstand melancholischen Gedenkens, sondern auch einer albtraumhaften Angst. »Dies alte Lübeck, lieber Bruder, in dem wir kleine Jungen waren, ist ein merkwürdiges Nest.« An Heinrich Mann sind diese Worte gerichtet, zu dessen sechzigstem Geburtstag am 27. März 1931. Denn

> wenn ich sie mir so ansehe, diese Herkunft – und aus einem gewissen aristokratischen Interesse habe ich sie mir oft angesehen –, so scheint es mir um ihre bürgerliche Gesundheit eigentümlich suspekt zu stehen, nicht ganz geheuer, nicht ganz uninteressant. Es hockt in ihren gotischen Winkeln und schleicht durch ihre Giebelgassen etwas Spukhaftes, allzu Altes, Erblasthaftes – hysterisches Mittelalter, verjährte Nervenexzentrizität, etwas wie religiöse Seelenkrankheit –, man würde sich nicht übermäßig wundern, wenn dort, dem marxistischen Bürgermeister zum Trotz, noch heutigen Tages plötzlich der Sankt Veitstanz oder ein Kinderkreuzzug ausbräche – es wäre nicht stilwidrig. Unser Künstlertum, *daß* es ist und auch *wie* es ist – ich habe nie umhin gekonnt, es auf irgendeine Weise mit

9 E III, 27.

diesem heimlich umgehenden und nicht ganz geheuren Stadtspuk in kausalen Zusammenhang zu bringen [...].[10]

Der deutsche Emigrant, der im kalifornischen Pacific Palisades in den 1940er Jahren den Mittelalter-Roman *Der Erwählte* konzipiert und ausarbeitet, bewegt sich in einer erzählten Welt, die sieben Jahrhunderte von seiner Gegenwart entfernt ist – sieben Jahrhunderte, und ein einziges Lebensalter.

Der Brunnen der Vergangenheit: *Gregorius* in München 1894/95

»Meine erste Berührung mit der Gregorius-Legende«, so beginnen Thomas Manns *Bemerkungen zu dem Roman »Der Erwählte«*, »fiel in die Zeit der Arbeit am *Dr. Faustus*.«[11] Diese Erinnerung trügt. Tatsächlich reicht die Beschäftigung mit der Hauptquelle zurück bis in die Studienzeit Thomas Manns am Polytechnikum, der heutigen Technischen Hochschule in München. Hier kam der Neunzehnjährige im Wintersemester 1894/95 zum ersten Mal in »Berührung mit der Gregorius-Legende« – die damit eine dem alt gewordenen Autor wichtige Bedingung eindrucksvoll erfüllt: »Ein Werk muß lange Wurzeln haben in meinem Leben«.[12] Im Fall des *Gregorius* und weiterer wichtiger mittelhochdeutscher Quellen für den späteren Roman reichen diese Wurzeln zurück bis zu Wilhelm Hertz (1835–1902, seit 1892 »von Hertz«), dessen Vorlesungen zur deutschen Literatur des Mittelalters der Student Thomas Mann noch bis zum Ende des Sommersemesters 1895 hörte.

Ein seinerzeit respektierter Dichter im Grenzbereich zwischen Spät- und Neuromantik, hatte Hertz in Tübingen Germanistik und Ästhetik bei Friedrich Theodor Vischer und Ludwig Uhland studiert und eine lebenslang dauernde Freundschaft mit Paul Heyse geschlossen. Schon als Student hatte er historische Balla-

10 *Vom Beruf des deutschen Schriftstellers in unserer Zeit*; E III, 287f. 11 E VI, 202.
12 *Joseph und seine Brüder*; E V, 192.

den und Dramen veröffentlicht; mit Studien zur mittelalterlichen Literatur bis hin zu den »Volksbüchern« des 16. Jahrhunderts (darunter dem *Doktor Faustus*) machte er sich dann einen Namen als Gelehrter. Zusammen mit Dichtern wie Heyse, Franz von Kobell, Felix Dahn und Thomas Manns Lübecker Landsmann Emanuel Geibel gehörte er der spätromantischen Münchner Dichtergesellschaft *Die Krokodile* an.

Der Umstand, dass Hertz sich als Dichter wie als Gelehrter mit mittelalterlichen Sujets beschäftigte und beide Begabungen als Übersetzer von Werken wie Gottfrieds *Tristan* und Wolframs *Parzival*, dem *Rolandslied* und dem *Beowulf* verband, trug zu seiner Anziehungskraft für den aus Lübeck übergesiedelten Thomas Mann offenkundig bei. Ausdrücklich erinnert er sich in seinem *Lebensabriß* 1930 an die Faszination, die von Hertz' Doppelbegabung ausging: »Besonders fesselte mich ein Kolleg über ›Höfische Epik‹, das der Dichter und Übersetzer aus dem Mittelhochdeutschen Wilhelm Herz damals am Polytechnikum las.«[13] Seine unmittelbare Aufnahme ist dank der glücklicherweise erhaltenen Mitschriften sehr genau dokumentiert. In den Aufzeichnungen des *Collegheftes*, die sich über das gesamte Wintersemester 1894/95 hinziehen, gerät Thomas Mann streckenweise in lebhafte gedankliche Auseinandersetzungen mit dem Vorlesenden. Ein Beispiel gibt seine Mitschrift zu Hertz' Vorlesung über den *Armen Heinrich* des Hartmann von Aue:

> Göthe hat gesagt, er möge den »armen Heinrich« nicht in die Hand nehmen, ohne sich »angesteckt« zu fühlen. Hertz nennt das eine übe[r]triebene Sensibilität, die für Göthe charakteristisch sei. Ich erkenne darin nichts als Göthes hellenischen Schönheitssinn, den alles Häßliche & Kranke (das Krank[e] ist ja nicht immer häßlich) – anwidert. Übrigens ist es ja kein Vorwurf für die Kunst des Dichters, wenn G. sich bei der Lektüre förmlich angesteckt fühlte![14]

13 E III, 181. Vgl. dazu Grothues 2005, S. 285–289. 14 *Collegheft*, 119.

Ausführlich räsonnierende Kommentare wie dieser (und er bleibt nicht der einzige) finden sich sonst nur noch in den Aufzeichnungen zur Ästhetik-Vorlesung Franz von Rebers.

Bei Hertz hörend, sammelt der neunzehn-, zwanzigjährige Thomas Mann lebhaft Notizen, Inhaltsangaben und Kommentare über historische Kontextualisierungen, gesellschaftliche Voraussetzungen und poetologische Grundlagen mittelalterlicher Literatur, Begriffserläuterungen (wie »Höfisch = courtois, Hof = Sitz eines Adeligen«)[15] und Redensarten (»›Tumber Knecht‹ ›unerfahrener junger Mensch‹ nennt sich Hartmann von Aue.«).[16] Seine Mitschriften behandeln Anfänge und Blüte der Minnedichtung, das *Nibelungenlied*, Gottfrieds von Straßburg *Tristan*, Wolframs von Eschenbach *Parzival* – und ausführlich auch den Dichter, dem er die Hauptquelle seines späteren Romans verdankt. Es ist »Hartmann von Aue, der eigentliche Klassiker des höfischen Stils. –«[17] Und keines der Werke Hartmanns beschäftigt bereits den Studenten Thomas Mann so intensiv wie der *Gregorius* – allerdings, wie all diese Texte, offenkundig nur im Zuhören, nicht im Nachlesen.

Weder der Artusroman *Erec* (der als »Hartmann von Aue's Jugendgedicht«[18] rasch abgetan wird) noch die Legende *Der arme Heinrich* können den neugierigen und kritischen Hörer von Hertz' Vorlesungen beeindrucken. Mit selbstbewusster Kennermiene, die verächtlich auf »das Publikum« hinunterblickt, wird vor allem der so gerühmte *Iwein* verworfen:

> (Der »Iwein« ist meiner Ansicht nach das schwächste Gedicht Hartmanns).[19] [...] »Iwein« ist das berühmteste Gedicht Hartmanns und war in ganz Europa bekannt. (Das Publikum, das Publikum – ganz richtig etc. Liliencron.[20] Meiner Ansicht nach

15 Ebd., S. 48. 16 Ebd., S. 90. 17 Ebd., S. 87.
18 Ebd., S. 99. 19 Ebd., S. 128.
20 Thomas Mann zitiert aus dem Gedicht *Dichterlos in Kamtschatka* des von ihm hochgeschätzten Dichters Detlev von Liliencron: »›Das Publikum, das

ist »I[*wein*]« nicht halb so viel wert wie etwa »Gregorius«. Das letzte ist ein abgerundeter Roman mit einem bestimmten Grundgedanken: dem Gegensatze zwischen Rittertum & Kirche. »Iwein« ist eine belanglose Episodenreihe.) [...] Auch Prof. Hertz erkennt übrigens an, daß der Aufbau des »Iwein« wenig organisch ist, daß sich verzögernde Episoden finden. Hartmann soll jedoch den von Chrestien übernommenen Stoff vertieft mit überlegenem Gemüt behandelt haben. –[21]

Da die Urteilskraft des Professor Hertz erfreulicherweise derjenigen seines Hörers nahekommt, kann sich die Begeisterung der Vorlesungsmitschriften weitgehend auf Gottfrieds *Tristan* und Wolframs *Parzival* konzentrieren – und vor allem auf Hartmanns *Gregorius*. Es lohnt, in Kenntnis des Romans nachzulesen, was Thomas Mann im *Collegheft* zu den drei diesem Werk gewidmeten Vorlesungen festhält:

[*Zur ersten »Gregorius«-Vorlesung:*] Hartmann v. Aues zweites Gedicht: »Gregorius« behandelt die Inzucht zwischen zwei jungen Geschwistern, deren Eltern tot sind.

»Man sagt, die Weiber lieben heftiger als die Männer, dem ist nicht so.« (H.v.A.)

Aristokratische Anschauung im Mittelalter: Der junge Gregorius, das Kind der beiden vornehmen Geschwister, wird von einem Fischer erzogen und gedeiht wunderbar an Leib und Seele. Da sagen die Leute, nie sei eines Fischers Sohn so begabt gewesen.

In Belgien setzte sich zuerst eine deutsch-französische Ritter-Cultur fest. Die Ritterschaft in Bayern & Franken entsprach nicht dem Ideal.

Gregorius kommt als Ritter in seiner Mutter Land und heiratet sie unerkannt. Endlich findet die Mutter die Tafel, die sie ihrem Kinde bei der Aussetzung mitgegeben hatte, und sie

Publikum!‹ / Ja, hat sich was mit Publikum.« (Vgl. den Kommentar von Schmidlin/Sprecher in *Collegheft*, 134.)

21 Ebd..

erkennen sich, sind äußerst reumütig, aber der Sohn tröstet seine Gattin und Mutter, daß, wenn sie aufrichtig bereuten, ihnen die schwere Schuld vergeben werden würde. Er heißt sie reiche Klöster stiften und armselig leben. Dann entäußert er sich selbst alles Reichtums »und schied aus dem Lande – in dürftigem Gewande«. (Gegensatz zum Zeitgeist –: Siegmund und Sieglinde)[22]

[*Zur zweiten »Gregorius«-Vorlesung:*] Gregorius wird während furchtbarer freiwilliger Buße von Gott wunderbar erhalten und endlich von den »Römern« zum Papst erwählt. Er sieht auch seine Mutter wieder, die ebenfalls die ganze Zeit in schwerer Buße gelebt hat.

Hartmann's »Gregorius« ist ebenfalls nach einem französischen Vorbilde gemacht. Er ist jedenfalls der christliche Ödipus und hat übrigens dieselbe Tendenz wie die Tannhäusersage, nämlich die Kraft der Reue zur Vergebung jeglicher Sünde.

Bezeichnend ist das Gewissensleben der Zeit. Ein Mann, der unbewußt seine Mutter heiratet, wird heute wohl Scham aber keine Gewissensbisse empfinden.

Während im »Erick« der Conflickt zwischen Rittertum und Liebe das Grundthema bildet, tritt im »Gregorius« derjenige zwischen Rittertum und Mönchtum hervor, ein Conflickt, den später die Gralssage mit ihren geistlichen Rittern zu lösen suchte.[23]

[*Zur dritten »Gregorius«-Vorlesung:*] Vielleicht ist Gregor V. der Held aus Hartmanns Epos. Er war ein Deutscher und saß am Ende des 10. Jahrhunderts auf dem päpstlichen Stuhl.

Der »Gregorius« existiert in zwei lateinischen Dichtungen, die sich als Nachbildungen des deutschen Gedichts erweisen. Ein Beweis dafür, daß Hartmanns Werk, das die Legende in die höfische Epik einführte, nicht allein in ritterlichen sondern auch in geistlichen Kreisen großen Erfolg hatte.

22 Ebd., S. 103. 23 Ebd., S. 109.

> Die Gregoriuslegende geht noch heute in Italien als Volksmärchen um.[24]

Auch Eigenarten von Hartmanns Erzählweise vermerkt Thomas Mann. Hat Hertz bereits dem *Iwein* nachgerühmt, den von Chrétien übernommenen Stoff »vertieft mit überlegenem Gemüt« behandelt zu haben, so ist er in Thomas Manns Notizen vor allem ein Pionier des psychologischen Erzählens:

> Schon seit Hartmann von Aue großer Hang zur lyrischen Psychologie. Man wandte sich von den bloß äußeren Begebnissen, von der bloßen Erzählung von Thaten und Aventüren ab und legte mehr Gewicht auf die Geschehnisse im Herzen und in der Seele.[25]

Dass dazu eine neue Form des selbstreflexiven Erzählens beiträgt, geht aus einer einleitenden Bemerkung zu Hartmanns Erzählerfiguren hervor, die ausdrücklich dem *Gregorius* gilt:

> Sein Vorzug vor seinem französischen Meister Chrestien de Troyes ist ein wärmerer und humanerer Ton und die liebevolle Weise mit der er seine Gestalten gleich Bekannten behandelt. Äußerlichkeiten, wie kurze unter sich gereimte Verse hat Hartmann von seinem französischen Vorbilde übernommen. z. B.: »Es hat geschafft – die Gotteskraft« aus »Gregorius«. Eine eigne Erfindung sind die eingestreuten Zwiegespräche mit dem Leser.[26]

Das alles geht auf Hertz zurück, aber es wird einverständig festgehalten von einem Hörer, der seinem Lehrer notfalls auch resolut widersprechen konnte.

Liest man diese Aufzeichnungen vom ein halbes Jahrhundert später entstandenen Roman aus, zeigen sich weit über die Inhaltsangabe hinausgehende, wahrhaft verblüffende Übereinstimmungen. Sie betreffen die Konzeption des Protagonisten als eines »christlichen Ödipus« ebenso wie die »Aristokratische Anschauung«, in der dieser sündhafte Held erscheint. Sie betreffen wei-

24 Ebd., S. 112. 25 Ebd., S. 160. 26 Ebd., S. 99.

terhin die betonte Internationalität des Stoffes, die ihn sowohl vom germanisch-deutschen Heldenepos unterscheiden als auch vom französisch-höfischen Roman. Sie betreffen schließlich eine Selbstreflexivität des Erzählens, die sich in Dialogen zwischen Erzählerfigur und Leser entfaltet, und eine psychologische Vertiefung des Geschehens (angesichts des Ödipus-Vergleichs könnte man sagen: eine Psychologisierung des Mythos). Buchenswert erscheint auch die Selbstverständlichkeit, mit der die alten Texte umstandslos auf zeitgenössische Kunst und Literatur bezogen werden, etwa auf Richard Wagner und Detlev von Liliencron. *Gregorius* erinnert den jungen Thomas Mann mit der Inzestdarstellung an »Siegmund und Sieglinde« (also buchstäblich an *Wälsungenblut*) und mit seinem »Gegensatz zum Zeitgeist« an Liliencron, dessen Verse »Das Publikum, das Publikum [...] ganz richtig« verspotten.

Neben der christianisierten Ödipus-Geschichte findet Thomas Mann in der Dichtung des Mittelalters auch den Geschwister-Inzest – nicht mehr nur bei Hartmann, sondern auch bei einem Anonymus:

> Im letzten litteraturgeschichtlichen Colleg d[*es*] S[*emesters*] gab Hertz den Inhalt des einzig bekannten Werkes von dem bedeutendsten Schüler Gottfrieds v. Straßburg: »Flore und Blanchefleur.« Der Dichter selbst verschweigt seinen Namen, der nur einmal zufällig von einem anderen Dichter genannt wird. Das Gedicht ist entzückend. Es behandelt die zarte Liebe zweier Kinder und ihre Schicksale mit einer Phantasie, einem Schmelz, einem Duft, einer Farbenpracht, die wunderbar ist. – Was mich bei den guten Gedichten des Mittelalters am meisten entzückt, ist die köstliche, rührende Naivität, die sie erfüllt, und noch heute wohl in gewissem Maße Bedingung für den Dichter geblieben ist![27]

Zwar hat Thomas Mann sein längst verloren geglaubtes *Collegheft*

27 Ebd., S. 163.

erst nach Fertigstellung des Romans, seinem Tagebuch zufolge am 29. Dezember 1950, wiedergefunden. Aber der Eindruck scheint zwingend, dass diese ersten Begegnungen eine bemerkenswerte Prägekraft entwickelt haben – dies umso mehr, als sie an thematische Interessen des jungen Thomas Mann leicht anschließbar waren. Immerhin rechnet er in einem Brief vom August 1953 für seinen Roman (allerdings im Hinblick auf ein anderes Beispiel) mit der Möglichkeit einer »›unterschwellige[n]‹ Bezugnahme« auf Vergessenes.[28] Jedenfalls lag das *Collegheft* Thomas Mann bei der Arbeit am Roman nicht vor. So musste er sich das fünfzig Jahre zuvor Gelernte neu aneignen – und tat das unter anderem mit Hilfe derselben *Geschichte der Deutschen Litteratur* von Wilhelm Scherer, die vermutlich auch Hertz damals in München benutzt hatte.[29]

Noch eine zweite Begegnung mit der Vermittlung mittelalterlicher Erzählmuster lag da schon weit zurück; sie aber war für Thomas Mann ganz unvergesslich. Er schildert sie in den *Betrachtungen eines Unpolitischen*, im 1917 entstandenen Kapitel *Von der Tugend*. Es geht um den überwältigenden Eindruck, den Hans Pfitzners Oper über den Renaissancekomponisten Palestrina und eine mittelalterliche Legendenüberlieferung auf Thomas Mann gemacht hatte.

»Erwählter Du!«– Musikalisches Intermezzo 1917

Am 12. Juni 1917 wurde im Münchner Prinzregententheater Hans Pfitzners Oper *Palestrina* uraufgeführt. Unter den Zuhörern war Thomas Mann. In den *Betrachtungen* interpretiert er sie als ein Kunstwerk, das ihm »merkwürdig rasch und leicht [...] zum Eigentum, zum vertrauten Besitz geworden« sei – und zwar als eine »musikalische Legende«, deren »hohe Artistik in der Vereinigung

28 An Erwin Loewenson, 23. 8. 1953; DüD III, 428. Es geht um politische Zeitbezüge.
29 So Schmidlin/Sprechers Kommentar in *Collegheft*, 48.

nervösester Beweglichkeit, durchdringender harmonischer Kühnheit mit einem frommen Väterstil« entstehe: »Das seelisch Moderne [...], wie rein organisch verbindet es sich mit dem, was musikalisches Milieu, was also demütig-primitiv, Mittelalter« ist.[30] Es ist offensichtlich, dass an dieser Beschreibung so weit kein Wort zu ändern wäre, um den Umgang auch seines modernen Legendenromans mit dem mittelalterlichen Stoff zusammenzufassen. Ein grundlegender Gegensatz wird erst sichtbar, wenn man die genaueren Bestimmungen dessen vergleicht, was jeweils mit dem »Mittelalter« verbunden wird. In Pfitzners *Palestrina* erlebt Thomas Mann diese zu Ende gehende Epoche noch ganz in »der schopenhauerisch-wagnerischen, der romantischen Sphäre«, in der sich die *Betrachtungen* ja auch sonst mit Vorliebe bewegen;[31] alle Selbstkommentare zum *Erwählten* hingegen betonen das Heitere und Humoristische. Doch dieser Gegensatz verliert an Bedeutung, wenn Thomas Mann in seinen Überlegungen zu *Palestrina* erklärt, er stelle zunächst »alles Ethische und Geistige zurück, um vorderhand ausschließlich die ästhetischen Kräfte und Tugenden des Werks zu bewundern«[32].

Dafür wählt er den *ersten Akt* der Oper. Und in dieser ästhetischen Perspektive kommen die Reflexionen über die Legendenoper von 1917 dem Legendenroman von 1951 sehr nahe. Thomas Mann schildert eine Szene, die Lesern des *Erwählten* bekannt vorkommt. Erschöpft – so sieht es der Opernbesucher auf der Bühne – liegt der Komponist Palestrina in seinem Sessel:

> Gebt acht! Durch das Fenster von Palestrinas Arbeitsstübchen gewahrt man die Kuppeln von Rom. [...] Die schwindende Engelsglorie hat irdische Morgendämmerung zurückgelassen, rotglühend und rasch hebt sich der Tag über die Kuppeln draußen, das ist Rom, sein gewaltiges Thema wird breit und prunkend verkündet im Orchester, – und da, wahrhaftig, kommt auch das vergessene Leiern von gestern abend wieder in Gang,

30 GKFA 13.1, 442 u. 444. 31 Ebd., S. 442. 32 Ebd., S. 445.

> es gleicht einem Läuten, ja, das sind Glocken, die Morgenglokken von Rom, nicht wirkliche Glocken, nur nachgeahmt vom Orchester, doch so, wie hundertfach schwingendes, tönendes, dröhnendes Kirchenglockenerzgetöse überhaupt noch niemals künstlerisch nachgeahmt wurde, – ein kolossales Schaukeln von abenteuerlich harmonisierten Sekunden, worin, wie in dem vom Gehör nicht zu bewältigenden Tosen eines Wasserfalls, sämtliche Tonhöhen und Schwingungsarten, Donnern, Brummen und Schmettern mit höchstem Streichergefistel sich mischen, ganz so, wie es ist, wenn hundertfaches Glockengedröhn die Gesamtatmosphäre in Vibration versetzt zu haben und das Himmelsgewölbe sprengen zu wollen scheint. Es ist ein ungeheurer Effekt! Der seitlich im Stuhle schlummernde Meister, die heilige Stadt im Purpurschein, der durchs Fenster hereinfallend die ärmliche Stätte nächtlicher Schöpferekstase verklärt, und dazu das mächtige Glockengependel, das nur zurücktritt, während die ausgeschlafenen Knaben die im Zimmer verstreuten Notenblätter sammeln und ihre paar Repliken wechseln, und das dann seinen gewaltigen Gang wieder anhebt, bis der Vorhang zusammenfällt.[33]

So wird das Glockenläuten über den »Kuppeln von Rom« zuerst in den *Betrachtungen eines Unpolitischen* erzählt – wenn auch nur als wunderbar, nicht als wunder*haft*. Der Eindruck der aus Morgenglanz und Glockenschwall aufsteigenden Verklärung des »schlummernden Meisters« kulminiert nun im Blick auf den Fortgang des Geschehens – in dem auch die ethische Dimension wieder in die ästhetischen Beobachtungen einbezogen wird – in einem Begriff, der den »Genius«[34] als Werkzeug göttlicher Allmacht zeigt. Es ist der Begriff des »Erwählten«:

> Wenn Palestrina krank ist in seiner Seele – und das ist er wohl –, so ist seine Melancholie doch mit einem Selbstbewußtsein verbunden, das ihn aus dem Munde der »Vorgänger« die Worte vernehmen läßt:

33 Ebd., S. 446f. 34 Ebd., S. 455.

»Der Kreis der hochgestimmten ist voll Sehnen
Nach Jenem, der ihn schließt: Erwählter Du!«

Denn nicht wahr: weder diese Szene der Vorgänger noch die darauf folgende der englischen [*d. h. durch Engel bewirkten*] Inspiration sind wir geneigt als reines Legendenmirakel und katholischen Theaterzauber zu empfinden; uns bedeuten diese Gesichte ein Anschaulichwerden des Ethisch-Innerlichsten, und für uns hat also der Zuruf »Erwählter Du!« dasselbe Ich zur Quelle, wie die Antwort:

»Nicht ich – nicht ich –; schwach bin ich, voller Fehle,
Und um ein Werden ist's in mir getan.
Ich bin ein alter, todesmüder Mann
Am Ende einer großen Zeit.
Und vor mir seh' ich nichts als Traurigkeit –
Ich kann es nicht mehr zwingen aus der Seele.«[35]

Drei wesentliche Übereinstimmungen zwischen Pfitzners Oper (in Thomas Manns Wahrnehmung) und dem *Erwählten* lassen sich hier festhalten: Übereinstimmungen des Sujets, der Erzählweise und der Autorposition. Die Anrede als »Erwählter Du!« rückt Thomas Manns Darstellung des Pfitzner'schen Palestrina in die entschiedene Nähe seines römischen Gregorius, der zu »Glockenschall, Glockenschwall supra urbem, über der ganzen Stadt« als der buchstäblich Erwählte nach Rom einzieht: Der sich als der Niedrigste fühlt, wird über alle erhoben; der sich verloren Glaubende erweist sich als der Erwählte. Die künstlerische Aneignung dieses Stoffes sodann, der für sich genommen als »reines Legendenmirakel und katholische[r] Theaterzauber« erscheint, in »ein Anschaulichwerden des Ethisch-Innerlichsten« vollzieht sich in Pfitzners Künstlerlegende wie in Thomas Manns Heiligenlegende. Und wie schließlich Pfitzners Protagonist sich in der zitierten Szene als »ein alter, todesmüder Mann / Am Ende einer großen Zeit« zeigt, so wird Thomas Mann ab dem April 1951 zum *Erwähl-*

35 Ebd., S. 455f.; zum Kontext vgl. Lichtenstein 2004.

ten wiederholt erklären: »[...] ich habe wenig dagegen, ein Spätgekommener und Letzter, ein Abschließender zu sein [...]. Ein Werkchen wie dieses ist Spätkultur, die vor der Barbarei kommt, mit fast fremden Augen schon angesehen von der Zeit.«[36]

Die Kombination von Erwählungs-Sujet, ethisch reflektierter Vertiefung des mittelalterlich Naiven und geschichtsphilosophischem Endspiel in Pfitzners *Palestrina* im Medium der *Musik* ermöglicht es Thomas Mann dann während der Arbeit am *Doktor Faustus*, den wiederentdeckten *Gregorius*-Stoff an Adrian Leverkühn für eine »Puppenoper« abzutreten. Zu den Voraussetzungen, unter denen das geschieht, gehört allerdings ein oft übersehenes Medienexperiment Thomas Manns aus den 1920er Jahren – ein Experiment, das ihn zum zweiten Mal in Berührung mit dem gelehrten Dichter Wilhelm Hertz bringt.

Tristan und *Nosferatu*: Das Mittelalter im Kino

Im Herbst desselben Jahres 1923, in dem die erste Verfilmung von *Buddenbrooks* in die deutschen Kinos gekommen ist, wird Thomas Mann von seinem als Drehbuchautor arbeitenden Bruder Viktor mit einer Filmidee konfrontiert, deren Urheber der aus Wien stammende Schauspieler Rolf Randolf ist. Randolf, der in Berlin ein eigenes Studio gegründet hat, will mit Viktor Manns Hilfe Thomas Mann als Autor für eine Verfilmung des *Tristan* gewinnen.[37]

Für die Vorgeschichte des *Erwählten* sind aus dieser Episode vor allem zwei Aspekte wichtig. Erstens traf Thomas Mann die überraschende Entscheidung, entgegen allen Erwartungen – auch

36 *Bemerkungen zu dem Roman »Der Erwählte«* (geschrieben am 4.–6. 4. 1951); E VI, 205f. Wortgleich und gleichzeitig auch in einem Brief an den Zürcher Literaturkritiker Werner Weber vom 6. 4. 1951; Br. III, 200f.

37 GKFA 3.2, 415–431. Elisabeth Galvan hat die Umstände dieser ungewöhnlichen Zusammenarbeit eingehend rekonstruiert. Zum Zusammenhang mit Richard Wagners *Tristan* vgl. Mertens 2012, S. 131–137.

dem ausdrücklichen Wunsch des Produzenten Randolf – nicht etwa Richard Wagners *Tristan* zum Ausgangspunkt seiner Filmversion zu machen, sondern den Roman Gottfrieds von Straßburg. Und zweitens benutzte er diesen Roman nicht in der mittelhochdeutschen Fassung, sondern in der zwischen Übertragung und freier Nachdichtung changierenden Version ebenjenes akademischen Lehrers, dessen Vorlesungen er in München gehört hatte. Denn Wilhelm Hertz' 1877 erschienene Bearbeitung (*Tristan und Isolde von Gottfried von Straßburg*) erzählt die Geschichte, die in Gottfrieds Version abbricht, als melodramatische Liebesgeschichte zu Ende. Der Untertitel des Bandes, der in Thomas Manns Bibliothek erhalten ist[38] und der dann zu einer wichtigen Quelle für den *Erwählten* wurde, macht das deutlich: »Neu bearbeitet und nach den altfranzösischen Tristanfragmenten des Trouvere Thomas ergänzt von Wilhelm Hertz.« Der einzige ausgeführte, wenn auch aus finanziellen Gründen und im Blick auf den Sieg des Tonfilms nicht mehr realisierte Filmplan Thomas Manns bearbeitet also, im markanten Kontrast zur Wagner'schen Moderne, einen mittelalterlichen Roman, und zwar in der nachdichtenden Rekonstruktion von Wilhelm Hertz.[39]

Der Medienwechsel vom mittelalterlichen Versroman zum modernen Stummfilm öffnet den Blick für einen weiteren, für Thomas Manns *Gregorius*-Adaptation nicht minder folgenreichen Zusammenhang. Der Gedanke einer Wiederkehr des Totgeglaubten in der mittelalterlichen Stadt, der in Thomas Manns Erinnerungen an seine Lübecker Herkunft so leitmotivisch wiederkehrt und der im *Faustus* auch seine Deutung des Faschismus

38 TMA; Signatur: ThomasMann 2871.

39 Dazu Galvan in GKFA 3.2, 426. Zu Rückgriffen auf weitere, weder bei Gottfried noch in Hertz' Bearbeitung zu findende Motive aus einer altfranzösischen *Tristan*-Bearbeitung und aus der älteren mittelhochdeutschen Version Eilharts vom Oberge vgl. Galvan, ebd., S. 422; es ist nicht mehr zu entscheiden, ob diese Bezüge auf Viktor oder auf Thomas Mann zurückgehen.

mitbestimmen wird, hängt für ihn eng mit seiner Wahrnehmung des Stummfilms zusammen. Das Spukhafte nämlich, das in den gotischen Winkeln hockt und durch die Giebelgassen schleicht, das allzu alt ist, weil es eigentlich längst gestorben und begraben sein sollte, und das Krankheit und Gewalt über die noch immer mittelalterliche Stadt bringt: diese eindringliche Schilderung in Thomas Manns Rede von 1931 ruft Film-Bilder auf, die zu diesem Zeitpunkt bereits ins kollektive Gedächtnis eingegangen sind.

1922 war Friedrich Wilhelm Murnaus *Nosferatu* in die Kinos gekommen, einer der erfolgreichsten deutschen Filme überhaupt. Dass Thomas Mann ihn gekannt hat, ist mit Sicherheit anzunehmen, denn er war ein Film-Enthusiast, Film-Autor und Kinogänger. Seit dem Winter 1918/19 gehörte er dem Münchner *Lichtspiel-Censur-Beirat* an, beriet also die dort für die Filmzensur auch des *Nosferatu* maßgebliche Behörde. Die berühmt gewordenen Kino-Passagen im Anfang März 1921 abgeschlossenen *Totentanz*-Kapitel des *Zauberberg* hat er bereits 1923 unter der Überschrift *Kino* als separates »Romanfragment« veröffentlicht.[40] Auch seine im selben Jahr im Berliner *Montag Morgen* veröffentlichte Glosse über »die populäre Weltmacht des Films« – in der er bekennt, er habe »manche Nachmittagsstunde [...] in Kinos verbracht« – übernimmt einige Passagen daraus.[41]

Murnaus *Nosferatu* muss Thomas Mann 1922 umso lebhafter interessiert haben, als diese expressionistische *Symphonie des Grauens* in Wismar und in Lübeck verfilmt worden war. Die Szenerien, durch die der todbringende Untote auf der Kinoleinwand wandert, zeigen die alten Salzspeicher an der Trave neben dem Holstentor, den Aegidienkirchhof, die Giebelhäuser der Depenau (siehe Abb. S. 26). »Es hockt in ihren gotischen Winkeln und schleicht durch ihre Giebelgassen«, wird Thomas Mann 1931 zu

40 *Kino. Romanfragment.* In: *Jahrbuch des Reussischen Theaters.* Hg. v. Heinrich XLV. Erbprinz Reuß. Gera 1923, S. 16f. Vgl. Galvan, GKFA 3.2, 415f.

41 Galvan, ebd.; [*Der Film, die demokratische Macht*] GKFA 15.1, 697f. Vgl. auch das Thomas-Mann-Kapitel in Danius 2002, S. 55–90.

seinem Bruder über die Vaterstadt sagen, »etwas Spukhaftes, allzu Altes, Erblasthaftes – hysterisches Mittelalter«.[42] Es ist dieses, das vampirische Nosferatu-Mittelalter, auf das er sich bezieht, wenn er für den *Faustus*-Roman auch die Gregorius-Geschichte von neuem liest.[43]

Friedrich Wilhelm Murnaus *Nosferatu* vor den Salzspeichern an der Obertrave in Lübeck (Filmszene, 1922).

Puppenoper und Novellenplan: Wiederaufnahme im *Doktor Faustus* 1945–47

Auf der Suche nach mittelalterlichen Erzählstoffen, die zu Gegenständen von Adrian Leverkühns Kompositionen und zugleich zu Spiegelungen und Brechungen seiner eigenen mittelalterlich-modernen Ambivalenzen als eines Teufelsbündners im 20. Jahr-

42 Vgl. zu diesen Überlegungen Detering 2016, S. 18–25.

43 Auch im *Zauberberg* nehmen Debatten über mittelalterliches Denken und die Kunst des Mittelalters vergleichsweise breiten Raum ein, allerdings ohne Rekurs auf die für den *Erwählten* grundlegenden literarischen Texte; schon dort ist wie dann für den *Erwählten* Heinrich von Eickens Mittelalter-Studie eine wichtige Quelle (vgl. GKFA 5.2, 92f., und Makoschey 1998).

hundert werden könnten, begegnet Thomas Mann zum ersten Mal seit seinen Münchner Vorlesungserfahrungen wieder der Gestalt des heiligen Sünders Gregorius. Dass es überhaupt zu dieser mediävistischen Stoffsuche kam, ergibt sich in der Konzeption des großen Romanwerks aus der erwähnten Verschränkung von spätmittelalterlichen und faschistischen Formen kollektiver und aggressiver Irrationalität und Hysterie. Es sind genau diese (und nur diese) Züge, die das fiktive »Kaisersaschern« des *Faustus* außer mit Naumburg und Halle an der Saale auch mit der Hansestadt Lübeck gemeinsam hat. Vom irgendwo zwischen Halle, Magdeburg und Weimar zu denkenden »Kaisersaschern« lässt Thomas Mann seinen Serenus Zeitblom mit denselben Worten sprechen, in denen er selbst mehrfach seine Vaterstadt geschildert hat:

> Die Identität des Ortes, welcher derselbe ist wie vor dreihundert, vor neunhundert Jahren, behauptet sich gegen den Fluß der Zeit, der darüber hingeht und vieles fortwährend verändert, während anderes – und bildmäßig Entscheidendes – aus Pietät, das heißt aus frommem Trotz gegen die Zeit und aus Stolz auf sie, zur Erinnerung und der Würde wegen stehenbleibt.
> Dies nur vom Stadtbilde. Aber in der Luft war etwas hängengeblieben von der Verfassung des Menschengemütes in den letzten Jahrzehnten des 15. Jahrhunderts, Hysterie des ausgehenden Mittelalters, etwas von latenter seelischer Epidemie: Sonderbar zu sagen von einer verständig-nüchternen modernen Stadt (aber sie war nicht modern, sie war alt, und Alter ist Vergangenheit als Gegenwart, eine von Gegenwart nur überlagerte Vergangenheit) – möge es gewagt klingen, aber man konnte sich denken, daß plötzlich eine Kinderzug-Bewegung, ein Sankt Veitstanz, das visionär-kommunistische Predigen irgendeines »Hänselein« mit Scheiterhaufen der Weltlichkeit, Kreuzwunder-Erscheinungen und mystischem Herumziehen des Volkes hier ausbräche. Natürlich geschah es nicht, – wie hätte es geschehen sollen? Die Polizei hätte es nicht zugelassen,

> im Einverständnis mit der Zeit und ihrer Ordnung. Und doch! Wozu nicht alles hat in unseren Tagen die Polizei stillgehalten – wiederum im Einverständnis mit der Zeit, die nachgerade dergleichen sehr wohl wieder zuläßt. Diese Zeit neigt ja selbst, heimlich, oder auch nichts weniger als heimlich, sondern sehr bewußt, mit sonderbar selbstgefälliger Bewußtheit [...] selbst in jene Epochen zurück und wiederholt mit Enthusiasmus symbolische Handlungen, die etwas Finsteres und dem Geiste der Neuzeit ins Gesicht Schlagendes an sich haben, wie Bücherverbrennungen und anderes, woran ich lieber mit Worten nicht rühren will.[44]

Es ist dieses zugleich ferne und im ausbrechenden Faschismus unheimlich nahegekommene ›Mittelalter‹, auf das sich Leverkühn mit seinem Interesse an den *Gesta Romanorum* im Allgemeinen und an der darin erzählten *Gregorius*-Geschichte im Besonderen bezieht.

Gesta Romanorum: Diese seit dem 13. und 14. Jahrhundert entstandene, immer weiter angewachsene Geschichtensammlung markiert einerseits im 15. Jahrhundert und mit ihrer weitverzweigten Wirkungsgeschichte als einer der ersten Buchdrucke den Übergang vom Spätmittelalter zur Frühen Neuzeit, und zwar in gelehrt lateinischen Versionen wie in volkstümlichen Übersetzungen. Da die einzelnen Stoffe in ihrer bunten Heterogenität aber in mehreren Jahrhunderten entstanden sind, lässt es sich andererseits auch als eine Summe des volkstümlichen Erzählens im Mittelalter insgesamt lesen. So nimmt Leverkühn es, im XXXI. Kapitel, auf Anregung seines belesenen Freundes Rüdiger Schildknapp neugierig zur Kenntnis:

> Adrian hatte das alte Buch, das als Quelle der meisten romantischen Mythen des Mittelalters zu gelten hat, diese Übersetzung der ältesten christlichen Märchen- und Legendensammlung aus dem Lateinischen, durch Schildknapp kennen gelernt,

44 GKFA 10.1, 57f.

> – ich bescheinige dem Günstling mit den gleichen Augen gern das Verdienst. Sie hatten manchen Abend zusammen darin gelesen, und was dabei vor allem auf seine Kosten gekommen, war Adrians Sinn für Komik gewesen, diese Begierde nach dem Lachen – ja, Tränen-lachen-können, der meine etwas trockene Natur nie recht Nahrung zu geben wußte und daran auch gehindert war durch eine gewisse Ungehörigkeit, die für mein ängstliches Gemüt in dieser Heiterkeitsauflösung seines in Spannung und Bangigkeit geliebten Wesens lag.[45]

Leverkühns Sinn für die Komik der Geschichten ist derjenige eines Teufelsbündners, dem um der Kunstvollendung willen die Liebe untersagt ist. Es ist ein Lachen ohne Liebe. Eben darum begegnet das »ängstliche[ ] Gemüt« des ›abendländisch‹-konservativen Humanisten Serenus Zeitblom Leverkühns »Tränen-lachen« und der Komik seines Gegenstandes so skeptisch. Durchaus fragwürdig erscheinen ihm die *Gesta* »mit ihrer ausgefallenen Kasuistik von Elternmord, Ehebruch und kompliziertem Inzest« – beiläufig der erste Anklang der *Gregorius*-Geschichte –, »von ins Gelobte Land wallenden Rittern, buhlerischen Eheweibern, verschmitzten Kupplerinnen und der schwarzen Magie ergebenen Klerikern«.[46]

Leverkühns Ziel ist »die Bearbeitung der Fabeln für die Puppenbühne, ihre Umformung ins Dialogische«, mit »Sängern, welche den agierenden Puppen ihre Stimmen leihen, [...] unter den Instrumenten, im Orchester, einem sehr sparsam besetzten, aus Violine und Kontrabaß, Klarinette, Fagott, Trompete und Posaune nebst Schlagzeug für einen Mann und dazu einem Glockenapparat bestehenden Orchester«. Schon der »Glockenapparat« weist voraus auf die Geschichte, die das »Kernstück der Suite« bildet. Es ist die

> Geschichte »Von der Geburt des seligen Papstes Gregor«, einer Geburt, bei deren sündiger Ausgefallenheit es keineswegs sein

45 Ebd., S. 459. 46 Ebd., S. 459f.

Bewenden hat, während doch all die entsetzlichen Bewandtnisse des Helden nicht nur kein Hindernis sind für seine schließliche Erhebung zum Statthalter Christi, sondern ihn nach Gottes wundersamer Gnade geradezu besonders berufen und vorbestimmt dafür erscheinen lassen. Die Kette der Verwicklungen ist lang, und es erübrigt sich wohl für mich, die Geschichte des verwaisten königlichen Geschwisterpaars, von dem der Bruder die Schwester über Gebühr liebt, so daß er sie unbeherrschter Weise in mehr als interessante Umstände versetzt und sie zur Mutter eines Knaben von ausnehmender Schönheit macht, hier zu reiterieren. Es ist dieser Knabe, ein Geschwisterkind in des Wortes arger Bedeutung, um den alles sich dreht. Während sein Vater durch einen Zug ins Gelobte Land zu büßen sucht und dort seinen Tod findet, treibt das Kind ungewissen Schicksalen entgegen. Denn die Königin, entschlossen, einen so ungeheuerlich Erzeugten auf eigene Hand nicht taufen zu lassen, vermacht ihn samt seiner fürstlichen Wiege in einem hohlen Faß und übergibt ihn, nicht ohne ein unterrichtendes Schrifttäfelchen sowie Gold und Silber für seine Auferziehung hinzuzufügen, den Meereswogen, die ihn »am sechsten Feiertage« in die Nähe eines von einem frommen Abte geleiteten Klosters tragen. Dieser findet ihn, tauft ihn auf seinen eigenen Namen Gregor und läßt ihm eine Ausbildung zuteil werden, die bei dem leiblich und verstandesmäßig ausnehmend Begabten aufs Glücklichste anschlägt. Wie nun unterdessen die sündige Mutter, zum Bedauern des Landes, es abschwört, sich je zu vermählen – und zwar ganz offensichtlich nicht nur, weil sie sich als eine Entweihte, der christlichen Ehe Unwürdige betrachtet, sondern auch, weil sie dem verschollenen Bruder eine bedenkliche Treue wahrt; wie ein starker Herzog des Auslandes um ihre Hand wirbt, die sie ihm verweigert, worüber er so heftig ergrimmt, daß er ihr Reich mit Krieg überzieht und es erobert bis auf eine einzige feste Stadt, in welche sie sich zurückzieht; wie dann der Jüngling Gregor,

> da er seiner Entstehungsart innegeworden, zum Heiligen Grabe zu pilgern gedenkt und statt dessen in die Stadt seiner Mutter verschlagen wird, wo er von dem Unglück der Reichsverwalterin erfährt, sich zu ihr führen läßt und ihr, die ihn, wie es heißt, »genau betrachtet«, aber nicht erkennt, seine Dienste anbietet; wie er den grimmen Herzog erschlägt, das Land befreit und der erlösten Fürstin von ihrer Umgebung zum Gatten vorgeschlagen wird; wie sie sich zwar etwas ziert und sich einen Tag – nur einen – Bedenkzeit ausbedingt, dann aber, entgegen ihrem Schwure, einwilligt, so daß denn, unter großem Beifall und Jubel des ganzen Landes, die Vermählung vollzogen und ahnungslos Fürchterliches auf Fürchterliches gehäuft wird, indem der Sündensohn mit der Mutter das Ehebett besteigt, – ich will das alles nicht ausführen.[47]

Mit dieser Zusammenfassung durch den ängstlich vor dem Stoff zurückscheuenden Serenus Zeitblom beginnt, Jahrzehnte nach den Münchner Vorlesungsaufzeichnungen, Thomas Manns erste eigene *Gregorius*-Erzählung. Sie beginnt als Inhaltsangabe eines fiktiven Puppenspiels, aus dessen tatsächlicher Quelle er Zeitblom wörtlich zitieren lässt – voller Vorbehalte gegenüber dem, was er »Fürchterliches auf Fürchterliches« nennt. Was Leverkühn zum Lachen bringt, lässt Zeitblom schamvoll verstummen; »– ich will das alles nicht ausführen.« Seine Fortsetzung wendet sich denn auch vom Geschehen selbst ab und der dramatischen Komposition Leverkühns zu und kompensiert moralische Skrupel mit ästhetischer Bewunderung:

> Nur die affektbeladenen Höhepunkte der Handlung möchte ich erinnern, die in der Puppenoper auf so wunderlich-wunderbare Weise zu ihrem Rechte kommen: So, wenn gleich anfangs der Bruder die Schwester fragt, warum sie so bleich sieht und »ihre Augen ihre Schwärze verloren haben«, und sie ihm antwortet: »Das ist kein Wunder, denn ich bin schwanger und

47 Ebd., S. 461–463.

folglich zerknirscht.« Oder wenn sie bei der Nachricht vom Tode des verbrecherisch Erkannten in die merkwürdige Klage ausbricht: »Dahin ist meine Hoffnung, dahin ist meine Kraft, mein einziger Bruder, mein zweites Ich!« und danach den Leichnam von der Sohle seiner Füße bis zu dem Scheitel mit Küssen bedeckt, so daß ihre Ritter, unangenehm berührt von so übertriebenem Kummer, sich veranlaßt sehen, die Gebieterin von dem Toten hinwegzureißen. Oder wenn sie, da sie gewahr wird, mit wem sie in zärtlichster Ehe lebt, zu ihm spricht: »O mein süßer Sohn, du bist mein einziges Kind, du bist mein Mann und mein Herr, du bist mein und meines Bruders Sohn, o mein süßes Kind, und du mein Gott, warum hast du mich lassen geboren werden!« Denn so ist es ja: durch das selbst einst geschriebene Brieftäfelchen, das sie in einem Geheimgemach ihres Gatten findet, erfährt sie, mit wem sie, gottlob ohne ihm auch noch einen Bruder und Enkel ihres Bruders geboren zu haben, das Lager teilt; und nun ist es abermals an diesem, auf Bußfahrt zu sinnen, die er denn auch sogleich auf bloßen Füßen antritt. Er kommt zu einem Fischer, der »an der Feinheit seiner Gliedmaßen« erkennt, daß er es mit keinem gemeinen Reisenden zu tun hat und sich mit ihm dahin verständigt, daß äußerste Einsamkeit das allein Zukömmliche für ihn ist. Er fährt ihn sechzehn Meilen weit in die See hinaus zu einem flutumbrandeten Felsen, und dort, nachdem er sich Fesseln hat an die Füße legen lassen und den Schlüssel zu diesen Fesseln ins Meer geschleudert hat, verbringt Gregor siebzehn Jahre der Buße, an deren Ende eine überwältigende, ihn selbst aber, wie es scheint, kaum überraschende Gnadenerhebung steht. Denn zu Rom stirbt der Papst, und kaum ist er gestorben, so geschieht eine Stimme vom Himmel herab: »Suchet den Mann Gottes Gregorius und setzt ihn zu meinem Stellvertreter ein!« Da eilen Boten in alle Winde und kehren auch bei jenem Fischer ein, der sich erinnert. Da fängt er einen Fisch, in dessen Bauch sich der einst ins Meer versenkte Schlüssel findet. Da fährt er die Sendboten zum Büßerstein, und sie rufen hinauf: »O Gregorius, du Mann Gottes, steige zu uns herab vom Stein, denn es ist Gottes Wille, daß du zu seinem Stellvertreter auf Erden gesetzt werdest!« Und was antwortet er ihnen? »Wenn das Gott gefällt«, spricht er gelassen, »so geschehe sein Wille.« Wie sie aber nach Rom kommen, und die Glocken sollen geläutet werden, warten die darauf nicht, sondern läuten von selber, – alle Glocken läuten aus freien Stücken, zur Ankündigung, daß es einen so frommen und lehrreichen Papst noch nicht gegeben haben werde. Auch zu seiner Mutter dringt der Ruhm des seligen Mannes, und da sie zu Recht mit sich übereinkommt, daß keinem besser ihr Leben anzuvertrauen ist, als diesem Erkorenen, macht sie sich auf nach Rom zur Beichte beim heiligen Vater, der, als er ihre Beichte vernommen, sie wohl erkennt und zu ihr spricht: »O meine süße Mutter, Schwester und Frau. O meine Freundin. Der Teufel dachte uns zur Hölle zu führen, doch Gottes Übermacht hat es verhindert.« Und baut ihr ein Kloster, darin sie als Äbtissin waltet, aber nur kurze Zeit. Denn Beiden wird bald gestattet, ihre Seelen an Gott zurückzugeben.[48]

So weit Zeitbloms trotz seines Vorsatzes wieder ganz lebhafte Nacherzählung. Erst im letzten Abschnitt des Berichts kommt er auf die ästhetischen und moralischen Grenz- und Grauzonen des modernen Kunstwerks zurück, das Leverkühn aus dem mittelalterlichen Stoff gemacht hat. Auf unheimliche Weise tritt er in Leverkühns Werkbiographie ein: als Vorspiel zu den im Wortsinne katastrophischen Spätwerken, in denen Leverkühn (wie der unausgesprochen mitzudenkende Nietzsche in *Antichrist* und *Ecce homo*) das Ende der abendländischen Kultur proklamieren und vollziehen will: zur *Apocalipsis cum figuris* und zu *Doktor Fausti Weheklag*. Zeitblom erklärt:

Auf diese überschwenglich sündhafte, einfältige und gnaden-

48 Ebd., S. 463–465.

volle Geschichte also hatte Adrian allen Witz und Schrecken, alle kindliche Eindringlichkeit, Phantastik und Feierlichkeit der musikalischen Ausmalung versammelt, und wohl läßt sich auf dieses Stück, oder namentlich auf dieses, das wunderliche Epitheton des alten Lübecker Professors, das Wort »gottgeistig« anwenden. Die Erinnerung legt sich mir darum nahe, weil die »Gesta« tatsächlich etwas wie eine Regression auf den musikalischen Stil von »Love's Labour Lost« darstellen, da doch die Tonsprache der »Wunder des Alls« schon mehr auf die der »Apokalypse«, selbst schon auf diejenige des »Faustus« hinweist. Solche Vorwegnahmen und Überlagerungen kommen im kreativen Leben ja häufig vor; den künstlerischen Anreiz aber, der von diesen Stoffen auf meinen Freund ausgegangen, kann ich mir wohl erklären: Es war ein geistiger Reiz, nicht ohne einen Einschlag von Bosheit und auflösender Travestie, da er dem kritischen Rückschlage entsprang auf die geschwollene Pathetik einer zu Ende gehenden Kunstepoche. Das musikalische Drama hatte seine Stoffe der romantischen Sage, der Mythenwelt des Mittelalters entnommen und dabei zu verstehen gegeben, daß nur dergleichen Gegenstände der Musik würdig, ihrem Wesen angemessen seien. Dem schien hier Folge geleistet: auf eine recht destruktive Weise jedoch, indem das Skurrile, besonders auch im Erotischen Possenhafte, an die Stelle moralischer Priesterlichkeit trat, aller inflationärer Pomp der Mittel abgeworfen und die Aktion der an sich schon burlesken Gliederpuppen-Bühne übertragen wurde. Deren spezifische Möglichkeiten zu studieren, war Leverkühnen während der Beschäftigung mit den Gesta-Stücken sehr angelegen, und die katholisch-barocke Theaterlust des Volkes, unter dem er einsiedlerisch lebte, bot ihm auch manche Gelegenheit dazu.[49]

Diese Bemerkungen Zeitbloms verweisen abermals weit zurück

49 Ebd., S. 465f.

auf Thomas Manns frühe Jahre, diesmal auf die medien-, genre- und kulturkritischen Überlegungen, die er 1908 im *Versuch über das Theater* formuliert hatte.[50] In diesem umfangreichsten seiner Vorkriegsessays hatte er – ein Ertrag seines nie abgeschlossenen Großessays über *Geist und Kunst* – ausführlich die Renaivisierungstendenzen im zeitgenössischen Theater glossiert. Dabei charakterisierte er das Puppenspiel, das im zeitgenössischen München eine neuromantische Renaissance erlebte, als theatrale Ausdrucksform einer auf Überwindung moderner Raffinesse zielenden »Renaivisierung« und Suche nach einer »wiedergeborenen Unschuld« (deren Möglichkeiten Thomas Mann in dieser Zeit unter anderem auch in *Fiorenza* und in *Der Tod in Venedig* skeptisch behandelte). Eine solche Erneuerung ist es, die nun im Roman Adrian als Belebung »einer zu Ende gehenden Kunstepoche« erhofft und die nach Zeitbloms Ansicht doch »nicht ohne einen Einschlag von Bosheit und auflösender Travestie« auskommt. Diese Theaterreform nimmt Zeitblom mit ähnlichen Vorbehalten wahr, wie Thomas Mann sie in seinem Essay formuliert hatte.

Nicht auf die von Adrian benutzte *Gesta*-Fassung des Stoffes wird Thomas Mann im *Erwählten* zurückgreifen, sondern auf Hartmanns Version. Es ist eine Entscheidung gegen Leverkühn und seine Quelle, gegen die unheimlich-groteske, Tränen lachende Komik der Puppenoper und für den psychologisch vertieften, menschenfreundlich versöhnenden Humor. Gegen Leverkühns Verzweiflung (als nun mittelalterlich verstandene Sünde der *desperatio*) steht in seiner Hartmann-Version der Satz: »an sich selbst mag der Mensch verzweifeln, nicht aber an Gott und seiner Gnadenfülle«. Gegen Adrians von Zeitblom geschilderten entsetzten Blick ins Nichts[51] tritt die Überzeugung Clemens des Iren,

50 GKFA 14.1, 123–168.

51 Wie in der Schilderung von Michelangelos Fresken in der Sixtinischen Kapelle das – am Romanende auf das »ins Grauen starrend[e], […] von Verzweiflung zu Verzweiflung« hinabstürzende Deutschland bezogene – Bild des Verdammten, der »ein Auge mit der Hand bedeckt und mit dem anderen entsetzensvoll ins ewige Unheil starrt« (GKFA 10.1, 738 u. 521).

»daß hinter der Leere, dem scheinbaren Nichts Bestätigung sich verbergen muß«.[52]

Dasselbe untote Mittelalter, das im *Faustus* als heimlich fortzeugender Urgrund des Faschismus modelliert worden war, soll nun im *Erwählten* als Zeuge des Gegenteils angerufen werden, eines in seinen naiv erscheinenden Anschauungen doch psychologisch und sozial sensiblen, von den Abgründen wissenden und dennoch humoristisch aufklärungs- und lebensfreundlichen Christentums. Dabei muss unter der Hand der Fokus innerhalb der mittelalterlichen Jahrhunderte verschoben werden, von der Schwelle zur Frühen Neuzeit, an der die *Gesta* und das »Volksbuch« vom *Faustus* ebenso angesiedelt sind wie Pfitzners *Palestrina*, zurück an die andere, erste Schwelle: zwischen dem frühen Mittelalter und der in der Stadt Rom und in der Kirche noch immer fortwirkenden griechisch-römischen Antike (die in den, mit Thomas Manns Ausdruck, »römischen« Kapiteln des Romans sogar noch in Gebäuden, Redensarten, sozialen Rollen greifbar ist): »Mit unserm Abte Kilian bin ich der wohlgeprüften Ansicht, daß die Religion Jesu und die Pflege antiker Studien Hand in Hand gehen müssen in der Bekämpfung der Roheit«.[53]

Hartmanns Erzählung, die nach Thomas Manns Wahrnehmung aus der kulturellen Blütezeit um 1200 auf diese Sphäre zurückblickt, trägt dabei selbst die Züge dessen, was in der Mediävistik seiner Zeit als »Staufische Klassik« galt[54] und mithin als

52 Textband S. 205 u. 257.

53 Textband S. 11f. Darauf bezieht sich vermutlich Thomas Manns Tagebuchnotiz aus der ersten Arbeitsphase, wonach Ferdinand Gregorovius' *Geschichte der Stadt Rom*, die zunächst nur für das »Genaumachen« der römischen Kirchen im Glockenwunder herangezogen wurde, »weit über meinen Gegenstand hinaus interessant« sei (Tb. 19. 2. 1948).

54 Im *Collegheft* erscheint nicht der Ausdruck selbst; von den »Glanzperioden« der mittelhochdeutschen Dichtung ist aber in genau diesem Sinne die Rede: »Friedrich der Erste bis Ende d. Hohenstaufen. Alle Arten Poesie u. Anfänge des heutigen Dramas. Besonders Epik. [...] Höfische Epik. Einzig dastehende Formvollendung.« (*Collegheft*, 48)

eine Art mittelalterliches Analogon zur Goethe'schen Klassik erscheinen konnte. Immer wieder relativiert wird diese zeitliche Positionierung allerdings durch so gezielte wie beiläufige Anachronismen, die im frühmittelalterlichen Rom etwa den Petersdom, Kleidungssitten und Rituale in den Formen der Renaissance erscheinen lassen.

Der Wechsel der mittelalterlichen Textvorlagen beim Wechsel von Adrians Puppenoper zur Erzählung Clemens des Iren bezeichnet weit mehr als eine Quellenfrage. Er signalisiert nicht weniger als die Distanzierung Thomas Manns von Leverkühn. Eben weil Zeitblom, wenn er schon »die Tonsprache [...] des ›Faustus‹«[55] zu vernehmen meint, damit auch auf den Roman selbst verweist, in dem diese Sätze stehen, legt dessen Autor so viel Wert darauf, nicht mit dem fiktiven Tonsetzer verwechselt zu werden.[56]

Wo das geschehen war, hatte es ihn bekümmert. Werner Weber etwa, der einflussreiche Literaturkritiker der *Neuen Zürcher Zeitung*, habe sich (so klagt Thomas Mann in einem Brief an Richard Schweizer im April 1951) dazu »verführen lassen, mich zu sehr mit Adrian Leverkühn zu verwechseln«, so dass er »die Sache in einem zu verruchten und boshaften Lichte sieht. Mein Gott, es ist doch manches ganz Warmherzige darin, finden Sie nicht?«[57]

55 GKFA 10.1, 465.

56 Für seine Hinweise danken die Herausgeber Stephan Stachorski.

57 An Richard Schweizer, 4. 4. 1951, irrtümlich auf den 4. März datiert; DüD III, 383. Am 6. April schreibt Thomas Mann im selben Sinne an Weber: »[...] ob Sie mich nicht zu sehr mit Adrian Leverkühn verwechseln und darum das Ganze in einem zu verruchten und boshaft-nihilistischen Lichte sehen?« (Br. III, 200) Zur programmatischen Distanznahme gegenüber dem *Faustus* gehört, so scheint es, auch das Zurücktreten der dort so dominierenden Bezüge zu Freud und vor allem zu Schopenhauer und Bachofen. Beide haben für den *Erwählten* keine produktive Bedeutung mehr und spielen nur soweit herein, wie der Roman sich eben auf den *Faustus* und den *Joseph* zurückbezieht. Wie ihre Schatten von dorther noch auf diesen Roman fallen und wie sie mit theologischen Denkfiguren interferieren, zeigt Emig 1996, S. 197–226 (anschaulich resümiert im systematischen Überblick S. 202).

Unausgesprochen markieren darum die oft zitierten Sätze, die Thomas Mann 1951 in seinem Essay über den *Erwählten* schreibt, auch die entschiedene und entscheidende Distanzierung gegenüber dem Tränenlachen, der »Bosheit« und »auflösenden Travestie« des armen Teufelsbündners: Wenn *sein* erzählendes Spiel vom Gregorius »das Alte und Fromme, die Legende parodistisch belächelt, so ist dies Lächeln eher melancholisch, als frivol, und der verspielte Stil-Roman, die Endform der Legende, bewahrt mit reinem Ernste ihren religiösen Kern, ihr Christentum, die Idee von Sünde und Gnade.«[58] An dieser Idee war Leverkühn am Ende des *Faustus* verzweifelt, als er »spekulierte, der zerknirschte Unglaube an die Möglichkeit der Gnade und Verzeihung möchte das Allerreizendste sein für die ewige Güte, wo ich doch einsehe, daß solche freche Berechnung das Erbarmen vollends unmöglich macht.«[59]

Zugleich begrenzt der »reine Ernst« des humanistisch verstandenen Christentums die Reichweite der nun verspielt »parodistischen« Travestie. In einem Brief an den evangelischen Schweizer Theologen Karl Boll kommt Thomas Mann während der letzten Arbeiten am 29. Oktober 1950 sowohl auf das Verhältnis beider Romane zueinander als auch auf das Verhältnis von parodistischem Scherz und religiösem Ernst zu sprechen:

> Zwar würde ich mir nie den Namen eines homo religiosus anmaßen und gebe zu, daß in den Josephsgeschichten das Christentum relativiert und ins Welt-Mythologische aufgelöst ist. Dennoch fühle ich mich, schon in der Nachfolge Goethes und Nietzsches, durchaus als protestantischer Christ und glaube, daß nur von einem solchen ein Buch wie der »Dr. Faustus« kommen konnte. Es ist das direkteste und bitter-ernsteste meiner Bücher. In der späten modernen Nachformung der viel erzählten Gregorius-Legende ist das Thema von Sünde, Buße und Erwählung wieder ganz in verschämten Scherz gehüllt. Nur Dümmlinge und Frömmlinge wird das täuschen.[60]

58 E VI, 206. 59 GKFA 10.1, 727. 60 DüD III, 373.

»*Der Begnadete*«: Pläne für eine *Gregorius*-Erzählung

Das Studium der *Gesta* hatte Thomas Mann zunächst allein um des *Faustus* willen getrieben. Schon von den ersten Lektüren an aber gewinnt er ein besonderes Interesse an einer einzelnen: an der *Gregorius*-Legende. Am 12. Oktober 1945 notiert er im Tagebuch:

> Studierte abends lange in den Gesta. Die schönste u. überraschendste Geschichte ist die von der Geburt des Papstes Gregor. Die Heiligkeit, verdient durch die Entstehung aus Geschwister-Verkehr und Blutschande mit der Mutter, abgebüßt auf dem Felsen.

Bereits zwei Wochen später taucht zum ersten Mal die Möglichkeit auf, diesen Stoff in einem eigenen Werk neu zu bearbeiten. Tagebuch, 25. Oktober 1945: »Schrieb am Gesta-Kapitel. Der Gedanke aus dem ›Gregor‹ selbst eine Novelle zu machen beschäftigt mich.« Wie ernst diese Notiz zu nehmen ist, zeigt ein am selben Tag geschriebener Brief an Agnes E. Meyer. Über die *Gesta* bemerkt Thomas Mann darin:

> Es sind da Geschichten, wenigstens eine, die ich ihm [*Leverkühn*] am liebsten wegnähme, um selbst eine merkwürdige Novelle daraus zu machen. Ein unväterliches Verhalten! Aber mit einem gewissen Vergnügen stelle ich fest, dass ich mir immer noch neue und aufregende Creationen vorstellen kann.
>
> Es ist aber doch etwas Gefährliches ums Creative. Mit jedem zurückgelegten Werk macht man sich das Leben schwerer und endlich doch wohl unmöglich, da eine gewisse Selbstverwöhnung einen zuletzt in die Disintegration, ins Unmachbare, nicht mehr zu Bewerkstelligende treibt. Das Problem ist schliesslich: Wie halte ich mich im Machbaren? Man spürt das bei manchem Alterswerk. Natürlich weiss die Mittelmässigkeit nichts davon.[61]

61 TM/AM, 643.

Tagebuchnotiz und Brief bestätigen, was Thomas Mann 1951 in den *Bemerkungen zu dem Roman »Der Erwählte«* rückblickend erklärt:

> Damals war ich auf der Suche nach produktiven Motiven für Adrian Leverkühn und las in dem alten Buch »Gesta Romanorum« [...] einige Geschichten nach, die ich meinem Komponisten zur Verarbeitung als groteske Puppenspiele aufgab. Bei weitem am besten von ihnen gefiel mir eine, die in den »Gesta« auf wenig mehr als einem Dutzend Seiten erzählt ist und dort den Titel trägt: »Von der wundersamen Gnade Gottes und der Geburt des seligen Papstes Gregor«. Tatsächlich gefiel sie mir so gut, und so große erzählerische Möglichkeiten schien sie mir der ausspinnenden Phantasie zu bieten, daß ich mir gleich damals vornahm, sie dem Helden meines Romans eines Tages wegzunehmen und selber etwas daraus zu machen.[62]

Erst nach dem Abschluss des *Faustus* nimmt Thomas Mann diesen Gedanken wieder auf. Ende Februar 1947 hatte er das unter Zögern und Schmerzen abgeschlossene Manuskript aus der Hand gegeben.[63] An die folgenden Wochen erinnert er sich später, in einem Brief an Erich von Kahler, als »eine lange Zeit der Melancholie und des Hang-over nach dem Faustus, im Zeichen von ›Das kommt nicht wieder‹.«[64] Den *Erwählten* habe er, so wird er noch am 9. Februar 1951 seiner Übersetzerin Helen T. Lowe-Porter gestehen, »geschrieben in dem Gefühl, daß seit dem ›Faustus‹ alles nur Nachspiel sein kann«.[65]

62 E VI, 202. 63 Vgl. GKFA 10.2, 57–59.

64 17.6.1948; TM/Kahler, 116. Die zitierte Bemerkung hat Fontane zu *Effi Briest* gemacht; Thomas Mann zitiert sie mehrfach. Seine Quelle ist nicht bekannt. Vgl. aber Fontanes Brief an Maximilian Harden vom 1.12.1895, worin es heißt: »So nehme ich Abschied von Effi; es kommt nicht wieder, das letzte Aufflackern eines Alten.« (*Dichter über ihre Dichtungen: Theodor Fontane*. Hg. von Richard Brinkmann und Waltraud Wiethölter. München: Heimeran 1973, Bd. 2, S. 455)

65 DüD III, 379.

Dennoch beginnt er zweieinhalb Monate später mit ersten, zögernden Recherchen zu einer möglichen *Gregorius*-Novelle. Am 13. Mai 1947 vermerkt er im Tagebuch: »Las einiges über städt. Leben im Mittelalter.« Zwei Tage später: »Las über mittelalterliche Sitten.« Danach schweigen Tagebuch und Briefe über das noch ganz unscharfe Vorhaben. Wenn es am 3. August unvermittelt aus neuen Lektüreeindrücken wieder auftaucht, erscheint es wie selbstverständlich mit bestimmtem Artikel und trägt schon einen möglichen Namen:

> Gegen Abend auf einer Bank im Garten mit den »Antiken Erzählern«, die, unendlich naiv, mich zu der mittelalterlichen Novelle anregen. Titel: »Der Begnadete« oder »Die Begnadung«?[66]

Damit nimmt die mittelalterliche Novelle allmählich an Fahrt auf. Im September und Oktober häufen sich Tagebuchvermerke über Studien zur mittelalterlichen Literatur. Es sind dieselben Werke, über die er seinerzeit in Wilhelm Hertz' Vorlesungen gehört hatte; Wolframs *Parzival*, »der viel Atmosphäre u. Detail« bietet, liest er in der Übersetzung von Karl Pannier und Gottfrieds *Tristan* in Wilhelm Hertz' neuhochdeutscher Übertragung.[67] Gleichzeitig versieht er sich mit historischer, kultur- und literaturgeschichtlicher Fachliteratur und notiert »Excerpte aus Büchern über das Mittelalter, Namen und Wörter.«[68] Die Konturen des Werkes, die sich nun abzuzeichnen beginnen, sind diejenigen einer »Legenden-Novelle«.[69]

Mit diesem Begriff sind Genre-Vorgaben benannt, an die Thomas Manns Erzählung sich mit ihren sehr ernsten Scherzen kon-

66 Gemeint ist der von Franz Stoessl hg. Band *Antike Erzähler von Herodot bis Longos*. Zürich 1947.

67 Tb. 6.9.1947, vgl. Nbl. [41] bis [52]. Vgl. dazu und zum Folgenden den Abschnitt zur Quellenlage S. 121-127.

68 Tb. 7.9.1947; vgl. z.B. die Namenslisten auf Nbl. [18] u. [19].

69 An Agnes E. Meyer am 10.10.1947; TM/AM, 687.

sequent hält.[70] Dass die novellistisch-psychologisch ausgesponnene Legende in der frühen Rezeption weithin als eine »Parodie« verstanden wurde, hat er mit Skepsis aufgenommen: »Auf dem Wort ›Parodie‹, das ich den Kritikern in die Hände gespielt, reiten sie alle herum und sehen nichts als eine große Parodie, natürlich auch Entweihung des Heiligen und ›Mythosferne‹. [...] Die Narren!«[71] Ihm selbst erscheint der Roman vielmehr »als Produkt einer Spätzeit, wo es mit den Begriffen der Kultur und der Parodie schon ein bißchen durcheinander geht«,[72] so dass es sich empfiehlt, »Parodie« nicht im modernen Sinne übertreibend-bloßstellender Nachahmung zu verstehen, sondern im griechischen Wortsinne der *par-odia* als eines »Gegengesangs«, der mit einem vorgegebenen Muster spielerisch umgeht – und der im *Erwählten* erklärtermaßen nicht der Verspottung religiöser Rede dient, sondern vielmehr ihrer Ermöglichung.[73]

Dieses Muster umfasst im hier vorliegenden Fall der *Heiligenlegende* einige narrative Strukturmerkmale: Der eigentliche Protagonist des legendarischen Geschehens ist Gott selbst, der *an* dem Heiligen und *durch* ihn handelt, und zwar in solcher Weise, dass das individuelle Geschehen als ein exemplarisches erkennbar wird. Der Heilige handelt als Heiliger, indem er sich gläubig einem providenziellen Heils-Handeln Gottes unterwirft – sei es von vornherein, sei es wie hier im Vollzug einer büßenden Umkehr. Diese Providenz bestimmt die gesamte Diegese auch dort, wo es den menschlichen Akteuren nicht erkennbar ist. Sie können sich ihr widersetzen oder in sie einwilligen – wiederum von vornherein oder als Ergebnis einer Umkehr –; entziehen können

70 Auf Goethes Wendung von den »sehr ernsten Scherzen« spielt Thomas Mann selbst an, wenn er sein »ernste[s] Spiel[ ] mit der Sprache« als eine Form »der geistigen Heiterkeit« beschreibt (Brief an Walter Meckauer, 23.9.1950; Reg. 50/360).

71 An Otto Basler, 12.4.1951; DüD III, 386.

72 An Werner Weber, 6.4.1951; Br. III, 200.

73 Stackmann 1959 macht das exemplarisch deutlich.

sie sich ihr aber nicht. Die für das Genre konstitutiven Wunder werden entweder am Heiligen oder durch ihn vollzogen, als offenlegende Zeichen der göttlichen Gegenwart, Handlungsmacht und heilbringenden Vorsehung.

Dieses einfache Erzählschema lässt sich komplexer ausgestalten, indem es einer typologischen Zweiteiligkeit unterworfen wird, die der christlichen Deutung des Verhältnisses von Altem und Neuem Testament entspricht (mit der Thomas Mann umfangreich schon im *Joseph*-Roman gespielt hat), also früheres Geschehen als ankündigendes, oft rätselhaftes Vorzeichen eines späteren, erfüllenden und erklärend offenlegenden darstellt. Im *Erwählten* geschieht das textintern zunächst im präludierenden Verhältnis der Elterngeneration zur Generation des Protagonisten (ähnlich wie in Wolframs *Parzival* und in Gottfrieds *Tristan*), dann und vor allem aber im Spiel mit leitmotivisch eingesetzten Zeichen, die sich als Vorzeichen erweisen. So deutet das Motiv des Fisches, das der bei Fischern aufgewachsene Gregorius sich als Wappen wählt, auf das Papstamt in der Nachfolge des Fischers Petrus voraus. Die für sich genommen kontingente Zahl siebzehn verbindet die wesentlichen Stadien des Geschehens: siebzehn Jahre alt sind Wiligis und Sibylla, als ihr Vater stirbt; siebzehn Goldmünzen machen Gregors Kapital aus; siebzehn Jahre dauert die Erziehung im Kloster, siebzehn Tage die Reise nach der Ritterschaft, siebzehn Jahre die Buße auf dem Stein.[74] Typologische Bezüge regulieren aber auch die außertextuellen, biblischen Verweise dieser Legende. Wie Joseph passagenweise als Präfiguration Christi erscheint, so Gregorius als dessen exemplarisch demütiger (und zuweilen parodistisch inszenierter) Nachfolger, von der Geburt aus einer »Mutter-Jungfrau« bis zum Einzug in Rom auf einem weißen Esel. Durch Gottes Vorsehung wird in Heil gewendet, was menschlich als potenzierte Sündhaftigkeit erschien. So

74 Zur Zahlenmetaphorik im Roman vgl. Rölleke 2017, zur Zahl siebzehn: S. 305f. u. 326f.

wird der erlöste Büßer erhöht zum Heiligen, der nun selbst die erlösende Barmherzigkeit übt, und zum »sehr großen Papst«.

Mit diesem Schema spielt die »Legenden-Novelle«, eben indem sie als Legende zugleich Novelle ist – also, mit Goethes Bestimmung, die Erzählung einer »sich ereignete[n] unerhörte[n] Begebenheit« durchaus weltlicher Natur.[75] Für diese Genre-Kombination hat Thomas Mann am Beginn seiner Arbeiten ein modernes Vorbild vor Augen. Wiederum gegenüber Agnes E. Meyer deutet er es erstmals an, zusammen mit der Genrebezeichnung »Legenden-Novelle«. Ihr schreibt er am 10. Oktober 1947:

> In belebteren Stunden bewege ich allerlei Arbeitspläne: eine mittelalterliche Legenden-Novelle, die mit den »Vertauschten Köpfen« und der Moses-Geschichte das dritte Stück meiner »Trois contes« bilden könnte; den Ausbau des Felix Krull-Fragments zu einem modernen, in der Equipagenzeit spielenden Schelmen-Roman. Das Komische, das Lachen, der Humor erscheinen mir mehr und mehr als Heil der Seele; ich dürste danach, nach den nur notdürftig aufgeheiterten Schrecknissen des »Faustus« und mache mich anheischig, bei düsterster Weltlage das Heiterste zu erfinden. Wer zur Zeit von Hitlers Siegen den »Joseph« schrieb, wird sich auch vom Kommenden nicht unterkriegen lassen, sofern er es erlebt.[76]

Gustave Flauberts 1877, drei Jahre vor dem Tod ihres Autors, erschienene *Trois Contes* hatten in musterhafter Weise drei Varianten moderner Novellistik exemplarisch durchgespielt. Alle drei variierten, in unterschiedlichen Subgenres und im Blick auf die drei Epochen von Moderne, Mittelalter und Antike, Formen der Legende. Nur die mittlere jedoch trägt sie auch im Titel. In die Mitte seines novellistischen Triptychons, zwischen die modern-realistische Geschichte der armen, ungebildet frommen und in ihrer Einfalt heilig erscheinenden Stallmagd Félicité in *Un cœur*

75 Goethe zu Eckermann, 29. 1. 1827; FA 39 (II. Abt., Bd. 12), S. 221.
76 TM/AM, 687.

simple (*Ein schlichtes Herz*) und die prunkvoll historisierende biblische Erzählung von Salome und der Ermordung Johannes des Täufers (*Hérodias*) stellt Flaubert eine subtil parodistische mittelalterliche Heiligenlegende, *La Légende de Saint Julien l'Hospitalier* (*Die Legende von Sankt Julian dem Gastfreien*). Wenn Thomas Mann daran denkt, seine mittelalterliche Legenden-Novelle mit der indischen Dichtung von den *Vertauschten Köpfen* und der biblischen Erzählung von Mose und dem *Gesetz* zu einer Trias zu verbinden, dann hat er dasselbe Kompositionsprinzip vor Augen. Zugleich deutet die Flaubert-Parallele eine Möglichkeit an, nach dem monumentalen *Faustus* im kleinen Format doch noch einmal ein Spät- als Hauptwerk vollenden zu können.

Die Variante von Flauberts *Trois Contes* ist ein zeitweise ernsthaft verfolgter Plan. Im Mai 1948 bemerkt Thomas Mann: »I am working on a medieval legend which I intend to have published together with my other two legends: ›Das Gesetz‹ and ›Die vertauschten Koepfe‹.«[77] Ein Echo dieses Vorsatzes ist noch 1950 zu hören, wenn Thomas Mann dem für den Aufbau der Thomas-Mann-Sammlung in Yale engagierten Joseph W. Angell ebendiese drei Texte besonders ans Herz legt: »the great manuscripts of ›Der Erwählte‹, ›Vertauschte Köpfe‹ and ›Das Gesetz‹«.[78]

Zunächst aber macht Thomas Mann die Ausarbeitung der *Gregorius*-Legende erhebliche Schwierigkeiten. An den Schweizer Mediävisten Samuel Singer, der ihm bereits beim *Faustus* beigestanden und dessen Werk über *Die Sprichwörter des Mittelalters* (Bd. 1) er laut seinem Tagebuch schon am 6. November 1945 beschafft hatte, schreibt er am 7. November 1947 vorsorglich:

> Der mittelalterlichen Legende mich ernstlich zu nähern, ist mir zur Zeit noch verwehrt. Ihr liebenswürdiges Angebot aber, mir gelegentlich dabei mit historischem Material oder Hinweisen auf solches zur Hand zu gehen, ist mir höchst lieb und

77 Brief an Jennie Bradley, 26. 5. 1948; Reg. 48/286; TMA.
78 15. 12. 1950; DüD II, 594.

> wertvoll, und Sie werden mir erlauben, mich und Sie daran zu erinnern, wenn der Augenblick kommt.[79]

In der Vorbereitung auf diesen Augenblick beginnt Thomas Mann noch im selben Monat in Singers Aufsätzen zu lesen.[80] Kurz vor Weihnachten wendet er sich dann wieder derselben mittelalterlichen Quelle zu, die er für das *Gregorius*-Spiel im *Faustus* verwendet hatte, den *Gesta Romanorum*. Mit dieser Neulektüre datiert er im Tagebuch am 21. Dezember 1947 den »Beginn der Annäherung an den ›Erwählten‹ oder ›Begnadeten‹. Studien, Notizen, Fragen.«

Am zweiten Weihnachtstag 1947 liest er dann zum ersten Mal wieder in jenem Werk, das Wilhelm Hertz in seinen Vorlesungen ein halbes Jahrhundert zuvor als Lehrbuch verwendet hatte, in Wilhelm »Scherers deutscher Literaturgeschichte über das Anfängliche«.[81] Dort stößt er endlich wieder auf die zweite und ganz andersartige Quelle, die für seine »Legenden-Novelle« fruchtbar werden könnte, den *Gregorius* des Hartmann von Aue. Thomas Mann erinnert sich 1951:

> Sein [*des Gregorius*] Ursprung ist Schande, sein Leben Sünde und schonungslose Buße, sein Ende Verklärung durch die göttliche Gnade. Ein altfranzösisches Gedicht, »La vie de Saint Gregoire«, von dem auch ein mittelenglisches stammt, diente dem Schwaben Hartmann von Aue als Vorbild und Vorlage zu einem kleinen Versepos, das er »Gregorius vom Steine« oder einfach »Gregorius«, oder »Die Geschichte vom guten Sünder« nannte. [...] Obgleich er sich, wie die deutschen Dichter damals allgemein, meistens an französische Meister, namentlich an Chrestien de Troyes, anlehnt, verdankt die deutsche Literatur seiner

79 DüD III, 349.
80 Laut Tagebuch vom 27. 11. 1947 z. B. »die Singer'sche Schrift über Thomas von Britanien und Gottfried von Straßburg«.
81 Tb. 26. 12. 1947.

> Sprachkunst und der geistigen Lebendigkeit, mit der er seine Gegenstände durchdringt, bedeutende Förderung. […]
> Ich gestehe, daß ich Hartmanns mittelhochdeutsches Gedicht zum erstenmal studiert habe, als die knappe und primitive Fassung der »Gesta« mir Lust zu dem Stoff gemacht hatte. An den äußeren Gang der Handlung, wie Hartmann sie sich angeeignet, hielt ich mich so getreu, wie bei den Josephsromanen an die Daten der Bibel.[82]

Zur Anziehungskraft der Hartmann'schen Fassung gehören zunächst ihre nicht nur im Vergleich mit den *Gesta* subtile psychologische Motivation und erzählerische Geschmeidigkeit. Auf einem frühen Notizblatt schreibt Thomas Mann das Lob des *Tristan*-Dichters Gottfried von Straßburg für Hartmanns Kunst wörtlich ab. Während der letzten Arbeiten am Manuskript wird er es in einem Brief wörtlich wiederholen:

> Hartmanns Beliebtheit bei seinen Dichterkollegen war mir wohlbekannt. Gottfried sagt in Tristan von ihm:
>
> Hartman der Ouwaere,
> ahi, wie der die maere
> beide ûzen unde innen
> mit Worten unt mit Sinnen,
> durchwerret unt durchzieret!
> wie er mit Rede figieret
> der aventiure meine!
> wie luter unt wie reine
> sin kristallîniu wörtelin
> beidiu sint unt iemer müezen sin![83]

82 E VI, 203f.

83 In einem Brief an Heinrich Eduard Jacob vom 2. 11. 1950; Reg. N 50/8. Das Zitat zuerst auf Nbl. [35].

Amplifikationen

Thomas Manns neue Orientierung am »äußeren Gang der Handlung, wie Hartmann sie sich angeeignet«, macht zunächst ausgedehnte philologische und kulturgeschichtliche Studien erforderlich. Er betreibt sie vorbereitend vor dem Beginn der Schreibarbeit, aber auch weiter während der Formulierung des Textes, entsprechend den jeweiligen Erfordernissen des gerade bearbeiteten Kapitels.

Die ersten »Exzerpte u. Notizen zum Gregorius« ergeben sich schon unmittelbar nach Weihnachten aus der Lektüre von Scherers Literaturgeschichte.[84] Diese Studien werden bis zum 20. Januar 1948 fortgesetzt. Dabei lässt sich aufgrund der Tagebucheintragungen präzise rekonstruieren, welche Bücher wann zu Rate gezogen werden (dazu hier im Kapitel zur Quellenlage). Thomas Mann selbst allerdings kam dieser nicht unerhebliche Arbeitsaufwand nachträglich, im Vergleich mit den Recherchen für das Riesenwerk des *Joseph*, gering vor: »Ich bedurfte im Fall des ›Erwählten‹ verhältnismäßig geringer Vorstudien, um mein christlich-übernationales Mittelalter in die Luft zu spielen«, schreibt er am 12. Oktober 1951 an Erich Auerbach. »Die ad hoc-Lektüre für den ›Joseph‹ war, versteht sich, unvergleichlich umfangreicher.«[85] Ziel und Art der Recherchen jedenfalls sind hier wie dort ähnlich: »[...] wie damals [*bei den Josephsromanen*] war mein eigenes Dichten ein Amplifizieren, Realisieren und Genaumachen des mythisch Entfernten, bei dem ich mir alle Mittel zunutze machte, die der Psychologie und Erzählkunst in sieben Jahrhunderten zugewachsen sind.«[86]

Wie während der Arbeit am *Joseph*, so studiert Thomas Mann auch jetzt die Literatur- und Religionsgeschichte ebenso wie die

84 Tb. 27. 12. 1947. 85 [*An Erich Auerbach*]; GW XI, 692.

86 E VI, 204. Vgl. dazu Rieger 2015, S. 40–54. Zum Begriff der *amplificatio* in der mittelalterlichen Rhetorik vgl. Stackmann 1959, und Grothues 2005, S. 293.

Alltagskultur der Epoche: Kleidungssitten und Redewendungen, Namengebung und Umgangsformen, religiöse Gebräuche, politische und geographische Verhältnisse. Dabei erwirbt er sich bemerkenswert weit gefächerte Kenntnis der hochmittelalterlichen Kultur. Gegenüber Bewunderern der Gelehrsamkeit im *Erwählten* spielt er sie zwar nachträglich energisch herunter, wie in einem Brief an die New Yorker Literaturkritikerin Irita Van Doren an Goethes Geburtstag, dem 28. August 1951:

> Nicht ohne eine Gebärde schamvoller Abwehr zum Beispiel nehme ich zuweilen wahr, daß man mich auf Grund meiner Bücher für einen geradezu universellen Kopf, einen Mann von encyklopädischem Wissen hält. Eine tragische Illusion! In Wirklichkeit bin ich für einen – verzeihen Sie das harte Wort – weltberühmten Schriftsteller von einer schwer glaublichen Unbildung. Auf Schulen habe ich nichts gelernt, als Lesen und Schreiben, das kleine Einmaleins und etwas Lateinisch. Alles Übrige wies ich mit dumpfer Hartnäckigkeit ab und galt für einen ausgemachten Faulpelz, – voreiliger Weise; denn später entwickelte ich einen Bienenfleiß, wenn es galt, ein dichterisches Werk wissenschaftlich zu fundieren, d. h. positive Kenntnisse zu sammeln, um literarisch damit zu spielen, streng genommen also, um Unfug damit zu treiben. So war ich nacheinander ein gelernter Mediziner und Biologe, ein firmer Orientalist, Ägyptolog, Mytholog und Religionshistoriker, ein Spezialist für mittelalterliche Kultur und Poesie und dergleichen mehr. Das Schlimme aber ist, daß ich, sobald das Werk, um dessentwillen ich mich in solche gelehrten Unkosten gestürzt, fertig und abgetan ist, alles ad hoc Gelernte mit unglaublicher Schnelligkeit wieder vergesse und mit leerem Kopf in dem kläglichen Bewußtsein vollständiger Ignoranz herumlaufe. Man kann sich also das bittere Lachen vorstellen, mit dem mein Gewissen auf jene Lobeserhebungen antwortet.[87]

87 An die Journalistin Irita van Doren, *literary editor* der *New York Herald Tribune*; Br. III, 218f. Der Brief erschien in leicht gekürzter Form auf Englisch

Zugleich aber legt Thomas Mann großen Wert auf Umfang und Tiefe der Amplifikationen, die solche jeweils konzentriert und »ad hoc« erworbenen Kenntnisse im Roman ermöglichen. Gegenüber Ida Herz empört er sich darum wenige Tage nach diesem Brief über eine Literaturkritik, die annimmt, »ich hätte das kleine Buch Szene für Szene und oft Wort für Wort von Hartmann entlehnt«:

> Damit ist eine nicht ganz unbeträchtliche Phantasieleistung an Amplifikation und Realisation recht schnöde übergangen. Es wäre ebenso wahr, zu sagen, ich hätte die vier Bände des »Joseph« einfach aus der Genesis abgeschrieben.[88]

Die umfangreichen Exzerpte und Notizen geben ein eindrucksvolles Zeugnis für die gelehrte Neugier, die vor allem in den ersten Arbeitsphasen die Konzeption des *Erwählten* begleitet. Das Notizblatt [34] zeigt mit seiner langen Fragenliste exemplarisch, wie konkret das »Realisieren und Genaumachen« vonstattenging (vgl. hier Abb. S. 475):

> Wie etwa ist »Gregorius« historisch zu lokalisieren? Mit welchem Papst hat man die Sage in Verbindung zu bringen, mit Gregor dem Großen (6. bis 7. Jahrhundert) Bekehrer der Angelsachsen, oder mit Gregor VII. (1073–1085)? Oder ist der Mann (im Parzival »Grigorzß«) allgemein u. unhistorisch als großer Papstname eingesetzt?
> Wo hat man sich den Ort, die Orte der Handlung zu denken? In welcher mittelalterlichen Landschaft? Die Burg, wo das Kind, ungetauft, ins Faß gelegt u. den Wellen überantwortet wird, liegt offenbar am Meer. Nordsee? Kanal? Wo das Mönchskloster, wohin das Faß »durch viele Länder«, »am 6. Feiertage« getrieben wird? [...] Frage der Papstwahl damals. Wer sind die Wähler? Erst Gregor VII. verbot die Laien-Investitur, (nebst der

zusammen mit Beiträgen anderer Schriftsteller unter dem Titel *Some of the Authors of 1951, Speaking for Themselves* in der *New York Herald Tribune. Book Review* vom 7. 10. 1951.

88 10. 9. 1951; DüD III, 401.

Priesterehe). Heinrich III. setzte auf Gutdünken Bischöfe von Rom ein.

Antworten sucht Thomas Mann teils in der umfangreich herangezogenen wissenschaftlichen Literatur (dazu mehr im Kapitel zur Quellenlage), teils in den mittelalterlichen Dichtungen, die er nun wiederliest. Dabei tragen die Übersetzung des *Tristan* des Gottfried von Straßburg und des *Parzival* des Wolfram von Eschenbach nicht nur Details wie Namen und sprachliche Wendungen, sondern auch narrative Struktureinfälle bei.

Die um die Jahreswende 1947/48 systematisch begonnene Arbeit am Roman gliedert sich in fünf Arbeitsphasen – die allerdings mit der Entwicklung der Roman-Konzeption nicht immer kongruent sind (und darum im Folgenden auch nicht als maßgebliches Gliederungskriterium aufgefasst werden). Vom Januar bis zum Juni 1948 entstehen die Kapitel I bis VIII. Vom Juli bis zum Oktober 1948 schreibt Thomas Mann *Die Entstehung des Doktor Faustus*. Am 2. November 1948 nimmt er die Arbeit am Roman wieder auf; bis zum Januar 1949 entstehen die Kapitel IX bis XI. Von Anfang Januar bis Anfang Februar 1949 konkurriert die Arbeit mit der Ausarbeitung des Vortrags *Goethe and Democracy*, wird aber nicht völlig unterbrochen. Im Februar und März 1949 werden die Kapitel XII bis XIV niedergeschrieben, ehe Thomas Mann von Mai bis August 1949 zunächst nach New York und dann zur großen Europareise aufbricht (mitsamt den so wichtigen Goethe-Ansprachen und den diversen politischen Begegnungen und Stellungnahmen). Erst im August 1949 beginnt die dritte Arbeitsphase, die bis zum Februar 1950 dauert; in dieser Zeit entstehen die Kapitel XV bis XXV. Im März 1950 wird die Ausarbeitung von *Meine Zeit* eingeschoben; die Gedenkworte für den Bruder Heinrich und den Sohn Klaus, die im Abstand von neun Monaten aus dem Leben geschieden sind, folgen. Die vierte und kürzeste Arbeitsphase umfasst nur den April 1950, in dem das Kapitel XXVI geschrieben wird; danach bricht Thomas Mann noch einmal nach Europa auf, u.a. mit dem Vortrag *Meine Zeit*. Während dieses Aufenthalts erlebt er in Zürich die letzte Liebe, zu »Franzl« Westermeier; unter ihrem Eindruck verfasst er den Essay über *Michelangelo in seinen Dichtungen* (*Die Erotik Michelangelos*). Mühsam und lustlos beginnt die fünfte und letzte Arbeitsphase im Juli 1950; mit dann aber wieder zunehmenden Kräften schreibt Thomas Mann nun bis zum November 1950 die Kapitel XXVII bis XXXI; der bereits am 26. Oktober voreilig für abgeschlossen erklärte Roman findet nach der Neufassung des Schlusses seinen endgültigen Abschluss am 25. November.

Der Geist der Erzählung und die Sprachen

Das Tagebuch dokumentiert die Schwierigkeiten, die der Versuch eines Erzähl-Anfangs Thomas Mann im Januar 1948 bereitete. »Beschäftigung mit der Legende«, notiert er am 20. Januar, und am 21.: »Schrieb einige Zeilen des Anfangs der Legende, versuchend.« Das Scheitern des Versuchs muss er sich schon tags darauf eingestehen. »Fing aufs neue an.« Eine Fortsetzung dieses zweiten Ansatzes, die am 23. Januar möglich scheint – »Schrieb weiter am Anfang der Legende« –, hat sich am 24. wieder erledigt: »Wieder angefangen u. etwas weiter.« Danach ist einen Monat lang von der Legende nichts mehr zu hören.

Während dieser Zeit bemüht sich Thomas Mann über die »im Original mit mittelhd. Wörterbuch«[89] gelesene *Gregorius*-Ausgabe Hermann Pauls hinaus (die er in der Universitätsbibliothek der UCLA ausleiht) um eine neuhochdeutsche Übersetzung. Nachdem er vergebens nach der vage erinnerten Reclam-Ausgabe von 1883 gesucht hat, kommt er schließlich auf das Angebot Samuel Singers zurück, ihn bei der Arbeit zu unterstützen. Am 20. Januar 1948 schreibt er ihm nach Bern:

> […] es gibt eine hochdeutsche Übersetzung von Hartmann von Aue's »Gregorius vom Steine«. Ich weiß, daß sie in der Reclam-

89 Tb. 24. 1. 1948.

> Bibliothek war, aber die ist weit, oder ist dahin, und hier ist das Buch auf keine Weise aufzutreiben, vergebens habe ich bei mehreren Universitätsbibliotheken angefragt, und selbst die Library of Congress, die alles hat, besitzt es nicht. Dennoch ist es mir von Wichtigkeit, das Gedicht zu lesen, und zwar auf hochdeutsch, denn im Mittelhochdeutschen bleibt mir doch vieles dunkel. Können Sie mir helfen?[90]

Singer hilft. Ausgeführt wird die umgehend versprochene, eigens für Thomas Mann anzufertigende Neuübersetzung nicht von ihm selbst, sondern, nach einem offenbar gemeinsamen Anfang, von seiner Mitarbeiterin Marga Bauer allein. Am 11. Februar 1948 trifft der erste Teil des Textes bei Thomas Mann ein, die weiteren Teile folgen am 8., am 24. und 31. März; die letzte Lieferung trifft am 7. April in Pacific Palisades ein. Der vollständige Text der Neuübersetzung hat sich in Thomas Manns Nachlass erhalten[91] und wird hier mit Thomas Manns Anstreichungen im Dokumenten-Anhang mitgeteilt.

Zwei Tage nach Empfang der ersten Lieferung, am 13. Februar, schreibt Thomas Mann einen ausführlichen Dank- und zugleich Bittbrief an Samuel Singer. Darin skizziert er einige entscheidende Einfälle zur Konzeption:

> […] ich bin tief gerührt von Ihrer großen Gefälligkeit! Wie vorzüglich Ihre Prosa-Übersetzung ist, kann ich beurteilen, da ich das Original (herausg. von Hermann Paul)[92] von der Universitätsbibliothek hier bekommen habe. *Etwas* lückenhaft ist

90 Br. III, 14.

91 Signatur: A-I-Mat. 7/1a. Eine präzise Beschreibung des Dokuments bietet Rufener 2014, die auch auf den Briefwechsel Thomas Manns mit Singer und Bauer eingeht. Sie kommt zu dem Schluss: »Insgesamt sind es rund 135 Begriffe, Wörter, Sätze und Passagen, die Thomas Mann aus der Prosa-Übersetzung von Marga Noeggerath-Bauer wörtlich übernommen hat.« (S. 111)

92 *Die Werke Hartmanns von Aue. IV. Gregorius.* Hg. von Hermann Paul. 2. Auflage. Halle an der Saale: Niemeyer 1900 (= Altdeutsche Textbibliothek, Bd. 2).

mein Verständnis, aber nicht sehr, und Ihre Übersetzung zieht den leichten Schleier weg, der für mich über den Anfängen des Gedichtes lag. Die Tolstoi-Büßer-Stimmung, aus der es entstanden (»Zuviel weltliches, sündiges Zeug habe ich geschrieben!«), ist mir durch Sie erst recht klar geworden.
Die Sache ist die, daß ich die Geschichte, die schon im »Faustus« kurz vorkommt, und die so lange, verzweigte Wurzeln in der Tradition hat, gern mit modernen Prosa-Mitteln noch einmal erzählen möchte, als fromme Grotesk-Legende, vielleicht durch den Mund Eines, der *vor* Hartmann lebt, eines irischen Mönches, der im Kloster St. Gallen zu Besuch ist, oder so. Dabei wird es nicht leicht sein, die Geschichte zu lokalisieren. Aquitanien ist ja Guyenne, sehr südlich, das gefällt mir nicht. Ein Herzogtum Flandern-Artois, sagenhaft, wäre mir lieber. Und wo ist das Kloster zu denken, wohin die Wellen das ausgesetzte Kind tragen? Hartman läßt den dort Aufgewachsenen zu dem Abt »manic tiutsch wort« reden, sodaß dieser nur zu recht hat zu sagen er »vernaeme Kriechisch alsô wol«! – Ich möchte das Kloster an die englische Küste verlegen. – Was mich anzieht ist ein internationales, deutsch-französisch-englisches Mittelalter. Verzeihen Sie meine Geschwätzigkeit! Die Sache geht mir als Unterhaltung im Kopf herum, es könnte etwas sehr Komisches und Rührendes daraus werden, charakteristisch für die göttliche Gnade, die sich gerade eine solche äußerste Sündenfrucht zum Statthalter erwählt! – Aber wie könnte ich Sie nun geradezu bitten, mit der erhellenden Übersetzung fortzufahren?! Ich muß doch fürchten, Sie aufs unbescheidenste damit zu belasten, und schließlich, ungefähr, werde ich auch mit dem Mittelhochdeutschen fertig. Nur, wenn es *Ihnen selbst* Spaß macht und Sie eine leichte Unterhaltung darin finden, dann allerdings wäre es mir die freundlichste Hilfe, wenn Sie weiter übersetzten.[93]

93 Br. III, 20f.

Sünde und Gnade, internationales Mittelalter, die Perspektivierung der sündenreichen Erzählung durch ein undämonisches Medium: Andeutungsweise sind nun Grundzüge des Romans erkennbar. Der Einfall, die Geschichte zu erzählen »vielleicht durch den Mund [...] eines irischen Mönches [...] oder so«, wiederholt den strukturbestimmenden Einfall des *Faustus*, nun aber auf eine den parodistischen Erzählgestus ermöglichende Weise. An Emil Preetorius schreibt Thomas Mann am 21. Januar 1949, der Roman werde »erzählt von einem irischen Mönch, der den Platz von Prof. Zeitblom eingenommen hat«;[94] eine Lesung im New Yorker *Jewish Club* wird er dann 1951 mit einer Erläuterung dieser Analogie eröffnen:

> Wieder einmal will nicht ich es sein, der die Geschichte vorträgt, sondern ein Erzähler ist vorgeschoben; kein deutscher Gymnasialprofessor diesmal, sondern ein *irischer Mönch*, ein frommer und dabei nicht ganz humorloser Mann, der als Gast des Klosters Sankt Gallen im Allemannenland die Tragödie mit dem happy end zu seiner und seiner Leser Unterhaltung und Erbauung aufzeichnet.[95]

Tatsächlich setzt Thomas Mann unter dem Eindruck der Übersetzungslektüre noch einmal neu mit der Niederschrift des ersten Kapitels an – und nun gelingt, was im Januar dreimal gescheitert war. »Den ›Begnadeten‹ neu angefangen«, vermerkt das Tagebuch am 21. Februar. Die anschließende Notiz »Schwierigkeit mit den Kirchen« zeigt, dass es bereits um das Glockenwunder ging, also um die tatsächlich beibehaltene Eröffnung. Da sich die Schwierigkeiten mit Hilfe von Ferdinand Gregorovius' *Geschichte der Stadt Rom im Mittelalter* leicht lösen lassen, kann Thomas Mann am folgenden Tag – mit beiläufig verändertem Roman-Titel – notieren: »›Der Erwählte‹ aufs neue begonnen u. fortgesetzt.«

Seine Dankbarkeit gegenüber Marga Bauer und Samuel Singer

94 TM/Preetorius, 20.
95 Vgl. hier Materialien und Dokumente S. 489.

bleibt so lebhaft wie seine Mitteilungsbereitschaft. Bereits zwei Wochen nach dem entscheidenden Neuanfang – am selben 8. März, an dem die zweite Lieferung von Marga Bauers Übersetzung eintrifft – wird dem Tagebuch zufolge die »Einleitung zur Legende geschlossen.« Zum ersten Mal äußert sich Thomas Mann befriedigt über seine Arbeit. »Habe ein ganz schnurriges Einleitungskapitel zu ›Gregorius auf dem Steine‹ geschrieben«, teilt er seiner Tochter Erika am selben Tag mit, »als irischer Mönch verkleidet.«[96]

Die Anregungskraft der Übersetzung Marga Bauers ist dabei schwerlich zu überschätzen: Die frische, nicht mehr durch die Sprachdistanz des »Mittelhochdeutsch mit dem Wörterbuch«[97] erschwerte Fühlungnahme mit Hartmanns eigener Erzählung hat es offenkundig ermöglicht, den Ballast des literatur- und kulturgeschichtlichen Wissens zu bewältigen, der imaginierenden Phantasie wieder Raum zu schaffen und endlich den lange vergebens gesuchten »Stil und Ton« dafür zu finden.[98] Das ist Thomas Mann sehr bewusst. Schon am 31. März sendet er über Singer »Meinen allerverbindlichsten Gruß an Frl. Dr. Bauer! Möchte mir beim Nacherzählen etwas halbwegs Interessantes gelingen!«[99] Nach Erhalt der letzten Lieferung, am 9. April, schreibt er dann an Marga Bauer selbst:

[...] gestern kam der Schluß Ihrer schlicht-genauen Gregorius-

96 An Erika Mann, 8. 3. 1948; Br. III, 28. Ähnlich einige Wochen später an den Germanisten Fritz Strich: Er nehme, indem er »Hartmanns ›Gregorius‹, aus dem ja Adrian ein Marionettenspiel gemacht hat, in all seiner frommen Komik noch einmal erzähle«, als Erzähler »die Rolle eines irischen Mönches an, der im Kloster Sankt Gallen zu Besuch ist«. (Thomas Mann an Fritz Strich, 26. 4. 1948; DüD III, 354.)

97 An Ida Herz, 23. 3. 1948: »Ferner lese ich Mittelhochdeutsch mit dem Wörterbuch, Hartman von Aues ›Gregorius auf dem Steine‹« (DüD III, 352). Gleichlautend am 28. März an Hans Reisiger; TM/Reisiger, 22.

98 Tb. 19. 3. 1948: »Schrieb einige Zeilen an der Legende, für die Stil und Ton eigentlich nicht gefunden ist.«

99 DüD III, 352f.

> Uebersetzung in meine Hände. Ich habe sie gleich studiert und kann Ihnen nicht sagen, wie dankbar ich Ihnen bin für diesen großen, rührenden Gefälligkeitsdienst. Es ist mir natürlich eine große Bequemlichkeit, diese Verhochdeutschung neben dem Original zu haben, in dem mir doch manche Einzelheit dunkel, oder halb-dunkel, geblieben war, trotz guter germanistischer Fortschritte. Wenn meine Spät- und Letztformung der vielerzählten Geschichte zustande kommt, so sollte ich um die Erlaubnis bitten, sie Ihnen zu widmen. Die Arbeit hat große Reize, bietet aber mehr Schwierigkeiten als man denken sollte [...].[100]

Mit der Entscheidung für die Erzähler-Rolle und Notkers Pult in Sankt Gallen steht auf einmal auch der zugleich theologische und narratologische Begriff fest, der für Prolog und Konzeption des *Erwählten* weitreichende Folgen haben wird. Thomas Mann am 8. März an Samuel Singer:

> Ich imaginiere ein Herzogtum von Flandern-Artois, mit französischen Einschlägen, aber mit Personen-Namen wie Grimald, Herburg, Willigis, Sigunde, alles legendär-international. Die Geschichte lasse ich von einem irischen Mönch, der in St. Gallen zu Besuch ist, zur Unterhaltung aufschreiben. Er ist etwas abstrakt von Person, eigentlich »der Geist der Erzählung«, und es ist weder ganz sicher, *wann* er dort sitzt, noch in welcher Sprache er eigentlich schreibt. Er sagt, es sei die Sprache selbst.[101]

100 Ebd., S. 353. Die von Thomas Mann dann vergessene Widmung wird mit dem hier vorliegenden Kommentarband nachgeholt.

101 Br. III, 26f. Diesen Zusammenhang von Figuren- und Erzählkonzeption betont nachdrücklich Ruprecht Wimmer: »Wie der Name Gozbert des St. Galler Abtes sich in der Zeit wiederholt und damit eine Datierung unmöglich macht, so ist auch die zeitliche Festlegung des Irenmönches Clemens nicht zu leisten. Es ist wohl erlaubt, sich hier des Eliezer in den *Josephs*romanen zu erinnern, der selbst nicht weiß, welcher Eliezer, welcher Träger des sich oft wiederholenden Namens er eigentlich ist. Damit scheint

Mit dem »Geist der Erzählung« als einer Instanz, die einerseits »etwas abstrakt von Person« bleibt, andererseits aber in »einem irischen Mönch [...] in St. Gallen« Gestalt annimmt und jedenfalls eine erzählte Welt eröffnet, die trotz dieser französischen, schweizerischen und irischen Lokalisierungen »legendär-international« ist – mit dieser Erzählinstanz ist gleich im ersten Kapitel das Spiel eröffnet, das den Roman hindurch mit theologischen und narratologischen, religiösen und künstlerischen Kategorien gespielt wird. Es hat, ebenfalls von den ersten Sätzen an, Folgen auch für den Umgang mit politischen Voraussetzungen von Nationalität und Internationalität, von National- und Weltliteratur.

Insofern der (durch Kursivierung hervorgehobene) »*Geist der Erzählung*« sich, im Theologenlatein des Mönches Clemens, »hic et ubique« befindet, weil er »körperlos, allgegenwärtig, nicht unterworfen dem Unterschiede von Hier und Dort« ist, kommen ihm Eigenschaften zu, die in der christlichen Dogmatik der Heilige Geist als die dritte Person der Trinität besitzt.[102] Es sind die Eigenschaften des im dritten Kapitel angerufenen »Saint Esperit« – jenes Geistes also, der im Pfingstwunder die Apostel ergreift und sie befähigt, das Evangelium in allen Sprachen zugleich zu verkünden und damit die babylonische Sprachverwirrung aufzuheben. Als Geist, der in dieser biblischen Pfingsterzählung buch-

ein erstes Mal das Thema der Überzeitlichkeit des Erzählten angeschlagen – und es wird weitergesponnen in der Variante der ›Überörtlichkeit‹ durch das Motiv der Sprache.« (Wimmer 2012a, S. 104) Vgl. dazu auch Wimmer 1998, S. 97. Karsten Lorek beobachtet unter anderem die Kombination unterschiedlicher Zeiten und Ereignisse aus Gregorovius und hält fest: »Die erzählerische Ausgestaltung von Wandel- und Wechselphänomenen unterstreicht die ›Autonomiespielräume‹ und zugleich ihre stete Abhängigkeit von immer neuen Rahmungen. Wie die geschichtliche Wirklichkeit der Erzählung über die Jahrhunderte hinweg immer dieselbe ist, so ist auch Gregorius immer derselbe oder eben immer der, der er sein will und zu sein vermöchte.« (Lorek 2015, S. 125)

102 Textband S. 10.

stäblich über den Sprachen schwebt, ist er selbst wesentlich Gottessprache wie der welterschaffende »Logos« im Johannesevangelium: »Das Wort«, das schon »im Anfang« gewesen ist, vor der Erschaffung der Welt, kehrt in diesem Geist menschheitsversöhnend in diese Welt zurück. Das »und« in Clemens' sententiösem Bekenntnis »Gott ist Geist, und über den Sprachen ist die Sprache«[103] resümiert diesen komplexen Zusammenhang und transponiert ihn auf den profanen Akt des Roman-Erzählens.[104]

Insofern der »Geist der Erzählung« auch Verlauf und Ausgang des erzählten Geschehens kennt, ja es in der Erzeugung von Fiktionen selbst erfinden und beherrschen kann, hat er mit dem Heiligen Geist auch die providenzielle Herrschaft über Zeit und Geschichte gemeinsam. Zu Beginn des Kapitels *Die Auffindung* erklärt der Erzähler im Ton beiläufiger Selbstverständlichkeit, er sei »Vorhersichtig als Herr der Geschichte«; im Kapitel *Die Wandlung* zeigt er sich »als alles vorwissender Erzähler [...] vollkommen heiter und unbekümmert, denn mir liegt [alles] offen«. Im Kapitel *Herr Poitewin* erklärt er es als »des Erzählers Fall«, daß er »die ganze Geschichte bis zu ihrem wundersamen Ausgange kennt und gleichsam teil hat an der göttlichen Vorsehung, – eine einzig dastehende und eigentlich dem Menschen nicht zukommende Vergünstigung.«[105] Narratologisch gesprochen: Die Werkherrschaft des realen Autors innerhalb seiner Fiktion wird spielerisch in solcher Weise auf die providenzielle Weltherrschaft des göttlichen Weltautors bezogen, dass sie als selbstreflexive Variante des

103 Ebd., S. 15.

104 »Dass die zitierte Passage zu Beginn des *Erwählten* strukturell dem Prolog des Johannesevangeliums von der Fleischwerdung des Wortes – oder des ›Sinns‹, um mit Heinrich Faust zu reden – nachempfunden ist, hat man hingegen bisher kaum bemerken wollen.« (Sommer 2001, S. 220) Sommer weist auch noch auf das Markusevangelium hin (Mk 14,62), übergeht allerdings alle trinitarischen Bezüge.

105 Textband S. 253, 263 u. 133.

von Lugowski und Martínez analysierten »mythischen Analogon« erscheint, als ›providentielles Analogon‹.[106]

Das narratologisch-theologische Spiel geht weiter. Denn insofern dieser Geist »sich verkörpern« kann, verweist er auf die *Inkarnation* in Christus als der zweiten Person der Trinität – und transponiert dieses Geschehen zugleich, wieder spielerisch profanisierend und ironisierend, in die Verkörperung des Erzählens in der Erzählerfigur, »indem der Geist der Erzählung sich zu meiner mönchischen Person, genannt Clemens der Ire, zusammenzog«.[107] Und indem der Geist der Erzählung in seiner Inkarnation als menschlicher Erzähler spricht, kann er, so »geistig [...] und so abstrakt« er für sich erscheinen mag, »sich auch zusammenziehen zur Person, nämlich zur ersten, und sich verkörpern in jemandem, der in dieser spricht und sagt: ›Ich bin es. [...]‹«[108].

»Ich bin es«: Das ist der im *Joseph*-Roman vielfach variierte und in der Erzählung *Das Gesetz* an seinem biblischen Ursprungsort aufgesuchte Satz, mit dem die erste Person der Trinität sich aus dem brennenden Dornbusch dem Mose offenbart und erklärt, das »Ich bin« sei sein Name. Auch diese Urszene wird in Clemens' Reden über den »Geist der Erzählung« aufgerufen – und abermals transponiert ins parodistisch-profane Erzählen, in dem das »Ich bin es« sogleich konkretisiert wird als »Ich bin der Geist der Erzählung«.

Das virtuose, ebenso fromm wie frivol zu lesende Spiel, das Thomas Manns Eingangskapitel mit der trinitarischen Theologie

106 Lugowski 1976; Martínez 1996. Stoellger spricht hier geradezu von einer »Narra*theo*logie«, in der »das Erzählspiel als Gnadenspiel« erscheint (Stoellger 2016, S. 164). Dass nicht mehr als eine spielerisch hinweisende Analogie gemeint ist, keine kunstreligiöse Überhöhung des Erzählers, geht am deutlichsten aus Thomas Manns Ablehnung des Einfalls hervor, Clemens auf dem Umschlagbild mit einem Heiligenschein darzustellen: Der »Erzähler [...] dürfte schon gar keinen Heiligenschein haben« – so an Gottfried Bermann Fischer (23. 1. 1951; TM/GBF, 569). Vgl. hier S. 107.

107 Textband S. 14. 108 Ebd., S. 10.

treibt, flicht theologische, sprachtheoretische und ästhetische Reflexionen von erheblicher Komplexität ineinander. Das Ergebnis trägt die Züge einer modernen und humoristischen Variante romantischer »Kunstreligion«, insofern Eigenschaften und Wirkungsmöglichkeiten, die in den zitierten Traditionen sakralen Personen, Texten und Institutionen zukommen, auf das verspielte Sprachkunstwerk übertragen werden. Es ist damit von derselben Dialektik bestimmt, die schon die romantische Kunstreligion kennzeichnete: Indem das genuin Religiöse künstlerisch profaniert wird, gewinnt das künstlerisch Profane eine religiöse Dignität.[109] (In dieser Um- und Aufwertung zeigt sich eine theologische Nähe der trinitarischen Sprach- und Erzähl-Reflexionen zum *Unitarian Universalism* von Thomas Manns amerikanischer Religion.)

Zu Recht sah Thomas Mann in diesem den Roman eröffnenden und begründenden Einfall eine kreative Leistung des *Erwählten* in der Auseinandersetzung mit seinen Vorlagen. »Aber der Geist der Erzählung?«, ruft er in einem Brief an Jonas Lesser aus: »Den habe ich doch nicht geborrowed? Ich war wenigstens überzeugt, ich hätte ihn mir selber ausgedacht.«[110] Der Anglizismus »geborrowed« selbst weist schon scherzhaft auf den Sprachgebrauch dieses »Geistes der Erzählung« hin, der den gesamten Roman in unterschiedlicher Dichte durchzieht und der sich aus dem kunstreligiösen Prolog folgerichtig ergab. Der Einfall, den »Geist der Erzählung« in einer Sprache erzählen zu lassen, die sich als eine narrative Wiederholung des Pfingstwunders »über den Sprachen« entfalten sollte, setzt das Spiel mit der Komik einer babyloni-

109 Hannah Rieger liest den Roman in genau diesem Sinne, wenn auch mit einer missverständlichen Formulierung, als narrativen »Gründungsmythos einer neuen Religion« (Rieger 2015, S. 134), nämlich einer neuen Mythologie im Sinne Schlegels gegen den Missbrauch des Mythos bei den nationalsozialistischen Dunkelmännern: »Ursprungsmythos für eine Religion, die Manns persönlicher Religiosität entspricht« (ebd., S. 138).

110 26.4.1951; TM/Lesser, 86.

schen Sprachenmischung voraus. Das Wirken der Sprache »über den Sprachen« veranschaulicht der Roman, indem er in das Gegenwartsdeutsch alt- und neuenglische, alt- und neufranzösische, lateinische, mittelhochdeutsche und niederdeutsche Idiome einflicht. Den Ursprung seines Sprachenspiels sieht Thomas Mann abermals im *Faustus*, in dem der »Echo« genannte kleine Nepomuk Schneidewein ein mit schweizerdeutschen, mittel- und frühneuhochdeutschen Wendungen untermischtes Hochdeutsch spricht. An Agnes E. Meyer schreibt Thomas Mann am 22. Mai 1948:

> Merkwürdig, wie ich über das Luther-Deutsch und Nepomuks Schweizer Mittelhochdeutsch im »Faustus«[111] zur Sprache dieses Zeitvertreib-Werkchens gekommen bin, in die sich dialogisch auch Alt-Französisches mischt. Das Schweben der Sprache im Uebernationalen hat für mich einen besonderen Reiz, und schon im letzten Joseph und im Faustus habe ich mich darin versucht. Ein Schweizer Germanist soll zornig geurteilt haben, das Deutsch des Faustus sei gar kein Deutsch mehr. Er wäre noch zorniger, wenn er wüsste, dass ich das garnicht ungern höre. Denn es ist bestimmt kein Unter-Deutsch, sondern ein »au delà.«[112]

Au delà: das heißt ›außerhalb‹ und ›jenseits‹. Dass die Sprache des »Geistes der Erzählung« als pfingstliche Sprache »über den Sprachen« die Bindung an die Kategorien des Nationalen und der Nationalliteratur hinter sich lasse, gibt diesem programmatisch ›weltliterarischen‹ Schreiben »au delà« zumal im Deutschland der Nachkriegsjahre von vornherein auch eine politische Dimension.

Der »Geist der Erzählung« liebt »die Sprache« vor allem als Sprachmischung – vom eröffnenden Klang der Glockenmusik über den Wechsel von Prosa und (offenen wie verdeckten) Reimpaarversen und rasch wechselnde Stilniveaus bis zur buchstäb-

111 Vgl. in *Doktor Faustus* Kap. XLIV und XLV (GKFA 10.1, 665–694), ferner *Die Entstehung des Doktor Faustus*, GKFA 19.1, 570f.

112 TM/AM, 704f.

lichen Polyglossie. Für die Letzteren wird zunächst wiederum Samuel Singer zum wichtigsten Berater – woran Thomas Mann sich in einem Brief an den Literaturwissenschaftler Erich Auerbach am 12. Oktober 1951 dankbar erinnert:

> Der altfranzösischen Sprachbrocken wegen, die das Sprachbild zu kolorieren helfen mußten, gab es eine Korrespondenz mit dem ehrwürdigen, nun verstorbenen[113] Samuel Singer in Bern, dessen ›Altdeutschen Sprichwörtern‹[114] ich schon die Gebete des kleinen ›Echo‹ im ›Faustus‹, leicht adaptierend, entnommen hatte. Er erteilte hilfreiche Auskunft.[115]

Schon in seinem Brief an Marga Bauer vom 8. April 1948 hatte Thomas Mann dem »verehrten Professor« eine sprachgeschichtliche Frage auszurichten gebeten: »Wie würde man in solchem Idiom etwa ausdrücken: ›hübsches (oder niedliches) Mäusegeschlecht‹?«[116] Am 13. April schickt er dann an Singer selbst eine ganze Liste mit Fragen zum Altfranzösischen:

> [...] ich brauche ein paar Brocken eines *älteren Französisch*, gelegentlich einzuflechten in meine Erzählung; ich meine kein zu altes, etwa aus der Zeit Chrétien de Troyes':
>
> 1.) Neulich fragte ich schon, wie »drolliges (oder hübsches) Mäusegeschlecht«, »Jolie espèce de souris« sich damals etwa ausgenommen haben würde.
>
> 2.) Wie lautete »Gott zum Gruß« oder auch »Nos (mes) compliments!«
>
> 3.) Wie sah das heutige »Inséparables« (die Unzertrennlichen) aus?
>
> 4.) Wie das moderne »n'est-ce pas?«?
>
> 5.) Wie das »Mais oui!«?
>
> 6.) Wie hieß »Gott will es nicht«, »Dieu ne le veut pas«?

113 Singer war am 5. 12. 1948 im Alter von achtundachtzig Jahren in Bern gestorben.

114 Samuel Singer: *Sprichwörter des Mittelalters*. 3 Bde. Bern: Lang 1944–1947.

115 *[An Erich Auerbach]*; GW XI, 693.

116 DüD III, 353. Vgl. Textband S. 24.

7.) Wie wurde wohl das altfranzösische, noch ganz lateinische »Deus« (dieu) gesprochen? Die Form »Deu«, »por Deu« scheint gleichzeitig zu bestehen.

8.) Wie hätte man gesagt: »Die Hoffnung der Frauen« »L'espérance des dames«?

9.) »Du liebe Einfalt!« (»Simplicité«.)

10.) »Gottes Sache«, »Laß das Gottes Sache sein!«

Schließlich, wie war (deutsch) die mittelalterliche Anrede für ein adliges, ja fürstliches, nicht gerade königliches Fräulein, als Gegenstück zum »Junker«, »junchêrre«? Wurde das »vrouwelîn«, »vröulîn« gebraucht, etwa von Dienstleuten gegen die junge Herrin?

Ungern mach' ich Ihnen Mühe! Aber ich frage lieber über den Ozean als in der Nähe, damit man mir nicht in die Karten sieht. Was ich versuche, ist wirklich das reine Experiment, vages Mittelalter, sprachlich im Internationalen schwebend, ich weiß noch garnicht, ob ich's zu Ende führe.[117]

Gut zwei Wochen später, am 27. April 1948, folgt eine weitere Liste:

Ich habe gleich noch ein paar kindische Fragen, die Sie hoffentlich wenig beschweren:

1.) Zu Anfang des »Yvain« heißt es von dem Ritter und dem schönen Mädchen: »Jo la trovai si afeiti*ee*, si bien parlant et anseigni*ee* etc.« – Ist das Doppel-e hier weibliche Form oder steht es nur für das aigu, sodaß auch ein junger Mann afeitiee und anseigniee sein könnte? Bei »bien parlant« ist das Weibliche nicht markiert.

2.) Ebendort heißt es: »Que plus n'i queroie veoir«, »denn ich wollte gar niemand anderen sehen.« – Wie würde dies im Praesens heißen (»denn ich *will* niemand anderen sehen«)?

3.) Wie würden Sie übersetzen »Jemandem die Augen auskratzen«, »gratter les yeux à quelqu'un«?

117 DüD III, 353f.

4.) Wie sah das moderne »Allez-vous-en« oder »Va-t'en«, geh fort, aus?[118]

Nach und nach kommen zu den erfragten Wendungen auch selbsterfundene hinzu, die sich aus Thomas Manns Lübecker Herkunft und den Spracherfahrungen des kalifornischen Exils speisen: »Das englische Plattdeutsch der Fischer von der nicht existierenden Insel Sankt Dunstan und Sprachscherze wie ›Du Kauert, du lauernder, kauernder Pfaffenkauert‹ [*im Kapitel »Der Faustschlag«*] sind, wie so manches andere, meine persönliche Erfindung.«[119] Wie Flann den *coward* verspottet, so vermischen die »Fischer von Sankt Dunstan« Plattdeutsch und Englisch, wenn sie »einen dreist erfundenen Dialekt aus Englisch, Französisch und Plattdeutsch reden«.[120] Gegenüber Julius Bab erklärt Thomas Mann am 30. Mai 1951:

> Es ist ja ein humoristisch-selbsterfundenes, übernationales Mittelalter, und das konnte ich mir garnicht anders als so sprachbunt vorstellen. Ist es nicht merkwürdig, wie natürlich sich das Platt der Fischer auf der halb-englischen Kanal-Insel mit dem Englischen vermischt, wie z. B. in »Dat's nu'n littel bit tou vul verlangt!« »Dat's« ist ja schon das englische »That's«, und das nachfolgende »'n little bit« fügt sich, obgleich es nicht mehr plattdeutsch, sondern rein englisch ist, ganz glatt ein, sodaß man die Mischung kaum merkt.[121]

Und wenn Thomas Mann gegenüber dem befreundeten Schriftsteller Paul Amann am 3. Juni 1951 bemerkt: »Der ›Erwählte‹ ist ein Experiment, als solches ganz hübsch gelungen, aber natürlich unwiederholbar«, dann bezieht er das wiederum zuerst auf diese Polyphonie:

> Mittelhochdeutsche Dichtung nahm ja gern französische Brocken auf, und dass die Fischer der Normannischen Insel

118 Ebd., S. 354f.

119 [*An Erich Auerbach*]; GW XI, 692f.

120 An Erich von Kahler, 10. 9. 1949; TM/Kahler, 120.

121 Br. III, 208f.

> (die ja zum britischen Reich gehört) Waterkanten-Platt mit englischen Einschlägen reden, ist eine humoristische Idee, über die sich nur ärgert, wer überhaupt keinen Spass versteht.[122]

In diesen Horizont tritt schon Hartmann als ein Später ein, der »in Spuren geht«, indem er einen schon längst weltweit verbreiteten Stoff bearbeitet; »der christliche Ödipus« reicht auch hinter die christliche Überlieferung weit zurück. Im Brief an Ida Herz vom 30. Mai 1948 erläutert Thomas Mann das weitverzweigte Wurzelwerk der Stoffgeschichte und bezieht es auf die (noch nicht veröffentlichte, der Adressatin also noch unbekannte) Sprachen-Sentenz:

> Es ist immer reizvoll, einen Stoff, der hundertmal in verschiedenen Jahrhunderten und Sprachen behandelt wurde, gewissermaßen auf seine letzte Form zu bringen. Die Fassung der Gesta Romanorum ist eine recht späte lateinische Version. Hartmann von Aue hat den Stoff aus einem alten französischen Gedicht übernommen. Es gibt aber auch altenglische Fassungen und sogar eine koptische davon. [...] Dialogisch nehme ich auch ein bißchen Altfranzösisch auf und habe meinen Spaß daran, die Sprache in übernationaler Schwebe zu halten. Man wird mir das übelnehmen, wie gewisse Sprachpuristen ja schon vom Faustus gesagt haben, er sei gar nicht mehr deutsch geschrieben. Aber schließlich, was liegt daran? Was liegt an sprachlichen Landesgöttern? Mir scheint, über den Sprachen steht die Sprache. –[123]

Zu den Sprach-Späßen gehört auch die Verteidigung der Prosa gegenüber dem Vers am Ende des ersten Kapitels. Der alte Thomas Mann nimmt auch hier ein Thema noch einmal auf, das in seinen frühen Essays ein wiederkehrendes Problem darstellt, vor allem im *Versuch über das Theater* und in *Bilse und ich*: die Legitimation des Prosaromans als einer literarischen Gattung eigenen

122 TM/Amann, 71. 123 DüD III, 356f.

Rechts gegenüber seiner im wilhelminischen Bildungsbürgertum noch immer weitverbreiteten, sich gern auf Friedrich Schiller berufenden Abwertung gegenüber dem Versdrama.

Auf dem Eingangskapitel lastet damit die Exposition einiger so grundlegender Themen, dass die Zufriedenheit mit dem »schnurrigen« Text sich als voreilig herausstellt. Im März nimmt Thomas Mann die Arbeit also noch einmal auf: »Die Erzählung, wieder vom Beginn.«[124] Tags darauf: »An der Geschichte, repetierend« und, in einem Brief an den Freund Hans Reisiger, das Geständnis, man sei »über zweifelhafte Versuche noch nicht hinausgekommen«.[125] So geht es noch eine Zeitlang weiter. Am 4. April wird »Am Gregorius etwas umgeschrieben, etwas neu«, am folgenden Tag geht die Arbeit »Kaum weiter.« Anna Jacobson gesteht er am 8. April 1948, er »versuche« sich »an einer Erzählung. Aber es geht langsam.«[126] Produktiv sind diese Tage trotz allem: Am 7. April hat Thomas Mann, dem Tagebuch zufolge, endlich mit einem neuen Kapitel begonnen und auch eine erste familieninterne Lesung eine Woche zuvor stößt auf erleichternde Zustimmung.[127]

Die Kinder und das Stigma

Am 7. April 1948 hält Thomas Mann im Tagebuch erste Überlegungen zu den drei Kapiteln über *Die Kinder*, *Die schlimmen Kinder* und ihre Eltern *Grimald und Baduhenna* fest:

> Nachdenken über das Geschwisterpaar. Zögernd an der Geschichte. [...] Von Singer-Bauer der Schluß der Übersetzung. [...] Nachmittags mit Erika über Fragen der Gregorius Arbeit und die Fortsetzung des Krull. [...] Die Kinder merkwürdiger zu machen, stigmatisierter. –

124 Tb. 27. 3. 1948.
125 28. 3. 1948; TM/Reisiger, 22. 126 TM/Jacobson, 109.
127 »Las abends K. und den Kindern die Anfänge des Gregor vor. Der Eindruck war gut.« (Tb. 31. 3. 1948)

Damit ist von den Romanthemen dasjenige benannt, das im Eingangskapitel noch *nicht* zur Sprache kam: die anstößige Sexualität. Sie wird hier von vornherein, in Zuspitzung der Hartmann'schen Vorlage, als eine Art Familienfluch dargestellt. Schon die Zuneigung des Vaters Grimald zu seiner heranwachsenden Tochter Sibylla zeigt eine inzestuöse Neigung,[128] die dann im Geschlechtsakt der »schlimmen Kinder« Wiligis und Sibylla gleichsam ausbricht und sich in der Verbindung des so gezeugten Gregorius mit wieder derselben Sibylla ödipal fortsetzt. Drei Generationen umfasst damit die sexuelle »Verkehrtheit« (so Clemens im Inzestkapitel). In der Gestalt Sibyllas als Tochter, Schwester und Mutter sind sie verbunden; die Erkennungsszene des *Audienz*-Kapitels scherzt mit den wunderlichen Verwandtschaftsverhältnissen. (Erst mit den Töchtern Stultitia und Humilitas, »Einfalt« und »Demut«, ist der Fluch in der vierten Generation aufgehoben.) Auf höchst bizarre Weise ist damit auch *Der Erwählte*, wie *Buddenbrooks* und *Joseph* vor ihm, »eine Art Familienroman«.[129]

Thomas Manns ausdrücklicher Vorsatz, die Kinder »merkwürdiger zu machen, stigmatisierter«, wird im Kapitel *Die Kinder* buchstäblich realisiert: in dem »Mal«, der kleinen Blatternarbe

128 Zum Verhältnis von Hartmanns Inzest-Darstellungen zum literarischen Kontext und zur sozialgeschichtlichen Wirklichkeit vgl. Bennewitz 2012, S. 66f.: »Was bei Hartmann völlig fehlt, ist die Nahbeziehung zwischen Vater und Tochter, die Thomas Mann in aller Ausführlichkeit inszeniert. [...] Tatsächlich gibt es neben dem *Gregorius* und der *Albanus*-Legende im Mittelalter kaum Erzählungen von Geschwisterinzest; viel häufiger ist der Vater-Tochter-Inzest aufgegriffen worden, der mit einer Ausnahme stets gegen den Willen der Tochter stattfindet und immer die gleiche familiale Voraussetzung hat: den frühen Tod der Mutter, der den Vater sozusagen ›zwangsläufig‹ auf die (schutzlose) Tochter als ›Ersatz‹ für diese verweist. In diesem Sinne ist also Thomas Mann hier sozusagen ›mittelalterlicher‹ als seine (mittelalterliche) Vorlage. Sehr viel deutlicher wird bei Hartmann hingegen die Tatsache, dass die erste sexuelle Verbindung der Geschwister nur über die Vergewaltigung der Schwester möglich ist«.

129 So die schöne Beobachtung zum *Joseph* in GKFA 7.2, 17.

auf der Stirn, die Wiligis als »sein Sichelzeichen« und Sibylla als »ihr Zeichen ebenfalls« trägt.[130] Schon vorwegnehmend deutet die Sichelform an, was Wiligis in der Liebesnacht aussprechen wird: »›Aus dem Tode‹, stammelte er, ›sind wir geboren und sind seine Kinder […].‹«[131] In frühen und grundlegenden Überlegungen über die literarische Darstellung stigmatisierter Figuren hat Thomas Mann 1908 bemerkt: »Der Romandichter wird sich nicht unbedingt genötigt fühlen, der Figur die Abzeichen ihrer Wesensart mit pittoresken Strichen ins Gesicht zu malen.«[132] Genau das tut der Romandichter aber hier. Die »schwindelnde Verkehrtheit« des Inzest, die der Erzähler Clemens beklagt, verbindet als »ein Gewöll von Liebe, Mord und Fleischesnot«[133] die deviante Sexualität mit jener Todverfallenheit, die das den Figuren ins Gesicht gemalte Sichelzeichen andeutet.

Es ist genau diese Verknüpfung, die sich in Thomas Manns früheren Texten stereotyp zur Frage der Homosexualität eingestellt hat: in *Der Tod in Venedig* ebenso wie im Essay *Die Ehe im Übergang* und im *Platen*-Essay. Rückblickend auf den *Erwählten* spricht Thomas Mann am 11. Januar 1951, in einem Brief an den Schauspieler Walter Rilla (den Lord Kilmarnock der *Krull*-Verfilmung von 1957), von seinem »kleine[n] Inzest-Roman, der unter der Hand zu verstehen gibt, daß das ›Unnatürliche‹ doch eigentlich etwas recht Natürliches ist, da man sich nicht wundern darf, wenn Gleich und Gleich sich liebt«,[134] so wie im Roman die erlesen schönen Kinder einander »ebenbürtig« sind. Deutlicher als in dieser Tagebuchnotiz, dieser Wendung und diesem Brief hat Thomas Mann nirgends zu verstehen gegeben, dass mit der sündigen Geschlechtlichkeit seiner Romanhelden nicht nur der In-

130 Textband S. 25f. 131 Ebd., S. 41.

132 *Das Theater als Tempel*, GKFA 14.1, 120; wiederholt in *Versuch über das Theater*, ebd., S. 156.

133 Textband S. 41f. 134 DüD III, 378.

zest, sondern jede »stigmatisierte« Liebe zwischen »Gleich und Gleich« verhandelt werde – freilich nur »unter der Hand«.

Das Motiv des Stigmas verbindet die Darstellung des Geschwisterinzests im *Erwählten* mit frühen und frühesten Erzählungen Thomas Manns, in denen dieses äußerlich sichtbare Merkmal sowohl als herabsetzender Makel erscheinen kann wie Friedemanns Buckel, wie die »Merkzeichen [ihrer] Art«, von denen die jüdischen Zwillinge in *Wälsungenblut* sich gezeichnet fühlen,[135] oder wie die Schwärze, die im *Versuch über das Theater* Othello sichtbar als »eine dunkle Ausnahme unter den Regelrechten« markiert[136] – aber auch als Zeichen erhöhender »Ausnahmen und Sonderformen« (so in *Königliche Hoheit*).[137] Tonio Kröger ist der erste von Thomas Manns Protagonisten, der eine Umdeutung des Einen ins Andere versucht, wenn er das »Gefühl der Separation und Unzugehörigkeit« zur Auszeichnung erhebt: »In den Zügen eines Fürsten, der in Civil durch eine Volksmenge schreitet, kann man etwas Ähnliches beobachten.«[138] So wird es auch Gregorius im Kloster ergehen, in seinen »Sorgen um seine Richtigkeit«,[139] wenn »ihm war, als sei er nicht nur von den Seinen verschieden nach Stoff und Art, sondern passe auch zu den Mönchen und Mitscholaren im Grunde nicht«,[140] wenn es ihn »wie eine Nachrede« trifft, »daß es mit ihm nicht richtig sei«,[141] wenn Flann ihn als »aus dem Kuckucksei gekrochen« und zugleich als etwas »Feinere[s], Höhere[s]« beschimpft[142] – denn, so kommentiert Clemens, »wo Makel ist, da ist Adel.«[143]

In *Wälsungenblut* (1906) vollzieht sich die Umwertung im skandalösen, im *Erwählten* wiederaufgenommenen Inzest der ihrerseits als jüdisch »stigmatisierten« Geschwister:

135 GKFA 2.1, 463.
136 GKFA 14.1, 155, ebenso in *Das Theater als Tempel*, ebd., S. 119.
137 GKFA 4.1, 34. 138 GKFA 2.1, 272f. 139 Textband S. 102.
140 Ebd., S. 100. 141 Ebd., S. 102. 142 Ebd., S. 111. 143 Ebd., S. 120.

> Und dann sang Siegmund das Schmerzlichste: seinen Drang zu den Menschen, seine Sehnsucht und seine unendliche Einsamkeit. Um Männer und Frauen, sang er, um Freundschaft und Liebe habe er geworben und sei doch immer zurückgestoßen worden. Ein Fluch habe auf ihm gelegen, *das Brandmal* seiner seltsamen Herkunft ihn immer *gezeichnet*.[144]

So hören sie die Klage Siegmunds, der mit seiner Schwester Sieglinde den Inzest begeht; so erkennen sie nach diesem Opernabend einander als die Einzigen, die einander würdig sind, und so wiederholen sie das inzestuöse Bühnengeschehen im intimen Privatraum.

Dieselbe Opernszene hört im April 1948 der mit der Darstellung der stigmatisierten Kinder Wiligis und Sibylla beschäftigte Thomas Mann noch einmal an: »Etwas weiter geschrieben. [...] Brief an Singer wegen altfranzösischer Brocken. [...] Hörte die Geschwisterszene I. Akt Walküre. Der Inzest mit Frühlingspoesie, geht nicht mehr.«[145] Was ›nicht mehr geht‹, ist die Waldeinsamkeit des Naturidylls. An ihre Stelle tritt im *Erwählten* der »Gleichmut« der Natur, über den sich Clemens empört (und Thomas Mann fügt hinzu: »nur sie [*die Natur*] ist cynisch in dem Buch, sonst niemand«).[146] Aber der Grundgedanke bleibt derselbe, der schon in *Wälsungenblut* die Umdeutung des Stigmas bestimmt hat: »Wiligis und Sybilla im Vergleich. Die Selbstverständlichkeit der Geschwisterliebe«, notiert Thomas Mann nach abermaligem Anhören der Wagner-Szene, »ist die gleiche. Niemand sonst ist fein genug.«[147] Die Überzeugung, dass er damit auch das Sujet der frühen Novelle aufgenommen und überboten habe, teilt Thomas Mann am 27. April 1951 dem schwedischen Schriftsteller Anders Österling mit, der sich für *Wälsungenblut* interessiert. In begreif-

144 GKFA 2.1, 451 (unsere Hervorhebungen); die »Scheu und das Bewußtsein seines Brandmals« erneut ebd., S. 454.

145 Tb. 13.4.1948.

146 Textband S. 184. An William H. McClain, 23.2.1952; Br. III, 245.

147 Tb. 19.9.1948.

licher Sorge darum, »dass die Geschichte leicht in einem antisemitischen Sinne missverstanden und missbraucht werden könnte«, verweist er ihn auf den *Erwählten*: »›Wälsungenblut‹ ist doch insofern überholt, als sein Thema, der Geschwister-Inzest, in meinem neuen kleinen Roman auf weit höherer Ebene gestaltet ist.«[148]

Getragen von dieser neuen Sicherheit, schreibt Thomas Mann im April an seinen Kinder-Kapiteln »Etwas zuversichtlicher« weiter.[149] Ähnlich in den folgenden Tagen: er arbeite »an der Legende«, »an der Erzählung«, »am Gregorius«, »am Gregor«, »am Mönch«. Mit der Verbindung zwischen Stigma und Sexualität auf der einen und dem theologisch-ästhetischen Horizont des Einleitungskapitels auf der anderen Seite scheint ein tragfähiges Fundament für den Fortgang gelegt; die »Ideen des Ganzen« gewinnen endlich zusammenhängende Konturen. Das »Ganze«: das ist nun das dem Tode verfallene, hier im Geschlechtlichen konkretisierte »Gewöll von Liebe, Mord und Fleischesnot«, das im *Faustus* zur Hölle geführt hatte, im Legendenroman aber durch eine im Sinne des (im Roman erwähnten) Origenes absolute und restlose Gnade erlöst und in ein neues Leben hineingeführt wird. Im humoristischen Roman manifestiert sich diese Gnade als lebensfreundliche Menschenliebe, so wie der Heilige Geist sich im heiter verspielten »Geist der Erzählung« manifestiert. Das hält Thomas Mann während der Arbeit an den drei Inzest-Kapiteln am 11. April 1948 im Tagebuch fest, knapp und konzis:

> Schrieb weiter an den »Kindern«. Die Ideen des Ganzen sind: humoristische Absolutheit der Sprache und humoristische Gnadenerwählung.

Dem DDR-Germanisten Eberhard Hilscher, den für ein Verständnis des Romans zu gewinnen ihm besonders am Herzen lag, erläutert Thomas Mann diese »Ideen« im Rückblick genauer:

148 Reg. 51/209; TMA. 149 Tb. 9. 4. 1948.

> Dichtungen sind Sprachwerke, und als Sprachwerk knüpft der »Erwählte« dort an, wo im »Dr. Faustus« die barocke und lutherische Sprach-Perspektive des Deutschland-Romans durch das Schweizerisch des Kindes Echo ins Mittelhochdeutsche vertieft wird. Da sprang eine Sprach-Idee auf; der Gegenstand, anziehend durch das groteske Übermaß seiner Sündhaftigkeit, dem die Gnade sich humoristisch gewachsen zeigt, war (zunächst nur durch die »Gesta Romanorum«) zur Hand, und, gestützt von einiger Studien-Lektüre (bei weitem nicht so vieler wie im Falle des »Joseph«) spielte ich ziemlich aus dem Handgelenk mein christlich-übernationales oder vornationales Mittelalter in die Luft, – Sprachkurzweil in erster Linie, aber nicht ohne Herzensbeziehung zum Thema erwählter Sündhaftigkeit.[150]

Der Roman, der mit Thomas Manns eigenen Worten »unter der Hand zu verstehen gibt, daß das ›Unnatürliche‹ doch eigentlich etwas recht Natürliches ist«, verändert damit die naturrechtlichen Voraussetzungen, unter denen das sexuell deviante Geschehen überhaupt als so verwerflich erscheinen kann, wie der mönchische Erzähler es wahrnimmt (der doch in seiner mitfühlenden Barmherzigkeit die Tötung des Hundes widernatürlich-verwerflicher findet als den dadurch ermöglichten Geschlechtsakt selbst).[151] Zweitens wird durch diesen Erzähler ein Bezug zur benediktinischen *familia Dei* hergestellt, am deutlichsten im Kapitel *Frau Eisengrein* in den Anspielungen auf den Gründer des »ordo divi Benedicti«, den heiligen Benedikt von Nursia und seine Schwester Scholastika:

> Das nenne ich mir kristliche Geschwisterliebe, unzertrennlich

150 3.11.1951; DüD III, 408.

151 Die Tötung des Hundes ist für Clemens »das Schlimmste, was diese Nacht geschah.« (Textband S. 41) »Hinzugetan habe ich die Tötung des schönen Hundes, teils um die Szene blutig-schrecklicher zu gestalten, teils um dem Erzähler Gelegenheit zu geben, diese Tat schlimmer zu finden als alles Uebrige.« (An Hermann J. Weigand, 29.4.1952; DüD III, 419.)

und engelsgleich! Und ich mußte von einer so sündlichen erzählen! Sollte ich nicht lieber in aller frommen Ausführlichkeit die Geschichte Benedikts und Scholastikas aufzeichnen?[152]

Am Ende des Legendenromans wird tatsächlich zwischen Gregorius und Sibylla eine ähnlich »engelsgleiche« Liebe an die Stelle der geschlechtlichen treten. Da fragt Sibylla den Papst Gregorius, ihren Sohn, Ehemann und heiligen Vater:

»Was aber, Kind, können wir denn einander sein?«

»Bruder und Schwester«, antwortete er, »in Liebe und Leid und Buße und in der Gnade.«[153]

Die Wiederkehr des Mythos

Die konzeptionellen Klärungen der – in der jetzigen Zählung – ersten vier Kapitel bedeuten, wie Thomas Mann am 3. Mai 1948 im Tagebuch schreibt, eine große Erleichterung: »Bin recht gücklich, daß der leidende Zustand zwischen den Werken überwunden ist und ich Lust an etwas Neuem, wieder Neuem und Neugier Erweckendem gefunden habe.« Nun geht die Arbeit zügig voran. Bereits am 28. April hat Thomas Mann notiert, er sei bei der Schwertleite angekommen, also am Ende des späteren dritten Kapitels (nach der damaligen Zählung ist es noch das Ende des zweiten). Am 30. April schließt er es ab; drei Tage später liest er es der Familie vor: »Abends Vorlesung des Kapitels ›Die Kinder‹. Erheiterung und Verwunderung.«[154] Schon nach gut einer Woche ist das nächste Kapitel fertig; Tagebuch, 9. Mai: »Beendete das Kapitel ›Die schlimmen Kinder‹«, wenig später das Kapitel *Herr Eisengrein.*[155] Damit wird auch unübersehbar, was schon zu erwarten war: dass der Text den Umfang einer Novelle deutlich über-

152 Textband S. 53; vgl. Nbl. [68]. In Thomas Manns Notizen nimmt dieser Gegenentwurf zur Geschwisterschaft der »schlimmen Kinder« breiteren Raum ein.

153 Textband S. 294. 154 Tb. 3. 5. 1948. 155 Tb. 18. 5. 1948.

schreiten werde. An Singer schreibt Thomas Mann am 20. Mai 1948:

> Ich habe schon 45 Seiten und bin erst bei der Trennung der Geschwister, als die Schwester ihr Nefflein im Schoße trägt. So sieht es nicht aus, alsob ich mit 100 Seiten auskommen werde. Aber sei es! Es hat sein Schönes, so einem alten europäischen Erbgut die späte, letzte Form zu geben. Nachher wird wohl die Legende keiner mehr erzählen.[156]

Anfang Juni gehen die ersten »36 Seiten des ›Erwählten‹ an die [*Sekretärin Hilde*] Kahn zum Abschreiben«;[157] drei Tage später ist *Die Aussetzung* abgeschlossen. Am 9. Juni liegen die ersten Kapitel in der Abschrift vor. Nachdem Thomas Mann dann am 15. Juni auch *Die fünf Schwerter* beendet hat, in der jetzigen Zählung also das achte Kapitel, geht die erste, im Wortsinne grundlegende Arbeitsphase zu Ende. Nun unterbricht Thomas Mann die Arbeit für vier Monate, um *Die Entstehung des Doktor Faustus* zu schreiben.

Selbst während dieses Sommers aber mit dem *Roman eines Romans* reißt der Kontakt zur Gregorius-Erzählung nicht ganz ab. Der Juli bringt die »Korrektur von [*Hilde Kahns*] ›Gregorius‹-Abschrift«;[158] gleichzeitig liest Thomas Mann eine Abhandlung, die ihm sein bewährter Berater in allen Fragen der Religionsgeschichte und Mythenforschung zugeschickt hat. Auf den ersten Blick erkennt er in Karl Kerényis *Urmensch und Mysterium* »Beziehungen zum Gregorius«.[159] Anspielend auf Kerényis handschriftliche Widmung schreibt er ihm drei Tage später:

> Nennen Sie mich »Meister«, so nenne ich Sie Lehrer und Förderer, denn noch alles, was ich von Ihren Schriften studiert, hat mich irgendwie fruchtbar belehrt, mich angeregt und sich, wie Sie wissen, bei meinem eigenen Träumen und Bauen nutzbar

156 DüD III, 355. – Auch der Freundin und Förderin Agnes E. Meyer berichtet er am 22. Mai, er »habe es mit der Geschichte schon auf 50 Seiten gebracht. Da wird es mit 100 wohl nicht getan sein.« (TM/AM, 704)
157 Tb. 2.6.1948. 158 Tb. 16.7.1948. 159 Tb. 14.7.1948.

machen lassen. Ich habe das deutliche Gefühl, daß es auch mit »Urmensch und Mysterium« so gehen wird, einer Schrift, die wieder in der Sphäre der Interessantheit schwebt, die mir von Ihren früheren her vertraut ist. Schon manchmal, wenn etwas Neues kam, habe ich mir gesagt: »Ach, diesmal wird es wohl nichts für mich sein« und habe sogar das Lesen verschoben. Und wenn ich dann zu lesen begann, so war es doch wieder etwas für mich, ich horchte auf, strich an, und leise begann die produktive Maschine zu arbeiten.[160]

Die produktive Maschine arbeitet in der Tat schon leise weiter, während Thomas Mann noch das Manuskript zur *Entstehung des Doktor Faustus* abschließt. Doch es dauert einige Monate, ehe ihr Produkt im *Erwählten* sichtbar wird.

Zunächst muss nach der langen Pause die Arbeit wieder in Gang kommen. Im September 1948 liest Thomas Mann erneut die Abschrift des Anfangs. Am 24. Oktober, vier Tage nach dem Schlussstrich unter der *Entstehung*, vermerkt er im Tagebuch: »Mit der Legende. Nachgelesen. Einzelheiten der Handlung geprüft. Auffassung der Fischersfrau von dem Kind nicht klar.« Der Neuanfang fällt schwer: »Verstimmt und unlustig die Legende wieder aufzunehmen. – – Allerlei Studien und Notizen zur Fortsetzung. [...] Studiert in ›Mittelalterliche Weltanschauung‹.«[161] Am 2. November beginnt er mit der Ausarbeitung des Inneren Monologs des Abtes und des plattdeutsch-englischen Kauderwelsch der *Fischer von Sankt Dunstan*; einer Glanznummer der späteren Lesungen. Die Arbeit zieht sich über einen Monat hin: »Etwas am Kapitel«, notiert er am 23. November, »keine Lust zur Erfindung, kindische Schwierigkeiten.« Am 4. Dezember ist es endlich fertig. Doch der Zweifel ist nicht verstummt. »Aber die Sache hat ja wenig Bedeutung«, seufzt er am 6. Dezember; zwei Tage später überlässt er sich dem »Nachdenken über die Frage,

160 17.7.1948; TM/Kerényi, 157. 161 Tb. 27.10.1948.

was es über den Wert eines Buches aussagt, wenn ihm durch die Übersetzung sehr viel oder alles genommen wird.«[162]

Diese Unsicherheit verfliegt bald. Das neue Kapitel, *Das Heckgeld*, ist am 16. Dezember abgeschlossen, trotz der weihnachtlichen Unterbrechung bald auch *Der Trauerer* (am 4. Januar 1949). So übergibt Thomas Mann die neuen Teile an Hilde Kahn zur Abschrift, um sich zunächst seinem Vortrag *Goethe und die Demokratie* zuzuwenden. Wieder setzt er aber nebenbei auch die Arbeit am Roman fort. Das Kapitel *Der Faustkampf* (das nach dem Abschluss von *Der Zweikampf* in *Der Faustschlag* umbenannt wird) ist am 16. Februar fertig; der Tagebucheintrag zeigt den nunmehr routinierten Fortgang: »Faustkampf zu Ende; neuer Abschnitt.« Einen Tag später trifft Hilde Kahns neue Abschrift ein, die am Folgetag korrigiert wird.[163] Am 6. März ist auch *Der Disput* abgeschlossen; die Arbeit an *Herr Poitewin* macht neue Exzerpte erforderlich.

Inzwischen hat Thomas Mann ein so deutliches Bild seiner Hauptgestalt vor Augen, dass er glücklich ist, es in einer Zeitungsfotografie am 13. März wiederzufinden: »Gestern in der Zeitung Bild eines jungen Totschlägers, in Waisenhäusern aufgewachsen u. adoptiert, so schön und so meiner Vorstellung vom Grigorß entsprechend, daß ich's mir ausschnitt.«[164] Hilde Kahn erhält die neuen Kapitel zur Abschrift, während Thomas Mann weiterhin »Bilder, Namen« sondiert und Materialien sichtet.[165]

Am 18. April wird dann für die Reise über New York nach Europa gepackt, die den größten Einschnitt in der Entstehungschronologie des *Erwählten* markiert. Thomas Manns Europareise vom Mai bis zum August 1949 wird sich als ungemein schwierige diplomatische Mission erweisen. Immerhin noch bis zum 25.

162 Tb. 8. 12. 1948. 163 Tb. 18. 2. 1949.
164 Tb. 14. 3. 1949; das Bild ist unter der Signatur A-I-Mat. 7/20 im TMA erhalten; vgl. hier S. 152.
165 Tb. 1. 4. 1949.

April setzt er die tägliche Arbeit fort. Dann kommt – während *Die Entstehung des Doktor Faustus* bereits als Buch erscheint – am 2. Mai der große Vortrag über *Goethe and Democracy* in der *Library of Congress* dazwischen, den er kurz darauf in New York wiederholt. Von dort nimmt er zum ersten Mal ein Flugzeug nach Europa, wo er zunächst in Oxford zum Ehrendoktor ernannt wird und (wie anschließend in London) den Goethe-Vortrag wiederholt; im schwedischen Lund folgt eine weitere Ehrenpromotion; in Zürich und Bern hält er abermals den Goethe-Vortrag, erfährt neue Ehrungen und absolviert literarische und politische Begegnungen, ehe er schließlich im Juli zum ersten Mal seit dem Beginn seines Exils wieder deutschen Boden betritt.

An politischer Reichweite sind wohl nur der Entschluss zur Republik-Rede 1922 und die Folgen, auf andere Weise auch der mediale Kampf gegen Hitlerdeutschland und der Einsatz für F. D. Roosevelt dieser Reise vergleichbar: Demonstrativ überquert Thomas Mann die Grenzlinien des Kalten Krieges. Die großen Ereignisse, die seine Auftritte bedeuten, die Reden, die er dort und vor- wie nachbereitend auch in den USA hält, und die Rechenschaft, die er sich und seinen Lesern über dies alles ablegt, wirken sich auch auf die Konzeption der abschließenden Roman-Abschnitte aus. Darauf ist hier zurückzukommen.

Der Roman, auf briefliche Nachfragen immer wieder zum Nebenwerk und Nachspiel verkleinert, ist Thomas Mann mittlerweile so wichtig geworden, dass er auch während dieser Reise nicht ganz zu den Akten gelegt werden soll. Im Gegenteil. »Ordnete mitzunehmende Papiere«, notiert er am 18. April noch in Pacific Palisades, »in die große Reise-Handmappe. Herauslösen von Anschaulichkeiten aus Büchern für das Legenden-Material. Begann das Abreise-Kapitel neu.« Beiläufig und unkommentiert werden die eigene Abreise von Amerika nach Europa und diejenige des Gregorius von Sankt Dunstan nach Bruges parallel gesetzt.

Die bewegten Ereignisse in München, Frankfurt und Weimar

sind hier nicht zu resümieren. Festzuhalten ist aber, dass Thomas Mann bei alldem immer noch den *Erwählten* im Gepäck hat und diverse Gelegenheiten nutzt, das bis dahin Geschriebene öffentlich auf die Probe zu stellen: »Gregorius probiert«, notiert er am 13. Juni in Zürich. Wiederholt erscheint die »Beschäftigung mit den Lese-Kapiteln« (so am 14. Juni) im Tagebuch. An Ida Herz schreibt er, er »lese jetzt da und dort aus dem ›Gregorius‹ vor, in Küsnacht, in Basel, für die Zürcher Studenten.«[166] Die Kapitel *Die Kinder* und *Die Fischer von Sankt Dunstan* erregen, wie er am 14. Juni erleichtert vermerkt, »Heiterkeit u. großen Beifall«. Namentlich das letztere Kapitel erweist sich als Publikumserfolg: »Die Fischer, wie immer, gefielen.«[167]

Erst während der deutsch-deutschen Abenteuer im Zeichen Goethes kommt die Arbeit am Roman vorübergehend ganz zum Erliegen. Nur gut eine Woche nach der Rückkehr aber – und nach der Abfassung und Veröffentlichung politischer Selbstrechtfertigungen schon während der Schiffsreise zurück nach Amerika – liegt das Manuskript des *Erwählten* wieder auf dem Schreibtisch in Pacific Palisades. Am 27. August verzeichnet das Tagebuch die »Beschäftigung mit den zuletzt geschriebenen Gregorius-Kapiteln«. Tags darauf, wieder an Goethes Geburtstag, beginnt die Arbeit am neuen Kapitel *Herr Poitewin*: »Schrieb neu an Kap. XV des ›Erwählten‹.« Ende des Monats schickt er Agnes E. Meyer, »da Sie sich Zerstreuung davon versprechen, einige Kapitel des ›Erwählten‹ (unkorrigiert). Möge mein kurioses christliches Mittelalter Ihnen nicht ganz unglaubwürdig erscheinen.«[168] Am 8. September ist das Kapitel *Herr Poitewin* fertig, und umgehend beginnen die recherchierenden Vorarbeiten für die nächsten, die den *Zweikampf* mit Passagen aus dem *Nibelungenlied* und *Sibyllas Gebet* mit Versen aus zwei frühmittelhochdeutschen Mariendichtungen überblenden sollen. Damit verlangsamt sich die Arbeit vorüber-

166 14. 6. 1949; Reg. 49/347; TMA.
167 Tb. 24. 6. 1949. 168 TM/AM, 723.

gehend wieder: »Den ganzen Tag gestern beschämend schwere humoristische Probleme des ›Gregor‹ bedacht. – Umgeschrieben.«[169] Am 28. September ist das Kapitel fertig, das die *Begegnung* von Mutter und Sohn schildert. Am 18. Oktober heißt es im Tagebuch: »Schloß das XVII. Kapitel ab. Faustkampf umzubenennen, da für das letzte nur ›Der Zweikampf‹ möglich.« Zehn Tage später ist das folgende Kapitel beendet. Vor allem *Sibyllas Gebet* macht Schwierigkeiten: »Am Kapitel, ärgerlich über die Langsamkeit und unnütze Künstlichkeit.«[170] Dennoch wird auch dies bereits drei Tage später abgeschlossen – wenngleich die alte Unsicherheit wiederkehrt, ob das Ganze nicht doch nur ein »nichtiges Experiment ist«.[171] Am 1. Dezember 1949 ist das Hochzeits-Kapitel fertig:

> Begann gestern, nachdem ich damit Schluß gemacht, etwas am neuen Kapitel zu schreiben. [...] Wunsch, völlig ungestört, an der privaten Arbeit weiterspinnen zu können, die ich allerdings für unbedeutend halte. Die Stilisierung (Reimverse verschiedener Art) steht der Übersetzung vollkommen entgegen.

Eine Woche später erhält Hilde Kahn die neuen Kapitel zur Abschrift, und Thomas Mann fragt Helen T. Lowe-Porter, wann sie mit der Übersetzung beginnen könne. Am 11. Dezember ist das Kapitel *Jeschute* fertig, zehn Tage später das *Abschieds*-Kapitel. Nach einer Familienvorlesung notiert Thomas Mann: »Außerordentlicher Eindruck. Zufriedenheit, das Ding der Zeit und Arbeit wert gemacht zu haben, – eine fromme Groteske und die letzte Form, die das vielversuchte Gedicht annimmt in der Fülle der Zeit.«[172] Ende des Monats bereitet er die Abschrift für Lowe-Porter vor: »Übertragung von Korrekturen aus dem für Lowe bestimmten Manuskript in anderen Durchschlag. Zeitraubend. Notizen zum nächsten Kapitel.«[173] Seinem Verleger Alfred Knopf teilt er mit, das Manuskript könne schon im Frühjahr abgeschlossen werden.

169 Tb. 19.9.1949. 170 Tb. 11.11.1949.
171 Tb. 22.11.1949. 172 Tb. 20.11.1949. 173 Tb. 29.12.1949.

Während all dieser Arbeiten aber hat »die produktive Maschine« der Mythenrezeption, deren Anlaufen Thomas Mann im Juli in seinem Brief an Kerényi beschrieben hatte, ihren Betrieb nicht eingestellt. Die Abhandlung, die ihn im Juli 1948 unerwartet erreicht hat, wird in dem Augenblick zur entscheidenden Inspiration, in dem die Darstellung des »Gregorius auf dem Steine« zur erzählerischen Aufgabe wird. Thomas Manns Brief an Kerényi vom 4. Januar 1950 setzt genau dort wieder ein, wo er am 17. Juli 1948 aufgehört hatte. Jetzt erst erklärt er den weiteren und den engeren Kontext, in den die Abhandlung hineinwirkt:

> Gerade beschäftigt mich wieder Ihr »Urmensch und Mysterium«, das zum Merkwürdigsten gehört, was Sie geschrieben haben. Es beschäftigt mich im Zusammenhang mit dem »Gregorius« und zwar mit der Frage seiner Ernährung auf dem Felsen. Diese wird von Hartmann von Aue in einer Weise beschrieben, die *leise* anklingt an die Epikur'sche Hypothese von uteri der Erde und von der Nährmilch, die sie im Anfang den Menschen gespendet habe. Ich will dies anhand Ihrer Citate über die »Schläuche« genauer und phantastischer ausführen, als Hartmann, – der überhaupt wohl Augen machen würde, wenn er meine Bearbeitung läse.[174]

In dem ihm von Kerényi gewidmeten Exemplar hat Thomas Mann die im Brief erwähnten Kernsätze unterstrichen: »die Hypothese von *uteri* der Erde und von der ›Milch‹, die sie zur Ernährung der ersten Menschen entwickelt habe«, sei überliefert als ein »Gedanke Epikurs«.[175]

Das unmittelbare Darstellungsproblem des »Genaumachens« wird von diesem Gedanken aus humoristisch gelöst. An der Mutterbrust der Erde vom Erwachsenen zum Säugling und zum vormenschlichen Urwesen regrediert, überlebt Gregorius die siebzehn Jahre der Buße. Bereits am 9. Januar schildert Thomas Mann

174 TM/Kerényi, 170. 175 Kerényi, *Urmensch*, S. 46.

diesen Schreibfortschritt in einem Brief an Theodor W. Adorno mit dem gutgelaunten Kommentar, man müsse sich nur zu helfen wissen:

> Der Büßer ist jetzt auf seinem wilden Stein, und um seine Ernährung zu rationalisieren, nehme ich oder nimmt der Mönch die Idee Epikurs (und des Lukrez) von den uteri der Erde und von der »Milch« zu Hilfe, die sie zur Ernährung der ersten Menschen entwickelt habe. Von einem solchen Schlauch, der zur Erde hinab die Wurzeln versenkt, ist für Gregorius einer übrig geblieben. Man muß sich zu helfen wissen. Übrigens scheint mir bei Hartmann etwas Ähnliches angedeutet.[176]

Doch die Wirkung der Kerényi-Adaptation reicht weit über das Bußkapitel hinaus. Im Aufsatz hat Thomas Mann auch die Folgerung unterstrichen, die ihn über die Ernährungsfrage hinaus konzeptionell interessierte: Der durch Epikur überlieferte Gedanke nämlich zeige

> – über die nüchterne, wissenschaftliche Lehre des Demokrit hinaus – auch schon jene Betonung, ja Ausmalung der mütterlichen Funktionen der Erde, die eher einem mythologischen als einem wissenschaftlichen Bild entsprechen.[177]

Im Romankontext wird in der Substitution der ödipalen Mutter durch die heilende »Mutter Erde« das ödipale Drama von Gregorius und Sibylla umfangen und aufgelöst. Mit der Darstellung der Erde als tellurischer Urmutter erscheint aber hinter den christlichen Bildern von menschlicher Buße und göttlicher Vorsehung eine religionsgeschichtlich sehr viel ältere mythologische Schicht, die Thomas Mann bereits bei Hartmann sogar bewusst aufgerufen sieht (»übrigens scheint mir bei Hartmann etwas Ähnliches angedeutet«) und mit der die Grenzen des *christlichen* »Legenden-Romans« markant überschritten werden.

176 Br. III, 128f. 177 Kerényi, *Urmensch*, S. 46.

Diese Ausweitung entspricht ganz der Zielrichtung von Kerényis Abhandlung, die nicht nur aus dem Geist von C. G. Jungs Archetypenlehre geschrieben, sondern auch in C. G. Jungs Jahrbuch *Eranos* (Zürich 1948) erschienen war. In dieser entscheidenden Phase der Arbeit am Roman bewirkt sie die wichtigste Erweiterung der ersten Konzeption: die Ausweitung ins Anthropologische, Archetypische, Menschheitliche und endlich ins Chthonische. Indem Gregorius die Metamorphosen vom Erwachsenen zum Säugling, vom Menschen zum Tierwesen, zum pflanzenhaft »moosige[n] Wesen« und zum »mit Moos bewachsene[n] Naturding« vollzieht,[178] vollzieht er in »etwa fünfzehn Jahren« – also einem halben Menschenalter – die gesamte Entstehungsgeschichte des Lebens rückwärts nach.

Dies erst ist der letzte der gestaffelten Welt-Horizonte, die sich im Roman in wachsenden Ringen um die mittelalterliche französisch-deutsche Legendenüberlieferung legen. Das über die Epochenbegrenzungen hinaustretende »ziemlich unbestimmt[e] Mittelalter«[179], der mittelhochdeutsche Grundtext, der ein »Schweben der Sprache im Uebernationalen« anstrebt[180], öffnet sich mit der Einbeziehung der mythologischen Urbilder ins Menschheits- und Erdgeschichtliche, also (in dieser Hinsicht dem knapp zwei Jahre später geschriebenen Gespräch Felix Krulls mit Professor Kuckuck vergleichbar)[181] in die Geschichte des Lebendigen schlechthin. Der letzte, umfassendste Name für diesen Horizont ist derjenige der im Mythos mütterlich gedachten »Erde« selbst, der damit in eine gewisse Konkurrenz zum letzten Namen der christlichen Überlieferung tritt. Keine Formulierung fasst das knapper zusammen als die in Thomas Manns Briefen

178 Textband S. 223.

179 An Samuel Singer, 31. 3. 1948; DüD III, 353.

180 An Agnes E. Meyer, 22. 5. 1948; TM/AM, 704.

181 Schreibbeginn am 13. 11. 1951, am 12. Dezember ist eine erste Fassung fertig, nach gründlicher Überarbeitung am 18. 1. 1952 eine zweite, die dann im März und April erneut revidiert wird (vgl. GKFA 12.2, 66f.).

dokumentierte Austauschbarkeit der Worte vom »Buße-Kapitel« und vom »uterus-Kapitel«.[182]

Das mit dieser mythologischen Öffnung verbundene konzeptionelle Problem reicht weiter als die Kapitel *Der Stein* und *Die Buße*. Auch der Inzest erscheint nun nicht mehr allein als der Verstoß gegen die biblisch verstandene Schöpfungsordnung, als den Clemens ihn sieht, sondern als Wiederholung eines anthropologischen Urmusters, das in derselben griechischen Überlieferung, der die tellurischen Mythen entstammen, als Ödipus-Mythos formuliert ist (»Gestern Ödipus-Studien schon wieder für die Legende«),[183] das aber bereits in Thomas Manns *Joseph* anthropologisch verallgemeinert worden war zu dem Satz: »Mit der Mutter schläft jeder«.[184] Auch die in *Sibyllas Gebet* angedeutete religionsgeschichtliche Vertiefung der Marienfrömmigkeit zurück in Ischtar- und Astarte-Kulte – wie Thomas Mann sie im *Joseph* ausgiebig entfaltet hatte – wirkt in den marianischen Passagen des *Erwählten* untergründig fort. Maria erscheint hier, passagenweise durchaus gegen den Textsinn der Quellen, als Helferin in sexuellen Notlagen, als Muttergestalt, als himmlisches Analogon der irdischen Liebenden und Geliebten.[185] Indem die christliche Mariengestalt sich so

182 Tb. 11. 1. 1950: »Schrieb weiter am uterus-Kapitel.« Dagegen etwa am 13. Januar: »Am Buße-Kapitel weiter, gegen das Ende.« Und am 14. Januar: »Schloß das Kapitel ›Die Buße‹ ab.«

183 Tb. 21. 8. 1948. Kritisch zur psychologischen Lesbarkeit vor allem solcher Passagen äußert sich Plate 1984, der hier eine »Auseinandersetzung mit der irrationalistischen Psychologie und dem transzendenten Fatalismus Schopenhauers« annimmt und den Roman als einen demonstrativen »Affront gegen jede Psychoanalyse« liest, »die das Unbewußte bewußt macht, ohne dem Unbewußten sein Recht zu lassen und ohne das Bewußte zur Humanität zu führen. Der *Erwählte* zeigt, daß das Unbewußte bereits bewußt ist und möglicherweise nur deshalb Faxen macht in der Welt-Komödie.« (Plate 1984, S. 47 u. 57)

184 GKFA 8.1, 1220. – Zur Komik dieser Adaptation in der Erzählung des Mönchs Clemens vgl. Giller 2015, S. 293–316.

185 Vgl. im Einzelnen den Stellenkommentar. Zur »im Stile des Hohen-

ausdehnt, dass sie auch archaische Liebes- und Mutterkulte in sich aufnehmen kann, gehen ebendiese Überlieferungen ein ins Bild Marias, verdichten und – mit Clemens' Wort – *verkörpern* sich in ihr.

Gleichzeitig mit dieser anthropologisch-religionsgeschichtlichen Horizonterweiterung arbeitet Thomas Mann auch die biblischen Züge der Gregorius-Gestalt immer deutlicher heraus. Wie ein neuer Mose ausgesetzt im Schilf, in Todesgefahr über die Wellen getrieben und errettet (in der ersten Fassung der Szene wird der Abt noch ausdrücklich mit der Tochter des Pharao verglichen), wird Gregorius zum Befreier der Gebundenen, einschließlich seiner Mutter, und zum neuen, lebensfreundlichen Gesetzgeber. Vor allem die christomorphen Züge der Gestalt gewinnen schärfere Konturen: Geboren aus einer jungfräulichen Mutter, gefährdet durch die Verfolgung eines neuen »Herodes«, hat Gregorius in der Welt »keine Stätte«; seine Not soll er tragen »wie der Herr Krist sein Kreuz«; am Ende seiner Bußzeit sagt er: »Mich hungert und dürstet«; gespeist mit Brot und Wein, erlebt er an sich selbst *Die Wandlung*; schließlich spendet er Segen und Barmherzigkeit gemäß den Seligpreisungen der Bergpredigt.[186] Nicht wie Thomas Manns Joseph als eine *praefiguratio* Christi erscheint er damit, sondern als Heiliger, dessen *imitatio Christi* ein »Gehen in Spuren« ist. Die Spur Jesu ist dabei keineswegs die einzige; Anspielungen auf Goethes Faust und Homers Odysseus deuten auch hier weitergehende mythologische Bezüge an. Aber sie erscheint als die dominante.

Wie sehr die Kerényi-Lektüre Thomas Manns eigene Wahrnehmung seiner Erzählung im Nachhinein verändert, geht aus einem Brief hervor, den er ihm erst am 5. Juli 1950 schreibt, nach

liedes sexuell aufgerüsteten Mystik« in Sibyllas Anrufung der Maria Grothues 2007, S. 498.

186 Vgl. Textband S. 61, 215 u. 264 sowie im Einzelnen wieder den Stellenkommentar. Vgl. zu diesem Themen- und Motivkomplex auch Marx 2002, S. 306–311.

der Lektüre einer weiteren Abhandlung. Wieder sieht er einen Grundkonflikt seiner Erzählung – die Störung der Ordnungen von Ehe und Familie – zurückgeführt auf eine Überlieferung der griechischen Mythologie, in der er seinerseits noch ältere ägyptische Muster wiedererkennt, wie sie ihn während der Arbeit am *Joseph* beschäftigten:

> »Zeus und Hera« ist wieder sehr interessant. Ich war in meiner Unschuld nie darauf gekommen, daß sie ja eigentlich Geschwister waren, obgleich mir doch diese Art von Ehe von Aegypten her so vertraut war. Sie blieb wohl immer verbunden mit dem Anspruch exklusivster Vornehmheit, wo die »Ebenbürtigkeit« gleich nach dem Geschwisterlichen aufhörte. Unwillkürlich habe ich in meiner Nacherzählung des »Gregorius«, die übrigens motivisch nicht sehr stark ist, das zärtliche Geschwisterpärchen von der Idee beherrscht sein lassen, daß nur sie in ihrer Feinheit einander ebenbürtig sind.[187]

In derselben Doppelperspektive von christlicher und religionsgeschichtlich erweiterter Deutung zeigt sich schließlich auch die Darstellung der »Wandlung« im gleichnamigen Kapitel. Die im Zeitraffer durchlaufenen Phasen der Wiederherstellung des Gregorius zum erwachsenen, gebildeten, getauften Menschen vollziehen sich im Zeichen von »Brot und Wein«. Beides haben die römischen Gesandten im Haus des Fischers genossen, ehe sie zum Stein des Gregorius aufbrachen; der noch ding-, pflanzen- und tierhafte Gregorius »aß vom Brote, trank von dem Wein«, und so vollzieht sich »in stillem und stetem, unüberstürztem Vollzuge [...] die Wandlung«.[188] Das, was Clemens »die Herstellung« des fortan heiligen Mannes nennt, geschieht im Zeichen einer Eucharistie, hinter der dieselben älteren Überlieferungsbestände sichtbar werden wie in Hölderlins Hymne *Brod und Wein*.

187 TM/Kerényi, 170f.; zu dessen Studie *Zeus und Hera. Der Kern der olympischen Götterfamilie*. In: *Saeculum*, Freiburg i. Br., Jg. 1, H. 2, 1950, S. 228–257. – Dazu Wysling 1967, S. 284 u. 343.

188 Textband S. 264.

An seine um Erklärungen bittende Übersetzerin Helen T. Lowe-Porter schreibt Thomas Mann am 27. Februar 1951 zu dieser Szene:

> Mit »Brot und Wein« ist natürlich auf das Sakrament angespielt, es ist aber auch im antiken Sinn höhere Nahrung überhaupt damit gemeint, zu welcher der Mensch durch die Erfindung des Getreide- und Weinbaues (Ceres, Bacchus) gelangte. Grigorss, der so lange nur Erdmilch, die primitivste, kindliche Nahrung des Menschen, genossen hat, erlangt durch die Berührung mit Brot und Wein seine erwachsene Gestalt zurück. Die Kapitel-Ueberschrift »Die Wandlung« meint eben nur diese Rückverwandlung.[189]

Ähnlich an Wilhelm Kamm am 16. Oktober 1951: »Der Büßer Grigorß wird in den vor-civilisierten Zustand des Menschen, den vor-demetrischen, vor Erfindung des Brot- und Weinbaus, zurückversetzt und erlangt durch die Aufnahme von Brot und Wein seine frühere Gestalt zurück.«[190] Alle drei Aspekte des Konflikts, um den es im Roman geht – Sünde, Buße und Erlösung – erscheinen damit vom *Buße*-Kapitel aus in christlicher und vorchristlich-mythologischer Perspektive. Mit Hilfe seines fiktiven Erzählers Clemens löst Thomas Mann diese Spannung auf zwei Weisen: einerseits indem er es als komisch-parodistisches Exempel eines mittelalterlichen Wunderglaubens inszeniert, andererseits indem er Clemens die mythologischen Bestände in seine christliche Rechtfertigungslehre so aufnehmen lässt, wie es die spätantike Theologie mit antiken Traditionsbeständen getan hat. In seiner Antwort auf kritische Fragen des Juristen und engagierten Thomas-Mann-Lesers Oscar Schmitt-Halin (der mehrfach mit ihm und auch mit anderen Mitgliedern der Familie korrespondierte) führt Thomas Mann diesen Gedankengang am 7. April 1951 in drei präzise resümierenden Schritten vor (die wir zur Verdeutlichung als Gliederungsmarken hervorheben):

189 DüD III, 380. 190 Ebd., S. 405.

> [1. *Zum Problem der »genaumachenden« Geschehensmotivierung:*] Hartmann und die Legende, fand ich, haben es sich mit der Buße auf dem Stein erzählerisch zu leicht gemacht. Sie wollen, Gregor habe auf dem nackten Felsen ohne allen Schutz für seinen Menschenleib vor den Unbilden der Witterung und ohne andere Nahrung, als »das Wasser, das aus dem Felsen sickerte« – siebzehn Jahre überstanden. Das ist ganz einfach unmöglich, und das handgreiflich Unmögliche konnte ich bei meiner Realisierung der Geschichte nicht brauchen. Ich mußte es mit einer Art von Schein-Möglichkeit umkleiden, [2. *Zur Ausweitung des Legendenmotivs ins Mythengeschichtliche:*] und so führte ich das antike Motiv der Erdmilch ein, von der der kindliche Frühmensch sich nährte, und ließ den Büßer zum verzwergten Naturwesen, ja zu einem bemoosten Naturding herabgesetzt werden, das von Zeit und Wind und Wetter nichts mehr spürt. [3. *Zur Integration des mythologischen Überlieferungsbestandes in die Rechtfertigungslehre der Büßer-Legende:*] Ich mußte es in Kauf nehmen, daß das auch eine Herabsetzung der subjektiven Schwere seiner Buße bedeutet. Sein Wille zu radikaler Buße schien mir entscheidend, und die Gnade erkennt ihn an, indem sie den unters Menschliche Erniedrigten wieder zum Menschen, ja über alle Menschen erhebt.[191]

Die Verbindung des Bußwillens mit der ihn anerkennenden Gnade entspricht tridentinischen Vorstellungen; die im *Joseph*-Roman entwickelte »Psychologisierung des Mythos« konvergiert mit einer gleichermaßen humanistischen und theologischen Psychologisierung. – Der unmittelbare Erfolg der vertieften Kerényi-Lektüre war durchschlagend. Am 5. Januar 1950 wird *Der Stein* abgeschlossen; kaum zehn Tage später ist auch *Die Buße* fertig. (Gleichzeitig hat Helen T. Lowe-Porter bereits mit der Übersetzung der ersten Kapitel begonnen.)

191 DüD III, 385.

Der Papst und die Politik: Abschlusspläne und zweite Europareise

Getragen vom Optimismus nach dem Abschluss dieses Komplexes, sieht Thomas Mann zum ersten Mal auch den Abschluss des Romans in greifbare Nähe gerückt. »Der ›Gregorius‹ ist sehr bald fertig«, schreibt er am 13. Januar 1950 an Alfred Neumann.[192] »Schloß das Kapitel ›Die Buße‹ ab«, vermerkt das Tagebuch tags darauf. »Es kommt jetzt die römische Papstwahl.« Ab dem 18. Januar 1950 werden »Studien zum römischen Kapitel« unternommen. Wie schon zu Beginn zwei Jahre zuvor liest Thomas Mann dabei intensiv wieder Gregorovius' *Geschichte der Stadt Rom im Mittelalter*. Am 26. Januar sieht er die Abschrift der bisherigen Kapitel durch und korrigiert sie bis einschließlich zum Kapitel *Der Handkuß*. Ende Januar bereitet er einen Vorabdruck aus dem ersten Kapitel vor, der mit einer kleinen Einleitung in der italienischen Zeitschrift *L'Immagine* erscheinen soll.[193]

Dann aber gerät die Arbeit wegen einer Erkrankung ins Stocken; am 31. Januar ist alle Zuversicht verflogen: »Beschäftigung mit römischen Dingen, die aus stilistischen Gründen garnicht werde brauchen können. [...] Geschichte der Stadt Rom faszinierend. [...] Aber Kummer über meine geringen Arbeitsfortschritte seit vielen Wochen.«[194] Und am 2. März schreibt Thomas Mann an Gottfried Bermann Fischer: »Leider muß ich die Hoffnung aufgeben, den kleinen Roman zum Frühjahr herauszubringen.«[195]

Immerhin ist am 18. Februar das am 1. Februar begonnene »Konklave-Kapitel« (Tb.) *Die Offenbarung* abgeschlossen, das zeitweise in zwei Kapitel hatte aufgeteilt werden sollen.[196] Mitsamt den vorangegangenen Kapiteln (den Manuskriptseiten 145 bis 253) wird es am selben Tag an die Übersetzerin geschickt; im

192 Ebd., S. 365.

193 Vgl. Thomas Manns Brief an Lavinia Mazzucchetti vom 15. 1. 1950; Reg. 50/42; TMA.

194 Tb. 31. 1. 1950. 195 TM/GBF, 528. 196 Tb. 11. 2. 1950.

Begleitbrief deutet Thomas Mann an, wie er sich Fortgang und Abschluss denkt: »Es fehlen noch drei oder vier Kapitel, mit denen es aber besondere Schwierigkeiten hat. Mein Hang zum Komischen muß gezügelt werden um des religiösen Ernstes willen, der doch im Hintergrunde steht.«[197] Nachdem er am 19. Februar die Kapitel *Die Buße* und *Die Offenbarung* vorgelesen hat, vermerkt er im Tagebuch »nur einige Sorge, daß Lamm und Blut trotz zärtlicher Behandlung anstößig sein könnten« – eine Sorge, von der ihn auch Lion Feuchtwangers ermutigende Worte nicht ganz abbringen können.[198]

Ausgerechnet für diese heiklen Fragen ergibt sich eine Lösung aus der größten Unterbrechung, die der Roman in dieser letzten Arbeitsphase erfährt: dem Plan für eine zweite Reise nach Europa zur geplanten Feier seines 75. Geburtstags am 6. Juni in Zürich; eine Reihe von Einladungen und eine längere Dauer der Reise folgten daraus. Das Tagebuch konstatiert am 19. Februar die »Unmöglichkeit, rechtzeitig den Roman zu vollenden und einen Vortrag zu Papier zu bringen. [...] Erwägung daß der Roman ohnehin nicht mehr zum Frühjahr erscheinen und daß ich ihn abbrechen könnte, um zunächst den Reisevortrag herzustellen.« Der »Reisevortrag«, das ist der aus diesem biographischen Anlass verfasste umfangreiche Essay *Meine Zeit / The Years of my Life*, der – so erläutert ein Brief aus dem März 1950 – »eine Art zusammengedrängter Autobiographie darstellen wird, die sich allerdings weniger mit meinem eigenen Leben als mit der durchlebten Epoche beschäftigt.«[199] Noch 1950 erscheint eine erweiterte Fassung des Vortrags in Buchform bei S. Fischer. (Und unerwartet verbindet sich dieser Rückblick mit zwei familiären Erschütterungen: Am 21. Mai 1949 nimmt sich Klaus Mann in Cannes das Leben; am 12.

197 An Helen T. Lowe-Porter, 18. 2. 1950; DüD III, 366.
198 Vgl. den Tagebucheintrag vom 19. 2. 1950.
199 An Benno Lee, 9. 3. 1950; Reg. 50/142.

März 1950 stirbt Heinrich Mann in Santa Monica; über beide verfasst Thomas Mann Gedenk-Essays.)[200]

Die Reise beginnt unmittelbar nach dem Abschluss des XXVI. Romankapitels im April, mit Vorträgen von *Meine Zeit* in Chicago und New York. Am 1. Mai fliegt Thomas Mann nach Europa; am 29. August kehrt er nach Pacific Palisades zurück. Stationen der Reise sind Stockholm und Lund in Schweden, Kopenhagen, die Pariser Sorbonne, Zürich (wo die Feier des 75. Geburtstags begangen wird), Lugano, Basel und wieder Zürich. An den meisten dieser Orte trägt Thomas Mann *Meine Zeit* vor.

Schon am 1. März sind die »Kapitel ›Hochzeit‹, ›Jeschute‹ und ›Abschied‹ mit Vorbemerkung für die Rundschau nach Frankfurt« gegangen.[201] Als sie im Mai-Heft von S. Fischers *Neuer Rundschau* erscheinen und zum ersten Mal in gedruckter Form auf den kommenden Roman aufmerksam machen, ist Thomas Mann bereits in Europa. Wie schon im Vorjahr liest er wieder mehrfach aus dem Roman vor (öffentlich, aber auch während Besuchen beim ermutigenden Hermann Hesse in Montagnola), in der Hoffnung auf einen baldigen Abschluss: »An meinem neuen kleinen Roman fehlen noch einige Kapitel. Wenn wir im Hochgebirge sind, vermutlich in Sils Maria, ab Mitte Juli, hoffe ich noch etwas daran zu tun und zu Hause in Californien dann bald damit fertig zu werden. Jedenfalls ist das Erscheinen des Buches für den Herbst angekündigt«.[202]

Die Fortsetzung des Romans kommt während der Reise weitgehend zum Erliegen. Liest man aber die Kapitel über Wahl, Berufung und Amtsführung des »sehr großen Papstes« im Licht der Europa-Reisen des Amerikaners Thomas Mann 1949 und 1950, dann werden Grundlinien einer politischen Kontextualisie-

200 *Vorwort* [*zu »Klaus Mann zum Gedächtnis«*]; E VI, 183–187; *Ein Brief über Heinrich Mann*; E VI, 188–190.

201 Tb. 1. 3. 1950. Die Vorbemerkung hier in Materialien und Dokumente S. 486f.

202 An Alexander Baldus, 28. 6. 1950; DüD III, 368.

rung sichtbar. Thomas Manns Selbstkommentare während der letzten Arbeitsphasen und nach Erscheinen des Romans begnügen sich zumeist mit allgemeinen Hinweisen darauf, dass »in so bedrückenden Zeiten [...] in diesen Experimenten und höheren Scherzen« eine Art Stärkung oder Trost zu suchen sei,[203] dass die Komik der »fromme[n] Geschichte« als »entlastend, ein wahrer Segen« wirken solle,[204] dass es ihm überhaupt nur noch darum gegangen sei, der »Welt [...] etwas höhere Heiterkeit zu bringen«,[205] denn: »diese höheren Späße [...] lassen am besten Gram und Grauen der Zeit vergessen.«[206] Am ausführlichsten formuliert er diesen Gedanken am 27. April 1951 in einem Brief an den Schriftsteller Hermann Stresau:

> Das kleine Buch macht viele Späße, aber mit der Idee der Gnade, in deren Zeichen längst mein Leben und Denken steht, ist es ihm reiner Ernst. Ist es denn nicht auch die pure Gnade, daß ich nach dem verzehrenden »Faustus« noch dies in Gott vergnügte Büchlein hinbringen konnte? Ich könnte wahrhaftig noch mehr hinbringen, aber die Ausweglosigkeit der Weltlage, die krankhaft gespannte Atmosphäre hier drücken schwer auf mich und halten meine produktive Laune nieder, ohne die doch kein Leben ist.[207]

Die allgemeinen Anspielungen auf »die Ausweglosigkeit der Weltlage, die krankhaft gespannte Atmosphäre« der »bedrückenden Zeiten« weisen aber auch auf sehr konkrete Zeitumstände hin: Thomas Manns Roman entsteht in genau den Jahren, in denen die antifaschistische Allianz der Kriegsalliierten in die Frontstel-

203 An Agnes E. Meyer, 17. 2. 1950; TM/AM, 729.

204 An den Theologen Kuno Fiedler am 7. 10. 1950: »Die fromme Geschichte ist aber komisch, und Komik erscheint mir mehr und mehr als das Beste auf der Welt, erlabend, entlastend, ein wahrer Segen.« (DüD III, 371)

205 »Der Welt [...] etwas höhere Heiterkeit zu bringen, ist immer noch das Beste« – so über den Roman an den Freund Hans Reisiger (4. 11. 1950; TM/Reisiger, 25).

206 An Grete Nikisch, 30. 3. 1951; Br. III, 195.

207 DüD III, 388.

lung des Kalten Krieges zerfällt. Schlaglichtartig beleuchten drei einschneidende Ereignisse diese Umstände während der Vor- und Frühgeschichte der Romanentstehung: Im März 1947 verkündet US-Präsident Truman die nach ihm benannte Doktrin gegen die Expansion des sowjetischen Machtbereichs; 1949 scheitert die sowjetische Berlin-Blockade; im selben Jahr werden kurz nacheinander die Bundesrepublik Deutschland und die Deutsche Demokratische Republik gegründet. Bei alldem ist die Angst vor einem dritten Weltkrieg allgegenwärtig. Und Thomas Mann wird, sowohl während seiner west-östlichen Bemühungen im Deutschland des Goethejahres 1949 als auch der antikommunistischen Verfolgungen in den USA (unter anderem der Absage seines *Meine Zeit*-Vortrags in der *Library of Congress* 1950), selbst zu einem Gegenstand dieser Spannungen.[208]

Der *Erwählte*, so unpolitisch er erscheint, stellt seinen Verfasser bereits mit dem Konzept eines psychologisch-parodistischen Legendenromans zwischen die Stühle der konservativen Rekatholisierung Westdeutschlands und der Durchsetzung des ›Sozialistischen Realismus‹ in Ostdeutschland, zwischen Adenauer und Ulbricht. Immer wieder äußert Thomas Mann in seinen Briefen die Erwartung, der Roman werde »je nach der Geographie ›mythosfern‹ oder ›volksfremd‹ genannt« werden.[209] Seine politischen Äußerungen dieser Zeit sind bestimmt von Klagen wie »Die Lage scheint ausweglos, und unaufhaltsam gleiten wir in Nacht, Katastrophe und Barbarei hinein«[210] und vom Einspruch »gegen machtvolle Einflüsse, die seit Ende des Krieges die Umfälschung des Problems der *Ordnung* der Welt in die Technik der *Blockbildung* betreiben.«[211]

Aber der Zeitbezug des *Erwählten* ist enger, als es diese Bestim-

208 Dazu Stachorski 2005, bes. S. 72–115.

209 So an den Literaturkritiker der *Neuen Zürcher Zeitung* Werner Weber am 6. 4. 1951; Br. III, 201.

210 An Käte Hamburger, 28. 4. 1951; TM/Hamburger, 114.

211 *Anläßlich einer Zeitschrift*; E VI, 148.

mung der humoristischen christlich-humanistischen Position zwischen den Stühlen erkennen lässt. Liest man die Reden und Artikel, die Thomas Mann während der beiden Europareisen verfasst hat, dieser großen Unterbrechungen der Arbeit am *Erwählten*, dann tritt darin als ein Hauptthema die Frage nach einem zeitgemäßen Verständnis der christlichen Traditionen Europas hervor. Der Anfang 1949 geschriebene Vortrag über *Goethe and Democracy / Goethe und die Demokratie* – gewiss kein Thema, das eine Stellungnahme zum Christentum erzwingt – proklamiert unter Berufung auf den jeder dogmatischen Konfessionalität unverdächtigen Goethe als einen »Protestant[en] von Kultur« die »sittigende[ ] Macht«, die »›sittliche Kultur‹ des Christentums, seine Humanität«,[212] betont Goethes eigenwilligen »Glauben an Gnadenwahl« und erklärt, das so verstandene »Christentum [*sei*] die Demokratie als Religion – wie man sagen kann, daß die Demokratie der politische Ausdruck des Christentums ist.«[213] Diese demokratische und sittigende Christlichkeit setzt Thomas Manns Vortrag dann in Beziehung zu den Hoffnungen, die der alte Goethe auf das junge Amerika gesetzt habe (»die neue Welt, Amerika, ist ins Blickfeld gerückt«),[214] und erklärt in kategorischem Ton:

> – Die Aufmerksamkeit auf Veränderungen im Bilde der Wahrheit und des Rechten und der intelligente Gehorsam, der ihnen Rechnung trägt, – das ist eigentlich seine [*Goethes*] politische Religion.[215]

Es ist jedenfalls Thomas Manns eigene politische Religion. Bereits 1942 hatte er in einer *Christmas Message* für das Gemeindeblatt der *First Unitarian Church of Los Angeles* seine Begriffe von Religiosität und Sünde ganz ähnlich erläutert:

212 GKFA 19.1, 625f.

213 Ebd., S. 623. Stephan Stachorski weist die Herausgeber darauf hin, dass damit eines der zentralen antidemokratischen und antichristlichen Argumente Nietzsches absichtsvoll umgekehrt wird.

214 GKFA 19.1, 631. 215 Ebd., S. 630.

> Were I to determine what I, personally, mean by religiousness, I should say: it is *attentiveness* and *obedience*, attentiveness to the inner changes of the world, the mutations in the aspects of truth and right [...] That is my definition of religiousness and of »sin«. To live in sin is to live against the spirit, to cling to the antiquated, obsolete, and to continue to live in it, due to inattentiveness and disobedience.[216]

Das entspricht der entschieden linksgerichteten Religions- und Gesellschaftsauffassung dieser Gemeinde und ihrer Pastoren Ernest Caldecott (auf dessen Einladung die Weihnachtsbotschaft verfasst wurde) und des mit Thomas Mann befreundeten Stephen Fritchman, in dessen Kirche Thomas Mann 1951 in einer Kanzelrede seinen Begriff der unitarischen als einer sozialen »applied Christianity« erläuterte.[217] Es entspricht auch der von Clemens dem Iren dem »sehr großen Papst« nachgerühmten Kirchenreform »im Geiste der Aufklärung«.[218] In der jungen DDR sei ihm »eine der Verbesserung des Irdischen zugewandte Frömmigkeit« begegnet, schreibt Thomas Mann im Bericht über »meine Weimar-Fahrt«.[219] Gleichzeitig beruft er sich, wieder in *Goethe and Democracy*, auf die christliche Herkunft auch dieser sozialreformerischen Bekenntnisse und bemerkt, »daß es heute eine protestantische Anlage und Erziehung sein mag, die einen Geist abhält, beim kommunistischen Glauben sichernde Unterkunft zu finden.«[220]

In *Meine Zeit* bestimmt Thomas Mann so seine eigene politische Position zwischen den Fronten des Kalten Krieges *ex negativo* und *ex positivo*. Er erinnert an »das Heraufkommen jener Welle von

216 Vollständig in Detering 2012, S. 293. 217 Ebd., S. 296.
218 Textband S. 274.
219 [*Reisebericht*]; GKFA 19.1, 714. Im selben Bericht zitiert er zustimmend den Respekt, den »Papst Pius [...] als Nuntius Pacelli« der Luther'schen Wartburg entgegengebracht habe (ebd., S. 717). Vgl. dazu auch Wimmer 1998, S. 104.
220 GKFA 19.1, 624.

revolutionärem Obskurantismus [...], welche Nationalität gegen Humanität stellte«, also »des Faschismus«, und stellt dagegen das Bekenntnis: »Jeder vernünftige Mensch ist ein gemäßigter Sozialist«; gemeint ist »der humanistisch gezügelte, der liberale Sozialismus«.[221] Die einleitenden Worte des Vortrags nehmen das Hauptthema auch des gleichzeitig entstehenden Romans auf:

> Ich las neulich, daß in Deutschland, wo es viel »name calling« gibt, ein geistliches Gremium meinem Lebenswerk jede Christlichkeit abgesprochen habe. Das ist schon Größeren geschehen, es weckt allerlei Erinnerungen. Aber für den eigenen Fall habe ich besondere Zweifel, – die sich weniger auf den Inhalt meiner Schriften als auf den Impuls beziehen, dem sie ihr Dasein verdanken. Wenn es christlich ist, das Leben, sein eigenes Leben, als eine Schuld, Verschuldung, Schuldigkeit zu empfinden, als den Gegenstand religiösen Unbehagens, als etwas, das dringend der Gutmachung, Rettung und Rechtfertigung bedarf, – dann haben jene Theologen mit ihrer Aufstellung, ich sei der Typus des a-christlichen Schriftstellers, nicht so ganz recht. Denn selten wohl ist die Hervorbringung eines Lebens – auch wenn sie spielerisch, skeptisch, artistisch und humoristisch schien – so ganz und gar, vom Anfang bis zum sich nähernden Ende, eben diesem bangen Bedürfnis nach Gutmachung, Reinigung und Rechtfertigung entsprungen, wie mein persönlicher und so wenig vorbildlicher Versuch, die Kunst zu üben.
>
> Vermutlich erachtet die Theologie die künstlerische Bemühung garnicht als ein Rechtfertigungs- oder Erlösungsmittel, und vermutlich hat sie sogar recht damit. [...] Da wird [...] nur ein Trostgedanke bleiben: der an die Gnade, diese souveränste Macht, deren Nähe man im Leben schon manchmal staunend empfand, und bei der allein es steht, das Schuldiggebliebene als beglichen anzurechnen. –[222]

221 E VI, 171 u. 180. 222 Ebd., S. 160f.

Wenn der Roman, während dessen Ausarbeitung diese Sätze öffentlich gesagt und geschrieben werden, sich auf ein imaginäres, überzeitliches und polyphones Mittelalter bezieht, dann entwirft er das in die Vergangenheit projizierte Bild eines Europa, das international statt national bestimmt ist, dessen Christentum – wie die »römischen« Kapitel nachdrücklich herausstellen – in enger Beziehung zur griechisch-römischen Antike steht und das durch die Kirche sittlich geleitet erscheint (jedenfalls die lebensfreundliche Idealkirche, die Gregorius verkörpert).[223] Nicht mehr Deutschland steht damit im Mittelpunkt, sondern ein Europa, zu dem, unter anderem, auch Deutschland gehört.

Gelegentlich hat Thomas Mann einen spezifischen Bezug auf Deutschland, seine Schuld und sein Gnadenbedürfnis für den *Erwählten* vehement bestritten (ganz anders als im Fall des Deutschland-Romans vom *Doktor Faustus*). An Jonas Lesser schreibt er am 26. April 1951:

> Schlagen Sie es sich aus dem Sinn, dass ich bei der Geschichte irgendwie an die Deutschen gedacht habe! Ich glaube, die Deutschen glauben das selber. Sie denken, man denkt bei allem an sie. Die Idee der Gnade ist mir aber eine viel zu persönliche Angelegenheit, als [*dass*] ich die Deutschen und ihre Missetaten brauchte, um von ihr erfüllt zu sein.[224]

Im September desselben Jahres 1951 allerdings hat er diese Position, aus Anlass eines israelischen Zeitungsbeitrags, sonderbar selbstkritisch relativiert: »Ich gestehe, daß ich diesmal weder an Deutsche noch Juden habe denken wollen und einfach *erzählt*

223 Zu dieser Europäisierung des Stoffes Wimmer 1991, S. 286–295, und Wimmer 1998.

224 TM/Lesser, 86; ähnlich kurz darauf im Tagebuch aus Anlass eines deutschen Rundfunkbeitrags: »Manuskript vom Hessischen Rundfunk, Frankfurt über den Gregorius. Bezieht es auf Deutschland. Bei allem muß man an Deutschand gedacht haben.« (Tb. 2. 5. 1951) Ganz anders Ahn 1987, der den Roman bis in einzelne Motive hinein als Auseinandersetzung mit Deutschland, seiner Geschichte und Gegenwart liest.

habe. Aber wer kann wissen, was ihn insgeheim zu einem Stoffe zieht?«[225] Im selben Sinne schreibt er am 23. August 1953 an den deutsch-israelischen Literaturkritiker Erwin Loewenson, dass manches

> sehr möglicher Weise trotzdem aus den unbewußten geistigen Gründen meiner Existenz in sie [*meine Arbeit an der Neuformung der Legende*] hineingewirkt haben mag. Dies mag sogar für die Assoziationen gelten, die sich auf Deutschland und die Deutschen erstrecken, und bei denen ich am meisten zum verwunderten Kopfschütteln geneigt war. Schon daß jener Adrian Leverkühn so schlechthin und mit Haut und Haar als Allegorie für Deutschland ausgegeben wurde, war mir nicht lieb, da seine Repräsentation doch weiter reicht. Beim Erzählen des »Erwählten« vollends habe »*ich*« an Deutschland überhaupt nicht gedacht und finde auch, daß die Deutschen nicht glauben sollten, daß man bei all und jedem unbedingt an sie gedacht haben muß. Aber was heißt »ich« und was heißt »denken«. Ich habe das deutsche Schicksal schließlich erlebt, und wer weiß, ob Sie nicht gegen mein Bewußtsein recht haben und ob nicht doch bei »Schuld«, »Sühne« und »Igel«[226] eine »unterschwellige« Bezugnahme auf dies Erlebnis im Spiele war.[227]

Der DDR-Germanist Eberhard Hilscher, mit dem Thomas Mann im Oktober und November 1951 eingehend über seinen Roman korrespondiert hatte, nimmt in seinem späteren Thomas-Mann-Buch einen politischen Deutschland-Bezug ausdrücklich an.[228]

225 An Emanuel Schwarz, 5.9.1951; DüD III, 400; vgl. hier zur Rezeptionsgeschichte.

226 Diese Trias ironisiert freilich die schwerwiegenden moralischen Termini wieder.

227 DüD III, 427f.

228 Hilscher 1971, S. 190f. – Die gegenüber Lesser so betont subjektive Abwehr eines Deutschland-Bezugs muss darum auch nicht ausschließen, dass zur »persönlichen Angelegenheit« auch die Frage nach einer möglichen

Wie auch immer es sich mit den Deutschland-Bezügen verhält – der Bezug auf Europa steht jedenfalls im Vordergrund. Dabei zeigt sich bei genauerem Hinsehen, dass das mittelalterliche Europa, das im Roman als Handlungsraum und Sprachenwelt in den Blick kommt, weitgehend deckungsgleich ist mit dem Westeuropa, aus dem nach der im Erscheinungsjahr des Romans geschlossenen »Montanunion« die Europäische Union hervorgehen wird. Deutschland, Frankreich, England, die Niederlande (mitsamt dem fiktiven Herzogtum Flandern-Artois) und das noch römische Italien sind die Schauplätze; und besondere Aufmerksamkeit gilt der Kontinuität eines deutsch-französischen Kulturraums – von den ersten sprachgeschichtlichen Anfragen Thomas Manns an Samuel Singer bis zur den Roman abschließenden Quellennotiz, die ja über Hartmann hinaus auch auf dessen französische Vorlage verweist – und dem angelsächsischen Sprachraum, den etwa die Anspielungen auf die Londoner Börse, das Fußballspiel und die komischen Anglizismen ins Spiel bringen (zu denen auch der Amerikanismus »Baby« gehört, der dem Abt in *Die Fischer von Sankt Dunstan* in den Sinn kommt). Nimmt man diese oft übersehene geopolitische Konturierung der Romanwelt wahr, dann wird deutlich, wie eng der fiktive Text etwa mit einer Grundsatzerklärung in der New Yorker Exilzeitschrift *Aufbau* 1952 zusammengehört, deren Überschrift lautet: *Thomas Manns Bekenntnis zur westlichen Welt*. In diesem Kontext gelesen, wird *Der Erwählte* lesbar als Thomas Manns Roman der Westbindung.[229]

eigenen Mitschuld an Vorbereitung und Aufkommen des Faschismus gehört haben könnte, als deren Bearbeitung Stephan Stachorski das Gespräch zwischen Sibylla und Gregorius im Kapitel *Die Audienz* interpretiert (Stachorski 2014).

229 »Das universale und kosmopolitische Mittelalter aus dem Geiste Ottos III. als deutsche Möglichkeit – für Thomas Mann war dies ohne Zweifel nicht nur historische Schau, sondern Zukunftsvision nach dem Ende von Krieg und Barbarei«, erklärt Schlüter 2012, S. 57, und folgert, es gehe Thomas Mann im *Erwählten* »mit allem Nachdruck [um] ein Mittelalter für das zwan-

Hauptstadt dieser Romanwelt ist das päpstliche Rom. Die einzigartige, in den Extremen von Sündhaftigkeit und Heiligkeit alles überbietende Gestalt des heiligen Gregorius aber überbietet in den letzten Kapiteln des Romans auch die vorausgesetzte christliche Ordnung und Sittlichkeit selbst, mitsamt den kirchlichen Institutionen: Der »sehr große Papst« – der aus dem Zustand des aufs äußerste reduzierten »Naturding[s]«[230] berufen und dann ohne Priester- und Bischofsweihe auf den Heiligen Stuhl erhoben worden ist – versöhnt Christen- und Heidentum »im Geiste der Aufklärung«, geht in der Kirche gegen Korruption vor und zeigt im Verhältnis zu »moslemitischen Bekehrten«, zu »Thrakern und Skythen« Geduld und Nachsicht bis zur »Läßlichkeit«,[231] spricht seine zweifach inzestuös-sündhafte Mutter frei und bekennt dabei seine eigene, der göttlichen Gnade bedürftige Schuld, wird wie ein musterhafter Psychotherapeut ein »guter Arzt der Seelenwunden«.[232]

Die Wahl gerade eines so dezidiert römisch-katholischen Sujets wie einer Papstlegende hat mit weit zurückreichenden Sympathien zu tun, die Thomas Mann gegenüber Agnes E. Meyer schon am 21. Juli 1948 so formuliert hat: »Das Protestantische ist gewiss meine Ueberlieferung, – die deutsche Kultur ist nun einmal wesentlich protestantisch. Aber das Heimweh nach vorschismatischen europäischen Zeiten gehört auch dazu, und oft hat Katholisches mich sehr stark angezogen [...].«[233] Die Lektüre von Joseph Bernharts Buch über den Vatikan jedoch, das Thomas Mann für die letzten Kapitel des Romans intensiv konsultiert, kontrastiert dieses »Heimweh« mit weniger anziehenden historischen Sachverhalten. In ihm »tritt der Wirrwarr von Korruption und Herrschsucht in der Geschichte der Kirche nur zu klar zu Tage.«[234]

zigste Jahrhundert, für eine Welt, die sich endlich wieder auf Humanismus, Universalismus und Kosmopolitismus zu berufen hatte.«

230 Textband S. 223. 231 Ebd., S. 274f. 232 Ebd., S. 281.
233 TM/AM, 706f. 234 Tb. 2. 8. 1950.

Universal ist dieser katholische Universalismus des *Erwählten* weniger im Sinne der Tradition, in die sich Thomas Mann während der letzten Arbeitsphasen noch einmal intensiv vertieft, als eher im Sinne der *Unitarian Universalists*, deren Gemeinschaft Thomas Mann in diesen Jahren auch institutionell zuneigt. Ihre dezidierte Ausweitung eines vor allem sittlich verstandenen Christentums in einen interreligiösen, auch Formen des politischen Humanismus einbeziehenden Horizont imprägniert im Roman seine Auffassung des Katholizismus. Wenn er kurz nach Veröffentlichung des Romans ausdauernd um eine Privataudienz bei Papst Pius XII. nachsucht, dann tut er das auch *infolge* des Romans; auf einer Ansichtskarte des Lateran notiert er: »Hier, umseitig, residierte Gregorius.«[235]

In seinen Aufzeichnungen über die Audienz selbst wird die Position sehr präzise umrissen, aus der heraus kurz zuvor die Papst-Kapitel des Romanschlusses entstanden sind: »Der Ungläubige und Erbe protestantischer Kultur beugte ohne die leiseste innere Hemmung das Knie vor Pius XII. und küßte den Ring des Fischers, denn es war kein Mensch und Politiker, vor dem ich kniete, sondern ein weißes Idol, das [...] zwei Jahrtausende abendländischer Geschichte sanft und ein wenig leidend vergegenwärtigte.«[236] Der »Ring des Fischers« ist buchstäblich der Ring des Gregorius – man »steckte den Ring des Fischers ihm über den Seidenhandschuh«,[237] heißt es im Kapitel *Der sehr große Papst* –; und als »ein weißes Idol« tritt nun auch der Papst mitsamt seinem Besucher in die Reihe der christlichen Gestalten ein, in denen auch heidnisch-mythische Überlieferungsgegenstände eine christliche Amplifikation erfahren.[238]

235 An Richard Schweizer, 22.4.1953; Br. III, 293.
236 An Ranuccio Bianchi Bandinelli, 3.5.1953; Br. III, 294f.
237 Textband S. 271. 238 Vgl. Rieger 2015, S. 128–131.

Ende

Die letzte Phase der Arbeit am *Erwählten*, die im Juli 1950 beginnt, steht im Zeichen von sehr persönlichen »brennenden Lebensfragen«,[239] die Thomas Mann umtreiben und erschöpfen. Während des Aufenthalts im Zürcher Grandhotel »Dolder« am Ende seiner Reise erlebt er die in den Tagebüchern unablässig umkreiste und bis in den *Krull* hinein fortwirkende Liebe zu »Franzl« Westermeier; unter ihrem Eindruck verfasst er den Essay über *Michelangelo in seinen Dichtungen* (später *Die Erotik Michelangelos*). Mühsam und lustlos sucht er nun nur noch »den Roman zu beenden, worauf alles ankommt«[240] – in der ungewissen Hoffnung, ein letztes Mal eine Art kunstreligiöser Erlösung zu finden: »Völlige Präokkupation durch Leidenschaften, Liebeskummer, die nur durch Dichtung leidlich zu erlösen«.[241]

Getrieben durch den Vorsatz, »Um jeden Preis fertig [zu] machen«,[242] und angeregt durch seine kirchengeschichtlichen Studien, schreibt Thomas Mann mit allmählich wiederkehrenden Kräften bis zum November 1950 die Kapitel XXVII bis XXXI. Am 6. Oktober wird das Kapitel *Der sehr große Papst* beendet. Am 10. Oktober beginnt das vermeintlich letzte Kapitel (es wird das vorletzte sein), am 20. Oktober dann das wirklich letzte. Leidenschaften und Liebeskummer scheinen tatsächlich überwunden; am 26. Oktober 1950 verzeichnet das Tagebuch Müdigkeit und Sektlaune:

> Halb 12 Uhr: *Schrieb die letzten Zeilen von ›Der Erwählte‹* und das Valete. [...] Zu Hause um 1/2 10 Blumen-Überraschung im Living Room, veranstaltet von den Damen zur Feier der Beendigung. Caviar und Moët Chandon. Nachher Vorlesung des Audienz-Kapitels. Erika lobte den Ausklang. – Übermüdet.

239 Tb. 19. 8. 1950. 240 Tb. 20. 8. 1950.
241 Tb. 22. 8. 1950. 242 Tb. 16. 9. 1950.

Die Erleichterung ist jedoch voreilig. Am 10. November 1950 trifft die Abschrift ein, die Thomas Mann an den beiden folgenden Tagen korrigiert; dabei kommen ihm noch einmal »Gedanken u. Skrupel, wie das Schlußkapitel des ›Erwählten‹ auch anders zu machen gewesen wäre.«[243] Unvermeidlich scheint ihm eine »Umarbeitung des Schlußkapitels, zu der ich jetzt nicht komme. Werde die Abschriften wohl ohne den Schluß verschicken müssen.«[244] Wirklich schickt er sie so unvollständig an Gottfried Bermann Fischer:

> Zu dem Manuskript, das diese Zeilen begleiten, möchte ich bemerken: ich bin mit dem letzten Kapitel des Romans noch nicht ganz zufrieden und möchte es umarbeiten, komme im Augenblick noch nicht dazu, weil ich ein paar Tage brauche, um einen Vortrag über Shaw fertigzumachen, den ich im Rahmen des Third Programm von BBC halten soll. Um keine Zeit zu verlieren, schicke ich Ihnen aber schon heute das gesamte Manuskript mit Ausnahme eben des letzten Kapitels, das sobald wie möglich folgen soll und dessen Umfang zehn bis fünfzehn Seiten betragen wird. So kann jedenfalls einmal mit dem Druck begonnen werden. – Nach New York lasse ich das Manuskript ebenfalls bis auf den Schluß abgehen.[245]

Drei Tage nach diesem Brief beginnt Thomas Mann mit einer Neufassung des Romanschlusses, die er in einem Brief an Otto Basler so erläutert:

> Es handelt sich aber um die Frage, ob die Frau nach 22 Jahren den Sohn und Gatten in der Papstkappe erkennt, oder ob sie ihn nicht erkennt, – wobei aber »erkennen« ein sehr zarter Begriff ist, denn gewissermaßen, in tiefster Seele, hat sie ihn auch erkannt, als er als Jüngling zuerst vor sie trat, und ihn auch wieder *nicht* erkannt, denn wie sollte sie? Zwischen dem einst ausgesetzten Baby und dem ritterlichen Jüngling ist ein

243 Tb. 12. 11. 1950. 244 Tb. 13. 11. 1950.
245 Thomas Mann an Gottfried Bermann Fischer, 16. 11. 1950; TM/GBF, 560.

> so großer Abstand, und nun ist ein so großer Abstand zwischen dem Jüngling und Seiner Heiligkeit Papst Gregorius, dem sie zu beichten gekommen ist. Sie kann die beiden garnicht zusammenbringen und erkennt ihn also nicht, wonach die Szene zu führen ist; die will aber zugleich danach geführt werden, daß sie ihn *doch* erkennt, denn sie erkennt »ihn« immer. – Sehen Sie, da können Sie mir nun absolut nicht raten, wie das zu machen ist, zucken die Achseln und sagen: »Da sehe du zu.« Also, leben Sie wohl, ich muß zusehen.[246]

Schließlich entscheidet er am 20. November, dass das Kapitel doch »im Wesentlichen unverändert bleibt und nur Amplifikationen erfährt« – diese aber dann doch.[247] Die letzten Korrekturen werden am 22. November abgeschlossen. Nach einer letzten Durchsicht schreibt Thomas Mann am 25. November 1950 ins Tagebuch, nun sei er »endgültig fertig«. Fünf Tage später gehen Abschriften des letzten Kapitels an Bermann Fischer und an Lowe-Porter.

Nachspiel: *Der Erwählte* und *The Holy Sinner*

Wie schon beim *Faustus* wird noch zum Jahresende 1950 eine Auflage von sechzig Exemplaren einer Abschrift mit Signaturen des Autors vorbereitet, um das amerikanische Copyright an diesem Werk zu sichern (das im Fall eines früheren Erscheinens in Deutschland verloren wäre);[248] am 12. Februar fügt Thomas Mann die Signaturen hinzu (Tb.). An Bermann Fischer schreibt er am 23. Januar 1951, es sei für seinen amerikanischen Verleger Alfred A. Knopf

246 19. 11. 1950; in: *Blätter der Thomas Mann Gesellschaft Zürich*, Nr. 5 (1965), S. 9f.

247 Tb. 20. 11. 1950. Zu den Änderungen s. hier Textlage S. 169f.

248 An Agnes E. Meyer, 15. 12. 1950: »Bermann-Fischer lässt aber, wie damals beim ›Faustus‹, in New York eine mimeographierte Abschrift des Buches herstellen (aus den bekannten copyright Gründen)« (TM/AM, 746).

> ein Ärgernis, daß die deutsche Ausgabe ein gut Teil früher in der Welt ist, als seine, wenn auch ohne daß dieser, nach dem veralteten Gesetz, das Copyright geraubt wird. Sie haben dagegen den Trick mit der zuerst in Amerika hergestellten deutschen Ausgabe erfunden, und das ist gut, denn ohne diese Auskunft könnte ich mein Buch nicht zuerst in Deutschland herausbringen, ohne auf die englische Ausgabe überhaupt zu verzichten.[249]

Knopfs amerikanische und Fischers deutsche Ausgabe werden gleichzeitig vorbereitet, obgleich Thomas Mann an der Übersetzbarkeit seines sprachspielenden Romans grundsätzlich zweifelt. »Uebersetzungen sollen ja hergestellt werden«, hat er schon am 2. November 1950 an den Schriftsteller Heinrich Eduard Jacob geschrieben, »aber sie sind im Grunde ganz unmöglich.«[250] Gegenüber Bermann Fischer wiederholt er am 17. Dezember seine Zweifel: »Mehr als je sind in diesem kuriosen Fall alle meine Hoffnungen an die deutsche Ausgabe geknüpft. Denn wie will man diese Scherze übersetzen?«[251] Ganz ohne Hoffnung ist er aber offenbar doch nicht. Helen T. Lowe-Porter, die ja mit ihrer Übersetzungsarbeit schon vor Abschluss des Werks beginnen konnte, ermuntert er am 10. Dezember:

> You have a lot of opportunity to *dichten*. There are many more or less hidden verses and rhymes in the story. »Sibyllas Gebet,« for instance, is composed after the mode of an old prayer to the Virgin.[252]

Als dann die englische Fassung bereits im Januar 1951 vorliegt, überwiegen Erleichterung und Freude: »I am delighted to hear«, schreibt Thomas Mann am 24. Januar an Lowe-Porter, »that your translation of ›Gregorius‹ which was certainly a tour de force, is finished«.[253]

249 TM/GBF, 569f. 250 Reg. N 50/8. 251 TM/GBF, 564.
252 Reg. 50/493; Thirlwall 1966, S. 129. 253 DüD III, 379.

Der Heilige Geist inspiriert den Papst: Umschlag der deutschen Erstausgabe 1951 nach einem Bildmotiv der Gregorius-Legende.

Für beide Ausgaben fallen im Januar 1951 wichtige letzte Entscheidungen. Sie betreffen das äußere Erscheinungsbild der deutschen und den Titel der amerikanischen Ausgabe. Nachdem Thomas Mann die gleich zum Beginn des neuen Jahres, am 2. Januar 1951, eingetroffenen Korrekturbögen von S. Fischer innerhalb weniger Tage durchgesehen und bereits am 8. Januar zurückgeschickt sowie am 19. und 20. Januar noch einmal Korrekturfragen des Verlags beantwortet hat, kann er sich dem Umschlagentwurf zuwenden, den Martin Kausche unter Verwendung »eine[r] sehr schöne[n] Zeichnung in einem Sanktuar des 11. Jahrhunderts« angefertigt hat.[254] Die Vorbehalte, die er am 23. Januar Gottfried Bermann Fischer mitteilt, sind aufschlussreich für seine Sicht sowohl auf den Protagonisten als auch auf den Erzähler:

> Der schöne Schutzumschlag macht mir einiges Kopfzerbrechen. Er ist sehr stilvoll und dekorativ und würde sich gewiß in den Farben noch besser ausnehmen. Ich frage mich nur: stimmt er so recht zu der Geschichte? Wen soll die Figur repräsentieren? Gregorius selbst? Dann paßt das Schreibertum nicht, und auch der Heiligenschein geht etwas zu weit. Den Erzähler, der schreibt? Der müßte anders gekleidet sein und dürfte schon gar keinen Heiligenschein haben. Diesen aber zu entfernen wäre auch nicht gut, denn der Kopf ist ohne ihn recht kümmerlich. Ich finde, die Figur, so schön sie den Stil angibt, wird verwirrend wirken und als rätselhaft kritisiert werden. Ich habe also *Bedenken* und würde sie nur fallen lassen, wenn Sie und Ihr ganzer Stab in der Vagheit und Unstimmigkeit der Figur ganz entschieden keinen Einwand sehen.[255]

Bermann Fischer und sein ganzer Stab sind einer Meinung; der Umschlag wird bleiben (siehe Abb. gegenüber).

Als schwieriger erweist sich die Frage des englischen Titels. Am 9. Dezember werden in Pacific Palisades im Familienkreis erste

254 TM/GBF, 567. Die Erstausgabe nennt als Quelle einen »Reichenauer Kodex des elften Jahrhunderts« (Impressum).
255 TM/GBF, 569.

Vorschläge beraten: »Sammelten gestern Abend mögliche englische Titel für den ›Erwählten‹, von denen ›Gregory, Son of Sin‹ wohl der beste.«[256] Am 10. Dezember lehnt Thomas Mann in einem Brief an Lowe-Porter deren Vorschlag ab, den deutschen Titel möglichst wörtlich zu übersetzen, als *The Chosen One*:

> Let's drop it. There is quite a choice of English titles for the novel. In the beginning I thought of something like »The Story of the Great Pope Gregorius.« But I am afraid that with that too much is anticipated. Next came »Sin and Grace« to my mind. It is not impossible, nor is »The Holy Sinner.« What about »The Sinner Who Was Chosen«? But that may rather be a subtitle. One could add the names of the two and say: »Gregory, The Story of a Sinner« – »Made of Sin« would perhaps not be bad either. Nor would »Son of Sin,« still better with the addition of the name, »Gregory, Son of Sin.« [...] on the title page only the more familiar form ›Gregory‹ should appear. Americans don't know how to pronounce ›Gregorius‹ and would be frightened.[257]

Die Unsicherheit bleibt. Am 15. Dezember 1950 wird die Frage an Agnes E. Meyer weitergegeben: »Was würden Sie raten? Wäre etwas möglich wie ›Sin and grace‹, ›The good Sinner‹ oder ›Gregory, Son of Sins‹?«[258] Am Ende fällt die Entscheidung einverständig mit Knopf für den Vorschlag, den Thomas Mann gegenüber Lowe-Porter als »not impossible« offengehalten hatte. Am 27. März vermerkt er im Tagebuch Knopfs Glückwunsch zu »›The good sinner‹, wie das Buch nun wohl endgültig auf englisch heißt«; tags darauf schreibt er – und es ist unklar, ob die Zuspitzung der Antinomie seine oder Knopfs Idee war – zurück: »›The Holy Sinner‹ seems to be the final title of the English version. Not

256 Tb. 10. 12. 1950. Das Ergebnis dieser Sammlung findet sich auf einem Notizblatt im TMA (Signatur: A-I-Mat. 7/41).

257 Reg. 50/493; Thirlwall 1966, S. 128f. 258 TM/AM, 747.

bad.«[259] Dabei bleibt es. *Der Erwählte* ist und bleibt im englischen Sprachraum der *Heilige Sünder* (und zwar, wenn es nach Thomas Mann gegangen wäre, ohne den Heiligenschein der deutschen Ausgabe auf dem Umschlagbild).

Ein Nachspiel ganz anderer Art hat schließlich die politische Akzentuierung, die Thomas Manns letzte Romankapitel dem zentralen Begriff der »Gnade« gegeben haben. Vom 10. bis zum 15. Juni schreibt Thomas Mann, als Reaktion auf eine ihm zugegangene Bittschrift, einen langen Brief in die DDR, *An den Herrn Stellvertretenden Ministerpräsidenten Walter Ulbricht*, der erst posthum 1963 zum ersten Mal veröffentlicht wurde. Darin bittet er für eine Gruppe von kurz zuvor zu Todes- und drakonischen Freiheitsstrafen Verurteilten um einen »Gnadenakt, großzügig und summarisch«.[260] Den zunächst rein juristischen Ausdruck bezieht er dann, in der emphatischen Schlusswendung des Briefes, auf das eigene Werk zurück. Ohne dass der Titel des *Erwählten* genannt würde (und in einer Art Wiederaufnahme des frühen Titelentwurfs »Der Begnadete«), gibt dieser Schluss ein eindrucksvolles Beispiel für die auch politische Dimension des »friedenswilligen Humanismus«,[261] an den Thomas Mann appelliert:

> Nutzen Sie Ihre Macht, um diesen Gnadenakt herbeizuführen! Darum bittet, das rät Ihnen ein alter Mann, in dessen Denken und Dichten die Idee der Gnade längst bestimmend hineinwirkt. Das deutsche Wort »gnadenlos« hat einen eigentümlich doppelten Sinn. Es bedeutet zugleich »unbarmherzig« und »unbegnadet«. Unbegnadet ist der starre Wahn, allein die ganze Wahrheit und das Recht auf unerbittliche Grausamkeit zu besitzen. Wer aber Gnade übt, der wird Gnade finden.
>
> Ihr sehr ergebener
> Thomas Mann[262]

259 28. 3. 1951; Reg. 51/147. Vgl. hier Abb. S. 178. 260 E VI, 217.
261 Ebd., S. 213. 262 Ebd., S. 217f.

Thomas Mann war 1894/95 in Wilhelm Hertz' zweisemestriger Vorlesung mit der mittelalterlichen Literatur um 1200 so weit vertraut gemacht worden, dass er noch bei der ein halbes Jahrhundert später beginnenden Arbeit buchstäblich auf lauter alte Bekannte traf – einschließlich der *Tristan*-Übersetzung ebenjenes Wilhelm Hertz, dessen Vorlesung er damals gehört hatte. Er hatte im Laufe dieses halben Jahrhunderts mehrfach auf Stoffe zurückgegriffen, die ihm dort begegnet waren – und von denen ihn einige auch in Richard Wagners sehr eigenwilligen Bearbeitungen fortwährend begleitet hatten. Und er hatte sich bereits in der Arbeit am *Faustus*, aus der dann der *Gregorius*-Plan hervorging, eine Fülle literarischer, theologischer, philosophischer, naturwissenschaftlicher Texte des Mittelalters und der modernen Ideen- und Kunstgeschichte des Zeitalters neu erarbeitet. Zugleich hatte er sich in der siebzehn Jahre umfassenden Arbeit am *Joseph*-Roman ein religionsgeschichtliches, mythologisches, theologisches und anthropologisches Gebrauchs-Wissen angeeignet, das ihm ein reiches Instrumentarium zur Deutung und Gestaltung der mittelalterlichen Stoffe (und ihrer biblischen wie außerbiblisch-›heidnischen‹ Quellen und Vorlagen) in die Hand gab.

Für die Frage nach der Quellenlage des *Erwählten* heißt das: Vieles, was Thomas Mann für seinen Legendenroman nutzte, war ihm als Quelle schon bekannt; manches so gut und gründlich, dass er es nicht eigens rekapitulieren musste. Zu unterscheiden ist darum zwischen Quellen, aus denen er erst jetzt neu schöpfte, und dem weiten Feld der Quellen, aus denen er sein breites Vorwissen bezog. Für das Letztere ist darum, über die folgenden Abschnitte hinaus, auch die Darstellung der Quellenlage zum *Doktor Faustus* heranzuziehen.[1] Wiederum zu unterscheiden sind beide Komplexe von denjenigen literarischen, künstlerischen und musikalischen Grundbeständen, die Thomas Mann bereits

1 GKFA 10.2, 64–67.

mitbrachte und auf die er hier wie sonst ohne besondere Recherchen zurückgreifen konnte. Dazu gehören das Werk Richard Wagners (namentlich die thematisch naheliegenden und über längere Passagen leitmotivisch zitierten Ritter-Dramen um *Lohengrin* und *Tannhäuser*),[2] die Märchen Andersens und der Brüder Grimm, das Werk Goethes und die Bibel; dazu gehören schließlich auch die Erinnerungen an die mittelalterliche Kunst und Architektur Lübecks.

Gegenüber Briefadressaten hat Thomas Mann seine Quellenstudien im Verhältnis zu denen der *Joseph*- und *Faustus*-Zeiten sehr heruntergespielt: »Etwas *leichtsinniger* bin ich vorgegangen, als sonst, habe nicht mehr studiert, als was mein eigen bißchen Bibliothek mir bot, und mein kristlich Mittelalter ziemlich aus dem Handgelenk zusammengestoppelt.«[3] Das grenzt an Selbstmystifikation – wie nicht nur der Umfang der Quellenmaterialien zeigt, sondern auch der den Anstreichungen und Randnotizen ablesbare Grad ihrer Durcharbeitung. Denn auch während der Arbeit noch treibt Thomas Mann fortwährend »Detail-Research für die Erzählung«.[4]

Die folgenden Abschnitte geben einen Überblick über die wichtigen Quellen und Quellengruppen; einzelne Bezüge werden im Stellenkommentar nachgewiesen. Sie nutzen dankbar die Vorarbeiten von Hans Wysling,[5] Klaus Makoschey[6] und vor allem Carsten Bronsema. Er hat, ausdrücklich im Hinblick auf die GKFA, mit seiner Dissertation eine Grundlagenarbeit geleistet, die nicht hoch genug zu schätzen ist.[7]

2 Im Einzelnen vgl. hier den Stellenkommentar.

3 An Heinrich Eduard Jacob, 1. 5. 1951; Reg. N 51/1. 4 Tb. 24. 9. 1949.

5 *Thomas Manns Verhältnis zu den Quellen. Beobachtungen am »Erwählten«.* In: TMS I, S. 258–324. (Erneut als: Hans Wysling: *Die Technik der Montage. Zu Thomas Manns »Erwähltem«.* In: TMS XIII, S. 313–365.)

6 *Quellenkritische Untersuchungen zum Spätwerk Thomas Manns.* In: TMS XVII, S. 123–235.

7 *Thomas Manns Roman »Der Erwählte«. Eine Untersuchung zum poetischen Stellenwert*

Gregorius-Bearbeitungen

In einem Brief an seine amerikanische Übersetzerin Helen T. Lowe-Porter gibt Thomas Mann seine Hauptquellen an:

> In erster Linie habe ich natürlich Hartmann von Aues[8] Gedicht »Gregorius auf dem Stein« mittelhochdeutsch gelesen. [...] Er selbst hat sein Epos einem altfranzösischen Poem nachgedichtet. Es soll auch eine alt- oder mittelenglische Version geben und mehrere lateinische, von denen die eine sehr knappe in den »Gesta Romanorum« steht. Dort lernte ich die Geschichte zuerst kennen [...].[9]

Diese *Gesta*-Version wurde zur Vorlage für Adrian Leverkühns imaginäre »Puppenoper« (siehe hier zur Entstehungsgeschichte S. 28-35). Thomas Mann las sie in Johann Georg Theodor Gräßes in zwei Teilbänden erschienener neuhochdeutscher Übersetzung von 1842.[10] Das in seinem Arbeitsexemplar mit einem Kreuzchen und einem Ausrufezeichen markierte Kapitel 81 erzählt die Geschichte *Von der wundersamen Gnade Gottes und der Geburt des seligen Papstes Gregor*; dieser Text ist mitsamt Thomas Manns Anstreichungen und Randnotizen unter den Materialien und Dokumenten des vorliegenden Bandes dokumentiert (S. 397-413). Das Tagebuch verzeichnet am 20. Dezember 1947 »Studien in den ›Gesta‹-Kommentaren«, also im kommentierenden Anhang der Ausgabe; entsprechende Exzerpte finden sich auf den Nbl. [57] und [58].

von Sprache, Zitat und Wortbildung, Osnabrück 2005 (online: https://repositorium.ub.uni-osnabrueck.de/handle/urn:nbn:de:gbv:700-2008102415).

8 Thomas Mann behandelt den Herkunfts- modernisierend als Familiennamen, flektiert also nicht korrekt »Hartmanns von Aue«.

9 An Helen T. Lowe-Porter, 11.4.1950; DüD III, 367f.

10 *Gesta Romanorum, das älteste Mährchen- und Legendenbuch des christlichen Mittelalters*, übersetzt und herausgegeben von Johann Georg Theodor Gräße. 3. Auflage. Leipzig: Löffler 1905 (unveränderter Neudruck der Erstausgabe von 1842). Thomas Manns Arbeitsexemplar befindet sich im TMA. Signatur: ThomasMann 70:1+2.

Markierungen mit erkennbarem Bezug zum geplanten Roman finden sich auch in anderen Teilen der *Gesta*-Übersetzung. Mehrfach streicht Thomas Mann darin Szenen an, in denen es um sündige Wollust geht, um Versuchung, Keuschheit und Ehebruch, um weinende Hunde oder um die Liebe eines sehr jungen Mannes zu einer deutlich älteren Frau. Markiert und mit Anstreichungen versehen wird etwa die Geschichte *Vom Leben des Heiligen Alexius, des Kaisers Eufemianus Sohn* – die Legende eines ehemals reichen Büßers, der als Bettler siebzehn [!] Jahre lang von Almosen lebt, bis schließlich eine göttliche Vision seinen heiligen Lebenswandel auch Kaiser und Bischof enthüllt. Einen Hinweis auf diese Geschichte hat Thomas Mann auch bei Eicken gefunden.[11] Anstreichungen finden sich auch zur Geschichte *Von der Sünden Vergebung*, in der ein Mann den Mord an seinen Eltern dadurch zu büßen sucht, dass er gemeinsam mit seiner Frau ein Hospiz einrichtet, Kranke pflegt und Reisende über einen gefährlichen Fluss setzt; die Buße wird von Gott angenommen, und beide sterben erlöst. Die Geschichte *Von einer unlautern Liebe*, in der eine Mutter ihren Sohn begehrt und mit ihm schläft, das gemeinsame Kind aber nach der Geburt tötet, kreuzt Thomas Mann ebenso an wie in Band 2 die Geschichte *Von zeitlicher Trübsal, welche sich endlich in ewige Freude verwandeln wird*, in der umgekehrt ein Vater sich in seine Tochter verliebt.

In den Kommentaren des zweiten Bandes studiert Thomas Mann die Ausführungen zur möglichen Verfasserschaft der *Gesta*. Mehrere Passagen sind dort mit Bleistift markiert, etwa die Erläuterung, ein Benediktinermönch (»ordinis divi Benedicti«) habe »in einem besondern Buche die Thaten der Römer, so wie die Legenden der Väter, und andere dergleichen Ammenmährchen allegorisch und mystisch erklärt«.[12] Im selben Zusammenhang ist der Name »Elimandus« unterstrichen – auch dieser Mönch, »ein

11 S. u.; Eicken, *Weltanschauung*, S. 440f.
12 *Gesta* II, S. 295.

Deutscher oder ein Engländer, wie sich aus einigen Anglicismen [...] ergiebt«,[13] komme als Verfasser der *Gesta* in Betracht. Auch vom »höchst erbärmliche[n] Mönchslatein« des Werks ist im selben Zusammenhang die Rede;[14] aus den dort genannten Beispielen kompiliert Thomas Mann seinen lateinischen Beispielsatz.[15] Schließlich ist auch der Tiername »Hanegiff« einer Aufzählung deutscher Hundenamen in den *Gesta* entnommen.[16]

Erhalten ist in Thomas Manns Bibliothek noch eine zweite Prosafassung der Gregorius-Legende, die stark raffende Prosanacherzählung von Richard Benz: *Gregorius auf dem Stein. Eine alte deutsche Legende.*[17] Auch darin finden sich Anstreichungen. Diese Prosafassung, eine nur dreiundzwanzig Seiten umfassende Broschüre, war für Thomas Manns Zwecke zu ungenau und zu kurz; inwieweit er sie überhaupt für den Roman genutzt hat, geht aus seinen Anstreichungen nicht eindeutig hervor.

Der Übergang von *Doktor Faustus* zum *Erwählten* bedeutet, wie die Entstehungsgeschichte zeigt (vgl. hier S. 35), im Hinblick auf den *Gregorius* zuerst einen Wechsel der Quellen: von den *Gesta* zu Hartmanns von Aue *Gregorius*. Den mittelhochdeutschen Text las Thomas Mann, wie er am 13. Februar 1948 an Samuel Singer schreibt, zunächst in der Ausgabe von Hermann Paul, die er aus der Universitätsbibliothek der UCLA bezog.[18] »Jetzt«, lässt er am 17. Februar 1948 Agnes E. Meyer wissen, »lese ich viel Mittelhochdeutsch (Hartmann von Aue), mit Wörterbuch«.[19] Bei dem Wörterbuch handelt es sich um den nach seinem Begründer, dem

13 Ebd., S. 299. 14 Ebd., S. 302.

15 Ebd., S. 303; vgl. hier den Stellenkommentar zu S. 12 12–14.

16 Vgl. Nbl. [58]; *Gesta* II, S. 294, mit Ausrufezeichen und Unterstreichung.

17 Jena: Diederichs 1920; Signatur im TMA: ThomasMann 2852.

18 Vgl. Makoschey 1998, S. 127. Makoschey konnte nach aufwendigen Recherchen im US-amerikanischen *National Union Catalogue* nachweisen, dass Thomas Mann die Edition Hermann Pauls nicht in der siebten (1942) oder achten Auflage (1948) las, wie Wysling annahm, sondern in der zweiten Auflage der »Altdeutschen Textbibliothek, Nr. 2« aus dem Jahr 1900.

19 TM/AM, 694.

1892 gestorbenen Germanisten Matthias Lexer, benannten »Kleinen Lexer«.[20] (Für englische Begriffe zieht er zudem fallweise einen *Thesaurus of English Words and Phrases* zu Rate; ihm entnimmt er englische Begriffe für eine Rauferei, die er dann Mahaute in den Mund legt.)[21]

Dass beides, Originaltext und Wörterbuch, für den Roman produktiv geworden seien, bemerkt er rückblickend in einem Brief an Walter H. Perl am 27. Oktober 1951: »Ich habe die mittelhochdeutsche Ausgabe von Hartmanns Gedicht gelesen, mit Hilfe eines Wörterbuchs. Die Bekanntschaft mit dem Original geht ja hier und da aus dem Vokabular meiner eigenen Fassung ziemlich deutlich hervor.«[22] In der Tat verzeichnen seine Exzerpte auf den Nbl. [2], [4], [7], [16], [17], [30] und [36] unterschiedlichste mittelhochdeutsche Ausdrücke mit Übersetzungen und Erklärungen, etwa: »mâge« (*Gregorius*, V. 201), »helfenbein« (V. 721), »gebürte« (V. 734), »urliuge« (V. 910), »freise« (V. 954), »lützel«

20 Matthias Lexers *Mittelhochdeutsches Taschenwörterbuch*, ein rund fünfhundertseitiges, bis heute in zahlreichen Auflagen vorliegendes und im Vergleich zum dreibändigen »Großen Lexer« handliches Nachschlagewerk, ist im Nachlass Thomas Manns nicht vorhanden. Der »Kleine Lexer« war aber, wie Makoschey festhält, als »gängigste[s] mittelhochdeutsche[s] Wörterbuch« (S. 128) das zweifellos nächstliegende Hilfsmittel. Auf seine Benutzung weisen Thomas Manns Notizen hin. Im *Gregorius* ist von »kranker spîse« (V. 2899, 2904) die Rede, dazu vermerkt Thomas Mann: »kranc: [...] gering, schlecht (Speise)« (Nbl. [17]). Das entspricht ebenso der Übersetzung im »Kleinen Lexer« wie im Romantext die Wendung von »ihrem gevitzten Kleidchen (oder wie man für künstlich mit Goldfäden eingewebte Muster sagt)« (Textband S. 24) – Lexer übersetzt: »mit künstlich eingewebten mustern versehen« – oder der auf Nbl. [2] vermerkten Übersetzung von »wert: Insel, Halbinsel, erhöhtes, wasserfreies Land zwischen Sümpfen; Ufer«; die Übersetzung »Ufer« findet sich nicht im »Großen«, sondern nur im »Kleinen Lexer«. Dieses Wörterbuch hat auch Marga Bauer für ihre Übersetzung benutzt, wie Rufener 2014, S. 102f., nachweist.

21 In der Nachlassbibliothek unter der Signatur ThomasMann 3853; vgl. seine Exzerpte Nbl. [8] und Textband S. 117.

22 DüD III, 406.

(V. 1166), »michel« (V. 1397), »ellende« (V. 1825), »hagel« der Feinde (V. 1998), »einen langen puneiz« (V. 2118), »ünden« (V. 2483), »gedinge« (V. 2503), »verjehen« (V. 2570), »alsus« (V. 2579), »ouwê« (V. 2667), »ranft von haberbrôte« (V. 2892), »wætlîch« (V. 2910). Zuweilen übernimmt Thomas Mann die bei diesen Studien gefundenen mittelhochdeutschen Ausdrücke auch, mit komisch verfremdender Wirkung, unmittelbar ins Neuhochdeutsche. So erscheint die Wendung »verwalken zuo der swarte« für das verfilzte Haar des Sünders auf dem Stein (*Gregorius*, V. 3425) im Roman als »auf der Schwarte verwalkt« (Textband S. 209_4); und die »kranke Speise« (Textband S. 94_{14}), die Mahaute und ihre Familie verzehren mussten, bis sie das Findelkind aufnahmen, entspricht des Fischers »kranker spîse«, mit der Gregorius vorliebnehmen muss (*Gregorius*, V. 2904).

Zur Hauptquelle für die Konzeption der Erzählung, der Figuren, auch einzelner Motive wurde die neuhochdeutsche Prosaübersetzung, die Marga Bauer von Januar bis April 1948, auf Bitten des Schweizer Mediävisten Samuel Singer, für Thomas Mann angefertigt hat. Sie ist im TMA erhalten,[23] umfasst siebenundfünfzig Schreibmaschinenseiten und wurde von Thomas Mann mit Unterstreichungen, Marginalien und Gliederungsmarkierungen versehen. In den Materialien und Dokumenten des vorliegenden Bandes ist sie, mitsamt den Hinzufügungen Thomas Manns, auf S. 413-472 nachzulesen.

Weitere mittelalterliche Literatur und Literaturgeschichten

Die mittelalterliche Literatur, die Thomas Mann in der einen oder anderen Weise in die polyphone Erzählung vom *Erwählten* einbezieht, reicht über die unterschiedlichen Versionen des *Gregorius* weit hinaus. Ohne dass die entsprechenden Titel oder Prot-

23 Signatur: A-I-Mat. 7/1a; vgl. Wysling 1967, S. 260, sowie Makoschey 1998, S. 140–146, und vor allem Rufener 2014.

agonisten ausdrücklich genannt würden, begegnet, wer den Roman liest, sowohl den kanonischen, der von Thomas Mann wahrgenommenen Germanistik als ›klassisch‹ geltenden, als auch diversen entlegeneren Texten der mittelalterlichen Literatur. Von den althochdeutschen Anfängen bei Notker über die frühmittelhochdeutsche Poesie und die sogenannte »Staufische Klassik« bis zu den spätmittelalterlichen, erst von der romantischen Germanistik so rubrizierten »Volksbüchern« reicht das Spektrum der aus erster oder literarhistorisch zweiter Hand zitierten und alludierten Texte, von der Heldendichtung des *Nibelungenliedes* bis zur Mariendichtung, vom Artusroman bis zum Fronleichnamsspiel, vom Sprichwort bis zur Legende – eine kleine Bibliothek des deutschen und europäischen Mittelalters.

Übersicht über diese weitläufige Welt verschafften ihm Einführungen und Literaturgeschichten. In Wilhelm Scherers *Geschichte der Deutschen Litteratur* von 1894, die unmittelbar nach ihrem Erscheinen auch von Wilhelm Hertz in seinen Vorlesungen benutzt worden war,[24] las Thomas Mann »über das Anfängliche« nach,[25] hier fand er Namen, Titel, literar- und kulturhistorische Aufschlüsse und auch Formulierungen wie die vom Hartmann'schen *Gregorius* als einem »mittelalterlichen Ödipus«.[26]

24 In Thomas Manns Nachlass erhalten: Wilhelm Scherer, *Geschichte der Deutschen Litteratur*. Berlin: Weidmann 1894 (Signatur: ThomasMann 3323; vgl. Wysling 1967, S. 269–271).

25 Tb. 26. 12. 1947.

26 Angestrichen sind in Thomas Manns Exemplar Namen wie »Kurzibold«, S. 62, »Eckesachs« und »Hugebold«, S. 72, Erläuterungen über St. Gallen und über Notker, den Stammler, und Notker, den Deutschen, die Geschichte der Normannen, ihre Siedlungsgebiete, ihre Christianisierung und ihre Tätigkeit als Kreuzritter, die Metrik der mittelhochdeutschen Versepik und Leben, Werk und französische Quellen Hartmanns, aber auch die Sage von Herzog Ernst (die im Roman die Sänger am Hof Grimalds vortragen); Exzerpte (Nbl. [31], [35], [37]–[40], [59], [60] u. [62]) notieren mitunter einzelne Seitenangaben. Die Bemerkung, Gregorius sei »ein mittelalterlicher Oedipus« findet sich bei Scherer auf S. 157.

Erich Auerbachs für die Vergleichende Literaturwissenschaft grundlegendes Werk *Mimesis*, das er als ein »so reiches und hochgelehrtes Buch«[27] bewunderte, lieferte ihm unter anderem eine Vorlage für das Liebesstammeln der inzestuösen Kinder:

> Ihr Buch mit dem Zitat aus dem ›Mystère d'Adam‹[28] kam genau zu dem Zeitpunkt, als ich das Kapitel von den ›Schlimmen Kindern‹ schrieb. (Ein geheimer Magnetismus läßt Bücher sehr oft genau im richtigen Augenblick kommen.) Die zwei Dutzend Worte, die ich aus dem alten Dialog herauspickte, waren besonders gut verwendbar, weil in der heiklen Situation ein dem Durchschnittsleser halb oder ganz unverständliches Gestammel sehr am Platze war. Ich schulde sie *Ihnen* [...]. Aber sind sie nicht ganz hübsch und überraschend in den so anderen Zusammenhang eingepaßt? Das Gefundene wird so doch gewissermaßen zum Erfundenen.[29]

Auch Gregorius' Rittertraum vom Sieg über den »geharnischten Herrn der Quelle« bezieht Thomas Mann nicht unmittelbar aus Chrétiens *Yvain* oder Hartmanns *Iwein*, sondern aus den Zusammenfassungen und Zitaten in Auerbachs Werk.[30] Selbst einzelne französische Wendungen, die Sibylla benutzt, stammen aus Auerbach: aus der Schilderung der Hochzeitsnacht im altfranzösi-

27 *[An Erich Auerbach]*; GW XI, 691f. Erich Auerbach: *Mimesis. Dargestellte Wirklichkeit in der abendländischen Literatur*. Bern: Francke 1946. Thomas Manns Exemplar ist im Nachlass erhalten (Signatur: ThomasMann 3499).

28 Zum mittelfranzösischen Adamsspiel *Mystère d'Adam* im VII. Kapitel: *Adam und Eva*, S. 141f. Thomas Mann kehrt die vorgefundene Konstellation um: Verführt in der Vorlage Eva den Adam, so im *Erwählten* Wiligis seine Schwester Sibylla.

29 *[An Erich Auerbach]*; GW XI, 693.

30 Auerbach, *Mimesis*, S. 123–140, ergänzt um eine Fußnote Panniers aus seiner *Parzival*-Ausgabe: *Parzival* II, S. 182. Auch hier begegnete er Szenen wieder, von denen er schon in den Vorlesungen bei Hertz gehört hatte; vgl. *Collegheft*, 119f. u. 124. Makoschey zeigt in seiner Studie ausführlich, welcher Teil von Thomas Manns Schilderung des Traums aus welcher der beiden Quellen stammt (Makoschey 1998, S. 195f.).

schen *Alexiuslied*, dessen Geschehensverlauf Thomas Mann ja bereits aus den *Gesta* kannte.[31]

Demselben geheimen Magnetismus folgend, dem er die Auerbach-Lektüre verdankte, fand Thomas Mann in einem Sonderdruck *Über das Verhältnis von Sage und Literatur*, den Ernst Alfred Philippson ihm zusandte,[32] Namen und Gründungslegende eines Klosters »Not Gottes (Agonia Dei)«, einen Abt namens »Gregorius«, der die Klosterinsel christianisiert habe, und die Geschichte einer Jungfrau, die einem Drachen geopfert werden soll, ihn aber durch das Vorhalten eines Kreuzes abwehrt; die Letztere übernimmt er in seine Exzerpte.[33]

Einer Zusendung verdanken sich schließlich offenbar auch Thomas Manns Kenntnis der spätmittelalterlichen Prozessionsspiele und einige Einblicke in die nicht nur darin artikulierte mittelalterliche Marienfrömmigkeit. Der in Austin, Texas, lehrende Germanist Wolfgang F. Michael hatte Thomas Mann seine 1947 gleichzeitig in den USA und Deutschland erschienene Studie *Die Geistlichen Prozessionsspiele in Deutschland* zukommen lassen;[34] der las sie im September 1949 und vermerkt am 1. Oktober im Tagebuch: »Schrieb an Dr. Michael, Austin, über seine Schrift ›Fronleichnamsspiele‹. Fragen.« Das Buch, so bekennt Thomas Mann in diesem Brief, sei ihm »sehr zupass« gekommen: »Zwar kann ich das alles bei der legendären Knappheit dessen, was ich

31 Der Bräutigam fürchtet, über der ehelichen Liebe die Liebe zu Gott zu verlieren: »e! Deus [...] si forz pechiez m'apresset!« (Auerbach, *Mimesis*, S. 114) Bei Thomas Mann ist es Sibylla, die von ihrer Lust überwältigt wird. Sie zitiert auch dort das *Alexiuslied*, wo sie gegenüber Herrn Eisengrein erklärt, nie wieder heiraten zu wollen: »sondern celui je tiendrai ad espous qui nos redemst de son sanc precious« (vgl. Auerbach, *Mimesis*, S. 114).

32 Aus den *Publications of the Modern Language Association of America* (PMLA), in Thomas Manns Nachlass erhalten (Signatur: ThomasMann 3484); vgl. Thomas Manns Dankbrief an Philippson vom 22. Oktober 1947; Reg. 47/341.

33 Philippson, *Verhältnis*, S. 251f. u. 260; exzerpiert auf Nbl. [53].

34 In Baltimore bei der Johns Hopkins Press und in Göttingen bei Vandenhoeck & Ruprecht 1947; im TMA unter der Signatur: ThomasMann 2855.

gerade treibe, garnicht brauchen, aber ich habe das Atmosphärische doch sehr genossen und mir Manches zum Nachlesen angestrichen.«[35] Tatsächlich verweisen seine Anstreichungen auf deutlich mehr als nur atmosphärische Aufschlüsse. Thomas Mann interessiert sich für das Dreikönigsspiel und namentlich für die Rolle des Herodes darin, für den Ablauf von Prozessionsspielen, für Marienspiele und kirchliche Feste wie »Mariä Empfängnis«[36] und »Mariae Darbringung im Tempel« (er unterstreicht den Hinweis, »dass das Spiel am Tage von Mariae Darbringung im Tempel gespielt wurde, also am 21. November«, und versieht ihn mit einem Ausrufezeichen). Auch Grundsätzliches wie die Liturgie der katholischen Messfeier lernt er von Michael: »Als ersten Teil der Messe nennen Sie den ›Introitus‹. Gibt es weitere lateinische Namen für die einzelnen Teile der Messehandlung, besonders für den letzten?«[37] Michael erläutert geduldig die Bezeichnungen der Messliturgie, bis zum »Ite missa est«, das Thomas Mann dann ebenso in sein Kapitel *Die Begegnung* übernimmt[38] wie die Datierung des Wiedersehens von Mutter und Sohn auf Mariä Empfängnis.

Den ersten Band von Samuel Singers *Sprichwörter des Mittelalters* hatte Thomas Mann schon 1945 für die Darstellung des Echo im *Faustus* beschafft; am 26. November 1947 kam Singers Abhandlung *Dogma und Dichtung des Mittelalters* hinzu, die mindestens bis Ende Februar 1948 mehrfach herangezogen wurde (Tb. 29.2.1948; Thomas Manns Exemplar zeigt auch hier diverse Anstreichungen), tags darauf sein Aufsatz über *Thomas von Britannien und Gottfried von Strassburg*, in dem es nebenbei auch um Hartmann geht.[39]

35 Thomas Mann an Wolfgang F. Michael, 1. 10. 1949, Reg. 49/483; TMA.
36 Anstreichungen in Michael, *Prozessionsspiele*, S. 26.
37 Vgl. die Anstreichung ebd., S. 10. 38 Textband S. 150.
39 Tb. 27. 11. 1947. Den Aufsatz über Dogma und Dichtung las Thomas Mann als Sonderdruck aus den *Publications of the Modern Language Association of America* (PMLA), er ist im Nachlass erhalten (Signatur: ThomasMann 2853);

Diesen Lektüren verdankten sich nicht nur die auf Singers Veranlassung angefertigte *Gregorius*-Übersetzung Marga Bauers, sondern auch ein Briefwechsel, dem Thomas Mann zahlreiche Detailauskünfte zu Sprache und Literatur des europäischen Mittelalters entnahm (vgl. hier zur Entstehungsgeschichte S. 45f., 52–57, 63–65). Selbst Nachfragen zu dem bei Auerbach über *Yvain/Iwein* Gelesenen richtet er nicht an Auerbach selbst, sondern lieber an den vertrauten Ratgeber Singer – so die bereits erwähnte Anfrage am 27. April 1948 über Sprache und Geschlecht:

> Zu Anfang des »Yvain« heißt es von dem Ritter und dem schönen Mädchen: »Jo la trovai si afeiti*ee*, si bien parlant et anseigni*ee* etc.« – Ist das Doppel-e hier weibliche Form oder steht es nur für das aigu, sodaß auch ein junger Mann afeitiee und anseigniee sein könnte?[40]

Die für den Roman wichtigsten literarischen Quellen aber studierte Thomas Mann eingehend in neuhochdeutschen Übersetzungen der mittelhochdeutschen Texte. Das gilt vor allem für Wolframs von Eschenbach *Parzival*.[41]

vgl. Bronsema 2005, S. 50. Anstreichungen markieren Passagen darüber, wie Merlin, »der, vom Teufel mit einer reinen Jungfrau gezeugt, den Vater, der ihn zum Widerchrist bilden will, böse enttäuscht, da das fromme Wesen der unschuldigen Mutter bei ihm das sündige Erbteil überwindet« (Singer, *Dogma*, S. 863, mit Ausrufezeichen versehen), und wie Elfen als in der Luft hängen gebliebene gefallene Engel bezeichnet werden, außerdem eine Szene, in der eine Steinkiste an einen Strand getrieben wird und ein Fischer einen Fisch fängt, in dessen Bauch er einen Rock findet, außerdem Eigennamen (Orendel, Leviatan, Luzifer, Bruder Malcreatiure und Repanse de schoie). Angestrichen ist auch Singers Bemerkung, dass »die Legende als ›christliche Heldensage‹« gelten könne (S. 871). Der Aufsatz *Thomas von Britannien und Gottfried von Strassburg* in: *Festschrift für Edouard Tièche*. Bern: Herbert Lang & Cie. 1947 (= Schriften der Literarischen Gesellschaft Bern. H. 6), S. 87–101. Thomas Manns Exemplar ist nicht erhalten.

40 DüD III, 354.

41 Vgl. dazu Bußmann 2013, die eine Übersicht über die unterschiedlichen Typen der Übernahme von Textmaterial bietet, zudem aber den *Parzival* auch als Folie betrachtet, »vor deren Hintergrund gerade die Haupthandlung des

»Begann abends Wolframs ›Parzival‹ zu lesen, der viel Atmosphäre u. Detail bietet«, vermerkt Thomas Mann am 6. September 1947 im Tagebuch. Auf diese Hauptquelle hat er immer wieder hingewiesen, so in einem Brief an Erich Auerbach 1951: »Viele Namen und Einzelheiten, für den Germanisten auf der Hand liegend, aus Wolframs ›Parzival‹.«[42] Ähnlich an die französische Übersetzerin Louise Servicen:

> »Assagauker Prachtgerät« und »Eisenschienen von Soissons« kommen in der höfischen Epik (im »Parzival« von Wolfram v. Eschenbach etwa) vor. [...] Leisieren und jambelieren sind fremdsprachige Ausdrücke aus der Reitkunst, die ich ebenfalls, wenn ich nicht irre, aus dem »Parzival« übernommen habe [...].[43]

Helen T. Lowe-Porter teilt Thomas Mann die genaue Quelle mit: »Manchen Namen und manche mittelalterliche Einzelheit habe ich dem Parzival von Wolfram von Eschenbach entnommen, den ich in der Übersetzung von Karl Pannier in der Leipziger Reclamausgabe besitze.«[44]

In seiner Nachlassbibliothek ist diese 1897 erschienene Übersetzung erhalten, mit zahlreichen Anstreichungen.[45] In Panniers Vorwort sowie in den ersten beiden Büchern, die die Geschichte von Parzivals Vater Gahmuret erzählen, finden sie sich auf fast jeder Seite. Die Dichte der Anstreichungen nimmt ab dem dritten

›Erwählten‹, um Sünde und Buße des Protagonisten und seiner Mutter verstanden werden kann. [...] Wolframs Gralroman eignet sich für eine solche Parallelsetzung, weil er, wie der ›Gregorius‹, eine Geschichte von Schuld und Sühne erzählt, in der die Fehlleistung des Helden in einen religiösen Kontext eingebettet und seine schlussendliche Erhebung wesentlich durch göttliches Gnadenhandeln bedingt ist.« (S. 134)

42 [*An Erich Auerbach*]; GW XI, 692. 43 29. 7. 1951; Reg. 51/338; TMA.

44 An Helen T. Lowe-Porter, 11. 4. 1950; DüD III, 368.

45 *Parzival. Höfisches Epos von Wolfram von Eschenbach.* Aus dem Mittelhochdeutschen übersetzt von Karl Pannier. 2 Bde. [hier zu einem zusammengebunden] 3. Auflage. Leipzig: Reclam 1897 (Signatur: ThomasMann 2860–61; vgl. dazu auch Wysling 1967, S. 265–267).

Buch wieder ab; die Erzählungen von Parzivals Jugend, Heirat und seinem ersten Besuch in der Gralsburg interessieren Thomas Mann hier nicht. Im sechsten Buch gibt es kaum noch, im siebten und achten gar keine Anstreichungen mehr, ebenso wenig in den Büchern zehn bis fünfzehn mit der Parallel-Handlung um den vorbildlichen Ritter Gawan. Vereinzelte Markierungen finden sich im 9. Buch, wenn es um die Wunde des Anfortas und – wie häufig – auch um einzelne literarische oder ikonographische Details geht.[46] Erst im letzten Buch über Parzivals Erhebung zum Gralskönig finden sich wieder Anstreichungen – viele zu Beginn, einzelne dann noch einmal am Schluss.

Die meisten davon sind mit Bleistift vorgenommen; es gibt aber auch Markierungen mit blauem und grünem Buntstift, mit blauer und grüner Tinte. – Hinweise auf eine mehrfache Durcharbeitung der entsprechenden Passagen und auf den Versuch einer systematischen Erschließung der Textdetails.[47] Denn Wolframs Werk dient Thomas Mann als Quelle für verschiedenste Zusammenhänge und Sachverhalte. Seine Exzerpte auf den Nbl. [6], [23]–[26], [28], [30]–[32] und [40]–[52] zeigen das exemplarisch. Im Vorwort interessieren ihn biographische Mitteilungen über Wolfram – so unterstreicht er den Satz »Zum Schildesamt ward ich geboren / (schildes ambet ist mîn art)«,[48] die Vermutung, dass Wolfram keine gelehrte Ausbildung genossen habe,[49] und

46 Etwa die christologische Bedeutung des Pelikans (*Parzival* II, S. 84), die nur in die Notizen aufgenommen wird (Nbl. [51]), nicht aber ins Buch, oder die Gestalt des Einhorns (ebd., S. 85 und ebenfalls auf Nbl. [51]), die im Roman tatsächlich auftaucht (Textband S. 43).

47 *Parzival* I, S. 214 etwa weist Anstreichungen mit Bleistift, mit blauem und grünem Buntstift auf. Grüne Unterstreichungen werden u. a. eingesetzt, wenn es um Ehevollzug und Unschuld geht, blaue Tinte indes meist für Fachbegriffe, etwa für die Namen der Belagerungsgeräte (ebd., S. 234, Füllfederhalter) oder medizinische Sachverhalte (*Parzival* II, S. 83–86, blauer Tintenstift).

48 *Parzival* I, S. 11. 49 Ebd., S. 15.

die folgende Passage über seine deutsch-französischen Sprachspiele:

> Mit seiner Kenntnis des Französischen scheint der Dichter sogar etwas zu kokettieren und mischt gern französische Floskeln in die deutsche Rede. Wie das Französische mag er sich im späteren Leben im Verkehr mit gelehrt Gebildeten einige naturwissenschaftliche, astronomische, mythologische und mystisch-theologische Kenntnisse angeeignet haben, doch scheinen diese Kenntnisse in nichts das Durchschnittsmaß überstiegen zu haben.[50]

Große Geschehenszusammenhänge des *Parzival* finden sich im *Erwählten* ebenso wieder wie kleine und kleinste Details. Sibyllas Drachentraum ist eine – nur in der Schlusswendung veränderte – Übernahme des Albtraums von Parzivals Mutter Herzeloyde;[51] auch die Erwählung des Außenseiters und seine Erhebung zum Sakralherrscher hat die Geschichte vom Gralskönig offenkundig mit derjenigen des »sehr großen Papstes« gemeinsam. Aber Wolframs Roman verdankt Thomas Mann auch unterschiedlichste Beschreibungen von Verhaltensformen und Gegenständen des höfischen Lebens, von Tafelgeschirr und Speisen, Möbeln und Kleidungsstücken, Rüstungsteilen und Stoffen bis zu Speisefolgen und Benimmregeln.

So geht der Anfang des Kapitels *Grimald und Baduhenna* auf den Einzug Gahmurets in Patelamunt zurück,[52] der Verlauf eines ritterlichen Zweikampfes[53] und die Geschichte von Silvesters Auseinandersetzung[54] haben ebenso ihre Vorlagen bei Wolfram[55] wie beiläufige kleine Gesten: Die Feststellung, dass Gahmuret das eine Bein leicht vor sich aufs Pferd legt, versieht Thomas Mann mit einem Ausrufezeichen,[56] sie taucht dann auf den Nbl. [26]

50 Ebd., S. 16. 51 Ebd., S. 134.
52 Vgl. Thomas Manns Anstreichungen ebd., S. 51.
53 Ebd. markiert mit der Randnotiz »Kampf«, S. 68f.
54 Vgl. Textband S. 18. 55 *Parzival* II, S. 383. 56 *Parzival* I, S. 94.

und [42] wieder auf; das Detail, dass Arme Brot am Fenster erbitten,[57] wandert auf dem Weg über die Nbl. [25] und [46] in den Roman.[58] Wie ein überkröpfter Falke seinen Falknern entfliegt, wird ebenso markiert[59] wie die Beschreibung der Belagerung von Belrapeire und der dafür nötigen Maschinerie; dabei sind technische Fachbegriffe mit blauer Tinte markiert.[60] Ein Ausrufezeichen findet sich, wo Parzival von jungen Mädchen gewaschen wird, die ihm Rosen ins Badewasser streuen,[61] und zu Belakanes Bericht über den Schottenkönig Friedebrand, der über das Meer gekommen sei, um ihr Land zu verheeren, ist am Rand der Name »Gregor« vermerkt (so wie auch Passagen markiert sind, in denen es um einen »Grigorß« geht).[62]

Selbst Kleinigkeiten wie die, dass die Pagen sich paarweise an der Hand fassen, und die Behauptung, kein Maler von Köln und Maastricht hätte einen Jungen schöner malen können, sind von Wolfram übernommen.[63] Angestrichen sind Wendungen wie »Herr und Bruder« und »mein Traut« (die dann Sibylla auf Wiligis bezieht), Begriffe wie »ansterben« oder Wendungen wie »des sollt ihr hier beschieden sein«, höfische Ausdrücke wie »Sicherheit anbieten«, »Courtoisie«, »Leibgedinge«, »tjostieren« und französische Wendungen wie »Bien soi venu, beau Sire«, Redensarten wie »ist das Bett beschritten, ist das Recht erstritten«[64] und schließlich die Schlusswendung von der »ans Ziel gebrachten Mär«.[65] Manche unterstrichenen Passagen hat Thomas Mann auf mehrere Notizblätter übertragen, im Roman aber dann doch nicht verwendet – etwa die Behauptung, Bocksblut könne Diamanten erweichen.[66]

57 Ebd., S. 200. 58 Textband S. 38.
59 *Parzival* I, S. 309f. Vgl. Textband S. 200.
60 *Parzival* I, S. 234.
61 Ebd., S. 196; im Roman für Wiligis übernommen.
62 Ebd., S. 48 u. 60 sowie 238f.
63 Ebd., S. 55; vgl. Textband S. 17 u. 21.
64 *Parzival* I, S. 230; vgl. Textband S. 42.
65 *Parzival* II, S. 414. 66 *Parzival* I, S. 135, Nbl. [6], [14], [30] u. [44].

Umfangreich sind im Vorwort wie im Romantext *Namen* angestrichen – eine ganze Liste von Bezeichnungen für Edelsteine (ausführlich auf Nbl. [51] und [52] exzerpiert), Ortsnamen wie Gylstram und Rankulat, Personennamen wie Feirefiß, Morhold, Alißе, Poitewîn, Schafillor, Plihopliherî, Mahaute, Klamidê, die Thomas Mann ersichtlich rein nach dem Klang auswählt, ohne Blick auf Eigenschaften und Ergehen der jeweiligen Namensträger im *Parzival*. Sibylla sollte zuerst (Hs. 14) wie die um ihren Liebsten trauernde Cousine Parzivals, deren Namen Thomas Mann gleichfalls unterstreicht, »Sigune« heißen.[67] »Jeschute« heißt dort die edle Dame, die der jugendliche Parzival erotisch bedrängt, ohne auf ihren Widerstand zu achten, und die von ihrem eifersüchtigen Ehemann daraufhin ins Unglück gestürzt wird; im *Erwählten* trägt diesen Namen, offenbar allein um seines mittelalterlich-fremden Klangs willen, die verräterische Magd.

Neben Hartmanns *Gregorius* und Wolframs *Parzival* zieht Thomas Mann auch Gottfrieds *Tristan* immer wieder für den *Erwählten* heran, und zwar in der (am Ende frei weiterdichtenden) Übersetzung seines einstigen Lehrers Wilhelm Hertz. Sie ist ebenfalls im Nachlass erhalten und stammt wohl noch aus der Münchner Studienzeit (worauf die eingeklebte Adresse der Münchner Universitätsbuchhandlung Rieger hinweist): Gottfried von Straßburg: *Tristan und Isolde*. Neu bearbeitet und nach den altfranzösischen Tristanfragmenten des Trouvere Thomas ergänzt von Wilhelm Hertz. Stuttgart: Kröner 1877.[68]

Am 30. April 1948 vermerkt Thomas Mann im Tagebuch: »Abends in W. Her[t]z' Kommentaren zu ›Tristan u. Isot‹.« Die Nbl. [4], [16] und [30] enthalten sehr kurze Exzerpte. Der Roman liefert nicht nur die Anregung zum Romankapitel *Der Trauerer* (Thomas Mann unterstreicht die entsprechenden französischen und mittelhochdeutschen Wendungen in Hertz' Kommentar,

67 *Parzival* I, S. 167.
68 Signatur im TMA: ThomasMann 2871.

S. 549), sondern wiederum auch diverse Details, die (wenn auch nicht so umfassend wie im Fall des *Parzival*) durch Unter- und Anstreichungen markiert werden – etwa Erklärungen zu höfischen Reitausdrücken wie »turnieren«, »leisieren«, »schambelieren«, zu den Aufgaben eines Truchsesses oder zur höfischen Jagd.[69] Auch hier gewinnt Thomas Mann szenische Details, teils aus Gottfrieds Text, teils aus Hertz' Kommentar, etwa die Überkreuzung der Hände vor der Brust beim ehrerbietigen Gruß, das Ritual der Ableistung eines Lehnseids.[70]

Zu diesen den gesamten Roman speisenden mittelalterlichen Quellen kommen diejenigen hinzu, die nur für einzelne Teile oder Kapitel benutzt wurden. Da ist zunächst, mit Thomas Manns eigenen Worten, »das Wiederlesen des Nibelungenliedes, dessen Verse bei dem Erzählen einer Heldentat des Gregors humoristisch nachgeahmt werden«.[71] Das *Nibelungenlied* las er, dem Tagebuch zufolge, zwischen dem 13. und 18. September 1949, und zwar in einer Neuausgabe von Karl Simrocks Übersetzung: *Der Nibelungen Not. In der Simrockschen Übersetzung nach dem Versbestande der Hundeshagenschen Handschrift*. Bearbeitet und mit ihren Bildern hg. von Hermann Degering. Berlin: Wegweiser 1924. Sein mit Anstreichungen versehenes Exemplar ist gleichfalls in der Nachlass-Bibliothek erhalten.[72] Die »Heldentaten«, für die dieser Text die Vorlage lieferte, sind die Kämpfe des Gregorius gegen Roger und seine Truppen; sie entsprechen Taten von Dankwart und Hagen von Tronje; auch die Wendung, dass Gregor sich »weltallein« den Feinden stellt, stammt dorther.[73] Auf weitere Übernahmen weist Thomas Mann selbst hin:

Nibelungenlied-Verse, aus denen der Stadtschulze nicht her-

69 Hertz, *Tristan*, S. 550 u. 555–558.

70 Vgl. zu weiteren Übernahmen den Stellenkommentar und Wysling 1967, S. 267f.

71 An Helen T. Lowe-Porter, 11.4.1950; DüD III, 368.

72 Signatur: ThomasMann 2857.

73 Textband S. 146; *Nibelungenlied*, S. 215.

> ausfindet bei seinem Bericht von Grigorss' »Diversion«. Dass Einer glatt in der Mitte durchgehauen wird, ohne es zu merken, und erst oben abfällt, als er sich bücken will, kommt ja tatsächlich im Liede vor, und der Schulze ist anständig genug, es als erfunden zurückzunehmen. Sibyllas Wort: »Man spricht, Ihr wäret kühner, als jemand sollte sein« ist auch Nibelungen-Citat.[74]

Tatsächlich »glatt in der Mitte durchgehauen« wird Kriemhild durch Hildebrand, sie fällt erst in zwei Teile auseinander, als Hildebrand ihr einen Ring zu Füßen wirft und sie bittet, ihn aufzuheben. Thomas Mann streicht die gesamte Passage an.[75] – Das zweite Zitat stammt aus einer Szene an König Etzels Hof. Da wirft ein Hunne Rüdiger vor, er stelle sich nicht entschieden genug an Etzels Seite, sondern sympathisiere mit den Burgunden: »Man rühmt, er wäre kühner, als jemand möge sein: Das hat uns schlecht bewiesen in dieser Not der Augenschein« – so Simrocks Übersetzung in der von Thomas Mann benutzten Ausgabe.[76]

»Sibylla's Gebet zur Jungfrau«, so bemerkt Thomas Mann gegenüber Julius Bab zum Kapitel *Sibyllas Gebet*,

> lehnt sich an (ziemlich frei, sodaß ich sagen darf, die besten Verse sind von mir) an die sogenannte Vorauer Sündenklage aus der Mitte des 12. Jahrhunderts [...]:
>
> »Stella maris bist du genannt
> nach dem Stern, der an das Land
> das müde Schiff geleitet.
> So hast du auch bereitet
> Ankunft dahier,
> Ankunft bei mir
> dem so genehmen Knaben,
> dem muß ich Gedenken tragen,

74 An Jonas Lesser, 26. 4. 1951; TM/Lesser, 85f.; ähnlich in Thomas Manns Brief an Julius Bab vom 30. Mai 1951; Br. III, 210. Vgl. Textband S. 147f.

75 *Nibelungenlied*, S. 264. 76 Ebd., S. 238.

beides, bei Tag und Nacht

– – – – – – – – – – – – – – – – –

Gern, Fraue, das ist wahr,
Küßt' ich ihn auf das Haar
und, gäb' er Freude kund,
dann auf den Mund!«

Es versteckt sich im Prosa-Satz [...].[77]

Die Quelle, aus der er nicht nur die *Vorauer Sündenklage*, sondern auch das *Arnsteiner Marienlied* bezog, nennt er am 29. April 1952 in einem langen Brief an den neugierigen Germanisten Hermann J. Weigand: Es ist die Sammlung

> »Kleinere deutsche Gedichte des XI. und XII. Jahrhunderts«, Herausgegeben von Albert Waag, Halle an der Saale, Verlag Max Niemeyer 1916, worin die Vorauer Sündenklage und das Arnsteiner Marienlied, neben Hartmann meine hauptsächliche mittelhochdeutsche Lektüre und Wortquelle. Das »ubele wuoftal« und der »wurmgarten« z.B. stammen daher. Wörtlich fast ist übernommen:
>
> Ein teil dû mirs sculdig bist
> daz dû mir helvest umbe got:
> wande dû den êwigen lop –,
> durch die sundaere inphienge;
> unde ne wêre nie niemen
> mit sunden bevangen,
> sô waeriz unergangen
> daz got mit dir getân hât etc.
>
> Es ist eigentlich ein Mann, ein Beter, der spricht, darum habe ich umgedichtet:
>
> »Ein Teil du mir's schuldig bist,
> Sag ich mit Frauenlist etc.«
>
> Sehr gern hatte ich die Stelle im »Marienlied« (wo eine Beterin spricht):

77 An Julius Bab, 30. 5. 1951; Br. III, 209f.

»Stella maris bistû genant
nâ deme sterren, der an daz lant
das muode schiff geleidet ….«

was ich in Sibylla's Sinn fortsetzte:

»So hast du auch bereitet
Ankunft dah[ier],
Ankunft bei mir
dem so genehmen Knaben,
de[m] muß ich Gedenken tragen
beides, bei Tag und Nacht,
da er mir Heil gebracht
mit seiner festhaltenden Hand etc.«[78]

Auch dieser Band ist in Thomas Manns Bibliothek erhalten, er erschien 1916 in derselben Reihe, in der er auch Hartmanns *Gregorius* las.[79] Im Inhaltsverzeichnis dieser wichtigen frühmittelhochdeutschen Textsammlung sind noch weitere Texte angestrichen: *Die Hochzeit*, die *Upsalaer Sündenklage* und das *Melker Marienlied*. Auch in den Begleittexten finden sich Bleistiftanstreichungen zu Namen und Datierungen (die insofern für Thomas Manns Umgang mit den Quellen aufschlussreich sind, als sie in keinem unmittelbaren Zusammenhang mit dem Romangeschehen stehen; sein Interesse gilt nicht nur den Texten, sondern auch ihren historischen Kontexten).

Aus der *Vorauer Sündenklage* und dem *Arnsteiner Marienlied* sind auf Nbl. [20] diverse Passagen exzerpiert, die sich in Thomas Manns freier Nachdichtung im Roman wiederfinden; Sibyllas Gebet besteht zu großen Teilen aus diesen Versatzstücken. Auch Grimalds Abschiedsworte gehen mit den – im Brief an Weigand erwähnten – Motiven »Wurmgarten« und »das üble Wolfstal« auf die *Sündenklage* zurück.[80]

78 29.4.1952; DüD III, 420f.

79 Albert Waag (Hg.): *Kleinere Deutsche Gedichte des XI. und XII. Jahrhunderts.* (= Altdeutsche Textbibliothek, Bd. 10). Halle an der Saale: Niemeyer 1916 (Signatur: ThomasMann 33).

80 Ebd., S. 143 u. 148.

Wenn Thomas Mann in seinem Brief vom 12. Oktober 1951 Erich Auerbach gesteht, *Sibyllas Gebet* sei »eins der mir liebsten Vorkommnisse des Buches«, dann bezieht sich das, dem Adressaten unerkennbar, auf die lebensgeschichtlichen Erschütterungen des Sommers 1950.[81] In den quälenden Tagen der unerfüllten Liebe zu Franz Westermeier, aus denen auch der große Essay zur *Erotik Michelangelos* hervorgehen wird (vgl. hier zur Entstehungsgeschichte S. 102), sieht Thomas Mann sich für einen Augenblick in der Position der liebenden Sibylla und den Geliebten in derjenigen des Gregorius. Am 18. Juli 1950 schreibt er ins Tagebuch:

> »Gern, Frau, das ist wahr,
> küßt ich ihn auf das Haar,
> und, gäb' er Freude kund,
> dann auf den Mund.«
> Die Verse aus Sibyllas Gebet fielen mir merkwürdiger Weise erst heute Morgen wieder ein.

Auch Entlegeneres zog Thomas Mann für Einzelfragen heran – und vergaß es rasch wieder. »Unter meinen Notizen«, schreibt er etwa – selber überrascht – an Helen T. Lowe-Porter (am 27. Februar 1951), »findet sich neben des Hrabanus Maurus ›De laudibus sanctae crucis‹ auch die ›Summa Astesana‹ als Lektüre verzeichnet. Sie enthält unter anderem ein Kapitel ›Über die Rede‹, muß also irgend ein theologisch-philosophisches Lehrbuch sein. Es liegt nichts daran.«[82]

In den ersten Arbeitsphasen hat Thomas Mann Gustav »Schwabs Volksbücher herangezogen« (so das Tagebuch vom 15. Januar 1948), und diesen Klassiker aus den romantischen Anfängen der germanistischen Mittelalter-Forschung hat er auch in den folgenden Tagen durchblättert – aber offenbar wirklich eher

81 »›Sibyllas Gebet‹, eins der mir liebsten Vorkommnisse des Buches, lehnt sich an die ›Vorauer Sündenklage‹ (Mitte zwölftes Jahrhundert) und das sogenannte ›Arnsteiner Marienlied‹ an.« ([*An Erich Auerbach*]; GW XI, 692)

82 DüD III, 380. Vgl. hier den Stellenkommentar zu S. 92₃.

durchgeblättert als gründlich studiert.[83] Am 3. Februar liest er die Geschichte von Herzog Ernst, in der er phantastische Details wie Kranichköpfe und Magnetberg finden konnte, aber auch Szenen wie ein Wiedersehen von Mutter und Sohn in einer Kirche und einen Satz, der dem Ende des *Erwählten* jedenfalls ähnelt:

> »Liebster Herr und Kaiser! Ihr sollt diesem armen Menschen vergeben, denn Ihr wisset wohl, es ist vor Gott kein Sünder so groß, wenn er rechte Reue über seine Sünden hat, so werden sie ihm verziehen!«[84]

Auch andere der Schwab'schen »Volksbuch«-Nacherzählungen weisen Ähnlichkeiten mit der Gregorius-Geschichte auf. So tauscht die ehemals reiche *Schöne Magelone* ihr Gewand mit einer armen Pilgerin und errichtet ein Spital, »in welchem sie der Armen in großer Treue pflegte, und ein so strenges Leben führte, daß alle Leute der Insel und Umgegend sie nur die heilige Pilgerin nannten«.[85] Diese und weitere Geschichten zeigen Ähnlichkeiten mit einzelnen Motiven und Handlungszügen des Romans[86] – die allerdings auch zum Erzählvorrat von Sagen, Legen-

83 Gustav Schwab: *Die Deutschen Volksbücher für Jung und Alt wiedererzählt.* Gütersloh und Leipzig 1880.

84 Ebd., S. 450. 85 Ebd., S. 44–46, hier S. 45f.

86 Beispiele: In der Geschichte von *Hirlanda* nimmt sich ein Abt eines entführten Neugeborenen an: »Dieses Kind sollte er taufen und erziehen lassen«, befiehlt ihm ein Engel. Die Amme, die sich um das Kind kümmert, betont lügenhafterweise, der Säugling sei »gemeiner Eltern Kind«, während der Abt das Gegenteil feststellt; er »bewies ihr aus der kostbaren Seide, in welche das Kind eingewickelt war, daß es nicht nur kein gemeines Kind sein könne, sondern daß es Fürsten zu Eltern haben müsse.« (Ebd., S. 68) So tauft er das Kind auf seinen eigenen Namen. Dieser Jüngling schließlich kämpft für die Ehre seiner Mutter gegen einen eigentlich deutlich überlegenen Gegner, der sich über den »Milchbart« lustig macht, der dann aber doch den Sieg davonträgt (ebd., S. 82f.). Die Geschichte von *Robert dem Teufel* beginnt mit der Darstellung eines Herzogspaars, das vor Gott und der Welt in Ehren lebt und doch kinderlos bleibt (S. 156) wie Grimald und Baduhenna (für deren Geschichte Thomas Mann freilich auf Grimms Märchen verweist; Textband

den und Volksmärchen gehören und deren Bezug zum *Erwählten* jedes Mal möglich, aber in keinem Fall eindeutig nachweisbar ist; Hinweise auf diesen Band finden sich in Thomas Manns Tagebüchern und Briefen nach dem Januar 1948 nicht mehr.

In manchen Fällen ist nicht mehr zu erkennen, woher einzelne mediävistische Kenntnisse bezogen werden. Der interessanteste und schwierigste Fall ist der des Notker, an dessen imaginärem Schreibpult Clemens ja die Geschichte aufschreibt: Von Notkers sündentheologischen Deutungen von »Igel« und »Murmeltier« scheint Thomas Mann zu wissen, ohne dass sich eine ihm zugängliche Quelle hätte ausfindig machen lassen.[87]

Kulturgeschichtliche Quellen

Für die Ideen- und Kulturgeschichte des Mittelalters stand Thomas Mann eine Quelle zur Verfügung, die er in den bewegten Tagen der Novemberrevolution kennengelernt und dann vor allem für Naphtas Mittelalter-Phantasmen im *Zauberberg* genutzt hat;[88] auch die in Thomas Manns Texten immer wiederkehrende Verknüpfung von (Spät-)Mittelalter und Faschismus hat darin wesentliche Anregungen gefunden.[89] Es ist Heinrich von Eickens *Geschichte und System der mittelalterlichen Weltanschauung*, Stuttgart 1887. Thomas Manns Exemplar hat sich zwar nicht erhalten, aber

S. 20). In der Geschichte von *Kaiser Oktavianus* kauft der fromme Pilger Klemens ein anscheinend verwaistes Kind und zieht es gemeinsam mit seinem eigenen Sohn auf. Obwohl er glaubt, der Sohn des Pilgers zu sein, sehen die Leute schon bald an seiner stattlichen Gestalt, seiner Stärke und Schönheit, dass er unmöglich der Sohn eines Pilgers sein könne, sondern von einem großen Herrn abstamme (Schwab, *Volksbücher*, S. 302). Auch dieser Junge träumt von Ritterschaft, während sein Milchbruder einen soliden Beruf erlernt. Die Reihe wäre fortzusetzen.

87 Vgl. zu dieser Beobachtung Hannah Riegers hier den Stellenkommentar zu S. 223₁₂.

88 Vgl. GKFA 5.2, 92f.

89 Vgl. hier zur Entstehungsgeschichte S. 24-28.

die Tagebuchaufzeichnungen erwähnen »Explorationen bei Eicken« (7.1.1948) und Studien »in ›Mittelalterliche Weltanschauung‹« (27.10.1948); auch die Nbl. [6], [16] und [27] verweisen auf Eickens Werk: »Besorgnis der Frau des bösen Fischers: S. Mittelalter 503«. Auf der entsprechenden Seite heißt es dort:

> Da die Armut die Bedingung der vollkommenen Nachfolge Christi war, so betrachtete das Mittelalter die Armen als Vorbilder des christlichen Lebenswandels. Es erblickte in den Armen ein Abbild Christi. »In den Armen wird Christus gekleidet und gespeist« [...]. Der Gedanke, daß der Arme ein Abbild Christi sei, gab dem Abte Cäsarius von Heisterbach zu der Mahnung Veranlassung, denselben sogar mit Ehrfurcht und Demut zu begegnen. »Vor allen Armen,« schrieb er mit Berufung auf Gregor den Großen, »muß man Ehrfurcht haben und um so mehr muß man sich vor allen demütigen, je weniger man weiß, wer von ihnen Christi ist«.[90]

In Eickens Kapitel *Die Wirtschaftspolitik* beschäftigt sich Thomas Mann, wie seine Exzerpte auf dem Nbl. [27] zeigen, besonders mit dem Abschnitt »Arbeit und Eigentum«: mit dem Verbot für Kleriker, Geschäfte zu machen, und den Synoden, die das beschlossen haben.[91] Die Erörterungen über das »Heckgeld« im gleichnamigen Kapitel gehen darauf zurück: Vor allem das Zinsgeschäft ist Klerikern verboten, weil sie nicht mit der Zeit, die Gott schenkt, reich werden sollen; Zinsen zu erwirtschaften, ist keine Arbeit. Genau in diesem Sinne formuliert im Roman der grübelnde Abt Gregorius, wenn er feststellt, dass »ein solcher Hauptschatz Brennstoff des höllischen Feuers« sei, »geschweige, daß man Heckgeld dafür nehmen und sich für Gottes Zeit bezahlen lassen soll«. Auch geht ihm »so manche Synode und so manches Konzil im Kopf herum, die das Zinsgeschäft so Geistlichen wie Laien, oder wenn diesen nicht, so immer doch uns Geistlichen untersagte.«[92]

90 Eicken, *Weltanschauung*, S. 503; Exzerpt zu dieser Stelle Nbl. [16].

91 Eicken, *Weltanschauung*, S. 495. 92 Ebd., S. 512f.; Textband S. 96f.

Auch die *Summa Astesana*, aus der im Kloster Agonia Dei vorgelesen wird, kommt im Zusammenhang mit der Armut bei Eicken vor;[93] dort geht es um Armut in der Nachfolge Christi und um Respekt vor den Armen – so wie es im Roman die Frau des Fischers ihrem Mann gegenüber betont, wenn der Gregorius wegschickt und ihm kein Nachtlager geben will. Reiche sollten nicht nur ihr Geld den Armen geben, zudem wird reichen Frauen geraten, sich der Krankenpflege zu widmen; dabei dient gerade die Erniedrigung zum Ekelhaften einer fürstlichen Herrin zum Seelenheil. Besonders bußfertig sei es, eiternde Wunden zu küssen, wie die hl. Elisabeth es getan habe – hier dürfte auch der Anstoß dafür gelegen haben, dass Thomas Mann zusätzlich Elisabeth Busse-Wilsons 1931 erschienene Monographie über die hl. Elisabeth von Thüringen heranzog (laut Tagebuch am 15. November und 18. Dezember 1949 für das XX. Kapitel gelesen).[94] Neu

93 Eicken, *Weltanschauung*, S. 505.

94 Möglicherweise ist eine Bemerkung bei Eicken auch Inspiration für die Wandmalerei des Penkhart gewesen, denn Eicken berichtet über die Opferbereitschaft der hl. Elisabeth: »Eine spätere Sage hat dann diesem Zuge dadurch ein etwas stärkeres Relief gegeben, daß sie den frommen Landgrafen als einen harten, habgierigen Mann darstellte, welcher der Wohlthätigkeit der Elisabeth mit strengem Verbote entgegengetreten sei.« (Eicken, *Weltanschauung*, S. 506) Thomas Mann lässt sich möglicherweise durch das Wort »Relief«, indem er es wörtlich nimmt, zu seiner eigenen Beschreibung inspirieren, Penkhart nämlich »bewarf [...] die Wände mit nassem Kalk und malte darauf mit dem Stielbüschel, in Wasserfarben, die erstaunlichsten Dinge: einen blutenden Bischof im Heiligenschein, von Kriegsknechten gemartert, David, wie er mit einer Miene, als ob nichts geschehen wäre, das Haupt des Goliath am Schopfe nach Hause bringt, den Herrn Jesus, wie er im Jordan getauft und auf dem Kirchendach vom geschwänzten Satan versucht wird, hinabzuspringen, und dergleichen mehr [...] und [...] kümmerte sich auch nicht darum, daß Herren und Damen der Burg, trotz allem Ekel vor Eiter und Kränke, hinabkamen ins Asyl, um seine Schildereien zu sehen. Herzog Werimbald aber kam nicht, da er gehört hatte, daß Penkhart dem Feldhauptmann, unter dessen Aufsicht der heilige Bischof gemartert wurde, mit täuschender Ähnlichkeit seine Züge verliehen hatte.« (Textband

gelesen hat Thomas Mann für den Roman auch Eickens Kapitel *Die Familie*, in dem es unter anderem um Frauen geht, die eine Heirat verweigern, weil sie sich als jungfräuliche Braut Christi verstehen, und um das Verbot der Heirat von Verwandten; beide Themen tauchen sowohl auf Thomas Manns Notizblättern als auch im Geschehen um Sibylla wieder auf. Schließlich findet er bei Eicken, im Abschnitt »Himmlische und irdische Liebe« des Kapitels *Die Familie*, Auskünfte über das Marienbild des Mittelalters, über die Buße fleischlicher Sünden und, im Kapitel *Das fränkische Reich und die römische Kirche*, über das Verhältnis von Geistlichkeit und Weltlichkeit, Kirche und Staat; Exzerpte dazu finden sich auf den Nbl. [58] und [59]. Am Beginn dieses Kapitels werden auch die irisch-schottischen Mönche und ihre Missionstätigkeit in Mitteleuropa und ihr Verhältnis zur römischen Kirche erwähnt; auch dies wird im Roman Clemens aufnehmen.[95]

Wichtigste Quelle für mittelalterliche *Realien* war ein anderes Werk. Im schon erwähnten Brief an Hermann J. Weigand (vom 29. April 1952) schreibt Thomas Mann:

> Einen kleinen Schmöker, antiquarisch erstanden, will ich Ihnen auch noch nennen: ›Deutsches Leben im 12. und 13. Jahrhundert. Realkommentar zu den Volks- und Kunstepen und zum Minnesang‹ von J. Dieffenbacher (Leipzig, Göschen'sche Verlagshandlung 1907). Er gab allerlei her für Jagd, Falkenbeize, Reiten, Turnier, Heirat u. a.[96]

Gemeint ist Julius Dieffenbachers *Deutsches Leben im 12. und 13. Jahrhundert*, und zwar der zweite Band: *Privatleben*.[97] Das reich illustrierte kleine Bändchen, nicht nur im handlichen Format das

S. 280) Penkhart macht zwar kein Relief im engeren Sinne, sondern ein Wandgemälde, aber dieses zeigt eben den geizigen Verwandten, der Sibylla das Geld zu knapp zuteilt.

95 Vgl. Eicken, *Weltanschauung*, S. 171f. 96 DüD III, 421.

97 Erschienen Sammlung Göschen Leipzig 1907. Im Nachlass erhalten unter der Signatur: ThomasMann 2803.

Gegenteil von Eickens geschichtsphilosophischem Werk, muss während der Arbeit am Roman in der Tat zum »Schmöker« geworden sein. Eine Vielzahl der Details, die ihm zum »Genaumachen« der Hartmann'schen Erzählung verhalfen, fand Thomas Mann hier. Exzerpte finden sich auf Nbl. [15] und [16], mitsamt Seitenangaben wie »D.L. S. 140ff.«. Die dort gefundenen Auskünfte betrafen Jagd und Jagdkleidung, alles Erdenkliche über Fenster, ritterliche Waffen und Rüstungen (die Roman-Idee, dass »Roger, der Spitzbart« durch seinen Helm in der Sicht eingeschränkt ist, dürfte auf eine S. 87f. unterstrichene Passage zurückgehen; die Mitteilung, dass Rogers Speer, »ein junger Baum mitsamt der Rinde« sei, entspricht Dieffenbachers Bemerkung: »Als Schäfte verwendete man passende Baumstämme, ab und zu sogar mit der Rinde«)[98], Verwandtschaftsgrade und Heiratsregeln, unterschiedliche Arten und Abläufe von Tjosten und Turnieren, die Beschaffenheit eines Saales und die Architektur einer Burg (namentlich das Burgtor interessiert Thomas Mann, wie Anstreichungen zeigen, lebhaft), einzelne Zimmer und ihre Möblierung, mittelalterliches Stadtleben und Markttreiben, Krankheiten und Heilmethoden, Bademöglichkeiten, Beleuchtung, Tod und Bestattung, Mahlzeiten, Tanz und Spiel, Musik, Pferde und Reiten, Falknerei, Umgangsformen, Stoffe und Bekleidung – die im Roman genannte »Nusche« ist ebenso aus Dieffenbacher übernommen wie der Begriff »waffenlich Gewand«, eine Übersetzung des bei Dieffenbacher unterstrichenen »wâfenlîch gewant«.[99] Wiederum sind auch Namen markiert, darunter Grimald und der Name Rigunthe,[100] der ursprünglich für Gregorius' erste Tochter vorgesehen war, dann aber durch Herrad[101] ersetzt wurde. Da zahlreiche Anstreichungen mit Bleistift, andere aber mit Tintenstift vor-

98 Textband S. 163, mit Dieffenbacher, *Privatleben*, S. 94.

99 Textband S. 149, mit Dieffenbacher, *Privatleben*, S. 72; Textband S. 160, mit Dieffenbacher, *Privatleben*, S. 82. Vgl. hier Abb. S. 138.

100 Ebd., S. 58 u. 43. 101 Ebenfalls unterstrichen, ebd., S. 71.

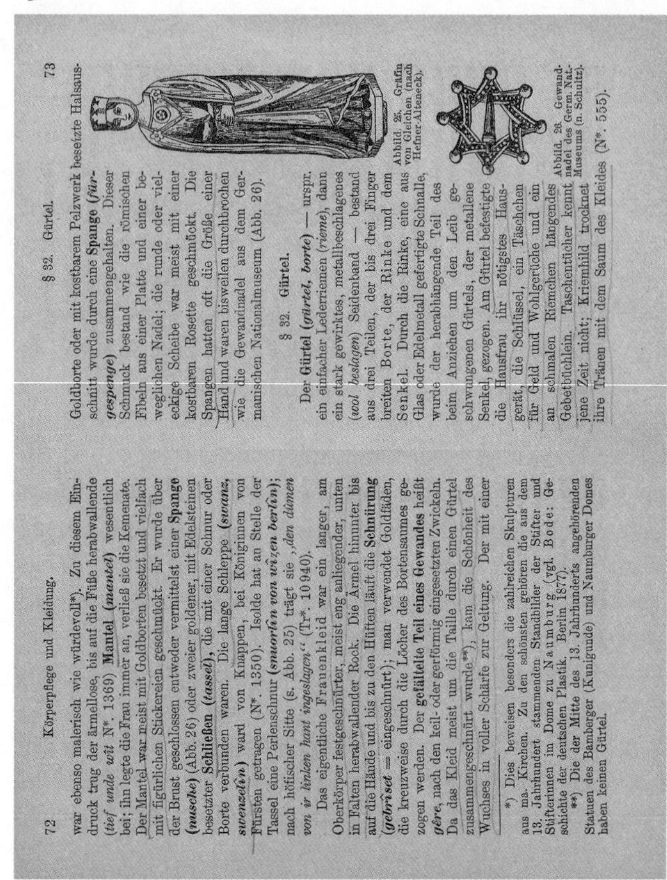

72 Körperpflege und Kleidung.

war ebenso malerisch wie würdevoll*). Zu diesem Eindruck trug der ärmellose, bis auf die Füße herabwallende (*tief unde wît* N*. 1369) **Mantel** (*mantel*) wesentlich bei; ihn legte die Frau immer an, verließ sie die Kemenate. Der Mantel war meist mit Goldborten besetzt und vielfach mit figürlichen Stickereien geschmückt. Er wurde über der Brust geschlossen entweder vermittelst einer **Spange** (*nusche*) (Abb. 26) oder zweier goldener, mit Edelsteinen besetzter **Schließen** (*tassel*), die mit einer Schnur oder Borte verbunden waren. Die lange Schleppe (*swanz, swenzelîn*) ward von Knappen, bei Königinnen von Fürsten getragen (N*. 1350). Isolde hat an Stelle der Tassel eine Perlenschnur (*snuorlîn von wîzen berlîn*); nach höfischer Sitte (s. Abb. 25) trägt sie „*den dûmen von ir linken hant ingeslagen*“ (Tr*. 10 940).

Das eigentliche Frauenkleid war ein langer, am Oberkörper festgeschnürter, meist eng anliegender, unten in Falten herabwallender Rock. Die Ärmel hinunter bis auf die Hände und bis zu den Hüften läuft die **Schnürung** (*gebrîset* = eingeschnürt); man verwendet Goldfäden, die kreuzweise durch die Löcher des Bortensaumes gezogen werden. Der **gefältelte Teil eines Gewandes** heißt *gêre*, nach den keil- oder gerförmig eingesetzten Zwickeln. Da das Kleid meist um die Taille durch einen Gürtel zusammengeschnürt wurde**), kam die Schönheit des Wuchses in voller Schärfe zur Geltung. Der mit einer

*) Dies beweisen besonders die zahlreichen Skulpturen aus ma. Kirchen. Zu den schönsten gehören die aus dem 13. Jahrhundert stammenden Standbilder der Stifter und Stifterinnen im Dome zu Naumburg (vgl. Bode: Geschichte der deutschen Plastik. Berlin 1877).

**) Die der Mitte des 13. Jahrhunderts angehörenden Statuen des Bamberger (Kunigunde) und Naumburger Domes haben keinen Gürtel.

§ 32. Gürtel. 73

Goldborte oder mit kostbarem Pelzwerk besetzte Halsausschnitt wurde durch eine **Spange** (*fürgespenge*) zusammengehalten. Dieser Schmuck bestand wie die römischen Fibeln aus einer Platte und einer beweglichen Nadel; die runde oder vieleckige Scheibe war meist mit einer kostbaren Rosette geschmückt. Die Spangen hatten oft die Größe einer Hand und waren bisweilen durchbrochen wie die Gewandnadel aus dem Germanischen Nationalmuseum (Abb. 26).

Abbild. 25. Gräfin von Gleichen (nach Hefner-Alteneck).

§ 32. **Gürtel.**

Der **Gürtel** (*gürtel, borte*) — urspr. ein einfacher Lederriemen (*rieme*), dann ein stark gewirktes, metallbeschlagenes (*wol beslagen*) Seidenband — bestand aus drei Teilen, der bis drei Finger breiten Borte, der Rinke und dem Senkel. Durch die Rinke, eine aus Glas oder Edelmetall gefertigte Schnalle, wurde der herabhängende Teil des beim Anziehen um den Leib geschwungenen Gürtels, der metallene Senkel, gezogen. Am Gürtel befestigte die Hausfrau ihr nötigstes Hausgerät, die Schlüssel, ein Täschchen für Geld und Wohlgerüche und ein an schmalen Riemchen hängendes Gebetbüchlein. Taschentücher kennt jene Zeit nicht; Kriemhild trocknet ihre Tränen mit dem Saum des Kleides (N*. 555).

Abbild. 26. Gewandnadel des Germ. Nat.-Museums (n. Schultz).

Vornehme Frauenkleidung im Mittelalter: Doppelseite aus Dieffenbacher, *Privatleben*, mit Anstreichungen Thomas Manns.

genommen wurden, dürfte Thomas Mann den Text – und seine zahlreichen Illustrationen – in mehreren Arbeitsschritten ausgewertet haben.

Speziell für das Kapitel *Die Hochzeit*, aber wohl auch zur Ausleuchtung des weiteren kulturgeschichtlichen Hintergrunds zog er zudem Bernhard Heils Buch *Die deutschen Städte und Bürger im*

Mittelalter heran, erschienen in Leipzig bei Teubner 1906.[102] Nbl. [40] nennt diese Quelle und listet die dort genannten epidemischen Krankheiten auf, darunter den »Tannewetzel«. Markiert ist eine Passage zum Speisenverbrauch bei einer Hochzeitsfeier; eine Randnotiz dazu stellt Berechnungen zur Gästezahl an.[103] Zahlreiche weitere Anstreichungen lassen keine unmittelbaren Bezüge zum Roman erkennen, markieren aber Zusammenhänge städtischer Lebenskultur im Mittelalter (etwa zur Kindheit, zur Strafpraxis, zum öffentlichen Leben etwa auf Märkten, zur Architektur); immer wieder wird dabei die Hansestadt Lübeck als Beispiel genannt und abgebildet.

Von dem von Fritz Burger begründeten mehrbändigen *Handbuch der Kunstwissenschaft* hat Thomas Mann zwei Bände genutzt. Dem Band *Baukunst des Mittelalters. Die gotische Baukunst* von Karl-Heinz Clasen[104] entnimmt er die Angaben zu Burgen und Detailinformationen über deren Bau, die er auf Nbl. [56] zu einer Liste zusammenstellt. Wichtig wurde ihm aber (laut Tagebuch ab dem 10. Januar 1948) vor allem der zweite Band, *Deutschland, Frankreich und Britannien*, von Julius Baums Werk *Die Malerei und Plastik des Mittelalters*.[105] Auf nicht weniger als sieben Notizblättern hat Thomas Mann Exzerpte daraus zusammengestellt:[106] Notizen für die

102 Signatur im TMA: ThomasMann 2804.

103 Heil, *Städte*, S. 113f. u. 155.

104 Karl-Heinz Clasen: *Baukunst des Mittelalters. Die gotische Baukunst.* Wildpark-Potsdam: Akademische Verlagsgesellschaft 1930 (= Handbuch der Kunstwissenschaft, Bd. III.2), S. 214f. (Signatur: ThomasMann 4949: H/24).

105 Julius Baum: *Die Malerei und Plastik des Mittelalters. II. Deutschland, Frankreich und Britannien.* Wildpark-Potsdam: Akademische Verlagsgesellschaft 1930 (= Handbuch der Kunstwissenschaft, Bd. IV.2) (Signatur: ThomasMann 4949 H/12:2). An Hermann J. Weigand schreibt Thomas Mann am 29. April 1952: »Altenglische Namen stammen aus einem vielbändigen Bilderwerk ›Handbuch der Kunstwissenschaft‹ begründet von Prof. Dr. Fritz Burger, herausgegeben von Dr. A.E. Brinckmann, Potsdam, Akadem. Verlagsanstalt, d. h. aus dem Bande über frühe englische und irische Kunst.« (DüD III, 420)

106 Nbl. [62] bis [68] (vgl. dazu auch Wysling 1967, S. 271).

Ausführungen seines Abtes Gregorius über die Besiedlung Britanniens, die Beschreibung des kleinen Kreuzes, das Clemens in seiner St. Gallener Kammer vorfindet,[107] die Namen des Abtes Gozbert in St. Gallen, des Königs Grimalt und des Königs Flann,[108] des Klosters Clonmacnois, der Fischer Wiglaf und Ethelwulf und der Insel St. Aldhelm,[109] wie schon bei den Namens-Notizen aus Wolframs *Parzival* ohne Rücksicht auf den besonderen historischen Hintergrund der Orte und Personen – den Namen von Sibyllas inzestuösem Bruder etwa trug eigentlich der Erzbischof Willigis aus Mainz.[110]

Für Geschichte und Kultur der Stadt Rom im Mittelalter nutzte Thomas Mann das bis heute unübertroffene Standardwerk von Ferdinand Gregorovius. Am 15. Februar 1948 vermerkt das Tagebuch zum ersten Mal »›Die Geschichte Roms‹ von Gregorovius«; von da an begleitet es die Arbeiten am ersten und an den letzten, den römischen Kapiteln des Romans. »Geschichte der Stadt Rom faszinierend«, ist im Tagebuch vom 31. Januar 1950 zu lesen. Das faszinierende Buch ist Ferdinand Gregorovius' zuerst von 1859 bis 1872 erschienene monumentale *Geschichte der Stadt Rom im Mittelalter*, in der zweibändigen Neuausgabe Dresden: Jess 1926.[111] Thomas Manns intensive Beschäftigung mit dem ersten Band zeigen Anstreichungen mit Bleistift (auf drei Seiten auch mit rotem Buntstift), die auf mehr als hundertneunzig Seiten über das ganze Buch verteilt sind, und die Exzerpte auf den Nbl. [2], [4], [5], [6], [10], [12] und [13]. Die Unterstreichungen lassen erkennen, dass es ihm bei seiner Lektüre zunächst darum gegangen sein

107 Baum, *Malerei*, S. 19 u. 120; dort und auf S. 167 findet Thomas Mann weitere Informationen über die keltischen Kreuze; auf beiden Seiten finden sich auch Abbildungen.

108 Unterstrichen ebd., S. 114 u. 167.

109 Ebd., S. 118. 110 Ebd., S. 123.

111 Signatur: ThomasMann 2800:1+2. Lorek 2015 geht ausführlich den Einflüssen der Gregorovius-Lektüre auf den Roman nach.

muss, ein Gefühl für die Atmosphäre der Stadt Rom im Übergang von der Antike zum Mittelalter zu entwickeln. Auch hier aber übernimmt er diverse konkrete Informationen – über die Lage der Stadt, ihre Stadtteile, Sehenswürdigkeiten und Kirchen,[112] Personennamen[113] und Ortsbeschreibungen,[114] die Kleidung des Papstes und seines Hofstaates und die Möblierung ihrer Gemächer.[115] Mehrfach ist der Ausdruck »der Erwählte« unterstrichen, unter anderem im Kapitel über Gregor I.[116] Auch die Idee, dass zwei Römer unabhängig voneinander denselben Traum haben, bezieht Thomas Mann aus Gregorovius, wo es allerdings um den Bau einer Kirche geht, die – so lässt die Gottesmutter Maria die beiden Träumer wissen – an der Stelle gebaut werden soll, an der die beiden am nächsten Tag frischen Schnee finden; einer der beiden Träumer heißt Liberius, wie dann auch bei Thomas Mann.[117] Den Kampf der einander widerstreitenden Päpste Eulalius und Symmachus setzt Thomas Mann aus verschiedenen Konstellationen zusammen, die er bei Gregorovius markiert hat,[118] mitsamt den Schimpfnamen, mit denen sie einander bedenken.[119] Auch für die Schilderung des Einzugs in die Stadt Rom greift Thomas Mann gleich auf mehrere Beschreibungen aus Gregorovius zurück:[120] den Einzug von Kaiser Honorius, die Einzüge

112 Das Kapitel über *Die Titularbasiliken der Stadt Rom um das Jahr 499* versieht er mit einem Ausrufezeichen, Gregorovius, *Rom* I, S. 157, und überträgt die Namen auf Nbl. [5].

113 Die Namen von Sextus Anicius Probus und seiner Gattin Faltonia etwa finden sich bei Gregorovius, *Rom* I, S. 57.

114 Die Schilderungen der Paläste von Probus und seinem Freund Liberius basieren auf Beschreibungen, ebd., S. 859 (der »Zetas estivalis« kommt dort vor) u. 862.

115 Ebd., S. 532–535; Nbl. [10]. 116 Ebd., S. 310 u. 312. 117 Ebd., S. 63.

118 Ebd., S. 106: Eulalius gegen Bonifacius; S. 156: Symmachus gegen Laurentius; S. 949: Cadalus gegen Alexander II. Vgl. auch Lorek 2015, S. 113.

119 Aus der Auseinandersetzung zwischen Cadalus und Alexander II. (ebd., S. 950).

120 Vgl. auch Wysling 1967, S. 265, und Lorek 2015, S. 114.

von Papst Leo III. und Karl dem Großen, die er mit Rotstift markiert und nahezu wörtlich in den Roman übernimmt, und die Beschreibung des päpstlichen Prozessionswegs, die Gregorovius nach einem Ritualbuch zitiert.[121] Eine Abbildung der nomentanischen Brücke versieht Thomas Mann mit der auf seinen Romanhelden bezogenen Notiz: »über die er nicht zieht ›Milvische‹«.[122] Das spielt auf die Tatsache an, dass Karl der Große in Nomentum übernachtet (wie Gregorius im Roman) und erst am nächsten Tag in die Stadt einzieht: »Er hielt seinen Einzug nicht durch das nomentanische Tor, sondern zog längs den Mauern hin und dann über die milvische Brücke, um so zuerst nach dem S. Peter zu gelangen«. Dieselbe Szene im Roman: »Nicht durch das Nomentanische Tor, so liest man, zog er ein, sondern zog längs den Mauern hin und dann über die Milvische Brücke, um so zum Aposteldom zu gelangen«.[123] Auch die Heldentaten des Papstes Gregorius kombiniert Thomas Mann aus den Leistungen verschiedener bedeutender Päpste: Die Zusammenfügung der Ketten Petri ist das Werk Papst Leos I., Symmachus schmückt die Peterskirche aus, Gregor I. betet den Kaiser Trajan aus der Hölle los, und Hadrian IV. nimmt die ebenfalls wörtlich im Roman wiederzufindenden Verbesserungen wie die Befestigung der Städte Radicofani und Orte vor, schafft neue Patrimonien und befriedet den Adel.[124] Thomas Manns Gregorius ist gewissermaßen die Summe großer Päpste.[125]

Mehrfach angestrichen sind Hinweise auf die für den Papst Gregorius seines Romans so charakteristische Versöhnung von heidnischer Überlieferung und christlichem Glauben – etwa Hinweise darauf, dass in christlichen Gotteshäusern Steine aus

121 Gregorovius, *Rom* I, S. 67f., 556–558 u. 1217f.; einen Hinweis auf Seite 1217 notiert Thomas Mann auf Nbl. [6].
122 Abb. bei Gregorovius nach S. 657.
123 Gregorovius, *Rom* I, S. 558; Textband S. 270.
124 Gregorovius, *Rom* I, S. 126f., 184, 338f. u. 1170.
125 So Wimmer 1998, S. 103f.

heidnischen Tempeln verbaut werden oder dass christliche und ursprünglich heidnische Rituale sich miteinander verbinden. Einige Anstreichungen gelten dem Verhältnis der Kirche zum Judentum; einige auf den Notizblättern vermerkte Auskünfte werden im Roman nicht verwertet. Im zweiten Band gibt es keine Anstreichungen, sondern lediglich eine handschriftliche Notiz unter einem Porträt Gregors XII.: »Rote Mozzetta«;[126] hier geht es also nur noch um Bildvorlagen.

Noch ein weiteres, kleineres Werk von Gregorovius hat Spuren in Thomas Manns Arbeit hinterlassen. Die Nbl. [12], [68] und [69] beziehen sich auf die *Wanderjahre in Italien: mit sechzig Bildtafeln nach zeitgenössischen Stichen*, Dresden: Jess 1925.[127] Genutzt werden hier vor allem die Kapitel *Römische Figuren* und *Subiaco, das älteste Benediktinerkloster des Abendlandes*, die Thomas Mann im Inhaltsverzeichnis unterstreicht; auch zwei lateinische Psalmenzitate, Details wie »die erzenen Statuen der Apostel Paulus und Petrus auf ihren Säulen« und die Schreibung des Kirchennamens »Ara Celi« (statt »Ara Coeli«), deren Glocken »von selbst zu läuten« beginnen, bezieht Thomas Mann offenbar hierher.[128] Auch die Vita des heiligen Benedikt von Nursia und seiner Schwester Scholastika wird nach diesem Band erzählt.[129]

Eine zweite Quelle, der Thomas Mann Informationen über römisch-katholische Traditionen und Gestalten entnahm, nennt er im Brief an Hermann J. Weigand vom 29. April 1952:

> Außer Gregorovius war da noch das Buch eines Münchener katholischen Schriftstellers namens Joseph Bernhardt: »Der Vatikan«, woraus ich einige päpstliche Weisheitsentscheidungen (ich glaube von Leo dem Ersten) auf meinen Gregor übertrug.[130]

126 Gregorovius, *Rom* II, nach S. 496. Vgl. Abb. hier S. 144.
127 Signatur im TMA: ThomasMann 2805.
128 Gregorovius, *Wanderjahre*, S. 261 u. 232.
129 Ebd., S. 413. 130 DüD III, 420.

Der Papst im Ornat: Gregor XII. und seine »Rote Mozzetta« (aus Gregorovius' *Geschichte der Stadt Rom im Mittelalter* mit Thomas Manns Notiz).

Diesen Band las Thomas Mann während seiner Europareise im Juli 1950; er ist in seiner Nachlassbibliothek erhalten.[131] Auch hier zeugen zahllose Anstreichungen und Exzerpte (auf den Nbl. [10], [12] und [16]) von überaus gründlicher Lektüre.

131 Joseph Bernhart: *Der Vatikan als Thron der Welt*. Leipzig: List 1930 (Signatur: ThomasMann 4859).

Die Anstreichungen betreffen zunächst Petrus als den ersten Papst, sodann eine Reihe von Taten und Verordnungen der Päpste, die er allesamt seinem Gregorius zuschreibt, obwohl sie zu unterschiedlichen Zeiten geschehen sind (darunter auch Taten Gregors des Großen). Gelegentlich übernimmt er sogar Bernharts Stil. Wenn Gregor dem Großen schwierige Sachverhalte zur Entscheidung vorgelegt werden, heißt es bei Bernhart (Thomas Mann hat die gesamte Passage am Rand angestrichen):

> Nach der ersten Mahnung, die heidnischen Tempel zu zerstören, besann sich Gregor »nach langem Nachdenken über die Sache der Angeln« eines anderen. Nein, sie sollen bestehen bleiben, nur die Götterbilder vernichtet, die Mauern mit Weihwasser besprengt, Altäre errichtet und Reliquien eingelegt werden. Die Vertrautheit des kultischen Ortes soll auch der Anbetung des wahren Gottes zugute kommen. Haben die Angeln den Dämonen Stiere geopfert, sie mögen sie künftig zum Lobe Gottes schlachten und verzehren.[132]

Der unterstrichene Satz, der am Rand zusätzlich mit einem Ausrufezeichen versehen ist, findet sich annähernd gleichlautend im Roman.[133] Auch bei Bernharts Kapitel über Papst Innozenz III. hat Thomas Mann stilistische Anleihen gemacht; ein kurzes Stück aus der angestrichenen Passage mag genügen:

> Ein Genfer Mönch, der sich auf Chirurgie versteht, hat einer Bäuerin den Kropf entfernt und Zimmerruhe verordnet; das Weib arbeitet und stirbt; darf der Totschläger wider Willen noch seine priesterliche Funktion ausüben? Ja, sagt Innozenz. Zwar ist es unrecht, daß der geistliche Mann ein solches Handwerk treibt, aber weil er aus Menschlichkeit, nicht aus Geldgier, überdies mit ärztlicher Umsicht gehandelt hat, ist er für den Tod der Unfolgsamen nicht verantwortlich; er darf, wenn er einer Buße sich entledigt hat, wieder Messe lesen.[134]

132 Ebd., S. 70. 133 Textband S. 273f.
134 Bernhart, *Vatikan*, S. 157.

Weitere von Bernhart geschilderte Urteile Innozenz' wird Thomas Mann ebenfalls seinem Gregorius unterschieben.[135] Ebenso geht die Gestalt Gregors VII. in den Romanhelden ein, wie Unterstreichungen zeigen, etwa eine Passage, die ein Gebet Gregors an den Heiligen Petrus wiedergibt:

> »Du bist mein Zeuge [...], daß deine heilige römische Kirche mich wider meinen Willen an ihr Steuer gesetzt hat ... Kraft deiner Gnade, nicht um meiner Werke willen, gefiel es dir, daß dein Christenvolk mir als deinem Stellvertreter gehorche, und um deinetwillen ist mir die Macht verliehen, zu binden und zu lösen im Himmel und auf Erden. [...]«[136]

Über den fiktiven Schreibort, das Kloster Sankt Gallen, fand Thomas Mann – laut Tagebuch vom 20. Januar 1948 – Informationen in einem »Schweizer Buch über St. Gallen, getimed.« »Getimed« meint wohl wieder: auf wundersame Weise im genau richtigen Moment zu ihm gekommen. Gemeint ist ein *Verbesserter und Nützlicher Almanach Der ehrsamen und gar lobenswerten Gallus Stadt* 1948 (St. Gallen 1947),[137] ein Sammelband, der Thomas Mann mutmaßlich wegen eines darin enthaltenen Beitrags über *Hermann Hesse – Thomas Mann – Emanuel von Bodman* von Richard B. Matzig zugeschickt worden war, genau einen Tag, ehe die ersten Zeilen des Romans geschrieben wurden. Anstreichungen finden sich in dem Aufsatz *Der grüne Ring* von James Roderer, in dem es um die Lage des Klosters geht, um Landschaft, Geologie, Klima und Waldwirtschaft, und *Ein Gespräch im Klosterhof von St. Gallen* von Ernst Fiechter. Dieser fiktive Dialog zwischen Martin und Georg soll didaktisch fasslich die Anlage von St. Gallen vorstellen; Thomas Mann hat diverse Einzelheiten angestrichen, darunter die Anlage der beiden Türme und die bauliche Gliederung der Klosteranlagen.[138]

135 Textband S. 274f.

136 Bernhart, *Vatikan*, S. 120. – Auch Einzelheiten zur Papstkrönung übernimmt Thomas Mann aus ebd., S. 349–351.

137 Signatur im TMA: ThomasMann 2807.

138 Weitere Unterstreichungen finden sich im Beitrag *Josua Wetters Be-*

Für weitere kulturhistorische Detailrecherchen griff Thomas Mann auch diesmal, wie schon bei der Arbeit am *Faustus*, zu *Meyers kleinem Lexikon.*[139] So verweist Nbl. [15] auf »Meyers K. Bd III«, wo die Zusammensetzung einer Ritterrüstung in Bild und Beschreibung erläutert wird. Exzerpte aus diesem Lexikon zu geographischen Fragen (Bruges, Rom, Burgund, Ärmelkanal, Brabant, Flandern, Irland) finden sich auf den Nbl. [1], [6], [23], [27], [33], [53] bis [57]. Auch »Süßwasserfauna« und »Fischerei« (Nbl. [6]), »Mönchtum« (Nbl. [27]), »Takelage« und »Vögel« (Nbl. [29]) schlägt Thomas Mann dort nach, exzerpiert und übernimmt Einzelinformationen in seinen Roman.

Kulturgeschichtliche Einsichten ganz anderer Art verschaffte Thomas Mann die entstehungsgeschichtlich folgenreiche Lektüre eines wieder nur durch zufällige Fügung genau zur rechten Zeit in seine Hände gelangten Aufsatzes. Karl Kerényi schickte ihm im Juli 1948 eine Abhandlung, die für die Sequenz über den auf dem Stein büßenden und von Erdmilch genährten Gregorius weitreichende Folgen hatte.[140] Sie trafen auf ein schon gut vorbereitetes Terrain; die Idee einer säuglingshaften Regression des Helden, die auf den ersten Blick komplett aus Kerényis Aufsatz übernommen scheint, hatte Thomas Mann bis ins Detail des Milch-›Schlabberns‹ bereits im *Joseph*-Roman erprobt.[141]

Thomas Manns mit Bleistift und Rotstift vorgenommene Anstreichungen zeigen auch hier eine mehrfache Durcharbeitung

schreibung der Stadt St. Gallen aus dem 17. Jahrhundert, diese beziehen sich hauptsächlich auf das Weberhandwerk; ein spezifischer Bezug zum *Erwählten* lässt sich nicht erkennen.

139 *Meyers kleines Lexikon in drei Bänden.* Leipzig: Bibliographisches Institut 1931/32. Die Bände sind in Thomas Manns Nachlassbibliothek nicht mehr erhalten.

140 Tb. 14.7.1948; vgl. hier zur Entstehungsgeschichte S. 75f. u. 81-88. Der Text ist gleichfalls in Thomas Manns Nachlassbibliothek erhalten: Karl Kerényi: *Urmensch und Mysterium.* Sonderdruck aus: *Das Eranos-Jahrbuch* 15 (1947), S. 41–74 (Signatur: ThomasMann 4812).

141 Vgl. GKFA 7.1, 581.

des Textes. Ebenso wichtig wie das Bild der gebärenden und nährenden Erdmutter ist Thomas Mann, seinen Anstreichungen zufolge, auch Kerényis Bild des unfertig-kindlichen Urmenschen selbst[142] und die in zwei Phasen verlaufende Menschwerdung: »die Muttergöttin der ersten Phase ist die Erde, eine Gebärerin zu tierischem, ungeweihtem, unvollkommenem Leben«;[143] die mythologische Vorstellung, dass zu den frühen Wesen auch ein »Vierfüßergeschlecht« mit Borsten gehört habe, hatte Kerényi bereits Lukrez entnommen.[144] Die zweite Phase, die eigentliche Menschwerdung führt bei Kerényi zu der – an christliche Vorstellungen hier leicht anschließbaren – »Überzeugung, daß der Mensch erst durch Brot und Wein zum zivilisierten Menschen wurde«:[145] Brot und Wein nehmen Probus und Liberius auf die Fahrt zum Stein mit, sie verwandeln das zwerghafte Urwesen (diese Wendung unterstreicht Thomas Mann gleichfalls)[146] wieder in einen Menschen Gregorius: Eine »zweite Formung [ist] die Heiligung durch das Brot«.[147]

Noch einen zweiten Text von Kerényi liest Thomas Mann, nach dem Abschluss des Kapitels *Der zweite Besuch* und während der Arbeit am Kapitel *Die Auffindung*. Kerényi hatte ihm einen Aufsatz über *Zeus und Hera* als Sonderdruck geschickt und mit folgender Widmung versehen: »Für Meister Mann dies vor mehr als einem Jahr Geschriebene (namentlich 237–240) zu einem gewissen Kapitel des ›Erwählten‹ mit Gruss und Gratulation von seinem K.K.« Das bezieht sich auf die im Juni 1949 in Küsnacht von Thomas Mann vorgelesenen Kapitel *Die Kinder* und *Die Fischer von Sankt Dunstan*, über die er bei dieser Gelegenheit mit Kerényi gesprochen hatte.[148] Das Thema, das hier die mythologischen Interessen Kerényis und Thomas Manns Roman verbindet, ist der Inzest.

142 Kerényi, *Urmensch*, S. 50, 63, 66 u. 70.
143 Ebd., S. 70. 144 Ebd., S. 43. 145 Ebd., S. 71. 146 Ebd., S. 54 u. 72.
147 Auch diese Wendung unterstreicht Thomas Mann, ebd., S. 74.
148 Tb. 14. 6. 1949.

Thomas Mann hat den Text wieder mit zahlreichen Anstreichungen versehen (die sich allerdings nicht ausschließlich auf den *Erwählten* beziehen). Kerényi analysiert das Verhältnis von Hera als Inbegriff der vollkommenen Frau zu ihrem Bruder und Gatten Zeus: ein »geschwisterliches Ehepaar«.[149] Verschiedene göttliche Geschwisterehen versteht Kerényi als Wiederholungen eines kosmogonischen Grundmotivs. Unter den Sätzen, die Thomas Mann am Rand markiert oder unterstreicht, sind Bemerkungen zum Inzestverbot und Feststellungen wie: »Dieser Kern [...] stellt bereits die Vereinigung zweier fast gleichrangiger, großer Gottheiten dar und kam in dieser Form durch die Begegnung zweier Arten von Kulten zustande: einer mehr patriarchalen und einer mehr matriarchalen Art«.[150] Kerényis Bemerkung, Zeus sei der Hera untergeordnet, auch wenn er zur Erfüllung der Zeugungsaufgaben nötig sei, versieht Thomas Mann mit einem Ausrufezeichen: Dem Telaios, dem »Erfüllung Bringenden«, komme »vom Gesichtspunkt der *weiblichen* Vollkommenheit aus nur die zweite Stelle zu, die Stelle eines Mittels zum Zweck. Es sei denn, daß er völlig ebenbürtig ist, wie nur ein *Bruder* sein kann! Ja, erst in diesem Fall wird jene Vollkommenheit völlig erreicht.« Im Falle von Zeus und Hera sei der Geschwisterinzest erlaubt: »Das Verbot ist nur die negative Ausdrucksweise des ambivalenten Verhaltens einer Möglichkeit gegenüber, die auch sehr positiv gewertet werden konnte.«[151] Mit Ausrufezeichen versieht Thomas Mann auch die Feststellungen, dass die »Liebesvereinigung von

149 Kerényi, *Zeus*, S. 232f., von Thomas Mann unterstrichen.

150 Ebd., S. 232.

151 Beides ebd., S. 237, von Thomas Mann unterstrichen. – Thomas Mann interessiert auch die Wahrnehmung Heras als Mädchen und Jungfrau, so findet sich eine Randanstreichung bei dieser Passage: »*Hera Pais* hieß: ›Hera, das Mädchen‹. Mit dem Mädchentum hatte es aber gerade auf Samos seine besondere Bewandtnis: es war ebenso durch das Liebesverhältnis mit dem Bruder charakterisiert wie das Mädchentum der Artemis durch absolute Jungfräulichkeit, vor allem dem Bruder gegenüber.« (S. 244)

Geschwistern […] über das menschliche Maß hinausgeht« und dass sie »an der Grenze« stehe

> zwischen dem Wiedereingehen in die unbewegliche Einheit eines Urzustandes einerseits und der Fortbewegung durch Mehrwerden in Kindern anderseits. Die Vereinigung von Geschwistern bedroht – so darf der tiefste Grund der dagegen gerichteten Inzestscheu angegeben werden – viel mehr als alles andere das Fortbestehen des Menschengeschlechts.[152]

Diesen Gedanken vom Rückwärtszeugen des Inzests und dem Vorwärtszeugen durch externe Heirat verwendet Thomas Mann in seinem Roman mehrfach, vor allem noch einmal am Schluss: Indem Humilitas Penkhart heiratet, zeugt sie vorwärts und nicht wie ihre Mutter mit Bruder und Sohn rückwärts. Bei Kerényi konnte Thomas Mann auch lesen: »Die Liebe eines Geschwisterpaares tendiert – biologisch gesprochen – noch mehr als die ›normale‹ Liebe zur Wiederherstellung eines zweigeschlechtlichen Wesens, das durch jene mächtige gegenseitige Anziehung gleichsam vorausgesetzt wird«:[153] eine Vorstellung, die an seinen von früh an verfolgten und im *Joseph* kulminierenden Androgynie-Gedanken anklingt. Nach der Lektüre schreibt Thomas Mann dankbar an Kerényi:

> Sehr einleuchtend die »Ambivalenz« der Bewertung als übermenschlich und höchst verboten. Im Uebrigen spricht ein erstaunliches Wissen aus dem Aufsatz. Geistvolle Gelehrsamkeit hat doch etwas höchst Faszinierendes.[154]

152 Ebd., S. 239f. 153 Ebd., S. 239.
154 Thomas Mann an Karl Kerényi, 5. 7. 1950; TM/Kerényi, 171.

Bildquellen

Bildvorlagen für seinen Roman[155] fand Thomas Mann nicht nur in den schon genannten Werken, sondern auch an überraschenden Orten – etwa, wiederum, durch unverlangte Zusendungen, die ihn erreichten, als hätte er um sie gebeten. So heißt es am 31. März 1948 im Tagebuch: »Bekam von Mr. Lord Reproduktion von ›L'inconnue‹, mit der Frauenhaube, die mir gerade vorschwebte.« James Lord war amerikanischer Schriftsteller und Kunstkritiker, der in Paris lebte, und das Bild ist Rogier van der Weydens Bildnis einer unbekannten Frau, entstanden um 1440, das Thomas Mann einem Tagebucheintrag zufolge am nächsten Tag in seinem Schlafzimmer aufhängte (Tb. 1.4.1948). Es diente als Vorbild für die Beschreibung der »Haubenfrauen«, die Sibylla und Wiligis versorgen.[156]

Ähnlich am 14. März 1949: »Gestern in der Zeitung Bild eines jungen Totschlägers, in Waisenhäusern aufgewachsen u. adoptiert, so schön und so meiner Vorstellung vom Grigorß entsprechend, daß ich's mir ausschnitt.«[157] Ein Bild, das Thomas Mann ebenso zufällig und willkommen in die Hände fiel, zeigt Eva Perón beim Gebet in der Peterskirche in Rom, während ihres Besuchs Ende Juni 1947; es wurde zum Vorbild für Sibyllas Gebet vor dem Marienbild, vor allem aber auch für ihre Beichte vor

155 Vgl. zum Folgenden auch die Abbildungen bei Wysling 1975, S. 406–427, und Makoschey 1998, S. 222–235.

156 Unter den Materialien für den *Erwählten* gibt es noch ein zweites Bild von einer Frau mit Haube (Signatur A-I-Mat. 7/19). Dieses »Bildnis seiner Frau. Ausschnitte aus einem ehem. Altar der Katharinenkirche« stammt aus einem *Merian*-Heft über Hamburg von 1949. In dem dazugehörigen Artikel des Historikers Percy Ernst Schramm geht es um *Hamburgs Bürgertum im Wandel der Zeiten*. Die Frau ist die Hamburger Bürgerin Tibbeke Nigel, deren Ehemann den ursprünglich in der Hamburger Katharinenkirche aufgestellten, dann in der Kunsthalle Hamburg gezeigten Kreuzigungsaltar gestiftet hatte. Die Frau ist unten rechts im Bild zu sehen, ihr Gatte unten links.

157 Ebenfalls im Nachlass erhalten (Signatur: A-I-Mat. 7/20). Vgl. Abb. hier S. 152.

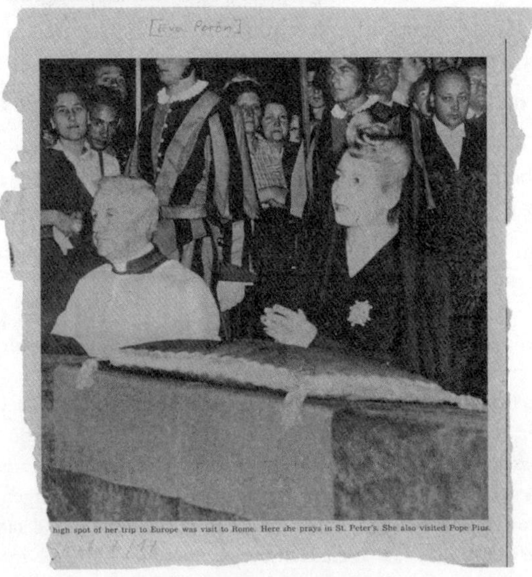

Zeitungsfotos als Bildvorlagen, aus Thomas Manns Arbeitsmaterialien:
junger Sträfling mit Thomas Manns Notiz »Grigorss«;
Evita Perón in Rom 1947.

Papst Gregorius; den jungen Gregorius und die reife Sibylla seines mittelalterlichen Legendenromans fand Thomas Mann in Zeitungsfotos. Diese drei Bilder sind nur ein Bruchteil dessen, was Thomas Mann an Bildvorlagen während der Arbeit gesammelt hat. Er hielt während der gesamten Zeit, ganz buchstäblich, die Augen offen. »Herauslösen von Anschaulichkeiten aus Büchern für das Legenden-Material«, notiert das Tagebuch am 18. April 1949, »Kostümmäßiges für die Geschichte ausgesucht« am 12. Februar 1950, »Umschau nach bildlichen Einzelheiten für das Kommende im ›Gregor‹« am 20. Februar 1950. Das im TMA erhaltene Bildmaterial ist denn auch denkbar disparat. Bildwerke aus mittelalterlichen Kirchen stehen neben der *Taufe Christi im Jordan und Versuchung Christi* aus der Münchner Staatsbibliothek,[158] einem Detail des Isenheimer Altars von Matthias Grünewald, das die trauernde Maria in den Armen des Jüngers Johannes zeigt,[159] und dem *Ulmer Verlöbnis* aus dem *Museum of Art* in Cleveland, dessen Reproduktion Thomas Mann in seinem Arbeitszimmer aufgehängt hatte und das er für die Beschreibung von Sibyllas Kleidung benutzte.[160]

Die St. Jürgen-Gruppe von Bernt Notke, deren Gipsabguss Thomas Mann aus einer Ausstellung in der Lübecker Katharinenkirche kannte, half möglicherweise bei der Beschreibung der Ritterrüstung und des Pferdes.[161] Auch einige der Abbildungen von mittelalterlichen Kunstwerken aus dem Lübecker St. Annen-Museum dürften Thomas Mann durch Augenschein vertraut gewesen sein.[162] Lorenzo Lottos im Louvre aufbewahrte Darstellung

158 Signatur: A-I-Mat. 7/8. 159 Signatur: A-I-Mat. 7/22.
160 Signatur: A-I-Mat. 7/42; vgl. Wysling 1967, S. 276f.; vgl. Textband S. 28f., das Kleid, das Sibylla trägt, als ihr Bruder siegreich vom Turnier ins Schloss zurückkehrt. – Hat Thomas Mann sich für die Beschreibung des Kleids zunächst nur aus *Parzival* bedient, schreibt er den Text angesichts dieser neuen Bildvorlage um, wie Hs. 21 zeigt (vgl. Wysling 1967, S. 276f.).
161 Signatur: A-I-Mat. 7/30. 162 Signatur: A-I-Mat. 7/23.

Mittelalterliche Gemälde als Bildvorlagen: Konrad Witz, *Verkündigung*.

des heiligen Hieronymus als eines Büßers in der Wüste diente vermutlich dazu, sich Gregorius auf dem Stein besser vorstellen zu können.[163] Viele dieser Bilder halfen bei der präziseren Beschreibung ritterlicher Kleidung.[164] Die Vorlage für das Verkün-

163 Signatur: A-I-Mat. 7/43.

164 A-I-Mat. 7/25 bildet eine Altartafel von Konrad Witz *Sabothai und Benaja dem König David Wasser bringend* ab, die beide Ritter in Rüstung bzw. festlicher höfischer Kleidung zeigt; ähnlich auch A-I-Mat. 7/29, die Statue eines Mannes mit Helm und Schwert, vermutlich des heiligen Sebastian, und A-I-Mat. 7/31, ein Altarbild von Albrecht Dürer, das den Stifter desselben als heiligen Eustachius zeigt, auch dessen Kupferstich *Ritter, Tod und Teufel* liegt bei den Materialien (A-I-Mat. 7/32) und könnte für die Beschreibung von Ritter und Pferd nützlich gewesen sein. Aber auch für andere Romangestalten war Bildmaterial vorhanden: für Hofdamen (etwa A-I-Mat. 7/35, Bernhard Strigels Gemälde *Rückkehr Davids mit dem Haupt Goliaths* zeigt auch eine Reihe

Das *Ulmer Verlöbnis*, dessen Reproduktion Thomas Mann im Arbeitszimmer anbringen ließ.

digungsbild, vor dem Sibylla im Romankapitel *Sibyllas Gebet* kniet, gibt Thomas Mann selbst in einem Brief an Jonas Lesser an: »Meine Vorlage für die ›Verkündigung‹ im ›Erwählten‹ war ein Bild oberrheinischer Schule (Konrad Witz, Germanisches Museum in Nürnberg).«[165]

höfischer Frauengestalten) und Geistliche (A-I-Mat. 7/34 zeigt *Christus und die 14 Nothelfer*, darunter Heilige in geistlichem Gewand, aber auch in ritterlichem).

165 Brief vom 15. Oktober 1951; TM/Lesser, 91f. Quelle ist Fritz Burger: *Die deutsche Malerei vom ausgehenden Mittelalter bis zum Ende der Renaissance. I. Allgemeiner Teil – Böhmen und die österreichisch-bayerischen Lande bis 1450*. Berlin 1913 (= Handbuch der Kunstwissenschaft, Bd. VIII.1), S. 119. – Ein ebenfalls für die Schilderungen Sibyllas benutztes Frauenporträt des italienischen Malers Cesare Monti fand Thomas Mann in einem Artikel von Ingrid Parigi über *Das gefährdete Glück der Italienerin* in der Zeitschrift *Thema* (*Zeitschrift für die Einheit der*

Makoschey hat ein Vorbild für den jungen Grigorß ausfindig gemacht, das Thomas Mann zufällig in einem während der Arbeit durchgeblätterten Band fand. Es ist Aristide Maillols Bronzestatue *Der Radfahrer*; darauf weist Thomas Mann am 18. Dezember 1948 im Tagebuch hin. Die Beschreibung der Statue findet sich im Kapitel *Der Trauerer* dann als Beschreibung des jugendlichen Grigorß wieder.[166]

Das Bild einer Schafherde in Neuseeland stammt aus einem *National Geographic*-Heft aus dem April 1942[167] und diente offensichtlich als Vorlage der folgenden Schilderung: »Der Blick durchs Fenster ging über die Dächer und Zinnen der Burg hinab auf eine Straße im Tal, von Wiesen und gelb blühendem Gebüsch gesäumt, auf der eine Herde dickwolliger Schafe langsam dahinzog.«[168] In einem anderen Heft derselben Zeitschrift stieß Thomas Mann auf das Foto eines kleinen Segelbootes in einer Regatta nahe der Insel Pitcairn; es wurde zum Vorbild für das von Gregorius und seiner Mannschaft gesegelte Boot.[169] Zwei Bilder der Insel Seal Island (Nova Scotia) aus der *Saturday Evening Post* vom 6. November 1948[170] gaben die Vorlage für Thomas Manns Beschreibung der Insel Sankt Dunstan ab; das erste Bild zeigt zwei Männer, die an einem Fischerboot mit Netzen hantieren wie Ethelwulf und Wiglaf (oder wie Flann, der sich an der »Reine Inguse« zu schaffen macht), das zweite einen Strandabschnitt mit Felsbrocken und einem Dorf im Hintergrund. Historische Segelschiffsbilder zeigen den »Auszug der Pilgerväter aus Holland« (aus einem Artikel über *Die Lebenshaltung der Pioniere* von Wolfgang

Kultur) im Frühjahr 1949. Die Zeitschrift kam ihm vermutlich in die Hände, weil darin ein Artikel seines Schwiegersohns Giuseppe A. Borgese *Betrachtungen über Deutschland* abgedruckt war (A-I-Mat. 7/15).

166 Vgl. Makoschey 1998, S. 228f.

167 A-I-Mat. 7/5; vgl. Frey 1976, S. 494.

168 Textband S. 30.

169 A-I-Mat. 7/37, vgl. Frey 1976, S. 494; aus der *National Geographic* vom Januar 1942.

170 A-I-Mat. 7/40; vgl. Frey 1976, S. 494.

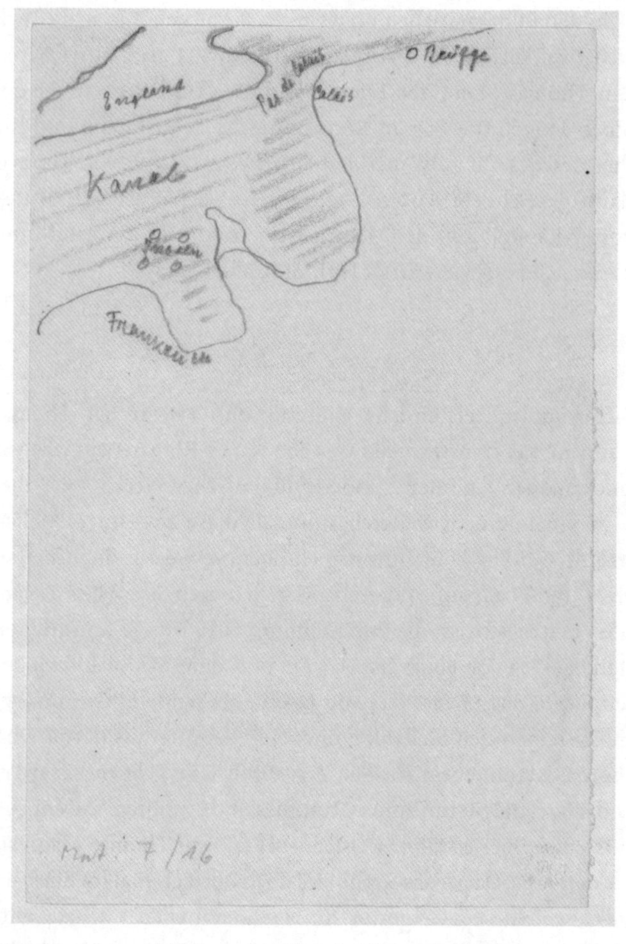

Zwischen Fakten und Fiktionen: Lageskizze aus Thomas Manns Arbeitsmaterialien.

Born in der *Ciba-Rundschau* vom Dezember 1948)[171] und ein Wikingerschiff, das die *Neue Zürcher Zeitung* auf der Titelseite ihrer Fernausgabe vom 2. August 1949 brachte; in dem dazugehörigen Artikel geht es um die *Invasion Englands vor 1500 Jahren.*[172]

171 A-I-Mat. 7/38. 172 A-I-Mat. 7/39.

Zu den Bildmaterialien im weiteren Sinne gehören schließlich auch zwei Karten: ein Stadtplan von Rom aus dem Jahr 1942, in dem Thomas Mann den Lateran und das Colosseum, einige der sieben Hügel, das Forum Romanum, die Peterskirche und die Thermen des Caracalla markiert,[173] und eine kleine, von Thomas Mann gezeichnete Kartenskizze, die den Schauplatz der Inselkloster-Kapitel auf den Kanalinseln zwischen England und Frankreich vergegenwärtigt (vgl. Abb. auf S. 157).[174]

Weitere Quellen

Nicht nur mittelalterliche Literatur und Kultur hat Thomas Mann in das transtextuelle Gewebe seines Romans einbezogen, sondern auch eine Reihe anderer literarischer Werke – die aber doch nur in einem weiteren Sinne als diese zu seinen Quellen gezählt werden können. Anspielungen verweisen auf Goethes *Divan* und *Faust*, auf Andersens Märchen vom *Standhaften Zinnsoldaten*, den *Fundevogel*, die durch Philipp Otto Runge vermittelten Märchen *Von dem Fischer un syner Fru* und dem *Machandelboom* aus den *Kinder- und Hausmärchen* von Jacob und Wilhelm Grimm (vgl. im Einzelnen den Stellenkommentar). Kaum etwas davon wird Thomas Mann eigens für den *Erwählten* wiedergelesen haben; es sind Texte, die für ihn zum »Grundbestand« gehören.[175] Dennoch müssen sie hier erwähnt werden – sei es, weil Thomas Mann sie wie den *König Ödipus* des Sophokles doch noch einmal im Blick auf die Geschichte des Gregorius zur Hand nahm (Tb. 1.5.1954: »König Ödipus des Sophokles. Fasziniert, tief ergriffen und ehrfurchtsvoll. [...] Erinnerung an die Zeit des ›Erwählten‹ [...]. Muß das Stück damals nachgelesen haben. Kannte es zu gut.«), sei es, weil sich im Magnetfeld der Mittelalterstudien auch alte und älteste Kunsterlebnisse neu anordneten. Das gilt in besonderer

173 A-I-Mat. 7/18. 174 A-I-Mat. 7/16.
175 Vgl. Kurzke/Stachorski 1999, bes. S. 11–15.

Weise für das – Thomas Manns Denken und Schreiben von Anfang bis Ende begleitende – Werk Richard Wagners. Wie Ruprecht Wimmer gezeigt hat, spielt es im *Erwählten* einerseits mehrfach im thematischen Hintergrund mit, klingt aber andererseits in den hier schon erwähnten Fällen des *Lohengrin* und des *Tannhäuser* auch in unmarkierten Zitaten leitmotivisch an (mehr dazu im Stellenkommentar).

Dabei ist nicht zu übersehen, dass die mittelalterlichen Helden, auf die Gestalt und Geschichte des Gregorius bezogen werden, oft auch weitere Wagner'sche Helden sind; in Gregorius scheint eine ganze Reihe von ihnen sukzessive in eine einzige Gestalt integriert:

> Wenn nun im *Erwählten* die Titelfigur transparent wird hin auf Siegfried (Frucht eines Inzests), Parzival (instinktives Verlangen nach Ritterschaft), Iwein (Traum vom Kampf an der Quelle), Tristan (Gregor als »Trauernder«, als »Tristanz, der Sorgsame«), Lohengrin (der aus der Fremde ankommende Befreier und Freier), Tannhäuser (der sich kasteiende Büßer) und zu alledem noch Christuszüge aufweist (Sibylla nennt ihn am Ende »mein Kind und Herr«) – dann erscheinen nicht nur (neben der höchsten Silhouette, derjenigen Christi) die Helden der mittelalterlichen Epen im Hintergrund versammelt, teilweise durch exakte Zitatverweise, sondern auch und vor allem genau jene Heroen, die die Spätromantik – Wagner im Besonderen – ihrerseits schon aus dem Mittelalter hochgeholt und verklärt hatte. Und sie erscheinen nicht individuell, sondern werden ironisch in eine einzige Figur gepfercht.[176]

176 Wimmer 2012a, S. 110f. Zur diskreten Rezeption Wagners im *Erwählten* vgl. auch Mertens 2012, S. 138–143. Er zeigt, dass die Vorliebe für Alliterationen (»Wohlsein und Wonne«, »Herr und Herzog«, »Streit und Strauß«, »Fahrt und Fahr«, »welkendes Weib« usf.), ja sogar »Syntax und Rhythmus der Sprache [...] immer wieder Wagner abgelauscht« sind. Zwar nicht durchgehend, sondern »nur ab und zu erlaubt sich der Erzähler eine solche Diktion«; aber »Wagner gehört eindeutig zu den verschwiegenen Quellen seines

Ähnlich verhält es sich mit dem Erlebnis von Hans Pfitzners *Palestrina*, das Thomas Mann längst schon in den *Betrachtungen eines Unpolitischen* geschildert hatte und nun für die Eröffnungsszene des *Erwählten* nur wiederbeleben musste (vgl. hier zur Entstehungsgeschichte S. 19-23).

Anders diejenigen literarischen Werke, die Thomas Mann nicht für die Konzeption des Legendenromans heranzog, sondern eher für Atmosphärisches. In Charles de Costers Roman *Ulenspiegel*, diesem Hauptwerk der modernen flämischen Literatur, las er während der ersten Arbeiten am neuen Roman, laut Tagebuch im April 1948, ausgiebig, offenbar um sich im Umgang mit einem märchen- und legendennahen historischen Erzählen zu schulen;[177] zu romantischen Psychologisierungen märchenhaft-mythischer Stoffe wie Fouqués *Undine* oder Chamissos *Peter Schlemihl* war er seit seinen literarischen Anfängen immer wieder zurückgekehrt; Gustave Flauberts meisterhaftes Pastiche einer mittelalterlichen Legende *Saint Julien l'Hospitalier*, auf dessen namentlich nicht genanntes Vorbild die frühe Orientierung des Vorhabens an Flauberts *Trois Contes* verweist, kam ihm in der ersten Konzeption des *Erwählten* 1947 in den Sinn.

Schließlich, auch das gehört nicht mehr zu den literarischen Quellenfragen und sollte doch nicht übergangen werden, lässt sich *Der Erwählte* auch als eine kleine und spielerische, manchmal satyrspielhafte und vermutlich keineswegs so geplante Summe

Stils.« (S. 141) Grothues 2007 glaubt weniger in solchen Stilzügen als vielmehr in der Figurenkonstellation eine Wagner-Travestie zu erkennen (S. 500).

177 In Thomas Manns Nachlassbibliothek sind drei Übersetzungen des Werkes erhalten: *Die Legende und die heldenhaften, fröhlichen und ruhmreichen Abenteuer von Ülenspiegel und Lamme Goedzak im flandrischen Lande und anderswo.* Übertragung von Walter Widmer. Bern-Bümplitz: Züst 1943; *Ulenspiegel.* Deutsch von Karl Wolfskehl. Leipzig: List [1927]; *Tyll Ulenspiegel und Lamm Goedzak. Legende von ihren heroischen / lustigen und ruhmreichen Abenteuern im Lande Flandern und andern Orts.* Deutsch von Friedrich von Oppeln-Bronikowski. Jena: Diederichs 1909.

von Thomas Manns eigenem Lebenswerk lesen. Nicht nur werden der vorangegangene Roman von *Doktor Faustus*, die Film-Adaptation der *Tristan*-Überlieferung und die Jahrzehnte zurückliegenden *Betrachtungen eines Unpolitischen* als unmittelbare Vorlagen genutzt (für die Gregorius-Geschichte selbst, für die Darstellung des »Trauerers«, für das römische Glockenwunder); auch Sujets und Motive diverser weiterer Hauptwerke klingen wieder an. *Der Erwählte* ist ein (gerade hier weit über das von den Quellen Vorgegebene hinausgreifender) Generationen-Roman wie *Buddenbrooks* (auf die sogar ein Einzelmotiv wie die gesunden Zähne der schlimmen Kinder verweist); eine Geschichte der Umdeutung von negativer in positive Stigmatisierung, von Ausgeschlossenheit und Einsamkeit in Erwählung wie *Tonio Kröger* und *Königliche Hoheit* und von Geschwister-Inzest als Sündenfall und Zeichen der Erlesenheit wie *Wälsungenblut*; eine religionsgeschichtlich-anthropologische Erweiterung biblischer Erzählungen ins Menschheitliche hinein wie der *Joseph* (»in dessen Ton und Spielgeist das Neue ja zurückneigt«, so Thomas Mann an Hans Reisiger am 8. September 1949[178]; bis hin zur wiederholten Überblendung von Ischtar- und Marien-Ikonographien); eine Geschichte der Überwindung romantischer Todesverfallenheit in Lebensfreundlichkeit, wie Hans Castorp sie im *Zauberberg* erträumt; die Geschichte eines – hier wie dort »aus feinerem Holze geschnitzten« – Glückskindes wie *Felix Krull* (an dessen Fortsetzung Thomas Mann sich unmittelbar nach Abschluss des *Erwählten* macht).

178 DüD III, 362.

»Ich kann nur hoffen«, hat Thomas Mann während der Arbeit am *Erwählten* an den alten Freund Hans Reisiger geschrieben, »daß nach meinem Tode jemand sich die Mühe einer kritisch korrekten Ausgabe wenigstens des ansehnlichsten Teiles meiner Schreiberei macht. Aber man wird wohl andere Sorgen haben.«[1] Eine kritisch korrekte Ausgabe dieses Romans hat es mit einer Textlage zu tun, die sich, alles in allem, ungewöhnlich klar und übersichtlich darstellt. Trotz der anfänglichen und in unregelmäßigen Abständen wiederkehrenden Konzeptionsprobleme, die hier in der Entstehungsgeschichte resümiert sind, zeigen die Textzeugen ein vergleichsweise einheitlicheres Bild als etwa im Fall des *Doktor Faustus* (vgl. GKFA 10.2, 84–99), aber auch des in Konzeption und Umfang vergleichbaren Romans *Königliche Hoheit* (vgl. GKFA 4.2, 82–94).

Notizen

Entstehungsgeschichtlich wichtige Textzeugen sind 69 Notizblätter, die von Thomas Mann zu einem Teil nummeriert wurden.[2] Sie enthalten fast ausschließlich Exzerpte und Notizen zu Realien: Listen von Namen (etwa der römischen Kirchen, die aus Gregorovius exzerpiert werden), Begriffen (etwa zu ritterlichen Turnieren), Namen und Redewendungen unterschiedlicher Sprachen vom Altfranzösischen bis zum Mittelhochdeutschen. Lediglich zwei Blätter enthalten eine überarbeitete Textpassage aus dem Kapitel *Die Kinder* sowie einige weitere, wenige Zeilen umfassende Skizzen zu Handlungsabläufen. Das Notizenkonvolut wird hier darum, anders als etwa im Kommentar zu *Königliche Hoheit*, nicht dokumentiert, sondern nur zusammenfassend katalogisiert (vgl. hier Materialien und Dokumente S. 472-486).

1 Thomas Mann an Hans Reisiger, 8.9.1949; DüD III, 362.
2 TMA; Signatur: A-I-Mp XI 9a grün.

Manuskript

Von den am 21., 22. und 24. Januar sowie am 21. und 22. Februar 1948 im Tagebuch vermerkten wiederholten Ansätzen zum geplanten neuen Roman ist nur der letztgültige als Beginn des Manuskripts erhalten, das im TMA unter der Signatur A-I-Mp XI 9 grün vorliegt. Es umfasst insgesamt 325 Blätter, von denen zumeist nur die Vorderseite beschrieben ist. Die Rückseiten (5, 8, 16, 18, 19, 21, 53, 70, 72, 76, 77, 81, 82, 90, 105, 115, 131, 148, 150, 158, 164, 209, 213, 241, 247, 249, 252, 290, 293, 297, 298, 301, 308) werden nur dort beschrieben, wo auf der Vorderseite größere Änderungen vorgesehen sind, die unübersichtlich sind und ein neues Abschreiben der Passage erfordern. Die Blätter 1–322 sind nummeriert; ein Blatt (zwischen 319 und 320) trägt die Seitenzahl 319$^{\underline{a}}$. Das Titelblatt trägt keine Seitenzahl; das ebenfalls unpaginierte Blatt [323] wiederum enthält auf der Vorderseite das Inhaltsverzeichnis und auf der Rückseite die Nachbemerkung. Titelblatt, Inhaltsverzeichnis und Nachbemerkung schreibt Thomas Mann am 27. Oktober 1950 nieder. (Bei Hs. 311–314 und 320–322 ist die ursprüngliche Seitenzahl von Thomas Mann überschrieben worden; das ist den Umarbeitungen im Schlusskapitel geschuldet, deswegen folgt auch auf Blatt 319 dann Blatt 319$^{\underline{a}}$.)

Die Manuskriptseiten sind mit unterschiedlichen blauen Tinten beschrieben. Bis zum Kapitel *Herr Poitewin* (im Manuskript noch: *Die Enthüllung*, Hs. 131; erst im Typoskript ist die Überschrift mit Rotstift zu *Herr Poitewin* korrigiert, Ts. 145) verwendet Thomas Mann eine helle türkisfarbene Tinte, danach ändert sich auf den Manuskriptseiten 131 bis 133 mit dem Blattformat auch die Tinte (zu einem dunklen Blau). Hs. 131 entspricht noch einmal dem Blattformat der Vorgängerseiten, ist aber bereits mit der neuen Tinte beschrieben; Hs. 132 zeigt bei altem Blattformat auch die alte Tinte sowie Überarbeitungen mit der neuen Tinte. Da auf Hs. 131 mit einem Bleistiftkreuz ein Leerraum durchgestrichen wird, ist anzunehmen, dass dieses Blatt ein älteres, nun neu abgeschriebenes ersetzt. Auf der Folgeseite ist der erste, noch mit der alten Tinte geschriebene Satz mit der neuen Tinte durchgestrichen, ebenso wie die Schlusszeilen des Blattes. Es bleibt also nur ein älterer Mittelteil erhalten, dem eine neue Seite vorangeht und dem dann neuer Text folgt, der in der neuen Tinte und dem neuen Blattformat daherkommt. Die ursprüngliche Version dieser Seite 131 ist nicht erhalten.

Mit der neuen Tinte hat Thomas Mann dann auch einige Korrekturen auf den vorherigen Seiten vorgenommen. Im gesamten Manuskript finden sich Korrekturen, die mit Bleistift, also in einem weiteren Textdurchgang, ausgeführt sind. Dabei handelt es sich zumeist um Streichungen von Textpassagen (z.B. Hs. 4, 8, 12). Die Kapiteltitel sind mit Bleistift geschrieben, also als vorläufig markiert,[3] ebenso die Seitenzahlen. Frei gebliebene Seitenbereiche werden mit einem großen Bleistiftkreuz markiert, um zu verdeutlichen, dass der Text trotz der Leerzeilen einfach auf dem nächsten Blatt fortgesetzt wird (Hs. 84, 131, 310, 319[a]) – wohl ein Hinweis darauf, dass Thomas Mann hier an den ursprünglichen Seiten starke Überarbeitungen vorgenommen und dann die Seiten neu abgeschrieben hat.

Auf der Manuskriptseite Hs. 14 zieht Thomas Mann mit Bleistift einen Querstrich durch den fortlaufenden Text und notiert am linken Blattrand die Kapitelüberschrift *Die Kinder*; hier war also zunächst kein neues Kapitel vorgesehen. Auch auf der Seite Hs. 53 ist Thomas Mann so verfahren: Ein Bleistiftstrich trennt hier die beiden Kapitel; am linken Blattrand ist die neue Kapitelüberschrift *Die Aussetzung* festgehalten. Auf der Seite Hs. 105 lassen sich die Änderungen beim Kapiteltitel detailliert nachvollziehen: War zunächst *Der Faustkampf* vorgesehen, so korrigiert Thomas Mann in *Faustschlag*, in Klammern ist die Variante *Die Austragung* notiert. Das Typoskript Ts. 116 hat hier *Der Faust-*

3 Einzige Ausnahme ist *Der Handkuss* (der im Manuskript, Hs. 172, mit Tinte notiert und im Typoskript handschriftlich mit Rotstift in die dort gelassene Lücke eingetragen ist, Ts. 186).

kampf, was Thomas Mann dann handschriftlich zu *Faustschlag* korrigiert. (Das entspricht dem Tagebucheintrag vom 18. Oktober 1949: »Schloß das XVII. Kapitel ab. Faustkampf umzubenennen, da für das letzte nur ›Der Zweikampf‹ möglich.«) Auch das Kapitel *Die Audienz* ist nur mit einem Bleistiftstrich vom vorhergehenden Text abgetrennt, und die Überschrift ist am linken Rand notiert; auch hier war also zunächst kein neuer Kapitelanfang vorgesehen. Mitunter beginnen Kapitel neuseitig; zumeist wird nur ein Freiraum gelassen, und der Text läuft auf derselben Seite weiter.

Fremdsprachige Wendungen schreibt Thomas Mann in lateinischer Schrift, etwa das »supra urbem« gleich im ersten Satz. Diese älterer Schreibkonvention entsprechende Differenzierung wird nicht ins Typoskript übernommen und ist folglich auch nicht in die Buchausgabe eingegangen. Die bei Thomas Mann üblichen Zusammenschreibungen von »garnicht« und »sodaß« sind zwar ins Typoskript, nicht aber in die Buchausgabe übernommen; dasselbe gilt für die Schreibungen »Im Ganzen« und »mit einander«. Mehrere Fremdwortschreibungen, die sich sowohl im Manuskript als auch im Typoskript finden, sind in die Druckfassung nicht übernommen worden. So wird im Erstdruck beispielsweise »Clerus« (Manuskript und Typoskript) zu »Klerus«, »Constantin« zu »Konstantin«, »castigieren« zu »kastigieren«, »Cruzifix« zu »Kruzifix« und »Kovertiure« wird zu »Covertiure«.

Im Manuskript finden sich zahlreiche kleinere Einfügungen, für die hier nur ein paar Beispiele gegeben werden – etwa der Hinweis darauf, dass all die Pfarrkirchen, von denen es läutet, »zu Seiten des zweimal gebogenen Tibers« liegen, oder Verstärkungen wie diese: aus »dieser Burg Christi« wird »dieser feste Burg Christi«. Thomas Mann ergänzt hier eine Anspielung auf Psalm 46 und Luthers Kirchenlied *Ein feste Burg ist unser Gott*. Eine Fülle kleinerer Änderungen macht etwa aus dem »aventinischen Tempel der Diana« den »greulichen Tempel der Diana«; aus dem

»Brunnen« wird präzisierend ein »Sprudelbrunnen«; aus »etwas« wird »einen Schluck und Batzen«, den der Teufel von »Christi Blut [...] zu erschnappen sucht«; aus »kaum nicht zum Aushalten« wird »schwer erträglich«; »Türme« werden zu »Titular-Basiliken«; die »Geschichte« zur »Mär«, der »Pelz» zum »Zobel«. Aus der »Ohnmacht« wird die mittelalterlich-archaisierende »Amacht«, aus dem »Donjon« der »käuzchenumschriene« Turm und aus der einfachen »Ansicht« eine »wohlgeprüfte Ansicht«. Einmal ersetzt Thomas Mann das Wort »geistlich« durch »pfäffisch«, dafür wird das anachronistische »Baby« mehrfach durch »Menschenkind« ersetzt.

Korrigiert werden auch zunächst unbemerkte schiefe Wendungen – aus »mit desto festerem Kitt geschmiedet« wird »fester zusammengekittet« – und unübersichtlich erscheinende Wortreihenfolgen. So wird »sich in den Qualen einer Niederkunft zu erschöpfen« zu »sich zu erschöpfen in den Qualen einer Niederkunft«; aus »eine Gräfin von Cleve« wird »von Cleve eine Gräfin«. Gelegentlich werden Textpassagen verschoben. Dass Clemens früher Morhold hieß und diesen Namen abgelegt hat, sollte ursprünglich weiter vorn im Text stehen. Besonders aufmerksam werden fremdsprachliche Wendungen überarbeitet, und zwar teils in verständlich eingemeindender, teils aber auch in historisierend-verfremdender Richtung. Thomas Mann ersetzt »im Claustrum Sankt Galli« in einer Sofortkorrektur durch »an Notkers Pulte«; aus »Caroli Magni« macht er »Kaisers Caroli«, aus einer »Dame« die »maistresse«, aus dem »Ritter« den »Schevelier«, aus dem »Vater« den »Abba« (diese Korrektur wird allerdings nicht ins Typoskript übernommen; möglicherweise hat Thomas Mann sie erst nach der Abschrift im Manuskript vorgenommen, auch im Roman steht hier »Vater«), aus »escalier« die »Rampe«. Aus »eine längere oder kürzere Weile« wird »ein lützel«, aus »reicher Ehren« wird »michel Ehren«, aus »Wahrlich, wahrlich« »Vere, vere«. Aus »Zurückschießen« wird »Backschießen«, aus »kleines Mädchen« »Maiden«, aus »Stadt« »quemune«, aus

»Abschied« »Valet«, aus »Ozean« zunächst »Weltmeer« und dann »oceanus«.

Einige dieser Änderungen gehen ersichtlich auf briefliche Ratschläge von Samuel Singer zurück (vgl. hier zur Entstehungsgeschichte S. 63-65). Hatte Thomas Mann zunächst von den »jolie espèce de souris« geschrieben, so korrigiert er in »gent mignote de soris«, nachdem ihm diese Übersetzung von Marga Bauer vorgeschlagen worden war, und aus »n'est-ce pas« (ursprünglich korrigiert aus »ist es nicht so«) wird dementsprechend »n'est-ce voir« (vgl. Singers Brief vom 15.5.1948). Aus »das ist Gottes Sach« macht Thomas Mann »que Deus dispose« und »Dieu ne le veut pas« wird zu »Deus ne volt« (vgl. Singers Brief vom 20.4.1948). Auch in der Sprache der Fischer verstärkt Thomas Mann die dialektalen Wendungen: Aus »habt« wird »hewt«, aus »gelehrt« »geseggt«, aus »schlechtem« »slechtem«, aus »schwätzen« »twaddeln«.

Des Weiteren werden häufig Namen geändert: Sibylla hieß zeitweise Sigune (Hs. 14), Wiligis hieß zunächst Willigis. Auch ersetzt Thomas Mann die Wendung »Wilo, der Wackere« lieber durch »Junker Willo«. Aus Feirefitz wird Klamidê, aus Bruder Eusebius wird Bruder Petrus-et-Paulus. Herr Poitewin sollte ursprünglich Hincmar heißen, Herrad war Rigunthe.

Weiter reichen stilistische Änderungen, die ganze Satzteile umfassen. Aus »wenn auch Kleinkinder noch auf Erden« wird »nicht mehr zarteste Neukömmlinge hienieden«; aus »und wurden jung statt klein« wird »zwei Knospen, die sich erschließen wollten«. Aus »beginne ich wie folgt« wird »beginne ich mit Sagen und sage Folgendes«. Die Klage darüber, »daß Sünde so fruchtbar ist«, wird in der Überarbeitung zu »daß Sünde so furchtbar fruchtbar ist«. Aus »Glück« wird »Wohlsein und Wonne«, aus »Gockel und Hengist« »Hahn und Hengist«. Erklärt Sibylla in der Inzest-Szene zunächst, dass ihre Knie »durchaus« beisammenbleiben wollen, so verstärkt die Überarbeitung das zu »durchaus und unbedingt«; dass Wiligis unbekleidet aus dem Bett springt, um den Hund zu ermorden, wird mit der Einfügung von »wie er war« abermals betont. In derselben Szene wird Sibyllas Annahme, »daß eine, die nur dem eigenen Bruder angehört habe, immer noch Jungfrau sei«, erweitert zu: »die nur dem eigenen Bruder angehört habe, nicht im gemeinen Sinn Frau geworden, sondern immer noch Jungfrau sei«. Die Darstellung der Geburt wird intensiviert, wenn Frau Eisengrein nicht nur »von der frühesten Wehe an« im Stuhl neben Sibylla wacht, sondern »bis daß du recht ins Kreißen kommst«. Aus Mahautes Frage: »was werden wir auf einmal für Leute« wird: »wo soll es noch hinaus mit uns aus unserm Armutsstande«.

Auch die Erzählerkommentare sind mehrfach überarbeitet. Thomas Mann fügt Kommentare ein, in denen Clemens sich als kommentierender Erzähler deutlicher zur Geltung bringt: »nach meiner Meinung«, »meinen möchte ich«, »wenn ich so sagen darf«, »wie ich höre«, »wenn ich nicht irre«, »ich frage«. Aus »wie hier nun folgt« wird »wie ich hier sage«, aus »wie es schon zugeht« »auch das will ich sagen«, aus »Gregorius« »mein Jüngling«. Nachträglich eingefügt ist Clemens' Kommentar: »Bin ich froh, daß ich mit der Liebe nichts zu schaffen habe, dem tanzenden Irrlicht überm Moor, der süßen Teufelsmarter.« Wenn Clemens über Herrn Eisengrein bemerkt: »Nicht genug kann ich ihn loben«, ist eingefügt: »und muß ihm hier danken für sein Verhalten ausdrücklich«. Eine vergleichsweise weitreichende Änderung betrifft Clemens' Rückblick von der Geburt auf die Zeugung des Gregorius. Dort heißt es in der Endfassung: »Aber alles ging so naturgetreu und günstig und nach der Schnur, als wäre das Kind gar nicht in solchen Sünden, mit dem eigenen Fleisch und Blut erzeugt gewesen, sondern, wie es sich gehört, mit einem fremden Mann.« Zunächst hatte Clemens an dieser Stelle die seiner Ansicht nach allzu leichte Geburt kommentiert: »als wäre das Kind in Ehren mit einem fremden Mann erzeugt gewesen und nicht in solchen Sünden. Ich schüttle dazu meinen Kopf. Warum hatten denn die Käuzchen so ängstlich um den Turm geschrieen und warum Hund Hanegiff so kläglich zum Gebälk geheult, wenn nun alles ganz naturgetreu und günstig vonstatten ging und ein so genehmes und wonnigliches Kind zur Welt kam?«

Geändert worden ist auch das ursprüngliche Romanende. Zwar ist die ältere Version nicht erhalten; im Manuskript lässt sich aber erkennen, wo Änderungen vorgenommen wurden. Einer Streichung auf Hs. 308 folgen die neu abgeschriebenen Seiten 309 und 310; der freigebliebene Platz auf Seite 310 wird durch ein Bleistiftkreuz gefüllt. Thomas Mann setzt also an jener Stelle neu an, an der Sibylla den innersten Raum der Papstgemächer betritt (Textband S. 286_{29}). Da die aussortierten Seiten nicht erhalten sind, lässt sich nicht genau bestimmen, wie die alte Version des Textes gelautet haben mag; ersetzt ist sie durch die Beschreibung des Papstes, die Begrüßung von Papst und Beichtender und die erste Anrede durch den Papst. Auf Seite 311 geht es dann mit dem alten Text weiter (entspricht hier Textband S. 288_{10}). Thomas Mann muss allerdings die folgenden Seitenzahlen korrigieren (aus 310 wird dort 311, aus 311 wird 312 usw. bis Seite 314); aus der ursprünglichen Seite 309, die nicht erhalten ist, sind jetzt also 1 3/4 Seiten geworden. Seiten 311 bis 314 bleiben in der ursprünglichen Version erhalten, auf 314 streicht Thomas Mann am Seitenende erneut eine Passage (der Neuansatz folgt nach Textband S. 291_{13}), und die Seiten 315 bis 319[a] enthalten den neuen Text. Auf dieser letzten Seite markiert wieder ein großes Bleistiftkreuz den leerbleibenden Seitenrest. Auf Seite 320 setzt dann wieder der ursprüngliche Schluss an (entspricht Textband S. 295_{12}). Hier und auf den beiden Folgeseiten ist dementsprechend die Seitennummerierung korrigiert, aus der ehemaligen Seite 317 wird die neue 320, aus 318 wird 321, aus der Schlussseite 319 die 322. Im Ergebnis sind aus ursprünglich zwei Textseiten, die die Passage umfasste, nun fünf geworden. Während also der Inhalt von Sibyllas Beichte erhalten bleibt, ändert Thomas Mann die folgenden Passagen mit der Reaktion des Papstes, seiner Eröffnung, er sei Sibyllas Sohn, und ihrer Antwort, sie habe ihn gleich erkannt, sowie der darauffolgenden Umarmung und dem Beschluss, einander nun Bruder und Schwester zu sein. Mit der Frage des Papstes nach seinen Töchtern kehrt Thomas Mann dann zur alten Textversion zurück.[4]

Typoskript

Noch während der Arbeit am Manuskript übergibt Thomas Mann seiner Sekretärin Hilde Kahn fertige Teile zur Abschrift. Dass geschieht während der laufenden Arbeiten, wie ein Blick auf Hs. 36/Ts. 41 zeigt. Das Typoskript bricht mitten im Kapitel ab, der Rest der Seite bleibt frei: Hier endete die letzte Manuskriptseite der ersten Charge; Hilde Kahn muss Thomas Mann aber die Abschrift bereits übergeben haben, ehe sie den Rest des Kapitelmanuskripts erhielt. Die jeweils neu eingetroffenen Abschriften korrigiert Thomas Mann zumeist wenige Tage später.

Von Hilde Kahns Abschriften muss es jeweils mindestens zwei Durchschläge gegeben haben. Dafür spricht, dass Agnes E. Meyer bereits am 31. August 1949 einen Durchschlag der bis dahin fertigen Teile erhält und Thomas Mann zugleich erwägt, sie gleichzeitig an Helen T. Lowe-Porter zur Übersetzung zu schicken. Korrekturen werden aber offenbar zunächst nur in ein Exemplar des Typoskripts eingetragen, wie ein Tagebucheintrag vom 29. Dezember 1949 erkennen lässt: »Übertragung von Korrekturen aus dem für die Lowe bestimmten Manuskript in anderen Durchschlag.« (Thomas Mann unterscheidet hier nicht zwischen dem handschriftlichen Manuskript und dem maschinenschriftlichen Typoskript: Lowe-Porter erhält ja nicht die Handschrift, die bei Thomas Mann verbleibt, sondern einen Durchschlag des Typoskripts.) Offenbar sind allein diejenigen Durchschläge bis heute erhalten, die Lowe-Porter sukzessive bekommen hat. Dieses Exemplar befindet sich in der Thomas Mann Collection der *German Literature Collection* in der *Beinecke Rare Book and Manuscript Library* an

4 Vgl. hier wiederum den schon in der Entstehungsgeschichte S. 103f. zitierten Brief Thomas Manns an Basler.

der Yale University (Signatur YCGL MSS 5, Box 5, Folder 69–72). Es umfasst 342 nummerierte Seiten sowie unpaginiert Inhaltsverzeichnis und Nachbemerkung. Im letzten Kapitel sind die Seiten infolge der Umarbeitung des Schlusses handschriftlich neu nummeriert (aus Seite 338 wird 340, 339 wird 341 und 340 dementsprechend 342); auch hier also hat Thomas Mann, wie im Manuskript, einige Seiten ausgetauscht. Es scheint, als seien die Typoskriptseiten entweder ab 329 (allenfalls erst ab 334) bis 339 neu geschrieben worden, denn auch ein auf Ts. 339 freibleibender Platz ist mit einem Bleistiftkreuz ungültig gemacht. Das Typoskript ist durch die Veränderungen am Schluss des Textes also um zwei Seiten länger geworden.

Im Typoskript finden sich Unterstreichungen mit Blei- und Farbstiften (blau und rosa). Sie stammen vermutlich von Helen T. Lowe-Porter und markieren Wörter oder Ausdrücke, zu denen sie Rückfragen stellen wollte oder die ihre Aufmerksamkeit erforderten (etwa: »weihlichen« Ts. 2, »thiudisc« und »britunsches« Ts. 8, »Tannewetzel« und »zwen« Ts. 9 oder »maisnie« Ts. 10 und »Pfellel« Ts. 11); markiert sind auch Reimwörter (Ts. 137f.). Eine Bleistift-Randnotiz von Thomas Mann selbst erklärt der Übersetzerin das veraltete Wort »kosen«: »Verdeutschung von ›causer‹, plaudern, aber mit Unterton« (Ts. 28). Manche Wörter sind abgehakt, offenbar weil sich Fragen dazu erledigt hatten. Im letzten Teil des Textes finden sich vereinzelt Randanmerkungen und Fragezeichen von Lowe-Porter (mit rosa Farbstift); auf Ts. 83 notiert sie über dem deutschen Wort »Zoenakel« den englischen Begriff »cenacle«, auf Ts. 311 neben »musivischem« die Erklärung: »mosaic«.

Thomas Manns eigene Korrekturen sind mit blauer Tinte und Rotstift vorgenommen. Um einen Eindruck vom Typus der Änderungen zu geben, genügen hier wenige Beispiele. Substanzielle Änderungen, also Streichungen und Einfügungen sowie kleine Änderungen von hoher semantischer Relevanz sind im Stellenkommentar verzeichnet. Häufig korrigiert Thomas Mann Schreib-

oder Lesefehler Hilde Kahns: um → von (Ts. 1), auch → euch (Ts. 2), und → uns (Ts. 5), Weierchens → Weinchens (Ts. 4), Greisen → Greifen (Ts. 11), Zogel → Zobel (Ts. 13) oder Renovieren → Pionieren (Ts. 83). Vor allem Fremdworte und Namen bereiten Hilde Kahn Probleme, so dass Thomas Mann hier immer wieder korrigiert: Votker → Notker (Ts. 3 und ff.), titi → tibi (Ts. 5), maisnu → maisnie (Ts. 10) oder tant → tout (Ts. 27). Mehrfach korrigiert er »Christenheit« und »Christ« in die bevorzugte mittelalterlich-germanisierende Variante mit K, »Kristenheit« und »Krist« (Ts. 101, 236, 324). Korrigiert werden Flüchtigkeits-Auslassungen (Ts. 110 der Halbsatz »sondern zugleich Rechenschaft von sich forderte für seine Träume«, vgl. Hs. 99; Ts. 177: »›Ach, Freund‹, seufzte der Schultheiss«, auch das hatte Kahn aufgrund der danach gestrichenen Passage im Manuskript übersehen, Hs. 162) und Fehllesungen (»seinen Armen« zu »seinem Arme«, Ts. 230, vgl. Hs. 215). Ts. 234 ist Hilde Kahn eine Korrektur im Manuskript unklar gewesen, so schreibt sie »finsterte«, statt »verfinsterte« (was Thomas Mann auf Hs. 219 aus »verdunkelte« korrigiert hatte). Ts. 319 fügt Thomas Mann ein »recht derb« ein, das Kahn bei der Unübersichtlichkeit der Korrekturen entgangen war (Hs. 299). Zumindest passagenweise sind also Manuskript und Typoskript abgeglichen worden. Einige Korrekturen Thomas Manns im Typoskript sind auch im Manuskript durchgeführt; es ist nicht klar, ob er dort korrigiert, während Kahn noch abschreibt, und die Korrekturen dann ins Typoskript überträgt oder ob er Korrekturen aus dem Typoskript ins Manuskript zurücküberträgt. So korrigiert er Ts. 12 »Ukerland« in »Kanvoleis« (mit dunkler Tinte auch auf Ms. 11, also eindeutig nachträglich); Ts. 80 streicht er die auch im Manuskript gestrichene Erklärung, dass »abba, abbé und abbot ›Vater‹ bedeuten«. (Die Stelle ist Hs. 71/72 stark überarbeitet und die im Typoskript gestrichene Zeile als erste auf Hs. 72 gestrichen.) Ts. 134 korrigiert er »sind dir hold« in »tragen dir holden Mut« (beide Versionen hat er auch im Manuskript erwogen, die im Typoskript geänderte Form war auch dort die letztgültige [Hs. 21]). Auch auf Ts. 162 fügt er ein »mehr« ein, das er bereits Hs. 147 aus »wieder« korrigiert hatte. Ts. 144 verwandelt er die »siebzehn Mark«, die in den Broten verbacken waren, in »zwanzig«; die Änderung ist auch Hs. 130 vorgenommen.[5]

Mitunter stellt Thomas Mann auch Textversionen wieder her, die er im Manuskript zugunsten anderer gestrichen hatte: So ändert er »um Himmels willen« in »um des Himmels willen« (Ts. 100; diese Version hatte er auch Hs. 89 schon einmal vorgesehen, dort aber verworfen). Ts. 105 fügt er ein: »sodass er sagte: ›Flann, credemi, hev dir keen Marbels stohlen« (auch diese Version gab es Hs. 94, sie ist dort aber gestrichen). Ts. 339 korrigiert er »beschraenken« in »rückzuführen«, während Hs. 319 »zurück zu führen« schon einmal vorgesehen war. Ts. 98 ändert er »credetemi« (so auch in Hs. 88, dort aber gestrichen) in »credite mihi«. Hs. 16 »blasse Caverne« wird Ts. 17 handschriftlich korrigiert in »flache Caverne«; Ts. 21 wird gestrichen, dass Eisengrein »trotz Weib und Kind« kommt, um Wiligis zu erziehen. Hatte Thomas Mann in Hs. 31 noch eingefügt, Wiligis solle sich dem Willen des Vaters zufolge seiner Schwester gegenüber »als Scheveliers damoiselle« bewähren, so ändert er diesen Ausdruck in Ts. 34 zu: »gegen sie als ritterlicher Bruder«. Ts. 80 macht er aus »Seine Würden Gregorius« »Seine Ehren Gregorius«, Ts. 86 aus »Zwar« »Freilich« (Vermeidung einer Wortwiederholung). Ts. 92 ändert er »geoffenbarten Willen« in »geoffenbarten Plan«. Ts. 150 ist mehrfach »euch« zu »Euch« korrigiert, Ts. 161 »divinitas« lateinisch korrekt zu »divinitatem«, Ts. 209 »gewusst nur von ihnen« zu »gewusst nur von ihnen selbst«. Ts. 265 werden »Saeulen« zu »Pfeilern«. Ts. 296 streicht er in »zwei klare Traenen« das »klare«. Ts. 306 ändert er »Buhlgespons« in »Sohngespons«, diese Änderung ist ihm so wich-

5 Möglicherweise hatte Thomas Mann hier zunächst übersehen, dass es sich ursprünglich um zwanzig Mark gehandelt hatte, von denen drei an die Fischer gingen, dass also siebzehn für Grigorß angelegt werden konnten; er korrigiert sich dann später mit anderer Tinte.

tig, dass er sie sogar am 12. November 1950 im Tagebuch notiert: »Noch Versverbesserung im Manuskript. ›Sohngespons‹ statt ›Buhlgespons‹.« Ts. 308 wird aus der »Masse« der Bresthaften, die sich vom neuen Papst Heilung versprechen, die »Menge«. Ts. 312 ist den großen Taten des Papstes eine Präzisierung hinzugefügt, die erklärt, wo er überall Patrimonien erhalten oder gestiftet habe: »sogar in Sardinien, den Cottischen Alpen, Calabrien und Sizilien«. Ts. 324 wird »recht sehr noetig haben« zu »nötiger haben als andere«.

Einige Änderungen im Typoskript sind in die Buchausgabe nicht übernommen. So korrigiert Thomas Mann Ts. 131 »In facie Domini« zu »Im Angesicht dieses«. Im Manuskript hatte er allerdings schon »facie« in »nomine« korrigiert (und zwar mit anderer Tinte, Hs. 119), abgeschrieben ist also eine alte Version. In der Buchausgabe (EA, S. 129) steht dort wie in der Korrektur der Manuskriptseite: »In nomine Domini«.

Satzläufe

Vergleicht man den einzig erhaltenen Typoskript-Durchschlag mit der Erstausgabe des Romans, so zeigen sich Änderungen, die in diesem Typoskript noch nicht vorgesehen waren. Sie muss Thomas Mann entweder im nicht erhaltenen Original des Typoskripts oder in einem anderen als Satzgrundlage benutzten Durchschlag vorgenommen haben. In einem Tagebucheintrag vom 3. September 1950 heißt es zumindest: »Durchkorrigieren des 2. Durchschlages.« Möglich ist auch, dass die Änderungen erst in einer Korrekturfahne vorgenommen wurden, die gleichfalls nicht erhalten ist.

Ab dem 11. November 1950 jedenfalls korrigiert Thomas Mann den letzten Teil des Typoskripts; Tagebuch: »Korrektur der Roman-Abschrift, den ganzen Vormittag. K. übertrug die Verbesserungen. Ordnung der Handschrift.« In den nächsten Tagen korrigiert Thomas Mann weiter: »Noch Versverbesserung im Manuskript. ›Sohngespons‹ statt ›Buhlgespons‹. [...] Gedanken u. Skrupel, wie das Schlußkapitel des ›Erwählten‹ auch anders zu machen gewesen wäre.«[6] Die Abschrift sendet er dann gleichzeitig an Bermann Fischer und an Lowe-Porter – jedoch ohne die Schlussseiten, die noch einmal geringfügig überarbeitet und erst dann verschickt werden. Am 30. November verzeichnet das Tagebuch: »Abschrift des letzten Gregorius-Kapitels korrigiert und verpackt für Bermann, die Lowe und den Vervielfältiger.« Es muss also mindestens drei Typoskripte bzw. eines mit zwei Durchschlägen gegeben haben. Am 15. Dezember 1950 teilt er Agnes E. Meyer mit: »Wie *bitter leid* tut es mir, dass ich Ihnen im Augenblick die restlichen Kapitel des Gregorius nicht schicken kann! Die wenigen Durchschläge, die ich hatte, sind an Uebersetzer und Verleger verausgabt. Geblieben ist mir nur die Handschrift, die Sie nicht lesen können.«[7] Am 2. Januar 1951 treffen dann die »ganzen Korrekturen des ›Erwählten‹ in Luftpost-Enveloppes« (Tb.) ein, die er am Folgetag korrigiert und die in eine zweite Fahne übertragen werden. Am 8. Januar heißt es im Tagebuch: »Expedition der Roman-Korrektur nach Frankfurt in zwei Couverts. Das andere Exemplar geht an Eisner nach Prag.« Beide Exemplare sind offenbar nicht erhalten. Immerhin gehen einige Korrekturen aus einem Brief hervor, den Thomas Mann am 20. Januar 1951 an den Herstellungsleiter des S. Fischer Verlags Friedrich Hirschmann schickte. Darin äußert er sich zu folgenden Änderungen:

> »Domnica« ist nach der Handschrift, auf die ich mich verlasse, richtig.
> Bei dem lateinisch deklinierten »Christum« sollte man ausnahmsweise das Ch statt des sonst gebrauchten K stehen lassen.
> Die Form »Deu« kommt (als eine Art von Uebergang von Deus zum heutigen Dieu) im Alt-französischen vor. Das Wort kann also stehen bleiben.

6 Tb. 12. 11. 1950. 7 TM/AM, 746.

> Mumps wird, wie Sie richtig bemerken, mit mp geschrieben.
> Der Ortsname Rousselaere ist auch in der Handschrift mit ae geschrieben und soll so bleiben. Dagegen bin ich nicht dafür, Pön und wätlich mit oe und ae zu schreiben. Bei Poen liest der Leser das oe zu seiner Verwirrung leicht getrennt, wie im Poem, und ich ziehe also in diesem Fall das ä und ö vor.
> Die Formen Gregorius und Gregorjus können abwechselnd stehen bleiben; auch wenn einmal die Form Grigorius vorkommt, kann sie erhalten bleiben. Das ß heisse ich wie bei Grigorss so auch bei Namen wie Schiolarss gut.
> Ich habe das zweite Exemplar der Fahnen weggegeben und weiss nicht, welche Stelle Sie meinen, wenn Sie nach »etwa gleich« oder »etwas gleich« fragen. Ich denke mir, der Zusammenhang muss das Richtige ergeben, und bitte Sie, zu entscheiden.
> [...]
> Es ist sehr gut, dass Sie mir fünf Exemplare der umbrochenen Bogen zugedacht haben. Ich möchte Sie [...] bitten, der Zeitersparnis wegen den Uebersetzern, die sehnlich auf den Text warten, die Bögen lieber direkt zukommen zu lassen, anstatt dass sie sie mit dem Umweg über Amerika erhalten.
> [...]
> Wenn ich persönlich 2 Exemplare der Bogen erhalte, so ist das genug.
> Es kommt mir vor, alsob ich zu Anfang des Kapitels »Die Fischer von Sankt Dunstan« das Wort »occeanus« fälschlich hätte stehen lassen. Es muss natürlich mit einem c: »oceanus« geschrieben werden.[8]

Wenige Tage später trägt er nach: »Bitte, sagen Sie Herrn Hirschmann, daß ›Girde‹ (ohne e) *richtig* ist«,[9] was dieser unten auf Thomas Manns Brief vom 20. Januar noch vermerkt.

8 Thomas Mann an Friedrich Hirschmann, 20. 1. 1951; HOM; auf Ts. 78 ist das zweite c bereits gestrichen.

9 Thomas Mann an Gottfried Bermann Fischer, 23. 1. 1951; TM/GBF, 569.

Erhalten ist der folgende Umbruch, der heute in der *Thomas Mann Collection* des *Department of Rare Books and Special Collections* der Princeton University Library aufbewahrt wird.[10] Hier finden sich nur noch zwei Korrekturen: Auf Seite 19 korrigiert Thomas Mann »Anschouwe« zu »Anschauwe« und auf Seite 79 korrigiert er »Leiden« zu »Lîden«. Dazu schickt er ein Telegramm an den Verlag nach Frankfurt: »Notiz einverstanden nach Inhaltsverzeichnis Stop Werimbald[11] Finuf[12] Schwerter Thron richtig Stop Seite 19 Anschauwe 79 Reimwort auf Frieden Liden statt Leiden«.[13]

Vorabdrucke

Am 15. Januar 1950 schickt Thomas Mann der italienischen Germanistin und Übersetzerin Lavinia Mazzucchetti das erste Kapitel des Romans, damit sie Teile für einen Vorabdruck in der Zeitschrift *L'Immagine* aussuchen kann. Dieser erscheint unter dem Titel *Chi suona?* mit einer Erläuterung von Mazzucchetti in Jg. 2, Nr. 14/15 1950 der Zeitschrift (S. 297–304). Als Vorlage für den Vorabdruck der Kapitel *Die Hochzeit*, *Jeschute* und *Der Abschied* im Mai-Heft 1950 von Fischers *Neuer Rundschau* diente das Typoskript, das Thomas Mann nach dem Druck zurückhaben wollte: »Das Manuskript muß ich, wenn es abgesetzt ist, *zurückhaben*.«[14] Zu diesem Vorabdruck in der *Rundschau* verfasst Thomas Mann einleitende Bemerkungen, die die ausgewählten Kapitel in den noch unabgeschlossenen Romankontext einordnen (s. hier Materialien und Dokumente S. 486f.). Im Vergleich zum Typoskript und der

10 Signatur: C0295, Box 1, Folder 4.

11 Das bezieht sich auf Fehlschreibungen des Namens Ts. 319.

12 Meint wohl: Fünf; irrtümlich hatte Thomas Mann »sieben« geschrieben (Ts. 333), was auch Lowe-Porter aufgefallen war, an Lowe-Porter, 27. 2. 1951; DüD III, 380.

13 Telegramm von Thomas Mann an Friedrich Hirschmann, 15. 2. 1951; HOM.

14 Thomas Mann an Gottfried Bermann Fischer, 2. 3. 1950; TM/GBF, 528.

Umschlag der amerikanischen Erstausgabe von *The Holy Sinner* 1951.

Erstausgabe gibt es lediglich einige wenige Änderungen in Zeichensetzung, Groß- und Klein- sowie Zusammen- und Getrenntschreibung. Das Kapitel *Die Hochzeit* wird in der Münchner *Neuen Zeitung* (2. Juni 1950) und noch einmal im S. Fischer-Verlagsalmanach *Das vierundsechzigste Jahr: 1886–1950* abgedruckt. *Die Welt* druckt am 13. Februar 1951 unter der Überschrift *Wohin Gottes*

Winde wehen einen Auszug aus dem Kapitel *Herr Poitewin*; kurz vor Erscheinen der Buchausgabe bietet schließlich die *Neue Zürcher Zeitung* das Kapitel *Die Fischer von Sankt Dunstan*.

Buchausgaben

Der Roman erscheint bei S. Fischer in einer Erstauflage von zehntausend Stück. Ausgeliefert wird das Buch im März; Tagebucheintrag am 19. März 1951: »Vom Fischer Verlag: daß der Erwählte versandt und die Auflage von 10.000 so gut wie vergriffen.« Sogleich druckt der Verlag das 11. bis 20. Tausend der Ausgabe nach. Weitere Auflagen und Lizenzausgaben erscheinen erst nach Thomas Manns Tod.

Wie bereits im Falle des *Doktor Faustus* musste zur Wahrung des amerikanischen Copyrights die Ausgabe zunächst auf dem amerikanischen Markt erscheinen. Daher wurde eine nach dem Typoskript erstellte deutsche »mimeographische« Ausgabe in sechzig signierten Exemplaren gedruckt. Am 13. Februar 1951 notiert Thomas Mann im Tagebuch: »Die 60 Schlußbögen der mimeogr. N. Yorker Ausgabe des ›Erwählten‹ abends signiert.« Am 15. März erhält er dann die fertigen Ausgaben; Tagebucheintrag: »No 1 und 2 der mimeographierten Ausgabe des ›Erwählten‹ trafen aus New York ein. Darin gelesen.« Alfred Knopfs amerikanische Ausgabe erscheint in New York am 10. September 1951 (vgl. Abb. des Umschlags gegenüber). Knopf ist von den Verkaufszahlen enttäuscht: Ende November sind erst 28.000 Exemplare verkauft. Im Mai 1952 erhält Thomas Mann die italienische, im Juli die französische Ausgabe.

Weitere Übersetzungen

Weitere Übersetzungen des Romans erscheinen in den folgenden Jahren; sie werden hier nach den Sprachen alphabetisch zusammengestellt. Wo mehrere Übersetzungen in derselben Sprache existieren, ist nur die erste genannt. Übersetzt wurde *Der Erwählte* ins Dänische (*Den udvalgte*. Übs. von Aage Dons. København: Andersen 1957), Englische (*The Holy Sinner*. Übs. von H. T. Lowe-Porter. New York: Knopf 1951 / London: Secker & Warburg 1951), Finnische (*Pyhä syntinen*. Übs. von Jorma Partanen. Jyväskylä: Gummerus 1953), Französische (*L'Élu*. Übs. von Louise Servicen. Paris: Michel 1952), Italienische (*L'eletto*. Übs. von Bruno Arzeni. Milano: Mondadori 1952), Japanische (*Erabareshi hito*. Übs. von Kôichi Satô, Yoshitaka Takahashi. Tokyo: Shinchô-sha 1953), Koreanische (*Seontaekdyn in'gan*. Übs. von Chongseo Park. Seoul: Chung'yumsa 1959), Kroatische (*Izabranik*. Übs. von Nedeljka Paravić. Zagreb: Alfa 2002), Malayalam (*Visuddha papi*. Übers. Anni K. Thayil. Kottayam: National Book Stall o. J.), Neugriechische (*O eklektos*. Übs. von Stellas Burdumpa. Athēnai: Ekdoseis Païridē 1970), Neuhebräische / Ivrit (*Hannibhar*. Übs. von M. 'Abij-Šā'ūl. Merḥabjāh: Sifrijjat Pō'alim, Sifrēj Mōfēt, Hōṣā'at Haqqibuṣ Ha'arṣij Haššōmēr Haṣṣā'ir 1962), Niederländische (*De verkorene/De ontgoocheling* u. a. Übs. von C. J. E. Dinaux. Hasselt: Uitgeverij Heideland 1963), Polnische (*Wybraniec*. Übs. von Anna Linke. Warszawa: Czytelnik 1960), Portugiesische (*O eleito*. Übs. von Maria Osswald. Lisboa: Portugália Ed. 1958), Rumänische (*Alesul*. Übs. von Corneliu Papadopol. Timişoara: Editura de Vest 1991), Russische (*Izbrannik*. Übs. von Solomon Apt. Moskva: Gosudarstvennoe Izdatel'stvo Chudožestvennaja Literatury 1960), Schwedische (*Den helige syndaren*. Übs. von Nils Holmberg, unter Mitarbeit von Wulff Fürstenberg. Stockholm: Bonnier 1952), Serbokroatische (*Izbranik*. Übs. von Branimir Živojinović. Beograd: Omladina 1958), Spanische (*El elegido*. Übs. von Alberto Luis Bixio. Buenos Aires: Ed. Sudamericana 1953), Tschechische (*Vyvolený*.

Übs. von Jitka Fučíková. Praha: Odeon 1974), Türkische (*Seçilen*. Übs. von İris Kantemir. Galatasaray, İstanbul: Can Yayınları 1998) und Ungarische (*A kiválasztott*. Übs. von Zoltán Jékely. Budapest: Magvető 1957).[15]

Texteingriffe

Das als Druckvorlage genutzte Typoskript ist nicht erhalten; es enthielt aber mit hoher Wahrscheinlichkeit denselben Textstand wie das von Helen Lowe-Porter als Grundlage für ihre Übersetzungsarbeit benutzte und uns vorliegende Typoskript. Offenbar verloren ist ebenfalls die im Tagebuch am 8. Januar 1951 erwähnte Fahnenkorrektur (»Expedition der Roman-Korrektur nach Frankfurt in zwei Couverts«). Da aufgrund der fehlenden Satzgrundlage nicht entschieden werden kann, ob Abweichungen zwischen Hs./Ts. und EA auf Setzerfehler oder auf Korrekturen Thomas Manns zurückgehen, werden sie im Stellenkommentar nachgewiesen.

EA, S. 20, Z. 28f.: Schellenzäunen → S. 20, Z. 1: Schellenzäumen (vgl. Stellenkommentar zu S. 20_1).

EA, S. 37, Z. 5: Anschouwe → S. 34, Z. 29: vereinheitlicht zu Anschauwe (wie im Text, Textband S. 18_{32}, und wie in dem von Thomas Mann korrigierten Ts. 30; vgl. dazu hier S. 177), wenn auch mhd. falsch.

EA, S. 44, Z. 20: gusteras.«. → S. 41, Z. 28: gusteras.« (Korrektur des Druckfehlers).

15 Das von Thomas Mann für dauerhaft gehaltene Verbot des Romans in Ungarn galt bereits vier Jahre nach dem Erscheinen des deutschen Textes nicht mehr. Tagebuch, 12. 1. 1955: »Viele Briefe aus Ungarn, wo nun auch der ›Erwählte‹ erscheinen soll, der hoch geschätzt ist.« Die Übersetzung erschien erst 1957. Dem von Antal Mádl und Judit Győri herausgegebenen Überblick über *Thomas Mann und Ungarn* zufolge war ihre Aufnahme reservierter, als Thomas Mann erhofft hatte; der Roman sei vor allem »als schwaches Nachspiel zu *Doktor Faustus*« wahrgenommen worden (Mádl/Győri 1977, S. 36).

EA, S. 104, Z. 28f.: obgelernt → S. 98, Z. 15: abgelernt (wie in Ts. 105, hier von Thomas Mann a aus o korrigiert).

EA, S. 122, Z. 10: Schaumenden → S. 114, Z. 8: Schäumenden (wie in Hs. 111 und Ts. 123).

EA, S. 125, Z. 9: so ja → S. 117, Z. 27: ja so (wie in Hs. 114 und Ts. 126).

EA, S. 149, Z. 15: Urlinge → S. 139, Z. 27: Urliuge (Mhd.: Kampf, Krieg); Korrektur des Druckfehlers.

EA, S. 171, Z. 10f.: von Arelat → S. 159, Z. 18: vom Arelat (wie in Hs. 162 und Ts. 177 sowie sonst im Text).

EA, S. 171, Z. 31: von Arelat → S. 160, Z. 3: vom Arelat (wie in Hs. 163 und Ts. 178 sowie sonst im Text).

EA, S. 187, Z. 4: Rousselaee → S. 174, Z. 3: Rousselaere (Druckfehler, vereinheitlicht entsprechend sonstigem Gebrauch im Text und in Hs. 180 und Ts. 194).

EA, S. 242, Z. 16: Soeculums → S. 226, Z. 11: Saeculums (Druckfehler; auf Ts. 255 korrigiert Thomas Mann »Soekulums« in »Saekulums«).

REZEPTIONSGESCHICHTE

Die Rezeption des *Erwählten* empfand Thomas Mann als eine Enttäuschung: als Ausdruck einer tiefgreifenden Entfremdung vor allem der deutschsprachigen Intellektuellen von dem antifaschistischen Exilanten, eines alten und immer noch fortdauernden Ressentiments gegen seine Person, seine politischen, religiösen und ästhetischen Überzeugungen und Praktiken – und, notabene, eines verbissen humorlosen Widerstands gegen sein Bemühen, »etwas höhere Heiterkeit« in die Welt des Kalten Krieges zu bringen.[1] »Dem kleinen Buch«, schrieb er im Rückblick auf die erste und intensivste Rezensionswelle am 5. September 1951 an Schalom Ben-Chorin, »geht es beinahe wie Helena: ›Bewundert viel und viel gescholten –.‹«[2] Das war die gedämpfte Formulierung eines Empfindens, das sich im Tagebuch als nacktes Entsetzen äußerte: »Von Bermann deutsche Kritiken des ›Erwählten‹ – gräuliche Lektüre. Die halsstarrige Unempfänglichkeit, der auflauernde böse Widerwille sind monströs.« So der erste Eindruck am 9. Mai 1951. Fünf Wochen später zeigt sich die Lage noch schlimmer: »Von S. Fischer neue deutsche Kritiken des ›Erwählten‹. Unbekömmliche Lektüre, grausig zum Teil. Hat je ein solcher Widerspruch geklafft zwischen den Reaktionen auf ein Buch? Helles Entzücken und speiender Widerwille stehen einander unbegreiflich schroff gegenüber.«[3]

Das hier und da geäußerte Entzücken nimmt Thomas Mann jetzt und fortan nur noch als Gegengift in einer eigentlich hoffnungslosen Lage wahr, in der auch Lob sich oft nur als höflich verkleidete Ablehnung erwies. Nicht ohne Mühe sucht Thomas

1 An Hans Reisiger, 4. 11. 1950; TM/Reisiger, 25.

2 DüD III, 400. Anlass war Schalom Ben-Chorins verständnisvolle Besprechung *Der Erwählte. Zu Thomas Manns neuem Roman.* In: *Hakidmah*, Tel Aviv, 13. 7. 1951, S. 8; vgl. hier S. 249.

3 Tb. 18. 6. 1951.

Mann sich darüber mit der Feststellung zu trösten, er vermöge doch immerhin auch als Greis noch Debatten auszulösen. »Das kleine Buch ist ›umstritten‹«, schreibt er am 19. Juni 1951 an Ida Herz, »– wie alles, was ich bin und tue«. Und er kommentiert, »dass man sich wundert, wie ein und dasselbe Werk so diametral entgegengesetzte Wirkungen hervorbringen kann. Mit 76 noch solchen Meinungstumult zu erregen ist kurios.«[4]

Der Tumult der Meinungen ist in einem Ausmaß politisch bestimmt, der heute kaum noch vorstellbar ist. Dabei empört der Roman die gegensätzlichen politischen Seiten in gleicher Heftigkeit, wenn auch aus unterschiedlichen Gründen. Die alte politische Rechte lag mit dem Demokraten Thomas Mann schon seit der Weimarer Republik und erst recht seit dem amerikanischen Exil über Kreuz. Wortführende Intellektuelle der jungen Bundesrepublik, die teils einer kulturkonservativen Rekatholisierung und teils einer ästhetischen Remythisierung zuneigten, konnten mit einem Roman wenig anfangen, der mit ebendiesen Traditionen und Denkformen gleichermaßen sympathisierend und unpathetisch parodistisch-spielerisch umgeht. Der Ästhetik einer programmatischen »Kahlschlag«-Literatur musste die manieristische Verspieltheit des Werks fremd bleiben. Erst recht stieß dieses Spiel mit der Legende in der jungen DDR, die den Autor sonst so demonstrativ umwarb, auf kopfschüttelnde Ratlosigkeit.

Von Unverständnis sah Thomas Mann sich förmlich umstellt. Auf der östlichen Seite nahm er dogmatische Engstirnigkeit wahr – »Im Neu-Russischen, der marxistischen Kritik, bedeutet ›realistisch‹ ja nichts als ›gesellschaftsbezogen‹« (so an Henry Hatfield[5] am 19. November 1951) – auf der westlichen »trostlose Köpfe, die den ›Erwählten‹ mit ›krankhaft‹ abtun. Ihnen ist nicht zu helfen, und sie wollen nicht, daß ihnen geholfen sei.«[6] Hans Egon Holt-

4 Reg. 51/300.

5 Br. III, 231. Autor des Aufsatzes *Realism in the German novel*. In: *Comparative Literature*. Eugene/Oreg., Jg. 3, Sommer 1951, S. 234–252.

6 An Bernt Richter, 10.7.1952; DüD III, 423.

husen, vormals SS-Obersturm- und nun einer der literaturkritischen Wortführer der Bundesrepublik, hatte bereits mit seiner weit ausholenden und grundsätzlichen Kritik von Thomas Manns *Doktor Faustus* Schlagwort und Richtung vorgegeben: Abermals, so Thomas Mann, schienen jetzt »die Sänger jener Spott- und Dummheitsliedchen von der ›Welt ohne Transcendenz‹« den Ton anzugeben.[7] (Sein eigenes Mittelalterbild hatte derselbe Holthusen in einem Artikel 1940 resümiert, als er den deutschen Überfall auf Polen in die Nachfolge der »Ordensritter und Siedler des ottonischen und stauffischen Mittelalters« stellte.)[8]

Der gemeinsame Nenner, auf den Thomas Mann für sich die aggressive Ablehnung brachte, lautete: »Barbarei«. An Werner Weber, den einflussreichen Literaturkritiker der *Neuen Zürcher Zeitung*, schreibt er am 6. April 1951 einen Satz, den er wenig später in die *Bemerkungen zu dem Roman »Der Erwählte«* aufnahm: »Ein Werkchen wie dieses ist Spätkultur, die vor der Barbarei kommt, mit fast fremden Augen schon angesehen von der Zeit.« Dann fügt er eine Bemerkung hinzu, die auf die gegensätzlichen und komplementären Vorwürfe in Ost und West eingeht: »Es hat für sie zu viel Gedanken, Anspielung, Citat, Travestie, die je nach der Geographie ›mythosfern‹ oder ›volksfremd‹ genannt wird, und die doch eher melancholischer als frivoler Art ist.«[9]

Die Prophezeiung resümierte ziemlich genau die Tendenzen, die sich in den folgenden Wochen bestätigen. An Otto Basler schreibt Thomas Mann am 12. April 1951, der in bundesrepu-

7 An Erika Charlotte Regula, 9. 8. 1953; Br. III, 301f.; anspielend auf Hans Egon Holthusens Buch *Die Welt ohne Transzendenz. Eine Studie zu Thomas Manns »Dr. Faustus« und seinen Nebenschriften*. Hamburg: Ellermann 1949 (als Essay erstmals im *Merkur*, H. 11–12, Jg. 3, H. 1 u. 2, Jan. u. Febr. 1949, S. 38–58 u. 161–180). Vgl. Hans Harder Biermann-Ratjen und Hans-Egon Holthusen: *Eine Welt ohne Transzendenz? Gespräch über Thomas Mann und seinen Dr. Faustus*. Hamburg 1949.

8 Hans Egon Holthusen: *Der Aufbruch. Aufzeichnungen aus dem polnischen Kriege*. In: *Eckart*, Jg. 16, März u. April 1940, S. 75–77 u. 104–107, hier: S. 104.

9 Br. III, 201.

blikanischen Rezensionen erhobene Vorwurf einer »Entweihung des Heiligen und ›Mythosferne‹« (dem sowohl die Versuche einer katholischen Restauration gegenübergestellt werden konnten als auch modernistische Remythisierungsversuche von Gottfried Benn bis zu Hermann Kasack) sei nur »die westliche Version von ›volksfremd‹« (hier im sozialistisch-realistischen Sinne als ›irrelevant für die Arbeiter und Bauern‹).[10] In einem Brief an den deutsch-amerikanischen Germanisten Hermann J. Weigand nimmt Thomas Mann das noch ein Jahr später wieder auf: »Aber es ist bezeichnend, daß das kleine Buch im ›Osten‹, in Russisch-Deutschland, der Tschechoslowakei, Ungarn, *nicht erscheinen darf* – wegen ›Volksfremdheit‹.«[11] Vier Monate später erfährt er von »dem Bann, der meine Erzählung, ›Der Erwählte‹ (›The Holy Sinner‹) in Eire getroffen hat«: Wegen des vermeintlich blasphemischen Umgangs mit dem Heiligen war sein Roman auch im katholischen Irland verboten worden.[12]

»Vorheizer der Hölle«: Nationalkonservative Kritik im deutschsprachigen Westen

Die erste und quantitativ bei weitem produktivste Phase[13] der Rezeption des *Erwählten* wird vor allem in der nationalkonservativen Kritik, explizit oder implizit, noch immer bestimmt von den Auseinandersetzungen um Thomas Manns politische Rolle

10 DüD III, 386. Zur Mobilisierung der völkischen Begriffsverwendung in der westlichen Kritik des Romans vgl. dagegen den Geburtstagsartikel von Gerhard Nebel (hier S. 187-189).

11 29. 4. 1952; DüD III, 418.

12 An Rudolf Fleischmann, 28. 8. 1952; DüD III, 425.

13 Eine zweite, wenig ergiebige – weil weitgehend die 1951 geäußerten Positionen wiederholende – Phase setzt nach Thomas Manns Tod im Jahr 1956 ein, zumeist in kleineren Blättern. Das scheint veranlasst zu sein von der Neuausgabe des Romans 1956 in der Reihe »Die Bücher der Neunzehn«, in der ein Zusammenschluss von neunzehn Verlagen qualitätvolle Bücher in hohen Auflagen und zu geringen Preisen weiten Leserkreisen zugänglich machte.

im amerikanischen Exil und in Nachkriegsdeutschland (zumal um seine Auftritte in West- und Ostdeutschland anlässlich des Goethe-Gedenkens 1949). Eng damit verflochten ist seine Auffassung von deutscher Schuld im *Doktor Faustus*.[14] Exemplarisch lassen sich die Grundlinien der westdeutschen *damnatio* Thomas Manns an dem Essay verdeutlichen, den der mit Ernst Jünger befreundete Schriftsteller Gerhard Nebel, auf Vorschlag des Herausgebers Karl Korn, unter einem Motto von Carl Schmitt und unter ausdrücklichem Beifall Ernst Jüngers,[15] zum fünfundsiebzigsten Geburtstag des Autors am 6. Juni 1950 in der *Frankfurter Allgemeinen Zeitung* veröffentlichte. Auf die exemplarische Bedeutung dieses Artikels hat nachdrücklich Stephan Stachorski hingewiesen.[16]

Gleich die ersten Sätze, in denen der Rezensent das Wort in »unserem«, in Deutschlands Namen gegen Thomas Mann ergreift, lassen keinen Zweifel daran, dass dieser Geburtstagsartikel kein Glückwunsch sein wird:

> Es geht nicht an, in Geburtstags-Sentimentalität zu vergessen, was uns von Thomas Mann scheidet. Er tritt uns als Exponent einer bis zur Dummheit gehenden Abneigung gegen Deutschland entgegen, und diesem Affekt, der ihn zu verzehren scheint, antworten aus dem Volk, dem er einmal angehörte und von dessen Schicksal er sich nicht 1933, sondern 1945 trennte, Verachtung und Wut. Dieser Schriftsteller ist eine Linse, die die Strahlen der Partisanen-Bosheit sammelt – aber freilich einer besonders gearteten. Wie seinem Werk, seinem

14 Vgl. dazu die Rezeptionsgeschichte in GKFA 10.2, 100–169, sowie Hans Rudolf Vagets die politisch-literarische Konstellation der »großen Kontroverse« überblickenden Aufsatz 2014. Den weiten Kontext der problematischen Rezeption Thomas Manns in Nachkriegsdeutschland und seiner Reaktionen darauf dokumentiert Stachorski 2005.

15 Dazu Streim 2008, S. 198–201. Jünger lobte Nebel für seinen Beitrag brieflich als »tolle[n] Draufgänger« (ebd., S. 199).

16 Stachorski 2014. Gerhard Nebel: *Thomas Mann. Zu seinem 75. Geburtstag*. In: *Frankfurter Allgemeine Zeitung*, 6. 6. 1950, S. 7.

> Denken, seiner Sprache alles Elementare fehlt, so ist auch dieser Haß kein flackerndes, sondern ein schwelendes Feuer, Vernichtungslust in Form von moralischen Urteilen, kein freier Ausbruch, sondern ein Würgen des Kloßes, der sich in der Kehle verklemmt hat. [...] Es erübrigt sich, die Ungerechtigkeiten aufzuzählen, zu denen die Verbitterung ihn verführte – nur soviel, daß er, einst ein Freiheitsfreund, zum Anwalt der östlichen Schinderwelt geworden ist, und daß er, was an ihm liegt, tut, um die Rettung des Abendlandes, die in letzter Stunde unternommen wird, zu verhindern. Der Clan Mann ist eine Giftzisterne geworden, und es tröstet nur, daß die Zahl derer, die aus ihr schöpfen, immer geringer wird.

Nebels Abrechnung mit der »maßlosen Eitelkeit«, der Anmaßung, ja »Vernichtungslust« gegenüber Deutschland und überhaupt gegenüber dem Abendland folgt einem Muster, das sich bereits im rechtsgerichteten Journalismus der Weimarer Republik entwickelt hat. Thomas Mann fehle es infolge eines dekadenten und hybriden Intellektualismus an jedem Gespür für metaphysische und mythische Zusammenhänge; er habe die Verbindung zu seinem (hier durchaus in der völkischen Begriffstradition stehenden) »Volk« und dessen tragischem »Schicksal« verloren; die leere Artistik seiner erzählerischen »Jongleur-Virtuosität« bewege sich in einer »humanistischen Leere, in einem gegen Götter, gegen die Einbrüche des Seins gesicherten Raum«; wie der *Zauberberg* »im Blutbrei der tuberkulösen Lunge«, so bewege sich der *Faustus* »im gelben Matsch des syphilitischen Gehirns«. Summarisch erscheint Thomas Manns Kunst damit, so steht es tatsächlich in diesem Geburtstagsartikel, als »Koprophilie«: als perverse Lust am Exkrement. Gregor Streim hat auf die völkische und rassistische Herkunft dieser Vokabeln in Nebels Essayistik und ihre Nähe zum faschistischen Konzept der »Entarteten Kunst« aufmerksam gemacht.[17]

17 Streim 2008, S. 200.

Es liegt auf der Hand, dass die von Nebel am weithin sichtbarsten Ort auf die Spitze getriebene Ablehnung Thomas Manns dessen Spiel mit der frommen Legende einerseits, mit unterschiedlichen Formen des Inzestes andererseits ebenso scharf treffen musste wie den *Faustus* – zumal es sich ja um ein bereits dort skizziertes Sujet handelte.

Schon erste öffentliche Reaktionen auf Thomas Manns Lesungen aus dem noch unvollendeten Manuskript ließen Böses erwarten. Über seine Lesung in Basel im Juli 1949 war im *Rheinischen Merkur* ein Verriss des Kritikers Michael Becht zu lesen, der nicht nur auf den Roman zielte – »mit dem Mann Hartmann modern zu manierieren sich unterfängt« –, sondern ausdrücklich auf die Person des Autors:

> Angetan mit dem stützenden Korsett der Eitelkeit, das Haltung vortäuscht, wo kein Halt ist, geschniegelt, betont gepflegt, und jenes unverbindlich-gönnerhafte amerikanische Lächeln lächelnd, das von der Nützlichkeit guter Beziehungen für sich und die andern weiß, bestieg unlängst Thomas Mann im Casinosaal zu Basel das Katheder.

Der Roman des solchermaßen als Opportunist und Kollaborateur der Alliierten denunzierten, aus moralischer Haltlosigkeit auf Haltung bedachten Ästheten versuche, »die Dramatik des christlichen Heilsgeschehens zum Gegenstand unverbindlicher Teegespräche zu machen«; die »Keuschheit der Quellen« habe er ersetzt durch »Skandalpikanterien«.[18]

Auch wenn wenige Beiträge in ihrer offenen Aggressivität an Nebels »wüsten Exzeß der ›Frankfurter Allgem. Zeitung‹ gegen

18 Michael Becht: *Thomas Mann und Papst Gregorius*. In: *Rheinischer Merkur*, 23.7.1949, S. 6. Ein ausführliches Interview des Konstanzer *Südkurier* anlässlich derselben Lesung beschreibt in ganz anderen Tönen Thomas Mann, der sich »durch kein Mißverständnis, durch keinen entstellenden Angriff, von seiner menschlichen Empfindung [...] abbringen läßt«, als »durchsichtig, menschlich aufgeschlossen und zugänglich« (L[udwig] E[manuel] Reindl: *Thomas Mann und »Gregor auf dem Steine«*. In: *Südkurier*, 2./3.7.1949, S. 3).

mich« heranreichen,[19] so werden von ihm aus doch Argumentationslinien sichtbar, die sich diskreter auch in scheinbaren Lobreden artikulieren. Das zeigt sich gleich an den ersten großen Besprechungen: Friedrich Sieburgs am 15. März 1951 zugleich in der Halbmonatsschrift *Die Gegenwart* und der Tageszeitung *Die Welt* erschienener Besprechung, Karl Korns nur zwei Tage später gedruckter Kritik in der *Frankfurter Allgemeinen Zeitung*, Friedrich Lufts Besprechung in der *Neuen Zeitung* am 25. März und sogar W. E. Süskinds erst im Juli erschienener Rezension in der *Süddeutschen Zeitung*. Alle vier geben, mit unterschiedlichen Akzenten, Ton und Schlagworte vor, die in den folgenden Besprechungen konservativer Thomas-Mann-Kritiker aufgenommen und mehr oder weniger dezent variiert werden. Sie verlangen deshalb besondere Aufmerksamkeit.

Die umfangreiche Rezension Karl Korns, des Gründungsherausgebers und Feuilletonchefs der FAZ, schlägt in deren Wochenendausgabe am 17. März 1951 einen ganz anderen Ton an als die ein Jahr zuvor unter seiner Redaktion erschienenen Invektiven Gerhard Nebels.[20] Als »ein Beispiel hoher erzählerischer Könnerschaft« lobt er den Roman, als »ein reifes, durch und durch gelungenes Werk, bei aller Skurrilität des Erzählstils elegant, flüssig, heiter, von gläserner Durchsichtigkeit des Aufbaus«, als einen »Genuß«. Doch dieses Lob ist vergiftet. Gerade die hohe Könnerschaft und heitere Eleganz nämlich erweisen sich als prekär, wo der Gegenstand heilig und ironiefern erscheint. Wenn Thomas Mann – der durchweg mokant als »der große Mann« und »Meister« apostrophiert wird – ein »Repräsentant« ist, dann nur für »das zopfig umständliche und faustisch verschnörkelte, naturversuchende« 19. Jahrhundert. Sein Roman »riecht bisweilen nach ›interessanter‹ Psychoanalyse«; gemeint ist: nach Perversion. Das aber kann »die alte fromme Legende in ihrer keuschen Form«

19 Tb. 22.7.1950.

20 Karl Korn: *Im Legendenton*. In: *Frankfurter Allgemeine Zeitung*, 17.3.1951, S. 16.

nicht überstehen. Denn als – so steht es tatsächlich in diesem Artikel des Jahres 1951 – »Meister der Sünde wider das Blut« entdeckt Thomas Mann nur »immer wieder Gelegenheiten, mit puritanischer Lüsternheit den Kitzel der Sünde zu kosten und die Macht der Kunst am Indezenten zu bewähren.«

Auch vom anfangs gelobten »Bildungsbewußtsein« des Autors bleibt in diesem Fall wenig übrig. In einem Satz, dessen eigene Geziertheit anscheinend diejenige Thomas Manns parodieren soll, bemerkt Korn:

> Wiewohl es eine allgemeine Erscheinung und dieserhalb nicht mehr verwunderlich ist, daß die Kenntnis und innere Anverwandlung unserer großen, vor allem der altdeutschen Bildungsgüter immer mehr dahinschwindet, ist es im Falle Thomas Manns doch wohl ein barer Zufall, daß gerade ihm der Gregorius bis in sein Alter unbekannt geblieben war.

Dass der *Gregorius* Thomas Mann von Jugend an vertraut war, weiß Korn nicht; dass aber eine »innere Anverwandlung unserer [...] altdeutschen Bildungsgüter« bei ihm in unsicheren Händen sei, steht für ihn fest. »Jedenfalls«, so erklärt Korn gegen Ende, »hat Thomas Mann zum ›Mysterium iniquitatis‹ (zum Geheimnis der Sünde) ungefähr das Verhältnis, das ästhetisch sehr verfeinerte hochherrschaftliche Leute, die sich ein altes brokates [*sic*] Meßgewand über die Couch hängen, zur Messe haben.« Da aber das Geheimnis der Sünde den Kern von Thomas Manns Thema bezeichnet, ist die ästhetische Verfeinerung ihm gegenüber nur blasphemische Anmaßung. Genau so sagt es Korn auch, nur seinerseits auf ironischen Umwegen. »Es ist gewiß ein geniales Stücklein«, versichert er, um wenige Sätze später dem »gewiß« sein »aber« folgen zu lassen: »Aber da bleibt die Wirkung zwiespältig, weil die Ironie unfromm und gegen den tiefsten Sinn der Legende gerichtet ist.« Keineswegs also vermittelt Thomas Mann deren mittelalterliche Beschaffenheit modernisierend an die Gegenwart, er macht sie vielmehr zunichte: »Von der Legende freilich ist nur ein musealer Zierat geblieben, der den Blicken einer ästhetischen Pietät zu eitlem Genießen dargeboten wird.« Thomas Mann, so endet die Besprechung, vollbringt »eine Erneuerung alter Legendendichtung, die den Kern der schlichten Herzenseinfalt und Frömmigkeit durch Ironie auflöst« – ihn also zersetzt.

Mit dieser Wendung gerät der Legendenroman nun unversehens wie sein Verfasser zwischen die Fronten des Kalten Krieges. In maliziöser Anspielung auf den Respekt, der Thomas Mann in der DDR entgegengebracht wird, schreibt Korn:

> Wie die literarischen Kirchenväter in Ost-Berlin, die Hans Mayer und Georg Lukasz [*sic*], mit diesem neuen »courtoisen« Thomas Mann fertig werden, wie sie ihn, den Vielgeliebten und Hochgebenedeiten, ihrem realen Humanismus gefügig und dienstbar machen werden, das wird ein Kunststückchen höherer Propaganda werden und uns gewiß einiges zusätzliche Vergnügen bereiten, wenn erst die Patriarchen der Literatur von drüben gesprochen haben werden.

Die Erwartung, dass Hans Mayer und Georg Lukács sich Thomas Mann als ihren »Hochgebenedeiten [...] gefügig und dienstbar machen werden«, fasst noch einmal alle Ressentiments zusammen, die sich aus Thomas Manns Reisen nach Ost- wie Westdeutschland ergeben hatten, und projiziert sie auf den *Erwählten*: Wer hier die Legende zersetzt, ist dort den kommunistischen Kirchenvätern dienstbar. So wird mit den letzten Worten von Korns Besprechung das rhetorisch wiederholte Lob zur Waffe, die dem Roman den Garaus macht:

> Ein Kunstwerk von höchster Verfeinerung, ja man darf sagen von Raffinement, aber ein Werk, in dem es keine Einfalt des Herzens und des Geistes gibt. Wieder einmal hat Thomas Mann den Zwiespalt von Kunst und Leben brillant demonstriert.

In der Sache ähnlich, nur in umweglos knapper Drastik urteilt der populäre Berliner Kritiker Friedrich Luft in der für den amerikanischen Sektor gegründeten Münchner *Neuen Zeitung* am 25.

März: Der Roman sei »im Grunde ein ausgepichter Philologenjux«, das Resultat einer enthemmten »Experimentiersucht«, »inhaltlich und formal das Nonplusultra des Unnormalen«: »dieser Roman ärgert – noch während er sublim belustigt.«[21]

Selbst die Besprechung, die der liberale Wilhelm E. Süskind erst am 12. Juli 1951 in der *Süddeutschen Zeitung* veröffentlicht, teilt einige der Korn'schen Ressentiments.[22] Das »geradezu genial[e]«, weil »hochergötzliche, hochpossierliche, aber ebenso hochprivate und durchtrieben artistische Gaudienstück unseres allverehrten Zauberers und ehemaligen Landsmanns« – es stammt, wie diese maliziös beiläufige Einführung zu verstehen gibt, von einem Autor, der nur ein »ehemaliger Landsmann« ist. Auch für Süskind, den einstigen Freund Erika und Klaus Manns, gehört Thomas Mann nicht mehr zu »uns«. Schwerlich ließen sich betonte Verehrung und Ausschluss aus dem eigenen Land knapper zusammenbringen als in diesem Satz. Andererseits werde aber, so fährt Süskind fort, auch die Auszeichnung als »Book of the Month« (s. hier S. 253) nichts daran ändern, dass der Roman selbst »dem guten Amerikaner« fremd bleiben müsse. Darauf läuft diese ihrerseits bis an den Rand der Parodie pointenversessene Besprechung hinaus: dass *Der Erwählte* das Werk eines in seiner eitlen Selbstbespiegelung isolierten Virtuosen sei – der damit allerdings unbegreiflicherweise doch Erfolg habe. Damit variiert Süskind seine Besprechung hindurch einen Selbstwiderspruch, den er nicht zu bemerken scheint. Hüben wie drüben müsse Thomas Manns Sprachartistik eigentlich unzugänglich bleiben: Stehe der Roman »schon in der Ursprache nur einem bemessenen Leserkreis« offen, so werde er in der amerikanischen Übersetzung Geschmeidigkeit und Glanz notwendig einbüßen: »Die Leserscharen, so heißt es wenigstens, verlangen nach ›Wirklichkeit‹, nach

21 Friedrich Luft: *Die sonderbaren Humore des Thomas Mann.* In: Neue Zeitung, Jg. 7, Nr. 70, 25.3.1951, S. 20.

22 W[ilhelm] E[manuel] Süskind: *Schöpferische Parodie?* In: Süddeutsche Zeitung, Jg. 7, Nr. 158, 12.7.1951.

Tatsachenbericht, nach sozialkritischer oder aber nach angenehm rückschrittlicher, idealistisch beschönigender Erzählung. Thomas Mann interessiert sich für Kunst um der Kunst willen« – tatsächlich aber habe er, »mit dem Pfunde seines Erfolgs wuchernd«, sein Publikum nun »auf ein wahrhaft hohes Roß genötigt«: »Es ist ein Wunder.«

Denn das »Meisterstück humoristischer Prosa« ist für Süskind zugleich »ein Exempel hochgestochen-literarischer Kolportage«. Worin diese Kolportage bestehe, lässt er offen; stattdessen verweist er auf »Effekte der Erheiterung«: »Als neueste Liebhaberei hat Mann, schon eine ganze Weile, die Parodie entdeckt«. Die seit »einer ganzen Weile« betriebene Liebhaberei kann keine »neueste« mehr sein; Süskind wiederholt einen Topos der Thomas-Mann-Kritik seit *Buddenbrooks*, indem er das Parodistische als Ausweis mangelnder Erfindungsgabe und als Ehrfurchtlosigkeit versteht: Der vorgebliche »Geist der Erzählung« sei lediglich der »Geist der Parodie«. So gehört der Roman für Süskind zu den »in ihrer Art meisterhafte[n] Opuskeln«, auch wenn »das Kaliber der dabei zustandekommenden Züchtungen erstaunlich schwindet«. In diese vermeintliche Abwärtsbewegung bezieht Süskind bereits den *Joseph* ein:

> Angesetzt ist die Parodie im wesentlichen so, daß das Wunderbare und Fromme, ähnlich wie in den Josephsromanen, psychologisch durchleuchtet und angezweifelt und hierauf in einen Zustand gleichsam verminderter legendarischer Zurechnungsfähigkeit zurückgeschoben wird.

»Wieder einmal«, so hatte Karl Korn bemerkt, habe Thomas Mann »den Zwiespalt von Kunst und Leben brillant demonstriert«. Dieses »wieder einmal« bestimmt nun die Leitlinie von Friedrich Sieburgs folgenreicher Rezension schon in der Überschrift: *In der Sackgasse.*[23] In einem seinerseits virtuosen Spiel mit Ambivalenzen

23 Friedrich Sieburg: *In der Sackgasse.* In: *Die Gegenwart*, Nr. 127 (Jg. 6, Nr. 6), 15. 3. 1951, S. 19f.; unter dem Titel *Thomas Manns neuer Roman.* In: *Die Welt*, Nr. 63, 15. 3. 1951, S. 3.

will Sieburg zeigen, dass Thomas Manns Weg »in die Meisterschaft« zugleich ein »Gehen ins Ausweglose« sei. Seine in Lob verkleidete Kritik des im *Faustus* schon »vorbereiteten« Romans vom *Erwählten* – mit »Begehren erwartet, mit Hingabe gelesen, achtungsvoll, ja fromm in das Ganze dieses großen Schriftstellers eingeordnet« – soll mit dem Legendenroman zugleich auch dieses »Ganze« treffen und erledigen. Denn die überwältigende »humoristische Leistung« dieses »großen Humoristen unserer Literatur« liege in der »Parodie, die den Autor von jeher als hohes Kunstprinzip beschäftigt«, die geradezu seine »Besessenheit« sei.

Als deren Wirkung beschreibt Sieburg eine »Darstellungsweise, die dem Leser alle Maßstäbe aus der Hand schlägt«: der altbekannte Vorwurf der artistischen Verantwortungslosigkeit und des Mangels an Metaphysik. Deutlich erkennbar sei Thomas Manns altes »Thema der Blutschande« (in deren Darstellung er »mit einer Freiheit ohnegleichen den schwindelnden Pfad zieht«) – undeutlich aber bleibe, »was er hat sagen wollen.« Die Kunstfertigkeit, mit der im Roman »die Figuren, die Epochen und Milieus [...] sich selbst zu verspotten und alle ihre Schwere zu verlieren scheinen«, mündet bei Sieburg in einen Tadel der »zügellosesten Spiegelfechterei«. Das schon im *Faustus* entwickelte »anfechtbare Legendendeutsch« werde nun im Spiel der Sprachen »zu einem Gallimathias, der weit über die parodistische Funktion hinausgeht, weil er sie nicht mehr erkennen läßt«: »Es geht von dieser Kunstsprache ein kalter Hauch aus«.[24] Noch die scheinbare Zustimmung zu Thomas Manns in der *Entstehung des Doktor Faustus* geäußerten »Zweifeln an der weiteren Existenzberechtigung der Romanform« mündet in die perfide Folgerung, das gelte »wenigstens für Thomas Mann. Er schreitet in die Sackgasse, als ginge es in die Freiheit.«

Der als Lobrede verkleidete Generalverriss durch einen der tonangebenden deutschen Kritiker wiederholt Nebels (und noch äl-

24 »Er gilt natürlich für ›kalt‹«, so Thomas Mann schon in den Arbeitsnotizen zu *Königliche Hoheit*, Blatt 138 (GKFA 4.2, 354).

tere) Vorwürfe in geschmeidigerer Form: Verlust der Metaphysik, substanzlose Artistik als schöngeistige Sprachschinderei, sittliche Bindungslosigkeit, Kälte. Der Angriff traf Thomas Mann umso tiefer, als er in anderen Zeitungen teils wörtlich, teils sinngemäß aufgenommen und fortgesetzt wurde.

Schon die kurze und etwas ratlos wirkende, aber als Aufmacher hervorgehobene Besprechung des Germanisten Ernst Lewalter in der Wochenzeitung *Die Zeit* vom 29. März hatte, zwei Wochen nach Sieburgs Kritik, dessen Vorwürfe wohlwollender variiert[25]: Das »Vergnügen am Parodieren« und an einer »Frivolität«, die »sich manches Pläsier« gestattet, führe in »die preziöse Ausmalung historischer Szenerien« und in »die Künstlichkeit, die scheinbar sich selbst genügende Virtuosität«. Immerhin sieht die *Zeit* den Roman aber »im Dienste eines Gedankens, der unserer Zeit zwar fremd ist, aber nicht ganz abhanden kommen dürfte: des paulinischen Gedankens, daß ›an keinem verzweifelt werden muß‹«; »und der moralischen Säuerlichkeit wird mit mildem Spott heimgeleuchtet.« Auch diese Zugeständnisse aber ändern nichts an der Tatsache, dass dieser Roman in »der deutschen Literatur unserer Jahre« am Ende doch nur »eine erlesene Zeitwidrigkeit« darstelle.

Diese Bedenken erscheinen als Labsal im Vergleich mit den Vorwürfen, die der Schriftsteller Erhart Kästner – dessen im besetzten Griechenland entstandene NS-Deutungen der klassischen Antike im Nachkriegsdeutschland in entnazifizierter Form neue Erfolge feierten – gegen Thomas Manns Roman erhob. In der *Schwäbischen Landeszeitung* liest er ihn im Zusammenhang der »Entfremdung, die zwischen Thomas Mann und seiner deutschen Leserschaft unleugbar besteht«, und ausdrücklich im Hinblick auch auf *Die Entstehung des Doktor Faustus*, als eine hochartifizielle, aber substanzlose »Ausstattungsoperette«.[26] Zwar sei es

25 C[hristian] E[rnst] L[ewalter]: *Der Sündigste*. In: Die Zeit, 6. Jg, Nr. 13, 29. 3. 1951, S. 12.

26 Erhart Kästner: *Thomas Mann – neuer Carossa*. In: *Schwäbische Landeszeitung*, 5./6. 5. 1951.

»keine Frage, daß auch dieses Werk in seiner Art voll Meisterschaft ist«; es bleibe aber »im Genre des Komplizierten befangen«. Den mythisch-religiösen Stoff des *Erwählten* könne »nur ein zu gewaltigem Ernst bereiter, im Tragischen beheimateter Geist [...] antasten«, der Thomas Mann nicht sei. Im Gegenteil: »Niemand kann von einem Schriftsteller, der so unter dem Zeichen der Auflösung und des Endzeitlichen steht, erwarten, daß er die Kraft des Mythischen habe, der es allein erlaubt sein kann, solch einen Stoff zu gestalten.« Die Insinuation, dass ein solches Werk eigentlich verboten gehöre, speist sich aus denselben Einwänden wie die Invektiven Nebels und Sieburgs: Thomas Mann gehöre noch immer der Dekadenz des *fin-de-siècle* an, die glaubte, »gegen leichten Verwesungsgeruch mit starken Parfüms angehen zu können«. Der Roman sei »erotisiert«, er sei »vollgestopft mit Kultur«, er treibe Psychologie. Gerade das Programm einer Psychologisierung des Mythos empört Erhart Kästner am Autor des *Faustus*, des *Joseph* und nun des *Erwählten*: »Aber Psychologie ist doch wohl das letzte, was man hier anwenden kann.« Dies alles mündet in eine Wiederholung des Bildes von der Sackgasse: »Es ist, als sollte dargelegt werden, wie weit man mit Konsequenz, die bewundernswert ist, Irrwege bis zu Ende ausgehen kann.« Mit dem Schlusssatz »Es muß schrecklich sein, Spaß zu machen, während den Lesern das Lachen vergeht«, leitet der Verriss dann über in eine Lobrede auf einen neuen Band von Hans Carossa: »ein Herzstück deutscher Prosa« – den Ausweg aus Thomas Manns verantwortungs- und sittenloser Artistik sieht der vormalige NS-Autor in Carossas Schilderungen des Passauer Landlebens.

Abwägender, aber mit einem kaum weniger niederschmetternden Ergebnis lesen andere Kritiker den *Erwählten* als letzten Beweis dafür, dass »bei allem Geistreichtum« doch »das Ironische das Epische zu zersetzen« drohe – so Rudi Goldschmit in der Zeitung *Das ganze Deutschland* am 28. April 1951[27] –, ja mehr noch: »dass

27 Rudi Goldschmit: *Der neue Thomas Mann*. In: *Das ganze Deutschland*, Jg. 3, Nr. 18, 28. 4. 1951, S. 7.

nicht bloss die Heiligkeit der Preis der Ironie ist, sondern schlechthin alles Menschliche«. Der Schweizer Kritiker Georg Gerster, der dies am 2. Mai 1951 in der Zürcher *Weltwoche* schrieb, sah im *Erwählten* über die allseits gerügte und »offensichtliche Lüsternheit« hinaus vor allem einen (so die Überschrift seines Artikels) »Zwang der Ironie« am Werk, der den »Verkehr von Schriftsteller und Leben zu einem höchst unfruchtbaren, ertötenden, erstarrenden macht« und der so weit gehe, »dass Thomas Mann mit der Welt überhaupt nicht mehr anders als durch die Parodie, die Ironie verkehren kann«.[28] Ihm fielen »zuvörderst die Heiligkeit, die Frömmigkeit, das Gnadenwunder« zum Opfer. Die witzige Beobachtung, dass Thomas Mann »es fertigbringt, Worte zu verheiraten, die nicht einmal an Bekanntschaft dachten«, wird in dieser Perspektive nur zum Beleg dafür, dass der parodistisch-ironische Roman »köstlich versnobt« und »knisternd preziös« geraten sei – und von einem »echten Erlebnis der Wirklichkeit« weit entfernt. (Zu Alice Schwarz' israelischem Einspruch gegen diesen Artikel s. hier S. 249f.)

Sieht Gerster »alles Menschliche« in der Kunstfertigkeit von Thomas Manns Roman zuschanden werden, so erkennt der – entschieden liberale, um die Wiederentdeckung der Exilliteratur verdiente und nachmals auch als Schriftsteller angesehene – Kritiker Horst Krüger in der katholischen Wochenzeitung *Der christliche Sonntag* am 13. Mai 1951 in der Entwicklung von »Hartmanns ›Gregorius‹ zu Thomas Manns ›Erwähltem‹« eine Verfallsgeschichte: Geistesgeschichtlich erscheine sie als »ein Gefälle der Jahrhunderte, das allerdings den ›Untergang des Abendlandes‹ besiegelte.« Denn eben weil Thomas Manns »schriftstellerische Existenz viel zu universell-einfühlend« sei, bleibe sie »unbehaust schweifend«: Haltlosigkeit also auch hier, bei aller Bewunderung für den »behend-geniale[n] Zauberer« und »großen Artisten der

28 Georg Gerster: *Der Zwang zur Ironie.* In: *Die Weltwoche*, Jg. 19, Nr. 912, 2. 5. 1951, S. 5.

Literatur«, dessen »bald ermüdendes, bald faszinierendes Jonglieren« Krüger bewundert und von dessen »schriftstellerische[r] Existenz« er lapidar erklärt: »Er kann alles.«[29]

Ebendies aber hält ihm der Schriftsteller Manfred Hausmann, einer der Wortführer in den Debatten um Thomas Manns Rückkehr nach Deutschland, im Bremer *Weser-Kurier* vor.[30] In den »überartistischen Veranstaltungen«, der »erzählerische[n] Jonglierkunst« des Romans, der »eine Blasphemie« in Kauf nehme, erkennt er die Aufforderung: »Seht, ich kann auch dies!« Nicht ironische Haltlosigkeit komme hier zum Ausdruck, sondern tragische; Hausmann vermutet, dass »der umstrittene Autor womöglich gar nicht der kühle Ironiker sei, als der er sich ausgibt, daß er in Wahrheit vielmehr ein tragischer Geist sei, der lieben wolle, es aber unseligerweise nicht könne« – der Autor des *Erwählten* als Wiedergänger Adrian Leverkühns.

Denselben Vorwurf wie Sieburg erhebt auch der Literatur- und Theaterkritiker Carl Friedrich Wilhelm Behl im Juni 1951. In der von Rudolf Pechel herausgegebenen *Deutschen Rundschau* kontrastiert er die »Fabulierkunst« Thomas Manns mit der »Magie des Elementaren«, die er bei Gerhart Hauptmann verwirklicht sieht (als dessen Biograph und Bibliograph Behl bekannt war): »Aber wie sollte ihm, [...] der mit dem lieben Gott selber auf dem Neckfuß steht, eine echte Legende gelingen?«[31] Für Thomas Manns »schon fast lasterhafte Artistik« verlören sich »die verhängnisvollen Begebnisse der Fabel ins relativierende Zwielicht der Tiefenpsychologie«; vergebens »wagt [*er*] sich in Bezirke, die nur dem Ingenium des [...] Dichters des ›Meerwunders‹ und des ›Ketzers von Soana‹ zugänglich waren«, also Gerhart Hauptmann.

29 Horst Krüger: *Thomas Manns neuer Roman »Der Erwählte«*. In: *Der christliche Sonntag*, Jg. 3, Nr. 19, 13. 5. 1951, S. 148.

30 Manfred Hausmann: *Thomas Mann: Der Erwählte*. In: *Weser-Kurier*, Jg. 7, Nr. 112, 19. 5. 1951, 2. Beibl.

31 C[arl] F[riedrich] W[ilhelm] Behl: *Legendencocktail*. In: *Deutsche Rundschau*, Jg. 77, H. 6, Juni 1951, S. 571.

Ähnlich Hanns Reich am 7. April in der *Badischen Zeitung*. Nicht nur »das Überdelikate, Hyperkapriziöse dieses Retortenidioms« geht ihm im *Erwählten* auf die Nerven, weil es peinlich zeige, »wie weit es hier mit Thomas Mann gekommen ist«.[32] Auch Legende und Mythos sieht er dem »mitleidlosen Licht der Psychoanalyse« ausgesetzt: »Für das Heilige oder das Wunder ist er durchaus unzuständig, er beruft es – wie etwa der große Joseph-Roman zur Genüge beweisen kann – mit der nüchternen Skepsis des Rationalisten und [...] den kühl-überscharfen Augen der Ironie«, mit der »das Gebiet des Blasphemischen hart gestreift oder unbedenklich kultiviert ist«. In den *Badischen Neuesten Nachrichten* erklärt ein anonymer »Dr. G.« am 6. Juli, dass der Stil des neuerdings zum Kommunismus neigenden Thomas Mann »an Altersschwäche zu Grunde gegangen« sei, und fragt, »ob das Werk irgendeines Schriftstellers, der nicht mit einem so berühmten Namen aufwarten kann, mit einem solchen Sprachsalat überhaupt gedruckt würde.«[33]

Der ununterbietbare Tiefpunkt in der Rezeption des *Erwählten*, vielleicht überhaupt der Thomas-Mann-Rezeption nach 1945, ist mit einem ausführlichen Artikel erreicht, dessen Verfasser als »Hans Schwerte« zeichnet. Es handelt sich um den mit neuer, fingierter Identität ausgestatteten einstigen SS-Hauptsturmführer Hans Ernst Schneider (1909–1999), »Abteilungsleiter im persönlichen Stab Heinrich Himmlers«,[34] der unter neuem Namen und mit gefälschter Biographie zu einem angesehenen Germanisten der Bundesrepublik wurde; die Aufdeckung seiner tatsächlichen Identität führte 1992 zu einem der aufsehenerregendsten Wissenschaftsskandale der Bundesrepublik. Seine Besprechung des *Erwählten* verfasste er als germanistischer Assistent an der Uni-

32 Hanns Reich: *Der neue Thomas Mann*. In: *Badische Zeitung*, Jg. 6, Nr. 54, 7./8. 4. 1951.

33 Dr. G: *Der Altersstil Thomas Manns*. In: *Badische Neueste Nachrichten*, Nr. 156, 6. 7. 1951.

34 Stachorski 2014, S. 94. Vgl. dazu auch Sommer 2001, S. 215–217.

versität Erlangen in deren Universitätszeitschrift.[35] Buchenswert ist sie hier nicht nur wegen ihres Verfassers, sondern auch als schärfste Zuspitzung der Vorwürfe, die nicht selten von aus einer eigenen NS-Vergangenheit geläutert hervorgegangenen nationalkonservativen Kritikern gegen Thomas Manns Roman erhoben wurden. Der einstige Mitarbeiter Heinrich Himmlers sieht im *Erwählten* nicht weniger am Werk als den Willen zur Zerstörung des Abendlands.

Schwerte/Schneider nimmt nicht nur das mittlerweile stereotype Motiv der »Sackgasse« auf, im Blick auf das »fast monotone Leitmotiv aller Werke Th. Manns«, die Darstellung der Sündhaftigkeit als heimlicher Auserwählung. Er mokiert sich auch wie Karl Korn über Thomas Manns, des Bildungsautors, vermeintlich jahrzehntelange Unkenntnis des Stoffes (»Das ist nur bezeichnend für die geistige Situation eines großen Teiles unseres führenden Schrifttums«), übernimmt wörtlich Korns Wendung vom »bürgerlich verschnörkelte[n]« Mittelalter und wiederholt – abermals mit wörtlichen Anklängen – dessen zentralen Einwand, dass »von der Glaubenseinfalt der Legende« bei Thomas Mann nichts übrig bleibe:

> Aehnlich wie bei den Joseph-Romanen ist ihm der überlieferte Stoff nur Material eines artistischen Genusses und eines kaum mehr überbietbaren, in seiner Art sicherlich bewundernswerten Sprachjonglierens [...] – und ist ihm vor allem wieder Anlaß seiner langgeübten Methode, religiöse Glaubensinhalte und volksmäßige Herzenseinfalt, Märcheninnigkeit und Wundergebundenheit, eben jenes »Romantische«, vernünftig zu reinigen und ironisch ins »rechte« Maß des bloßen Kunstspieles, der »Unterhaltung« zu bringen, ohne daß dabei andere Werte transparent würden als die allzu menschlicher Worteitelkeit.

35 Hans Schwerte: *Die Vorheizer der Hölle*. In: *Die Erlanger Universität*, Jg. 5, 13.6.1951, S. 1f.

Keinen »Seinsgrund« lege der Roman deshalb frei; er zeige nur das »Auguren-Augenzwinkern« einer »bewußten Verzeichnung«. Sie verrät sich im »alterslüsternen Auskosten gewagter geschlechtlicher Situationen« und in einer ironischen Psychologisierung, die den Mythos auflöst. Hatte Karl Korn den Roman mit einem Messgewand verglichen, das in einem gebildeten Haushalt als Wandschmuck missbraucht wird, so meint Schwerte/Schneider (dessen Artikel sich überhaupt wie eine auf die Spitze getriebene Paraphrase des Korn'schen liest) zu erkennen, wie Thomas Mann »aus alten Sakralgeräten einige Juwelen bricht, um sie auf eine Schnupftabakdose zu setzen«. So verrät auch der *Erwählte* den »Wunsch parodistischer Destruktion« des Heiligen, auf die schon in der *Gregorius*-Adaptation Leverkühns im *Faustus* (und nebenbei auch im *Joseph*) dessen Verwandlung »ins sogenannte Humane« hinausgelaufen sei. »Sünde, Reue, Buße, Gnade werden zu kunstgewerblichen Spielworten«. Das geschieht immerhin »nicht so aufdringlich wie in der Joseph-Umdeutung, aber darum nicht minder flach und seicht alles echt Theologische einebnend« und obendrein, was die Sache nur anstößiger macht, »auf besterzählte und durchaus erheiternde Weise dargereicht«.

Mit alldem nun, so setzt die steile Schlusswendung der Besprechung ein, werde Thomas Mann mitschuldig an der »allgemeine[n] Glaubens- und Wertzerstörung der ›Neuzeit‹«, ja er »kann sich von diesem Mithelferdienst und der Mithelferverantwortung daran nicht mehr ausschließen.« Während er schaudernd »das eiskalte Lachen von Faustus-Leverkühn in sich aufsteigen« fühlt, erkennt Himmlers einstiger Mitstreiter nun »die satanischen Folgerungen aus jenen parodistischen Destruktionen abendländischen Geistes«. Er erkennt ausdrücklich zwischen Thomas Mann und seinem »Bruder Hitler« eine tatsächliche »›Bruderschaft‹ des Hasses, die dennoch dasselbe Werk zu leisten verdammt ist.« Thomas Manns *Der Erwählte*, heißt das, vollbringt mit seinen literarischen Mitteln dasselbe Zerstörungswerk wie Hitler in Krieg und Konzentrationslagern. Hitler und Thomas

Mann: beide erscheinen hier, mit einem missbrauchten Wort Franz Werfels, als »Vorheizer der Hölle«.[36]

Es sind diese ostinaten Vorwürfe, auf die Thomas Mann (soweit sie ihm durch Ida Herz oder Gottfried Bermann Fischer zur Kenntnis gebracht wurden) mit dem oben zitierten Entsetzen über die »gräuliche Lektüre«, die »halsstarrige Unempfänglichkeit«, den »auflauernde[n] böse[n] Widerwille[n]« reagiert.[37] Und dennoch erscheinen seine weiteren Reaktionen im Verhältnis zur Wucht der Angriffe vergleichsweise gelassen. In einem Brief an Walter Goeken überblickt er am 22. Mai 1951 die erste Angriffswelle:

> Den »Faustus« hat man [*in Deutschland*] gelesen und liest jetzt ganz ausgiebig den »Erwählten«. Die Zeitungskritiker schreiben vielfach recht übellaunig über das kleine Buch, aber das hat außer-aesthetische Gründe, und zahlreiche gutgeartete Menschen haben Freude an der Erzählung.[38]

»Außer-aesthetische Gründe«: das meint nicht weniger als die Person des Verfassers; mit scheinbar leichter Hand tut Thomas Mann diesen Umstand ab. Auch gegenüber der Tochter Erika

36 Der – soweit abzusehen ist – einzige Rezensent, der seine scharfe Kritik des *Erwählten* ausdrücklich und nachdrücklich von den landläufigen politischen Ressentiments gegen den Autor absetzt, ist der neusachliche Romancier Ernst Glaeser (der 1933 zu den ›verbrannten Dichtern‹ gehört hatte). Er rezensiert in der *Stuttgarter Zeitung* am 21. Mai 1951, in sichtlicher Distanz zu Nebel und anderen Feinden des *Faustus*-Dichters, als ein enttäuschter Bewunderer: »Ich habe die großen Romane Thomas Manns, besonders den ›Dr. Faustus‹, in mannigfachen Publikationen verteidigt, weil ich die Angriffe, die sich gegen ihn erhoben, als vom politischen Ressentiment kommend empfand.« Trotzdem vermöge er dem »geradezu plauschenden Behagen«, mit dem Thomas Mann nun »ein riesenhaftes Pamphlet der mittelalterlichen Selbstzerknirschung« verbürgerliche, nichts abzugewinnen; der »große Artist« zeige diesmal Geschlechtlichkeit nur in der »Nudität des Kitsches« und den »Teufel als Voyeur in Filzpantoffeln« (Ernst Glaeser: *Ironische Legende?* In: *Stuttgarter Zeitung*, Jg. 7, Nr. 114, 21. 5. 1951).

37 Tb. 9. 5. 1951. 38 DüD III, 390.

kommt er am 20. Mai 1951 auf die umfangreiche Kritik zu sprechen, aus der er nur Sieburgs Besprechung zitiert – um sie sogleich wieder zu relativieren:

> Deutsche Kritiker dagegen werfen mir neben Sprachverhunzung vor allem *Greisenlüsternheit* vor. (Die schlimmen Kinder, du lieber Gott!) Übrigens nur einige. Andere polemisieren ganz brav gegen Sieburgs »Sackgasse« und sagen ihm frank und frei ins Gesicht, ich wüßte schon am besten, in welche Gassen ich mich begäbe und wie ich wieder herausfände. Irgendwie muß er unbeliebt sein. Sie verspotten ihn geradezu.[39]

Am 27. Mai 1951 spielt Thomas Mann gegenüber dem katholischen Publizisten Ludwig Muth erneut auf die Sieburg-Kritik an und bemerkt kopfschüttelnd, dass

> mißlaunige Kritiker es [*das Buch*] eine »Sackgasse« nennen. Wieder eine. Der Faustus war auch schon eine, und noch jedes meiner Bücher war eigentlich eine, und noch immer habe ich mich wieder herausgefunden.[40]

In einem Brief an den aus NS-Deutschland geflohenen Theologen Kuno Fiedler fügt er der Wiederholung dieses Gedankens am 2. Juni 1951 eine summarische Bemerkung hinzu:

> Ich war schon in mancher Sackgasse und bin noch immer wieder frei zu Neuem daraus hervorgegangen. Und dann die Sprachverhunzung! Daß diese Pedanten auch garkeinen Spaß verstehen! Pedanten, Hohlköpfe, Giftnickel und Schurken, – ich finde mehr und mehr, daß das Gros der Menschen sich daraus zusammensetzt. Mehr Gutartigkeit wäre erwünscht. Sie braucht ja nicht dämlich zu sein. Im Gegenteil, die Bösartigkeit macht dämlich.[41]

Dieser Ansicht war auch ein Aufsatz, der hier zitiert zu werden verdient, weil er nicht allein Holthusen, sondern der gesamten von ihm angeführten Gruppe vormals nationalsozialistischer und

39 Br. III, 207.
40 DüD III, 391. Ähnlich an Julius Bab, 30. 5. 1951; Br. III, 208.
41 DüD III, 394f.

nun nationalkonservativer Kritiker von einem markant kirchlichen Ort aus entgegentrat. In der (gesamtdeutsch erscheinenden) lutherischen Zeitschrift *Die Zeichen der Zeit. Evangelische Monatsschrift für Mitarbeiter der Kirche* veröffentlichte Helmuth Burgert 1953, also bereits im Rückblick auf die heftigen Auseinandersetzungen um den *Erwählten* und seinen Autor, eine *Anmerkung zu Thomas Mann* und seinem Legendenroman unter der Überschrift *Verborgene Christlichkeit.*[42] Einleitend umreißt er in wenigen Sätzen Thomas Manns Lebenswerk, um sich dann grundsätzlich den deutschen Debatten zuzuwenden:

> Nun ist es erstaunlich, daß gerade dieser grenzenlos weltbefassende Epiker [...] in Deutschland auf das heftigste angegriffen worden ist. Die letzte große Attacke gegen Mann ritt H.E. Holthusen. In seiner Schrift »Die Welt ohne Transzendenz« (1949) glaubt er ihm den Todesstoß zu versetzen; niemand, der diesen Schrieb kennt, zweifelt an der schlimmen Absicht. Hier wird Thomas Mann als pedantischer Schelm, als wesenloser Spötter, als Künder unwiderruflicher Weltverschlossenheit, kurzum als ungläubiger Thomas angeprangert, dem zuletzt doch nichts heilig sei. Hinzu kommen die politischen Bedenken, die die alten Mann-Gegner immer wieder geltend machen. Aber [...] sind jene Gegner nicht seit je gerade die Leute, deren Politik Deutschland ins Verderben gestürzt hat? Im »Doktor Faustus« hat der Dichter uns die Kreise vor Augen gestellt, die durch ihr Liebäugeln mit der Barbarei, ihre Blut-und-Boden-Romantik und ihren Geisthaß die geradezu weltgeschichtliche Blamage unseres Volkes, das zwölf Jahre dauernde Jahrtausendreich vorbereiten halfen.

Dagegen zitiert er Thomas Manns eigene Sätze über die »Christlichkeit« seiner Sünden- und Gnadenauffassung 1950 in *Meine Zeit* – und, »wie eine Erläuterung« dazu, den Satz des Gregorius aus

42 Helmuth Burgert: *Verborgene Christlichkeit.* In: *Die Zeichen der Zeit*, Jg. 7, 1953, S. 338–340.

dem Kapitel *Der Handkuß* im *Erwählten*: »aller Mut und jedes kühne Unternehmen, dem wir uns weihen, und bei dem wir unser Alles und Äußerstes einsetzen, entspringt nur dem Wissen von unsrer Schuld, dem heißen Verlangen entspringt es nach Rechtfertigung unsres Lebens und danach, vor Gott ein weniges abzugleichen von unsrer Sündenschuld.«[43] Es ist diese »verborgene Christlichkeit Thomas Manns«, die Burgert gegen »den Abfall der neueren Deutschen vom Geist« ins Feld führt.

Zürcher Vorbehalte und Nachträge

Die erste schweizerische Besprechung erscheint am 31. März 1951 in der *Neuen Zürcher Zeitung* (die schon im Vorjahr voller Sympathie über Thomas Manns Zürcher Lesung aus dem Manuskript berichtet hatte),[44] und zwar prominent auf der ersten und zweiten Seite.[45] Werner Weber liest den *Erwählten* vom *Faustus* aus und erklärt, der Legendenroman sei

> das Unheimlichste, das die deutsche Literatur in dieser Gattung seit den kühnsten romantischen Experimenten zu bieten hatte. Wir sagen nicht: das Vollendetste – wenn auch in dieser Sprache an Mitteln nichts zu fehlen scheint, was deutscher Geist seit frühester Zeit für seinen Ausdruck herangebildet hat [...]: und dies alles ergibt am Ende eine Sprache von schwindelerregender Deut- und Bezeichnungsfähigkeit; eine Sprache, von innerem Lachen gespannt.

Hier aber setzen Webers Bedenken ein:

> Es ergibt sich das Schauspiel, daß einer seinen Besitz an durchgebildetem Menschenwachstum versammelt, von den Verhältnissen seiner Gegenwart aus betrachtet und wägt, dabei diesen Besitz als großartig und von schwerem Gewicht erkennt – nur

43 Textband S. 171 19–24.

44 »Der Erwählte«: *Vorlesung von Thomas Mann*. In: *Neue Zürcher Zeitung*, 18. 6. 1950.

45 Wb. [Werner Weber]: »Der Erwählte«. In: *Neue Zürcher Zeitung*, Jg. 172, Nr. 683, Morgenausgabe 31. 3. 1951, S. 1f.

> in Einem fragwürdig: daß er in der Zeit keine Folge mehr hat oder zumindest keine mehr zu haben scheint. Darin, zum Beispiel, ist der Roman ein Spätwerk.

So wird der Roman zu »einer einzigen gewaltigen Parodie«, und eben darin sieht Weber seine einzige, aber gewaltige und nun mit unverhoffter Schärfe bezeichnete Schwäche: »Es gibt in diesem Werk keine schwache Stelle; es gibt nur großartig Abstoßendes und großartig Hinreißendes.« Aber Thomas Mann hat

> die Dinge auserzählt, die seine fernen Vorgänger noch näher bei den Mythen beließen. Dies Auserzählen kann Widerlichkeit zur Folge haben; es gerät in ihm zuweilen ein im letzten Grunde tief bürgerliches Insistieren und Nicht-mehr-Aufhören-Können in eine peinlich-quälende Schäbigkeit gegenüber dem Elementaren des Mythischen. Es kann aber auch das reine Entzücken hervorbringen

– und mit dieser Abwägung ist auch Weber dort, wo Sieburg ansetzt: in Thomas Manns vermeintlicher »Sackgasse«. *Der Erwählte* ist für ihn ein Werk, »das Meisterschaft am äußersten Rand der Größe zeigt; das heißt: es ist nicht einzusehen, wie in der vom ›Erwählten‹ markierten künstlerisch-geistigen Richtung noch ein Weiteres möglich sein könnte …« Allerdings fügt er vorsichtigerweise gleich hinzu: »Das meinten wir vor dem ›Faustus‹ auch; und nun haben wir in dem hier behandelten Roman eben schon ein Weiteres. Das Geniale läßt sich in seinem Wandel nicht voraussehen.«

Dies und die Schlussfolgerung, man werde diesen Roman »bestürzt und beglückt zugleich aus der Hand legen«, bekümmerten Thomas Mann in einem solchen Ausmaß, dass den mit ihm in persönlichem Austausch stehenden Weber offensichtlich der Wunsch nach Wiedergutmachung plagte. Nicht weniger als drei weitere Beiträge zum *Erwählten* und seinen Kontexten erschienen in den folgenden Monaten in derselben Zeitung – zuerst schon (mit ausdrücklichem Verweis auf Webers Anmerkungen zu den mittelalterlichen Quellen) am 3. April eine indologische Miszelle von Emil Abegg über *Oedipus in Indien*,[46] dann am 19. Mai 1951, wiederum unter ausdrücklichem Verweis auf diese erste Rezension, eine lange und langwierig-gelehrte Abhandlung des vormals mit der Familie Mann bekannten, seit den dreißiger Jahren aber mit ihr zerfallenen Armin Kesser, die eine psychologische Lektüre des Romans unternahm, unter der Hand aber auch Webers Vorwurf einer »Schäbigkeit gegenüber dem Elementaren des Mythischen« entschieden zurücknahm: »Was hier allein in Rede steht, ist der epochale Versuch, den Mythos in seinen psychischen Kontext zurückzuführen, so daß seine Spuren wieder vom Sinne her, wieder ehrfürchtig-wissentlich begehbar sind.«[47] Zu Thomas Manns eigener Überraschung erschien anderthalb Jahre nach Werner Webers Rezension, am 13. September 1952, in der NZZ noch ein vierter, jetzt mediävistischer Text über den *Erwählten* – ein, wie Thomas Mann im Tagebuch notierte, »langer gelehrter Artikel in der N.Z.Z. ›Das Mittelalter in T.M.s *Erwählten*‹ von Bruno Boesch. Abends gelesen. Interessante Studie, – merkwürdig – ein Jahr nach Erscheinen des Buches.«[48] Boesch, Titularprofessor in Zürich (dann seit 1959 Ordinarius für Literatur und Sprache

46 Emil Abegg: *Oedipus in Indien*. In: *Neue Zürcher Zeitung*, Jg. 172, Nr. 706, 3. 4. 1951, S. 1f.

47 Armin Kesser: *Dichtung und Sympathie*. In: *Neue Zürcher Zeitung*, Nr. 135, Fernausgabe, 19. 5. 1951, S. 4f. – Im selben Monat erscheint in der *Neuen Schweizer Rundschau* Fritz Störis gemächliche Betrachtung des Romans in seinem Verhältnis zur mittelalterlichen Tradition; die Frage, wie viel Modernes an »Philosophie und Psychologie hinter der mediävistischen Tarnung des Werkleins steckt«, wird mit Respekt vor Thomas Manns Gelehrsamkeit und der Sensibilität seiner Aneignung verfolgt; das Ergebnis, dass in den Spielarten seiner »romantische[n] Ironie« doch »mehr als literarische Travestien« vorliegen, überrascht dann nicht (Fritz Störi: *Thomas Mann: »Der Erwählte« oder Scherz, Satire, Ironie und tiefere Bedeutung*. In: *Neue Schweizer Rundschau*, H. 1, Mai 1951, S. 54–57).

48 Tb. 13. 9. 1952, über Bruno Boesch: *Das Mittelalter in Thomas Manns Roman »Der Erwählte«*. In: *Neue Zürcher Zeitung*, Jg. 173, Fernausgabe Nr. 253, 13. 9. 1952, S. 4f. Der Aufsatz ging aus einem Vortrag hervor, den Boesch am 9. Januar 1952 in der Universität Köln gehalten hatte.

des Mittelalters in Freiburg/Br.), würdigte den Roman in einer über alle Ufer eines Zeitungsbeitrags tretenden Analyse so ausführlich, dass sein Text gleichzeitig auch in der germanistischen Fachzeitschrift *Wirkendes Wort* veröffentlicht wurde.[49] Die Abhandlung bezeichnet damit auch den Beginn der germanistisch-fachwissenschaftlichen Auseinandersetzung mit dem *Erwählten* (s. unten S. 282-291). Ausführlich geht Boesch auf Hartmanns *Gregorius* ein und würdigt dann Thomas Manns moderne Anverwandlung mit ihren veränderten Begriffen von »Sünde« und »Buße« und dem bei allem »Humor« bewahrten anthropologischen Ernst: »dem Menschenbild und der Ergründung seines Kerns gilt ein letzter Ernst des Dichters, der sich oft sogar mit Wärme zu behaupten vermag.«

Als Gegenstimme zu Webers Angriff las Thomas Mann aber vor allem den Artikel, den der Münchner Germanist Otto Basler am 20. April 1951 im *Bücherblatt* und am 29. April in der Basler *National-Zeitung* veröffentlichte:[50]

> Wie schön und warm haben Sie für das »Bücherblatt« geschrieben! Es ist eine Freude. Solche Worte wie »abstoßend«, »schäbig«, »widerlich«, wie der hübsche junge Dr. Weber sie in seiner Würdigung gebrauchte, sind Ihnen nicht in den Sinn gekommen. Ich habe ihm geraten, sie zu überprüfen, wenn er

49 Mit einer kleinen Modifikation der Überschrift: nicht mehr um *Das Mittelalter in Thomas Manns Roman »Der Erwählte«* ging es hier, sondern um *Die mittelalterliche Welt und Thomas Mann's Roman »Der Erwählte«*. In: *Wirkendes Wort*, 2. Jg. (1951/52), S. 340–349. Eine Art Kurzfassung desselben Vergleichs gibt in der *Neuen Schweizer Rundschau* 1951/52 der Literaturkritiker Felix Stössinger, der zum Verhältnis des *Erwählten* zum *Gregorius* einen Aufsatz des Freiburger Altgermanisten Friedrich Maurer in der Fachzeitschrift *Euphorion* zusammenfasst, um die »Auffassung des mittelalterlichen Dichters von Leid, Schuld und Sühne« zu ermitteln. (Felix Stössinger: *Zum »Erwählten«*. In: *Neue Schweizer Rundschau*, Jg. 19, H. 7, November 1951, S. 461f.)

50 Otto Basler: *Der neueste Roman von Thomas Mann*. In: *Das Bücherblatt*, Jg. 15, Nr. 4, 20. 4. 1951, S. 3, und *»Der Erwählte«*. In: *National-Zeitung*, 29. 4. 1951, Nr. 194.

> seinen groß angelegten Aufsatz einmal in einen kritischen Sammelband aufnehmen sollte. Im übrigen verwechselt er mich zu sehr mit Adrian Leverkühn und sieht darum das Ganze zu verrucht und verteufelt. Ich habe es viel herzlicher und heiterer gemeint. [...] Ein Hermann Hesse freut sich, aber die müssen quängeln und quaken.[51]

In seinem besonnenen und zur Besonnenheit mahnenden Artikel hatte Basler gewarnt, man müsse das, was Thomas Mann »herzlicher und heiterer« nennt, anders verstehen als unter dem in der Tat weite Teile der Rezeption verhexenden Begriff der Parodie:

> Man tut gut, sich durch den Begriff »Parodie«, den Thomas Mann der Kritik – vielleicht etwas zu voreilig [...] – in die Hände gespielt hat, nicht beirren zu lassen. [...] Das Parodistische ist seiner eigentlichen Funktionen enthoben und tritt unter anderen Stilmitteln nur noch mit der Aufgabe in Erscheinung, das dem Schrecklichen wie dem Feierlichen und Tragischen innewohnende Pathos auf ein ertragbares Mass zu reduzieren und dem allgemeinen Zug der Erzählung anzupassen.

Daran liegt Basler deshalb so viel, weil er den Unterschied des *Erwählten* gegenüber dem *Faustus* und namentlich die Verschiedenheit zwischen Leverkühns kaltem Lachen und Thomas Manns humanem Humor herausstellen will. Mit Clemens als dem »Geist der Erzählung« ist dem lieblosen Teufelsbündner ein Erzähler »gegenübergestellt, dessen Werk und Leben der Erbauung und göttlichen Liebe geweiht ist, und der es viel positiver, ›heiterer und herzlicher‹ im Sinne hat.« Nicht auf der »Parodie« liegt für Basler der »Schwerpunkt des Ganzen«, sondern auf dem »Archaischen«, von dem Thomas Mann in der *Entstehung des Doktor Faustus* gesprochen hatte, und auf seiner erzählerisch komplexen Vermittlung mit der modernen Gegenwart. Mindestens aus Thomas Manns erklärter Perspektive wären der Rezeption seines Romans einige Verirrungen erspart geblieben, wenn sie diese Klärungen

51 An Otto Basler, 12.4.1951; DüD III, 385f.

beherzigt hätte. Schärfer als fast alle Rezensenten erkennt Basler auch die Verflechtung des im Dienste der Humanisierung des Archaischen stehenden Humors mit den Sprachenspielen des Erzählgeistes:

> Auch hier, in der Wahl der Ausdrucks- und Darstellungsmittel offenbart sich ein grundlegender Unterschied zum Faustus-Stoff, zu dessen Bewältigung und tragischer Ausdeutung es einer ganz bestimmten Sprache bedurfte, die am Grund des »Uebels« ihre Wurzeln haben musste. Hier, im »Erwählten«, geht es um die Erzählung einer »Gnadenmär«, einer überzeitlichen, übervölkischen, im Allermenschlichsten und wiederum im Göttlichen wurzelnden Urgeschichte [...]. Dem Trotz des Verfluchten dort steht hier die Bussbereitschaft des Sündigen, Ergriffenen und göttlich zutiefst Angerührten gegenüber; dem Wahnbefangenen der Illusionslose, Aufgerufene; dem scheinbar Berufenen der wirklich Berufene, der zu Einsicht, innerer Einkehr und Hingabe wirklich Fähige. [...] Die Unform ist zur kristallenen Form geworden, und göttlicher Friede und Ordnung sind durch ein Gnadenwunder wieder hergestellt. Das Sterben und Neuwerden hat sich an einem Menschen vollzogen, der zum Selbstopfer und zum gänzlichen Verzicht die Kraft und Fähigkeit besass.

Das ist für Basler der entscheidende Gegensatz zwischen *Faustus* und *Erwähltem*:

> [...] das Werden höchster Menschenform aus dem Chaotischen musste den Dichter, der seinen Adrian Leverkühn nicht so führen konnte und durfte, aufs innigste berühren und ihn bewegen, der Teufelsgeschichte diese exemplarische Gnadengeschichte gegenüberzustellen. [...] So bedeutet die Erzählung Thomas Manns keine Entmythisierung des heiligen Gehaltes, sondern eine dichterische Herüberholung von mythischen Substanzen in unsere Zeit [...].

Sie bedeutet geradezu eine humoristische Variante des Evangeliums: »Heitere, frohe Botschaft«.

»eigentlich Thomas Manns schönstes Buch«: Westdeutsche und österreichische Gegenstimmen

»Die Zeitungskritiker schreiben vielfach recht übellaunig über das kleine Buch, aber das hat außer-aesthetische Gründe, und zahlreiche gutgeartete Menschen haben Freude an der Erzählung«, hatte Thomas Mann am 22. Mai 1951 an Walter Goeken geschrieben. In der Tat protestierten gegen diesen lautstärksten und nicht selten spürbar »außer-aesthetisch« begründeten Tenor der Rezeption ausdrücklich oder implizit eine Reihe freundlicher und verteidigender Besprechungen. Allerdings besaß keiner der Verfasser im literarischen Leben der jungen Bundesrepublik und der Schweiz eine Geltung und Machtposition, die derjenigen Friedrich Sieburgs oder Karl Korns vergleichbar gewesen wäre. Es sind nicht ausschließlich, aber in auffallender Zahl Schriftsteller und nicht professionelle Literaturkritiker, die für eine andere Wahrnehmung des Romans eintreten. Vielleicht auch angesichts dieser Machtverhältnisse kommt Thomas Mann in seinen Briefen, sobald es um die Aufnahme des *Erwählten* geht, mit besonderem Nachdruck wiederholt auf Hermann Hesse zu sprechen. Hesse hatte sich von ihm schon während der letzten Arbeitsphase, bei Thomas Manns Besuch in Montagnola, mehrmals aus dem entstehenden Roman vorlesen lassen. Gegenüber Erika bemerkt Thomas Mann am 20. Mai 1951 mit halbem Stolz und halbem Bedauern:

> Hesse schreibt nie an mich, aber an alle anderen Leute, so an Lesser in London: Fast immerwährende Schmerzen habe er, und das Alter drücke schwer, aber es gäbe auch festliche Erquickungen, wie das Lesen des »Erwählten«. Ich glaube, darauf kann man bauen.[52]

Seiner Freude über den Abschluss des Romans hatte Hermann Hesse schon in einem Brief an Thomas Mann vom 8. November 1950 herzlich Ausdruck gegeben.[53]

52 Br. III, 207.

53 TM/Hesse, 283f.

Auch andere Schriftsteller zeigten Einfühlungsvermögen und Verständnis. Als eine der ersten Rezensentinnen berichtete die Schriftstellerin und Übersetzerin Hedda Eulenberg, schon seit dem *fin-de-siècle* als Vermittlerin englischer, amerikanischer und französischer Literatur bekannt geworden und in der NS-Zeit schwer drangsaliert, im Düsseldorfer *Mittag* am 7. März 1951 in einer feuilletonistischen Plauderei von dieser »großen Bemühung eines großen Schriftstellers«, dessen Geschichte »bis an die Grenze des Menschlichen« führe und dessen Erzählkunst dennoch ein »Weltgefühl« der Geborgenheit und Hoffnung zu erzeugen vermöge.[54] Und »nichts in der farbigen dichten suggestiven Prosa«, so hebt die selbst bereits Fünfundsiebzigjährige hervor, »läßt das vorgeschrittene Alter des Autors ahnen.« Thomas Mann erfuhr von dieser Besprechung erst mit anderthalbjähriger Verspätung – und mit umso größerer Dankbarkeit. An Hedda Eulenberg schreibt er am 2. November 1952:

> Was höre ich – Sie haben über den »Erwählten« geschrieben, und ich kenne es nicht?? [...] Es hat mich so sehr gefreut, zu erfahren, daß Ihnen, der katholisch Geborenen, diese religiöse Humoristik nicht unangenehm war und daß Sie diese Spät- und Endform der Legende nicht als Profanierung empfunden haben.[55]

Der österreichische Romancier Alexander Lernet-Holenia würdigte in der Wiener Zeitung *Die Presse* – die schon wenige Tage zuvor in ihrer Oster-Ausgabe das zweite Kapitel des Romans vorabgedruckt hatte – am 31. März 1951 in einem beinahe zärtlich liebevollen Ton den *Erwählten*,[56] der mit dem »Schicksal des Ödipus« noch einmal »eines der ältesten Themen der Dichtung überhaupt« aufnehme, als

> das erste wirkliche Alterswerk Thomas Manns, und die Zerfahrenheit und Krise des Alterns an sich liegt schon hinter diesem

54 Hedda Eulenberg: »*Der Erwählte*«. In: *Der Mittag*, 7. 3. 1951.
55 DüD III, 426.
56 Alexander Lernet-Holenia: »*Der Erwählte*«. In: *Die Presse*, 31. 3. 1951.

> Buche. Gemessen an der Kompliziertheit früherer Hervorbringungen des Autors ist hier der Vortrag zwar auf nicht mehr ganz freiwillige Art vereinfacht, und über gewisse Schwierigkeiten, die der Erzähler nicht mehr zu meistern versteht, geht er kurzerhand hinweg, denn schon ist auch die charakteristische Ungeduld des Alters deutlich zu fühlen; aber auf weite Strecken, insonderheit gegen das Ende, wird der Stil rührend schön und sozusagen von greisenhafter Lieblichkeit. Sie erfüllt uns mit später, aber wirklicher Ehrfurcht vor diesem Dichter, der durch ein halbes Jahrhundert einer unserer größten gewesen ist.

Dem verbreiteten Einwand der religiösen Frivolität oder Blasphemie widerspricht er mit bemerkenswertem Nachdruck:

> Aber auch sein Verhältnis zu Gott stellt sich uns [...] als ein Geheimnis seiner Seele dar, über welches der Verstand niemals ganz hinwegzugehen vermocht hat. Ja, es ist möglich, daß Thomas Mann schon in den Josefsromanen, ganz ebenso wie Gerhart Hauptmann im »Emanuel Quint«, mehr für Gott getan hat als eine ganze Schar rechtgläubiger Autoren; und wir erinnern uns aus dem »Jungen Josef« des Satzes: »Gott ist nicht das Gute, sondern das Ganze.«

Im *Münchner Merkur* nahm Erich Pfeiffer-Belli am 18. März 1951 den Roman ausdrücklich in dem Bewusstsein in Schutz, »daß man nicht immer auf willige Leser stößt, wenn man den Versuch unternimmt, von Thomas Mann [...] zu sprechen. Aber wir sind in Deutschland nicht reich genug an Schriftstellern und Dichtern, die sich derart in Zucht genommen haben« – die Deutschen könnten es sich schlechterdings nicht leisten, »eine ehrwürdige Künstlerpersönlichkeit im biblischen Alter mit einer Handbewegung beiseite zu schieben, die besagte: aus diesen oder jenen Gründen der Politik, der Weltanschauung gefällt mir der Mann nicht«.[57] An den *Gregorius*-Stoff aber sei Thomas Mann

57 Erich Pfeiffer-Belli: *Mit spielerischer Sicherheit.* In: *Münchner Merkur*, 18. 3. 1951.

»mit einer eigenartig gläubigen Unvoreingenommenheit« herangegangen, man könne nur »den immensen menschlichen Takt bewundern«, mit dem er ihn behandle; der Roman sei »von einer immanenten Gläubigkeit getragen«, in der »ein großer und ernsthafter Schriftsteller sich von seinem Gegenstand voll gefangennehmen ließ, ohne dessen Sklave zu werden und ohne dem Gegenstand Gewalt anzutun.« Mit »spielerischer Sicherheit« sei Thomas Mann hier »in nicht ganz alltäglicher Form mitten in seinem Glauben«.

Ähnlich entschieden, nur deutlich nuancierter, verteidigte am 14. April 1951 in derselben *Neuen Zeitung*, in der Friedrich Luft ihn kritisiert hatte, der Dichter und evangelische Pfarrer Albrecht Goes den Roman[58] – in dem er allerdings anders als Lernet-Holenia (und einig mit Hedda Eulenberg) keinerlei Alterssymptome sah:

> Aufgeräumt: das ist das Wort, das sich anbietet, wenn man charakterisieren will, in welcher Weise diese höchst unordentliche Geschichte erzählt wird. Keine Rede von Brüchigkeit, Sprödigkeit, Altersumständlichkeit. Das Opus des Fünfundsiebzigjährigen – man muß es staunend bekennen und mag dabei allenfalls nach »Effi Briest« hinüberblinzeln, dem Meisterwerk eines anderen Fünfundsiebzigers – ist voll Geist und Laune; die Straffheit läßt keinen Augenblick nach[.]

Goes, der in seinen Erzählungen so entschieden wie wenige west-

58 Albrecht Goes: *Die Geschichte von Gregorius auf dem Stein*. In: *Die neue Zeitung*, Jg. 7, Nr. 88, 14./15. 4. 1951, S. 19. In ausdrücklich protestantischer Perspektive wird der Roman sehr viel knapper auch im *Evangelischen Literaturbeobachter* vom November 1951 gelesen, in eigenartiger Zweideutigkeit. Der Rezensent Heinz Flügel stimmt einerseits in den Chor derjenigen ein, die den Roman als virtuoses Ausweichen vor den religiösen Problemen des Stoffes verstehen: »Der Artist will nicht das theologische Ärgernis«. Andererseits glaubt er doch eine Ahnung des so Verdrängten wahrzunehmen: »Tieferes ist da, als […] diese merkwürdig synkretistische Sprache […] – aber belassen wir es dabei und respektieren wir diese Klugheit eines großen Erzählers!« (Heinz Flügel: *Thomas Mann: »Der Erwählte«*. In: *Evangelischer Literaturbeobachter*, 11/1951, S. 70)

deutsche Schriftsteller der Nachkriegszeit die NS-Gräueltaten in Polen und die Judenmorde zum Thema machte und der mit christlichen Pazifisten wie Reinhold Schneider und Gustav Heinemann gegen die Wiederaufrüstung kämpfte, hatte sich schon mehrfach als Bewunderer nicht nur des Dichters Thomas Mann, sondern auch seines politischen Engagements geäußert. (Als 1969 Erika Mann begraben wurde, hielt er die Trauerrede.) Seine umfangreiche, essayistische Besprechung liest den *Erwählten* im Zusammenhang von Thomas Manns Gesamtwerk:

> Es sind in eigenartiger Gesetzmäßigkeit gerade die kleineren, das ist die weniger umfangreichen Werke Thomas Manns, jene, die den Riesenarbeiten folgen oder zur Seite gehen, denen im besonderen Maß der Glanz der Vollkommenheit eignet. Das gilt für die »Königliche Hoheit«, für die Novelle »Unordnung und frühes Leid«, für die »Lotte in Weimar« und gilt nun ganz ausdrücklich für den »Erwählten«. Es ist ein Buch ohne Müh- und Redseligkeiten, ohne Längen – was man doch wohl nicht uneingeschränkt vom »Doktor Faustus« sagen kann, auch Thomas Mann selbst würde es dort nicht sagen –, ein ganz und gar geglücktes Buch ist es, und wenn jemand urteilen wollte, es sei dieses neue Werk eigentlich Thomas Manns schönstes Buch, so würde ich ihm kaum widersprechen.

Goes begründet dieses Urteil gerade mit denjenigen Zügen des Textes, die den nationalkonservativen Kritikern Steine des Anstoßes waren. »Es wird«, seufzt er, »ja nun wieder bestritten werden, daß es sich hier um Dichtung handelt, wie es je und je bei Thomas Mann bestritten worden ist.« Doch nicht als Verhunzung erscheint ihm die Sprachenvielfalt (dagegen erinnert er an die historisierenden Stilexperimente des NS-Romanciers Erwin Guido Kolbenheyer, ihm fehle: »jedes Talent, an Kolbenheyers Paracelsusdeutsch eine Freude zu haben«), sondern als Spiel mit »irisierend-ironischen Lichter[n], die den Text durchfunkeln [...]; das wirbelt dich hastdunichtgesehn durch die Jahrhunderte hin und du rufst: Erbarmen! – aber ergötzt bist du doch«. Zweifellos werde »es Leser geben, denen es nicht behagen will, daß hier die ›Sprachen ineinander rinnen‹ [...]. Ich finde aber, die Betroffenen sollten sich von ihrem Choc erholen«. Keine schlüpfrige Greisenlüsternheit empfindet er im Umgang mit den sexuellen Ausschweifungen, im Gegenteil. Dem »humanistisch-psychologisch-psychoanalytischen Fadenwerk, wie es Thomas Mann seit Jahr und Tag in immer neuen Mustern vorlegt«, gilt seine Bewunderung: »die Delikatesse, mit der das Gewagteste ausgesprochen oder eben auch nicht ausgesprochen wird, ist vollkommen.« Und namentlich mit der humoristischen Behandlung der religiösen Fragen ist der Pfarrer-Dichter freudig einverstanden:

> Zunächst freilich ist die schlimme Geschichte alles andere als schön; und wenn es dann doch mit ihr ein gutes Ende nimmt [...], dann deshalb, weil diese extreme Geschichte auch das Extrem des Gottesruhms verkündigt, die Freiheit nämlich der göttlichen Gnadenwahl.
> [...] Die fanatischen Formen des Daseins, die auf Unbedingtheit, auf Unerbittlichkeit bedachten, sind die humorlosen Formen; in der Sphäre des Glaubens hingegen gedeiht der Humor, und das Lächeln der Geduld, das an die Geduld Gottes erinnert und sich ihrer getröstet, ist eine epische Qualität.[59]

Thomas Mann las diese Besprechung, die ihn erst im April in Pacific Palisades erreichte, mit nachhaltiger Erleichterung. Auf die »sehr herzliche Besprechung [...] von Goes ist zu reagieren«, vermerkt er am 21. April 1951 im Tagebuch. Noch am selben Tag dankt er brieflich:

> Ihr Aufsatz ist so anmutig-warmherzig, so freien, gütigen

59 In einem Brief an Wolf Jobst Siedler wiederholt Thomas Mann die Bemerkung, die »Albrecht Goes, der Geistliche«, zum Humor des Romans gemacht habe: »Die fanatischen Formen des Daseins, die auf Unbedingtheit und Unerbittlichkeit bedachten, sind die humorlosen Formen; in der Sphäre des Glaubens dagegen gedeiht der Humor, und das Lächeln der Geduld, das an die Geduld Gottes erinnert und sich ihrer getröstet, ist eine epische Qualität.« Und er fügt hinzu: »Ist das nicht schön?« (23. 4. 1951; DüD III, 387)

> Geistes – es ist eine Freude. Daß »in der Sphäre des Glaubens der Humor gedeiht und das Lächeln der Geduld« ist ein neuer und schöner Spruch, noch nie so gesagt. Ich mache viele Scherze, aber mit der Idee der Gnade ist es mir recht christlich ernst – sie beherrscht seit langem mein ganzes Denken und Leben. Ist es denn nicht auch die reine Gnade, daß ich nach dem verzehrenden »Faustus« noch dies in Gott heitere Büchlein – heiter in seiner Gnadengabe, der Kunst – hinbringen konnte?[60]

Mit Goes tröstet sich Thomas Mann gegenüber Gottfried Bermann Fischer über die Angriffe hinweg: »und Einiges wirklich Verständnisvolles und Freundliches ist ja auch in Deutschland erschienen, so die sehr schöne Besprechung von Albrecht Goes«.[61]

Die Besprechung, die der Dichter Fritz Usinger knapp einen Monat später in der Frankfurter *Neuen Presse* veröffentlichte, liest sich wie ein knappes (allenfalls mit dem Insistieren auf »tragischen Gewichten«, »Schicksal«, »Stern der Verhängung« leicht vernebelndes) Resümee von Goes' Aufsatz: Auch Usinger betont den Wechsel umfangreicher Werke und zierlicher Nachspiele, die Erinnerung vom Legenden- an den Märchenroman,[62] die humoristische Läuterung des tragischen Stoffes[63] und das theologische

60 DüD III, 386.

61 24.4.1951; TM/GBF, 575. Eine weitaus leichter zu übersehende Besprechung in der Marburger *Oberhessischen Presse* verdient hier erwähnt zu werden, weil sie gleichzeitig und unabhängig zu einer ähnlichen Position gelangt. Zwar ist auch Walter Eberhardt »der am Strand von Pasadena in Kalifornien lebende letzte Herrenreiter der deutschen Literatur« erkennbar verdächtig. Doch was sich ihm im *Erwählten* als »ein Aeußerstes an Gewagtheit und fast schon freventlicher Kühnheit« darstellt, zeigt gegen »die Widersprüche« doch vor allem »das hohe und einsame Niveau seines Autors« und eine »sprachliche Meisterschaft [...] außerhalb der gewohnten Dimensionen« (Walter Eberhardt: *Eulenspiegelei um einen Heiligen*. In: *Oberhessische Presse*, 31.3.1951).

62 »Wenn man nach etwas Aehnlichem in Thomas Manns Gesamtwerk sucht, muß man schon weit zurückgehen bis zur ›Königlichen Hoheit‹«.

63 Im *Erwählten* ist eine »Stufe hoher Komik erreicht, in der nicht nur die

Gnadenthema. Sein Fazit entspricht dem Goes'schen: »Dies Buch ist eine der vollendetsten Leistungen Thomas Manns.«[64] Auch Fritz Kraus' Besprechung in der *Deutschen Zeitung* vom 12. Mai 1951 sieht die »fürwahr erstaunliche Leistung Thomas Manns« vor allem in der humoristisch gestalteten, aber von »hermetisch[em]« Ernst getragenen Initiation der Leser (»einweihend« nennt er den Roman) in »eines der höchsten metaphysischen Geheimnisse, das theologisch die Gnadenwahl heißt.«[65]

Walther Karsch, der im Berliner *Tagesspiegel* am 27. Mai 1951 schon fast im Rückblick auf eine zu Ende gehende Debatte schreibt, begreift die artifizielle Erzählung, in der »die einen [...] Blasphemie, die anderen müßiges intellektuelles Spiel erblicken«, als den sehr ernsten Versuch, »dieser Zeit eine Legende so nachzuzeichnen, daß auch der nichtgläubige Leser von ihrem Wahrheitsgehalt im Innersten überzeugt sein muß.« Dabei ist ihm der »Protest [...] aus sich verletzt wähnender Religiosität« ausdrücklich »sympathischer« »als jener, der sich literarkritisch tarnt«.[66] Diese theologisch argumentierende Kritik greift der Schriftsteller Gustav Hillard (alias Gustav Steinbömer) in seiner essayistischen Besprechung im *Merkur* vom November 1951 noch einmal auf:[67] Schon im *Joseph* und in der Erzählung *Das Gesetz* habe Thomas Mann »wohlbekannte heilige Geschichten« neu erzählt und durch »die bannende und gescheite Eigenart seiner Kunst den eigentlichen Gehalt des Stoffes verfehlt.« Nun beschäftige ihn »ein christologischer Stoff von mittelalterlicher Gestaltsymbolik«:

Regionen der Sünde, sondern auch die der Heiligkeit unter dem gleichen durchdringenden Lichte des Humors liegen«.

64 Fritz Usinger: *Schlüsselgewalt des Geistes*. In: *Frankfurter Neue Presse*, Jg. 6, Nr. 119, 26. 5. 1951, S. 11.

65 Fritz Kraus: *Thomas Manns »Erwählter«*. In: *Deutsche Zeitung und Wirtschafts Zeitung*, Jg. 6, Nr. 38, 12. 5. 1951.

66 Walther Karsch: *Der gute Sünder*. In: *Der Tagesspiegel*, Jg. 7, Nr. 1734, 27. 5. 1951, 3. Beiblatt, S. 1.

67 Gustav Hillard: *Parodistische Legende*. In: *Merkur*, Jg. 5, H. 11 (45), November 1951, S. 1091–1093.

»Kann man aber überhaupt über einen solchen Stoff anders als in theologischen oder christologischen Kategorien handeln?« Die in immer neuen Varianten gerühmte stilistische Geschmeidigkeit des Romans, der »das Beispiel eines äußersten Gelingens« von Thomas Manns lebenslangem »Kunstprinzip« gebe, ist für Hillard eben darum Ausweis seines Scheiterns: Die »Parodie« sei hier »der Weg an etwas vorbei, nämlich an dem eigentlichen«; »All-Ironie« bezeuge »Bindungslosigkeit«; vor dem »christliche[n] Gedanke[n]« weiche Thomas Mann »mit Eulenspiegeleien aus«.[68]

Energisch verteidigt der Lyriker und Novellist Josef Mühlberger (der in NS-Deutschland wegen seiner Homosexualität verfolgt worden war und erst im Nachkriegsdeutschland wieder gedruckt wurde) Thomas Mann gegen alle Vorwürfe, politische wie religiöse. Seine in der *Esslinger Zeitung* am 20. April 1951 erschienene, am 19./20. Mai 1951 in der Heidelberger *Rhein-Neckar-Zeitung* wiederholte Besprechung des *Erwählten* nimmt in ihrer Überschrift die wirkungsmächtige Formel Friedrich Sieburgs in der Frageform auf.[69] Sie ist überschrieben *Thomas Mann in der Sackgasse?* und betont die schöpferische Leistung des »neuen Werkes«:

68 So lautet sinngemäß auch Heinrich Bauers Kritik in den *Trierischen Nachrichten* am 20. Januar 1952. Zwar bewundert auch er Thomas Manns »schmiegsam und elastisch dem Thema angepaßt[e]« Erzählkunst (»er *kann* erzählen!«); und er sieht sie doch nur eingesetzt, »um die unsäglich ergreifende Geschichte von Schuld und Verhängnis, von Buße und Gnade zu verniedlichen und zu verharmlosen. Nicht, als ob echte Kunst nur dort sei, wo Probleme in tierischem Ernst abgehandelt werden«, vielmehr mangle es der deutschen Literatur an dem von Thomas Mann glänzend beherrschten Humor. »Aber es gibt auch Grenzen, die in den Dingen selbst liegen. Was seiner Natur nach ernst ist, kann nicht humorvoll, kann eben nur ernst behandelt werden. Das Unerträglichste aber sind die unstatthaften Vermischungen.« So wendet sich der Rezensent am Ende bedauernd (»Uns bleibt buchstäblich nichts anderes übrig«) von Thomas Mann ab, der »die ernstesten Dinge des Menschenlebens […] zu einem vergnüglichen Unterhaltungsroman für Literaturkonsumenten mißbraucht hat.« (Heinrich Bauer: *Thomas Mann vergreift sich – wieder einmal*. In: *Trierische Nachrichten*, 20. 1. 1952)

69 Josef Mühlberger: *Thomas Mann in der Sackgasse?* In: Esslinger Zeitung, 20. 4. 1951.

> Thomas Mann ist, soweit sich das überhaupt absehen läßt, mit seinem Legenden-Roman seinen Weg bis ans Ende gegangen. Aber das Ende einer erstaunlichen Folgerichtigkeit muß keine Sackgasse, sondern kann ein Höhepunkt sein, auch dem, dem die Thomas Mannsche Thematik und Form fremd bleiben mögen.

Diese Klarstellung ist Thomas Mann so wichtig, dass er seinen Dankbrief direkt an Emil Belzner richtet, seit 1946 Feuilletonchef und stellvertretender Chefredakteur der *Rhein-Neckar-Zeitung*. Belzner hatte ihn schon vor der Veröffentlichung auf diesen Beitrag vorbereitet; in seinem Dankbrief vom 13. Mai 1951 überblickt Thomas Mann noch einmal die bisherige Rezeption und seufzt:

> Ihre Artikel sind mir immer wohltuend. Es ist gut, daß Ihr Blatt da ist. Ich freue mich, daß Sie es darin mit dem »Erwählten« so freundlich vorhaben. Bermann hat mich eine ganze Menge deutscher Besprechungen lesen lassen, – es war eine recht widerwärtige Lektüre, und eigentlich nur aus psychologischer Neugier habe ich sie durchgeführt. Es fehlt da meistens am Mut zum eigentlichen Verriß, aber ein Scheelblick und eine hämische Quängelei sind da, ein dummer Hohn über »das große, lang erwartete Ereignis«, eine willentliche Versperrtheit und hartnäckige Unempfänglichkeit, kurz ein Mangel an Gutartigkeit – es ist geradezu interessant, nur etwas deprimierend. Dichter wie Hesse, Albrecht Goes, Joachim Maass[70] sind schlecht und recht entzückt. Aber diese »Engerlinge der Literatur«, wie ein Schweizer Freund sie nannte, müssen schmälen und die fromme Einfalt der Legende gegen mich verteidigen, der ich »in der Welt des Wunders nie zu Hause war«.[71]

Die zitierte Formulierung stammt aus Sieburgs Text; Mühlberger gehört zu den Kritikern, die ihn »geradezu verspotten«. Das tut

70 Joachim Maass hatte sich in seinem Brief an Thomas Mann vom 14. April 1951 rühmend über den *Erwählten* geäußert.

71 DüD III, 389.

auch der anonyme »Dr. Ra.« (alias Friedrich Rasche), der in der *Hannoverschen Presse* am 14. April 1951 bemerkte[72]:

> Die katholische Kirche wird ihn auf ihren offiziellen und mancher mißvergnügte Deutsche wird ihn auf seinen privaten Index setzen. Sei es! Die Kritiker aber, sehr beschlagene und namhafte Leute sogar, wiegen die Köpfe; bei aller Hochachtung und Bewunderung finden sie sich verlegen, denn soviel Spottlust und literarische Spielfreude verschlägt ihnen nun doch den Atem. Nein, wer sich so weit vom Gewohnten und Erlaubten entfernt, muß auf einem Irrwege sein. Und so gehen denn die kritischen Zeigefinger mahnend hoch. Thomas Mann »schreitet in die Sackgasse, als ginge es in die Freiheit«, hat z.B. Friedrich Sieburg konstatiert. Nun, der große alte Mann in Kalifornien wird auch diesen deutschen Tadel ad notam nehmen, vermutlich weiß er über seine Freiheit doch am besten Bescheid.

Die Sottise (die Thomas Mann nur wenig über die bösartigen Kritiken beruhigen konnte) galt genau jenem Gegensatz zwischen deutschem Mitmacher und kalifornischem Exilanten, aus der nicht allein Sieburgs Kritik selbst hervorgegangen war. Wenig überraschend kommt die *Hannoversche Presse* denn auch zu einem Urteil, das dem seinen genau entgegengesetzt ist, mit demjenigen von Goes über den Roman aber weitgehend übereinstimmt: »Zugegeben – dem Thema und Umfang nach ist er ›nur‹ ein Nebenwerk, aber da er wohl die heiterste und gelösteste Geschichte ist, die Thomas Mann je geschrieben hat, ist er zugleich auch ein Höhepunkt« – weil es »der Geist großer Heiterkeit ist«, der »das ganze Buch durchweht.«

Derselben Ansicht ist in der Zeitschrift der »Deutschen Akademie für Sprache und Dichtung«, *Das literarische Deutschland*, auch der Essayist und Übersetzer Hans Hennecke am 20. April 1951.[73]

72 Dr. Ra. [Friedrich Rasche]: *Der heilige Sünder*. In: *Hannoversche Presse*, 6. Jg., Nr. 87, 14. 4. 1951.

73 Hans Hennecke: *Für und wider Thomas Mann I*. In: *Das literarische Deutschland*, 2. Jg., Nr. 8, 20. 4. 1951, S. 1f.

In einem literarhistorisch weit ausholenden Essay tritt er ausdrücklich Sieburgs Vorwurf entgegen: Wer nur auf Thomas Manns hier abermals variiertes »Urpathos, Urthema« blicke und nichts als eine Sackgasse zu erkennen meine, der verkenne die »neue Schaffensstufe«, die Thomas Mann erreicht habe: in der, wie auf andere Weise James Joyce, souverän sprachspielenden Nachfolge seines »heimlichste[n] Ahne[n]« Flaubert.

Im Innenteil derselben Ausgabe findet sich eine zweite, gleichzeitig und unabhängig von Henneckes Text entstandene Besprechung des Schriftstellers Heinz Risse – eine Fundamentalkritik des Textes, die zum moralischen Frontalangriff auf den Autor gerät. Sie wird an dieser Stelle referiert, weil sie redaktionell als Gegenstimme zu Hennecke annonciert ist. Der, mit einem von Risse zitierten Bonmot Max Rychners, »ironische Mythenbewahrer« Thomas Mann habe im *Erwählten*, im verzweifelten Bemühen um den Beweis seiner Vitalität und ohne Ehrfurcht vor den wortreich beschworenen Traditionen, seine bewährten Darstellungsmittel so übertrieben, dass sie zerstörerisch wirkten: die »Hypertrophie der Ironie«, das »kunstgewerblich« missratene »Übermaß an Artistik«, das Versagen des Taktgefühls als greisenhafte »Peinlichkeit« in der Darstellung des Erotischen und mit alldem eine Verfehlung des Mythos, auf dessen Verlebendigung und Bewahrung die Mühe doch zielen sollte. In seinem restlosen Scheitern sei und zeige der *Erwählte* »ein Problem, das den Psychologen mehr interessiert als den literarischen Kritiker«. Also, dies ist Risses ätzend bittere Überbietung der Sieburg'schen Einwände: »dies ist auch keine Sackgasse, dies ist das Ende schlechthin.« Gemeint ist das Ende einer hier im »Alexandrinertum« erstickenden Kulturauffassung, aber wohl auch das Ende des Schriftstellers Thomas Mann.[74]

Die neben den Beiträgen von Goes und Basler scharfblickends-

74 Heinz Risse: *Für und wider Thomas Mann II*. In: *Das literarische Deutschland*, 2. Jg., Nr. 8, 20. 4. 1951, S. 9.

te Analyse des Romans liefert der österreichische Romancier Otto F. Beer am 6. April in der Meraner Wochenzeitung *Der Standpunkt*, einem engagiert europäischen Blatt »für abendländische Kultur, Politik und Wirtschaft«.[75] Thomas Manns lebenslange Beschäftigung mit Krankheit und Verfall habe in diesem Werk eine neue »Spiralwindung« genommen: »ins Urweltliche überhöht«, in »eine ungefüge, archaische Grösse«. Das Mythisch-Uranfängliche einer »archaischen Welt [...], in welcher der Inzest noch nicht zum blossen Komplex geworden, noch nicht auf die seelische Ebene verschoben, sondern in blutvoller Wirklichkeit lebendig war«, erfahre in Thomas Manns »Lust zur Travestie« eine ungeahnte Sublimierung:

> Die nächste Windung der Spirale ist sichtbar geworden – und Krankheit heisst mit einem Mal Sünde. [...] Die psychologische (oder wenn man will: psychosomatische) Fragestellung hat sich in eine metaphysische verwandelt, die seelische Logik in religiöses Gesetz, der Zauberberg entpuppt sich als ein Berg Sinai.

Damit rückt Thomas Mann, Beer zufolge, nicht nur sein eigenes Lebenswerk, von *Wälsungenblut* bis zum *Doktor Faustus*, auf eine neue Stufe der Reflexion (»Sünder und Heiliger in einer Person, das ist die jüngste Formulierung, die Mann für eine lebenslange Antithese findet«), sondern steht auch an der Seite ambitionierter zeitgenössischer Versuche: »dieser Gregor ist – um an Hermann Hesse zu messen – Narziss *und* Goldmund, Josef Knecht *und* Designori in einem.«

Beer ist auch einer der wenigen Rezensenten, die in der modernen Transformation der alten Legende eine zeitgenössische Wirkungsabsicht erkennen. Anknüpfend an Thomas Manns Sprachenspiele erklärt er,

> warum er diesen Stoff und diese Zeit mit dieser Sprache gewählt hat: weil dies eine Zeit der abendländischen Einheit war,

75 Otto F. Beer: *Thomas Manns jüngstes Werk.* In: *Der Standpunkt*, Jg. 5, Nr. 14, 6.4.1951, S. 7.

> lange vor dem Auseinanderfall Europas in Nationen [...]. Denn dies soll wohl der Sinn sein, den Mann mit dieser archaischen Stoffwahl meint: Wir müssen ganz weit zurückgreifen, wenn wir neu anfangen und Fundamente finden wollen, die uns allen, Deutschen, Franzosen, Römern, Engländern, gemein sind. Dies Zurückgreifen in die älteste Substanz des Abendlandes war schon im »Faustus« zu verspüren; sie wird im »Erwählten« noch offenkundiger.

Der Erwählte als Roman der Westbindung, das ist eine ganz andere politische Lektüre, als sie den Wortführern des nationalen Ressentiments zugänglich war. Mit alldem sieht Beer den Roman auf einer Ranghöhe, die mit dem landläufigen Bild vom verspielten Nebenwerk nicht vereinbar war. An dieser Bewertung lässt er keinen Zweifel; seine Besprechung leitet er mit einem Vergleich ein, der Thomas Mann vermutlich gefallen hätte:

> So wie Wagner einmal eine kleine, leichte Oper schreiben wollte und dann der »Tristan« daraus wurde, so erging es auch Thomas Mann. Der »kleine Roman« umfasst 320 Seiten, heisst *Der Erwählte* und ist soeben bei S. Fischer erschienen.

Zurückhaltung in Betriebsbibliotheken: Randnotizen und Rückblicke

Auf andere Weise enttäuschend als die Verrisse fällt die Besprechung in der Hauszeitschrift des Verlags S. Fischer aus. Im dritten Heft der *Neuen Rundschau* schreibt Editha Klipstein sechs gut gemeinte Seiten lang *Nachdenkliches zu Thomas Manns letztem Roman.*[76] Sie schreibt defensiv und überaus umständlich über das Märchenhafte des Stoffes, seinen »alles verbindende[n] göttliche[n] Humor«, der »keineswegs zur Frivolität wird«, und die sanfte Friedfertigkeit der Erzählung. Vom Versuch einer Einordnung

76 Editha Klipstein: *Nachdenkliches zu Thomas Manns letztem Roman.* In: *Die neue Rundschau*, Jg. 62, H. 3, 1951, S. 140–145.

des *Erwählten* in Thomas Manns Gesamtwerk lässt sie sich forttragen in vage Räsonnements über das »Thema des Unverwechselbaren«, über die »gewaltige Menschenbändigung im Orient« (oder vielmehr in den orientalischen Märchen), über den Dichter im Allgemeinen als »Gottes Herold« und seine »Scheidekraft den verschiedensten Gebieten gegenüber«. Thomas Mann schreibt nach der Lektüre an den alten Freund Erich von Kahler: »Und trotz all Ihrer Last wollte ich, man hätte Sie gezwungen, für die ›Neue Rundschau‹ über den ›Erwählten‹ zu schreiben. Wie anders wäre das zu lesen gewesen, als das frauenzimmerliche Zeug, das jetzt da steht.«[77]

Überzeugender las sich der Artikel, den der von Thomas Mann am Entstehungsprozess des Romans brieflich beteiligte Kuno Fiedler unter dem Pseudonym »Dr. phil. F. Kauz« am 9. Mai in der *Volksstimme* in St. Gallen veröffentlichte (also am fiktiven Schreibort Clemens des Iren).[78] Auch Fiedler, der im *Erwählten* »immer ein episches Glanzstück auf das andere« folgen sieht, findet sich aber genötigt, in die Defensive zu gehen und dem »Verdacht« entge-

77 An Erich von Kahler, 2. 1. 1952; TM/Kahler, 132. – Der Wunsch wird ihm mit allerdings dreijähriger Verspätung erfüllt, aus Anlass des achtzigsten Geburtstags (Erich Kahler: *Die Erwählten.* In: *Die neue Rundschau,* Jg. 66, H. 3, 1955, S. 298–311). Thomas Mann antwortet beglückt: »Ihnen muß ich gleich schreiben, denn Ihr Beitrag zum Geburtstagsheft der ›Rundschau‹ [...] über den ›Erwählten‹ ist garzu hübsch und schön! Von Herzen danke ich Ihnen für die Mühe, die Sie, Vielbeschäftigter, sich mit soviel künstlerischem Gelingen gemacht haben, um mir eine Freude zu machen [...].« (Thomas Mann an Erich von Kahler, 16. 6. 1955; TM/Kahler, 145) An die besorgt nachfragende Editha Klipstein selbst schreibt er diplomatisch am 26. Februar 1952: »Selbstverständlich habe ich das Heft der ›Neuen Rundschau‹ mit Ihrer Besprechung des ›Erwählten‹ erhalten und bin beschämt, daß ich bis heute noch nicht für die gedankenreiche Äußerung, die ich darin lesen durfte, gedankt habe. Ich glaube fast, Sie haben recht, daß die Erzählung, die von manchen als frivol empfunden wird, etwas mit Frieden oder Befriedung zu tun hat.« (DüD III, 416)

78 F. Kauz [= Kuno Fiedler]: *Thomas Manns »Erwählter«.* In: *Volksstimme,* Jg. 47, Nr. 106, 9. 5. 1951.

genzutreten, es sei Thomas Mann »nur um eine billige Ironisierung mittelalterlichen Wunderglaubens« gegangen. »Die Wahrheit ist, daß er das, was diesem Wunderglauben an echt religiöser Erkenntnis zugrunde liegt, vielmehr durchaus achtet, billigt und selber teilt.« Die Schlussbitte des Erzählers erscheint ihm geradezu als »ein unverbindlich zaghaftes Bekenntnis zu etwas, was er auf unmittelbare Weise nicht auszusprechen wagt«.

Im August 1951 findet sich bereits der erste Versuch eines Rückblicks auf die hitzigen literaturkritischen Debatten, die seit dem März um den *Erwählten* geführt worden sind.[79] In der Münchner Zeitschrift *Welt und Wort. Literarische Monatsschrift* und gleichzeitig in *Die Deutsche Woche*[80] nimmt Georg Schwarz die literarische »Einmaligkeit« des Romans als »Grund dafür, daß sich die literarische Kritik an dem Buch bisher völlig überschlug«; einige Leitmotive dieser Kritik versucht er noch einmal aus ruhiger Distanz zu betrachten – und mit spürbarer Ironie:

> Die »öffentliche Moral« [...] hat denn auch heute bereits gegen das Buch abweisend den Finger erhoben, wenn auch mehr durch die Handlanger und öffentlichen Bediener der literarischen Meßkunde, die Schriftgelehrten des Tages, die bezüglich dieses Buches bedauernd von »Sackgasse« reden und ästhetische Einwände erheben, wo sie moralische (oder gar politische) im Hintergrund haben dürften.

Dem stellt Schwarz die (an Beers Verteidigungsrede anklingende) These entgegen, dass Thomas Mann in »seiner bewundernswerten, unsere beste erzählerische Tradition fortführenden Fabel-

79 Im Gestus des Rückblicks schreibt auch Bernhard Martin im Juni-Heft der *Neuen Schau* in einer ansonsten wenig Neues bringenden, wohlmeinenden Besprechung: »Über das Werk ist bereits viel geschrieben worden, meist Ablehnendes, und viele Leser werden längst von ihm gehört haben.« (Bernhard Martin: *Inzest-Probleme.* In: *Die Neue Schau*, Jg. 12, H. 6, Juni 1951, S. 160f.)

80 Georg Schwarz: *Der Erwählte. Zu Thomas Manns neuem Roman.* In: *Welt und Wort*, Jg. 6, Nr. 8, August 1951, S. 299f. In der Wochenzeitung trägt der Artikel die unmissverständliche Überschrift *Lob eines verfemten Buches.* In: *Die Deutsche Woche*, Nr. 8, 4.8.1951.

kunst […] zugleich ein Buch abgründig theologischer Humoristik in neuer experimenteller Richtung« verfasst habe: »Das ist das Novum, und vielleicht der Anstoß.« Ebenso lapidar weist er die Einwände gegen die Sprachexperimente des Romans zurück: »Es hilft nichts, die Mixerei von Platt, Französisch, englischem Hafen-Slang […] – sie ist vorzüglich, vergnüglich und realistisch. (Wer weiß, wie im antiken Ostia geslangt worden sein mag!)« Mehr noch, in der »Gestaltung der Kapitelanfänge und der aktiven, äußeren Drehpunkte« des Geschehens sieht Schwarz mit »dem aus der Filmsprache entnommenen Begriff des suggestiven Einschnitts in die erzählerische Rotation« eine avancierte Schnitttechnik am Werk, in der »farbige[n] Motivverknüpfung« eine »Teppichkunst« wie in alten Gobelins und schon im ersten Kapitel »eine akustische Geographie der Stadt Rom«: lauter erzählerische Experimente, Aufbrüche in literarisches Neuland. »Der ›Erwählte‹ ist ein Buch für Naive und für Gewitzte« – so ermutigend schließt sein Text.

Von den wohlmeinenden deutschsprachigen Rezensionen der folgenden Jahre, in denen sich die Rezeption einerseits ins Ausland, andererseits in eher akademische Beiträge zu verlagern beginnt, sind zwei hervorzuheben, die sich dem Werk aus entschieden sozialdemokratischer Perspektive nähern. Die nur wenige Zeilen umfassende Besprechung in *Die Quelle*, dem »Funktionärorgan des Deutschen Gewerkschaftsbundes«, vom September 1951 findet den Roman zwar »zu eigenwillig, zu artistisch, zu sehr überwuchert von sprachlichen und ironischen Arabesken«. Dennoch »gebietet es der Respekt« vor dem »größte[n] Dichter deutscher Sprache« unter allen Umständen, »auf diesen Roman nachdrücklich hinzuweisen«. Das geschieht hier – allerdings mit dem Zusatz: »das Thema der blutschänderischen Geschwisterliebe mahnt zur Zurückhaltung bei der Einstellung in Betriebsbibliotheken.«[81]

81 Anonym: *Thomas Mann: »Der Erwählte«*. In: *Die Quelle*, 2. Jg., H. 9, September 1951, S. 511.

Ebenfalls aus einer gewerkschaftlich-sozialdemokratisch bestimmten Perspektive blickt ein erst im Dezember 1953 erschienener Beitrag auf Thomas Mann als »Dichter« und »Zeitgenossen« und schließt dabei ausdrücklich auch den *Erwählten* ein. In der Zürcher Zeitschrift *Der öffentliche Dienst*, dem Blatt des »Verbandes des Personals öffentlicher Dienste« (und im folgenden Jahr gleichlautend auch in der *Schweizerischen Beamten-Zeitung*), stellt Henri Cohén am 11. Dezember Thomas Mann in einer Weise vor, wie das in Deutschland um diese Zeit auch bei leidenschaftlichen Anhängern des Dichters kaum vorstellbar gewesen wäre: mit Ausschnitten aus den Radiosendungen *Deutsche Hörer!* über das Attentat auf Heydrich, über die Anfänge der systematischen Judenmorde, über das Kriegsende als »Götterdämmerung bei den Nazibrüdern«. Die politische Wandlung des vormals »Unpolitischen« zum Demokraten, zum Unterstützer Roosevelts und zum von McCarthy verfolgten demokratischen Sozialisten wird knapp und präzise nachgezeichnet; auch der *Faustus* und der *Erwählte* werden mit unpathetischer Sympathie gewürdigt.[82] Der Porträtierte selbst reagierte denn auch überrascht und erfreut. Im Tagebuch hält er am 12. Dezember 1953 fest:

> Großer Artikel über mich in »Öffentlicher Dienst«, Schweizer sozialistisches Blatt. Abdruck aus »Deutsche Hörer«. Überblick über mein Werk. Der »Erwählte« seltsamer Weise besonders gerühmt.

»Im Hause unseres himmlischen Vaters sind viele Wohnungen«: Katholische Rezeption in Westdeutschland

Die Frage, wie wohl kirchlich gebundene Katholiken den parodistischen Legenden- und Papstroman wahrnehmen würden, beschäftigt viele Kritiker mehr oder weniger beiläufig. Die dezi-

82 Henri Cohén: *Thomas Mann*. In: *Der öffentliche Dienst*, Jg. 46, Nr. 47, 11. 12. 1953.

diert katholische Rezeption, auf die hier ein gesonderter Blick geworfen werden soll,[83] fällt bemerkenswert vielstimmig aus. In einer kurzen und respektvollen (eine nicht auffindbare »eingehende Auseinandersetzung« ankündigenden) Besprechung in den jesuitischen *Stimmen der Zeit* fasst der Jesuitenpater W. Barzel S. J. die Konfliktlage pointiert zusammen: Thomas Manns Roman über »das Verhältnis von Sünde und Heiligkeit« habe Hartmanns Geschichte mit »reifer Meisterschaft der Form [...] auf Thomas-Mannisch neu erzählt«. Aber:

> Wer sich von dem ironisierenden Ton in der Behandlung ernster religiöser Ereignisse nicht abgestoßen fühlt (was wohl mehr eine Sache des Temperaments als der Weltanschauung ist), hat eine Lektüre vor sich, die Erschütterung und Genuß so zu vereinen weiß, daß das eine dem andern, so weit es geht, förderlich ist.[84]

Wie weit die Temperamente bei gemeinsamer weltanschaulicher Grundlage auseinandergehen können, zeigt der scharfe Kontrast zwischen dem Literaturkritiker Gotthard Montesi, der den *Erwählten* in *Wort und Wahrheit*, der katholischen Wiener »Monatsschrift für Religion und Kultur« bespricht (1. Halbjahr 1951),[85] und dem nur »o. h. f.« zeichnenden Rezensenten in der Wochenzeitung *Christ und Welt* am 16. August 1951.[86] Beide schreiben ausführlich und differenziert, und sie kommen zu genau entgegengesetzten Ergebnissen. Montesi findet im Roman »einige tiefe

83 Die Besprechung Horst Krügers (s. hier S. 198f.) ist zwar in einem katholischen Blatt erschienen, argumentiert aber nicht aus einer kirchlichen Perspektive; Ähnliches gilt für Michael Bechts Kritik an der Person des Autors im *Rheinischen Merkur* (s. hier S. 189). Für die explizit evangelische Rezeption vgl. hier die Bemerkungen zu Albrecht Goes (s. S. 215-218) und S. 205f.

84 W. Barzel S. J.: *Der Erwählte*. In: *Stimmen der Zeit*, 6/1951, S. 240.

85 Gotthard Montesi: [O. T.] In: *Wort und Wahrheit*, Jg. 6, 1. Halbjahr 1951, S. 380–382.

86 o. h. f.: *Thomas Mann – Zynismus und Anbetung*. In: *Christ und Welt*, Jg. 4, Nr. 33, 16. 8. 1951, S. 8.

und gute Sätze, die ohne inneres Begreifen der christlichen Lehre nicht hätten geschrieben werden können (etwa: ›Gott hatte unsre Sünde zu seiner Not gemacht‹)«, dennoch: »Thomas Mann hält sich die christlichen Gedanken, die ihm andringen mögen, sorgsam vom Leibe«, halte sich aber auch von allen anderen ideologischen und politischen Zeitbezügen fern und schaffe damit das Musterbeispiel einer verantwortungs- und haltungslosen »littérature dégagée«. Das tue er einerseits durch die Einführung des vermittelnden Erzählers Clemens, andererseits durch eine humor- und lieblose »saure Ironie«, die sich zeitweise der Blasphemie nähere. Der Roman sei »von modriger Lüsternheit« im Umgang nicht nur mit dem Sexuellen, sondern auch dem Heiligen; auch die subtilsten »Ausdrucksnuancen« vermöchten daran nichts zu ändern. Montesi legt Wert darauf, dass seine Einwände nicht auf den künstlerischen Rang des Werkes zielten, sondern allein auf die Einstellung des Autors; dabei beansprucht er, Thomas Mann an seinen eigenen impliziten Ansprüchen zu messen. »Wenn dem Autor wirklich zuerst und ernstlich (auch vor sich selber) der religiöse Gehalt seiner Fabel am Herzen läge – hätte dann der große Ökonom der künstlerischen Mittel nicht seine Akzente und Lichter anders verteilt?« Denn: »Es ist nicht zu leugnen, daß in diesem Buch Christliches verstanden wird. Aber die Ironie macht dieses Verstehen wieder unverbindlich. Der Autor hat sich zu nichts verpflichtet; er bleibt entscheidungslos.« So mündet diese Kritik in ein differenziertes Ergebnis. Einerseits hält Montesi ausdrücklich fest: »wir wollen die Wort- und Satzkunst Thomas Manns nicht verkleinern; sie macht auch das neue Buch zu einer immer amüsanten Lektüre. Überdies ist es spannend. Und die Gestalten *leben*, sogar wenn sie karikiert sind.« Andererseits endet er mit dem bemerkenswerten Satz: »dieser Roman ist Thomas Manns Versuchung durch das Christentum.«[87]

87 Dezidiert *konfessionelle* Aspekte kommen dabei nur hinsichtlich des Buß-Themas, dort aber mit Nachdruck in den Blick. Montesi hält Thomas Mann

Da kommt der Rezensent von *Christ und Welt*, im August, zu einem ganz anderen Schluss. Zwar mache es eine Ironie, die »zuweilen die Grenze des Gezierten, ja des Respektlosen streift«, zugegebenermaßen »schwierig, zum Kern der Sache durchzudringen. Es gibt aber einen solchen Kern, und wenn alles gesagt ist, was gegen das Buch und seinen Autor mit Recht gesagt werden kann, dann muß hiervon die Rede sein. Er heißt, gleichviel wie störend seine Einkleidung sein mag: Menschlichkeit.« Um das zu begründen, holt der Rezensent weit aus und blickt zurück auf Thomas Manns Lebenswerk: »Er hat, urbürgerlich wie er selbst ist, immer damit zu schaffen gehabt, nach den Kräften und Werten zu fragen, die jenseits des Bürgerlichen beheimatet sind. Er hat damit eine geistige Weite an den Tag gelegt, in der ihm nicht viele andere dieses Zeitalters gleichen.« Damit setzt er zu einer der entschiedensten und fundiertesten Lobreden an, die dem *Erwählten* überhaupt zuteilgeworden sind; die Ausnahmestellung dieser Rezension rechtfertigt ein ausführlicheres Zitat der zentralen Passagen:

> Es wäre unendlich viel über die ganz außerordentliche Brillanz dieses Buches zu sagen; über die stilistische Meisterschaft [...]; über die Feinheit der Ironie, die doch nie ernstlich verletzend wird; vor allem aber darüber, daß es weit und breit kein Gegenstück an überlegenem und subtilem Humor gibt, der so wie hier von wirklicher Aufgeschlossenheit und Güte getragen ist und der sich in dem unzweideutig angefügten happy end am deutlichsten ausspricht. Mit alledem wäre schon viel gesagt, aber noch nichts über das Entscheidende dieses Buches: über seinen geistesgeschichtlichen Ort.
>
> Es ist heute viel und rechtens von der »Verleiblichung« des christlichen Glaubens die Rede. Dem liegt das Gefühl zugrun-

ein »Unverständnis für die Buße« vor, das »aus lutherischer Geringschätzung der ›Werke‹ stammen« möge, »aus einer falschen ›Innerlichkeit‹, der die Reue allein genug erscheint« (eine angesichts der siebzehnjährigen Buße auf dem Stein etwas überraschende Deutung).

> de, daß es nicht gut und nicht richtig ist, wenn zwischen der Welt des Glaubens und seinen Gegenständen auf der einen und dem wirklichen Leben, das wir führen, auf der anderen Seite ein Abgrund der Verschiedenheit und Geschiedenheit klafft. [...] Thomas Mann [...] humanisiert das Heilige. Es ist verständlich, daß sehr viele Menschen an der besonderen Mannschen Art dieser Humanisierung, an dem Zwielichtigen, dem Ironischen, dem nie ganz Ernsten und dabei nie ganz Unernsten Anstoß nehmen. Aber dies Anstoßnehmen an der Art und Eigenart kann nicht das letzte Wort über die Sache selbst sein. Der Versuch der Humanisierung in diesem Buch ist ein geistesgeschichtlich nicht unbedeutendes Ereignis: Sakrale Geschichte, Legende also dichterisch zu ›entmythologisieren‹, auf ihren geistig sittlichen Kern zurückzuführen, Heiliges innerhalb (und nicht außerhalb) der Grenzen der humanen Denk- und Gefühlswelt auszudrücken.

Allerdings scheint dabei »gerade das, was Thomas Mann gewollt zu haben scheint: das Jenseitige, das Ungeheure und Unbegreifliche des Göttlichen in der Welt des Menschlichen faßbar zu machen, [...] nicht gelungen; nur ein subtil Menschliches ist zurückgeblieben.« Dieses Menschliche aber lasse »als Grundschicht etwas sehr Lauteres und Echtes zurück.« Dessen Darstellung sei

> ironisch und scheint manchmal etwas leichtfertig. Aber wer weiß eigentlich so genau, welche Sünde die schwerere ist: das Leichte und Ironische oder der säuerliche Ernst? Im Hause unseres himmlischen Vaters sind viele Wohnungen; eine davon ist sicherlich auch für den Urheber dieses bezaubernden »entmythologisierten« Gregorius bereit.

So endet die Rezension; ihr lässt der Rezensent noch eine der religiös heikelsten Passagen des Romans im Wortlaut folgen: *Die Offenbarung des Lammes.*[88] Vermutlich ist dies eine der christlichen

88 Die Überschrift der Besprechung – *Thomas Mann: Zynismus und Anbetung* – scheint nicht vom Verfasser, sondern von der Redaktion zu stammen; von

Rezensionen, über die sich Thomas Mann – nachdem wieder eine Sammel-Sendung von Bermann Fischer in Pacific Palisades eingetroffen ist – besonders freut: »Vom Verlag überraschend freundliche Besprechung des ›Erwählten‹ aus Deutschland. Sympathie christlicher Blätter.«[89]

Diese Sympathie verliert sich im Herbst 1951 mit einer zweiten Welle der katholischen Rezeption. Drei skeptische bis ablehnende Stellungnahmen erscheinen fast gleichzeitig im Oktober. Die abwägendste, an die Argumentationslinie von Montesi anschließende, stammt von dem kurz zuvor zum außerordentlichen Professor an der Philosophisch-Theologischen Hochschule in Passau ernannten Theologen Alois Winklhofer; sie erschien in der Tübinger *Universitas. Zeitschrift für Wissenschaft, Kunst und Literatur* und erörtert *Die Humanisierung des Mythos bei Thomas Mann* am Beispiel des *Erwählten*.[90] Winklhofer sieht den Legendenheiligen von vornherein »in sehr bedingte menschliche Kategorien gefangen, deren letzte nicht die Freud'sche Psychoanalyse ist« – sondern, so versucht er zu zeigen, die Feier einer Erzählkunst, die über ihre Mittel brillant verfüge, sich aber von jedem »Bekenntnis« fernhalte: »man kommt aus dem Staunen über soviel Sprachkunst nicht heraus; [...] freut sich an den Drehungen der Sätze und ist neugierig, wie sie zu liegen kommen: man hat Spaß an der Vielfalt der Sprachen [...]; sie ist ein virtuos gehandhabtes Stilmittel.« Dass dieses Stilmittel doch etwas mit einem Bekenntnis zu tun haben könnte, will Winklhofer nicht einleuchten; im Gegenteil sieht er Schuld und Sühne, Sünde und Gnade eingeschmolzen ins gleichermaßen bezaubernde und unverbindliche ästhetische Spiel:

> So sieht die »Humanisierung« des mittelalterlichen Mythos, der ehrwürdigen Legende, die Thomas Mann nacherzählt, aus.

»Zynismus« ist im Text nicht die Rede.

89 Tb. 26. 11. 1951.

90 Alois Winklhofer: *Die Humanisierung des Mythos bei Thomas Mann*. In: *Universitas*, Jg. 6, H. 10, Oktober 1951, S. 1079–1082.

> Da ist nichts von dem waltenden Geheimnis eingefangen, das die Legende noch hat; nichts bleibt davon, kein Schimmer, kein Hauch; und der Glanz, den dieses Buch hat, kommt nicht aus dem Wunder, sondern ist jener, der aus der Erzählergabe Thomas Manns kommt.

Die souverän eingesetzte »Ironie als seine Aussageform« enthalte »kein Bekenntnis zu dem Ironisierten«, sondern nur »Ausflucht, um sich einer ernsten Sache nicht stellen zu müssen, Vorwand, unter dem man sich einer Schuldigkeit entzieht.« Mit diesem dialektischen Argument endet Winklhofer: Gerade indem »Thomas Mann seiner selbstgesetzten literarischen Aufgabe großartig treu geblieben« sei, habe er »Wunder, Schuld, Erwählung und Buße [...] einfach zu literarischen Sujets erniedrigt [...], um daran die Kunst des Wortes zu üben.«

Sehr viel gröber greift Lutz Mackensen im selben Monat den Roman in *Die neue Ordnung* an, der katholischen »Zeitschrift für Religion, Kultur, Gesellschaft«.[91] Sein ausführlicher Artikel *Thomas Mann bearbeitet einen christlichen Stoff* orientiert sich allerdings eher an der alten als an einer neuen Ordnung. Mackensen, seit 1935 Professor für Volkskunde und bis 1945 unter anderem im besetzten Polen propagandistischer Vorkämpfer eines nationalsozialistischen, ebenso antipolnischen wie antisemitischen Deutschtums, erscheint hier geradezu als Prototyp des penetrant christlich-abendländisch gewendeten Kulturkonservativen, der davon, wie sich in »unserer Zeit die Frage der Schuld und ihrer Überwindung« stelle, so spricht, als habe diese Frage nichts mit ihm zu tun. Nicht mit Deutschland hat sie hier zu tun, sondern vielmehr mit »Amerika, des gefeierten Schriftstellers Wahlheimat«, wo dieser Roman soeben »zum ›Buch des Monats‹ August [richtig: *September*] erkoren« worden sei. Gelöst von der »bange[n] Frage« Hartmanns von Aue (den er »Hartmann von Quaz« nennt)

91 Lutz Mackensen: *Thomas Mann bearbeitet einen christlichen Stoff*. In: *Die neue Ordnung*, Jg. 5, H. 5, Oktober 1951, S. 465–469.

»nach dem Verhältnis von Schuld und Gnade«, bleibe bei Thomas Mann nur »eine groteske Kette greller Scheußlichkeiten und unwirklicher Übertreibungen, mehr lächerlich als ergreifend«; »was übrigbleibt, steht ohne Bindung, steht unverbunden und unverbindlich in der Kette der Geschehnisse.« Gerade die Komik von Thomas Manns Sprachwitz zerstöre den christlichen Kern: »wenn das ›christlich‹ ist und ›geglaubt‹ werden soll, ist nichts mehr ernst zu nehmen.« Auf diesem Weg kommt Mackensen zu einem wahrhaft atemberaubenden Schluss seiner Besprechung. Im Blick auf Thomas Manns Roman und seinen Ruhm in Amerika zitiert er im letzten Satz das Vaterunser; der Exilschriftsteller wird dem bewährten nationalsozialistischen Volksgenossen buchstäblich zum Leibhaftigen: »Es gibt wenige Beispiele, die so erschütternd die Zerrüttung unseres Denkens beweisen, wie dieses Buch und seine Wirkung. *Et libera nos a malo!*«

In einer gänzlich anderen Tonlage kritisiert der katholische Dichter Reinhold Schneider am 20. Oktober 1951 in der Zeitung *Die österreichische Furche.*[92] Schneider, mutiger NS-Gegner, Pazifist und deshalb nun auch mit seiner Kirche im Konflikt, erkennt in Thomas Manns Bearbeitung des »alten Gedichts von der gewaltigen Macht der Buße und abgründig-göttlicher Führung« die Darstellung von »aus einfühlendem Wissen gestalteten Formen glüh[end] verzehrende[r] Sinnenlust«, im Inzest die »letzte Form satanischer Selbstliebe« und in der Geschichte Gregors den religiösen Kern, in dem »die Sünde die Gnade gewissermaßen herausfordert, Gnade zunächst als Buße« und dann als »Erwählung [...] über alle Vernunft«. Sein Einwand gilt dem fehlenden »Takt und Ernst des Erzählers«. Als Gegenbeispiel führt er ebenjenes Werk an, das (was Schneider nicht wissen konnte) Thomas Mann selbst in den Anfängen der Arbeit als Modell vorgeschwebt hatte:

Flaubert hat in den »Trois Contes« Heiligengeschichten er-

92 Reinhold Schneider: *Ironie der Distanz.* In: *Die österreichische Furche,* 20. 10. 1951.

> zählt, ohne zu glauben, aber er hat sie in eine Form gefaßt, in der sie auch den Gläubigen erreichen, erschüttern. Das ist hier nicht geschehen, wohl auch nicht gewollt – es bleibt bei einem Widerspruch zwischen dem Ernst der Idee auf der einen Seite und der Artistik [...] auf der anderen.

In dieselbe Richtung zielt das abwägende Urteil des Literaturkritikers Curt Hohoff in der katholischen Zeitschrift *Hochland* zur Jahreswende 1951/52.[93] In einer Sammelrezension bespricht er den *Erwählten* mit respektvoller, aber unüberhörbarer Skepsis:

> Thomas Mann, seit dem Josephsroman auf dem Wege, den Schicksalsbegriff seiner Epoche am biblischen Gnaden- und lutherisch-zwinglianischen Erwählungsbegriff zu messen, hat in diesem Buch den ihm möglichen Beitrag zur Überwindung des theologischen Hohlraums gegeben. Seine Werkzeuge sind der blendende Stil, eine gelassene Charakterisierung der Figuren, ein wirkungsvoll gemeistertes kulturhistorisches Detail. Ein Schriftsteller seines Ranges kann da kaum kritisiert werden.

Aber eben auch nur »da«. Dem theologischen Anspruch seines Stoffes scheint Thomas Mann sich geradezu entziehen zu wollen. »Stofflich in der christlichen Welt, fallen dem Autor die christlichen Wendungen von selber zu«, aber er glaubt sie nicht: »Er *spielt* den Gläubigen, indem er mit Münzen zahlt, von denen er den Auguren zu verstehen geben möchte, daß sie längst außer Kurs sind.«

Das vorerst letzte Wort in den katholischen Debatten um den Legendenroman hat die dezidiert linkskatholische Schriftstellerin und Journalistin Vilma Sturm.[94] In der Januar-Ausgabe der *Europäischen Revue* 1952 verteidigt sie den *Erwählten* leidenschaftlich gegen alle, vor allem gegen die katholische Kritik.[95] In eine »lichte

93 Curt Hohoff: *Über neue Romane*. In: *Hochland*, Jg. 44, H. 2, 12/1951, S. 169–174.

94 Vilma Sturm: *Zweimal: ein Erwählter*. In: *Europäische Revue*, 1/1952.

95 Der erst im September 1953 in der katholischen Monatsschrift *Wort und Wahrheit* erscheinende Beitrag von Willy Stadler über *Thomas Manns Theologie*

und heitere Welt« führe Thomas Manns Roman »mit so unvergleichlicher Meisterschaft«, dass die entsetzensvolle Geschichte sich »höchst wunderbar um einige Mittelpunkte« ordne, in einer »Luft von gläserner Durchsichtigkeit [...], wohltemperiert und leicht zu atmen, in der sich auch die dumpfen Schwaden des Inzests zu gnadebeschienenen Wölkchen auflösen«. Gegen die »Stimmen, die behaupten, daß die Herzenseinfalt und Frömmigkeit des alten Stoffes durch Ironie und Raffinement aufgelöst und zerstört sei«, besteht sie darauf, daß »der Legende kein Unrecht geschehen« sei. Erst »die feine Lasur« von Thomas Manns Ironie mache begreiflich,

> was es einmal mit der Buße auf sich hatte, mit der Zucht und Strenge, die einer gegen sich selber übte, und was mit der Gnade, die sich hier sozusagen augenzwinkernd vorstellt, lächelnd jedenfalls, – warum sollte sie nicht, da sie ja doch gratia heißt, Anmut, zu der das Lächeln gehört?

Weil sie anmutig ist, darum legt Vilma Sturm die Erzählung denen ans Herz, »die es mit dem Frommen ernst meinen.«

Ein bemerkenswertes Nachspiel zur katholischen Rezeption bringt das Jahr 1953. Eine Dankbarkeitsbekundung an einen katholischen Schweizer Leser, der brieflich von einem befreundeten frommen Thomas-Mann-Bewunderer berichtet hat, nutzt der Bewunderte zu einem Blick auf christliche Reaktionen auf seinen Roman:

> Ihren Brief[96] hat Golo mir übergeben. Es ist sehr hübsch von

anhand des *Erwählten* erfüllt den mit dieser Überschrift gesetzten Anspruch nicht; neben ausführlichen Inhaltsparaphrasen wiederholt er im Wesentlichen schon oft und mannigfach formulierte Einwände, mit dem voraussehbaren Ergebnis: »Diese mit immensem Aufwand an Fleiß bewerkstelligte Mache zeitigt doch nur den Endeffekt einer schaurig-schrulligen Leere.« (Willy Stadler: *Thomas Manns Theologie*. In: *Wort und Wahrheit*, Jg. 8, Sept. 1953, S. 686–691)

96 Brief Rudolf Jakob Humms an Golo Mann vom 11. 11. 1953 (Kopie im TMA).

Ihnen, daß Sie mir für sich selbst, der Sie vor meinem Werk in permanenter »Schachmattigkeit« verharren, diesen liebenswürdigen Katholiken[97] als Ersatzmann stellen. Die Nachricht von der Anteilnahme des frommen und freien Mannes kommt mir nicht so überraschend, wie Sie denken. Seit dem »Joseph«, dem »Faustus«, dem »Erwählten« hat mancher, sogar beamtete Theologe, katholischer wie protestantischer Konfession, mir ein ähnliches Interesse bekundet, und als die Krönung dieser Erfahrungen lasse ich mir gern das Gespräch unter vier Augen mit Pius XII[98] vom letzten Frühjahr erscheinen. Er wollte meine Hand garnicht loslassen. [...]

Grüßen Sie den Ersatzmann! Seine Freude bewegt mich. Ich habe oft selbst Freude gehabt beim Arbeiten, bin betrübt, wenn andere unvermögend sind, sie zu teilen und desto froher über jedes Vermögen, es zu tun.[99]

97 Leonard von Matt, Sohn des Landammanns von Nidwalden; Fotograf; Autor von zahlreichen Bildbänden. – Rudolf Jakob Humm hatte an Golo Mann geschrieben: »Dieser so heilige kleine Mann und obendrein Ritter vom hl. Stuhl ist ein solcher Bewunderer von Thomas Mann, wie ich keinen anderen kenne. [...] Sie können sich nicht vorstellen, welchen Spaß ihm Ihres Vaters heikles Papstbuch machte [...]. Und ebenso begeistert ist er von seinem letzten und heikelsten, der ›Betrogenen‹; wovor ich, aufrichtig gesagt, schachmatt stehe. Als ich ihn neulich wieder so schwärmen hörte [...] sagte ich ihm [...]: Wenn du, der du in deinem katholischen Glauben hausest wie in einem alten Schrank, deine Flügeltüren so weit aufmachen kannst, daß du Thomas Mann kapierst, so ist das erstens wunderbar für dich und den Katholizismus, aber zweitens auch wunderbar für Thomas Mann. Vermutlich ist auch er ein Schrank, von dem wir nur die Flügeltüren sehen. Ich möchte nur gern wissen, was für ein Glaube in diesem Schrank verstaut ist. Ich sehe keinen, aber einer muß es ja sein. Und wir orakelten dann über den Inhalt des Thomas Mannschen Schrankes, ohne freilich zu einem Ergebnis zu kommen [...]« (DüD III, 429, FN 331).

98 Thomas Mann war am 29. April 1953 von Papst Pius XII. empfangen worden (vgl. Br. III, 294f.).

99 Thomas Mann an Rudolf Jakob Humm, 21. 11. 1953; Br. III, 314f.

»ohne sozialen Nutzen«: DDR-Rezeption

Schon vor dem Abschluss des Manuskripts befürchtet Thomas Mann, trotz der erkennbaren Bemühungen der SBZ um ihn, für den *Erwählten* Schlimmstes. An Heinz Politzer schreibt er am 3. Dezember 1948 (da steht erst das IX. Kapitel vor dem Abschluss): »›dekadenter, volksfremder Formalismus‹ ist es natürlich wieder.«[100] Als sich dann nach der Veröffentlichung abzeichnet, dass die östlichen Freunde den Roman gar nicht erst erscheinen lassen werden, erklärt Thomas Mann gegenüber Ida Herz am 10. September 1951, er sei eigentlich »nicht besonders verzweifelt darüber [...], daß das Buch in Ost-Europa wegen Volksfremdheit, Formalismus und Katholizismus verboten ist.«[101]

In der Tat kann von einer eigentlichen *Rezeption* des *Erwählten* in der DDR nur sehr begrenzt die Rede sein. Besprochen wurde er nur als eine westdeutsche und amerikanische Veröffentlichung (und damit von vornherein im Kontext des Kalten Krieges), in der DDR selbst erschien er erst mit vierunddreißigjähriger Verspätung 1985. Streng genommen sind hier deshalb nur drei Beiträge zu nennen. Der erste ist von bezeichnender Kürze und Beiläufigkeit. In der September-Ausgabe der (nicht mit der gleichnamigen New Yorker Exilzeitung zu verwechselnden) (Ost-)Berliner Kulturzeitschrift *Aufbau* erwähnt Stephan Hermlin in Tagebuchaufzeichnungen über die erste Juliwoche 1951 (mit dem Zürcher PEN-Kongress) den Roman als Reiselektüre:

> Im Zug Thomas Manns »Erwählten« zu Ende gelesen. Bei aller Verehrung für einen großen, sehr großen Schriftsteller, fragt man sich: Was soll das? Vielleicht ein notwendiges Spaßhaftes, ein Ausruhen zwischen zwei großen Blöcken. Wie wird, nach dem »Faustus«, der nächste heißen?[102]

100 Reg 48/653. Ähnlich an Gottfried Bermann Fischer am 17. Dezember 1950: »Bei meinen östlichen Freunden wird das Ding eine schlechte Presse haben, denn formalistischer und volksfremder kann man wohl nicht sein.« (TM/GBF, 564)

101 DüD III, 401.

So kurz diese enttäuschte Bemerkung ausfällt, so nachdrücklich beruft sich drei Monate später am selben Ort Heinz Lüdecke auf sie[103]:

> Das Buch, das durch die Abseitigkeit seines Stoffes und die Seltsamkeit seiner Sprache befremdet, fordert von seinen Lesern viel Verständniswillen und kann leicht mißdeutet werden. Charakteristisch für die – wenn auch achtungsvollen – Vorbehalte, mit denen es im demokratischen Deutschland aufgenommen wird, ist eine Anmerkung Stephan Hermlins [...].

Im unerschütterlichen Bemühen, den abseitigen Roman für das »demokratische Deutschland« zu retten, deutet Lüdecke ihn als antikapitalistische Parabel – was ihm, wie er am Ende seiner Inhaltsangabe bemerkt, nicht ganz leichtfällt: »Der Rezensent gesteht, daß es ihm ebenfalls kein Kleines war, die zum Verständnis nötige Wiedergabe so absurder und entlegener Dinge gehörig anzuordnen und im Zaum der gebotenen Kürze zu halten.« Und nicht anders als den rechtskonservativen Kritikern ist auch ihm der Umstand ein Stein des Anstoßes, dass der Roman in Amerika im September als »Book of the Month« geehrt wurde:

> In den USA machte die maßgebende kapitalistische Buchhändlerorganisation den »Erwählten« nach dem Erscheinen der englisch-amerikanischen Übersetzung zum »Buch des Monats«; die an die Präraffaeliten erinnernde Mischung aus mystischer Katholizität und erotischer Pikanterie, der eigenartige Hautgout der Gregorius-Legende gewährleistet ein gutes Geschäft. Thomas Mann hat mit solchen Besprechungen nichts gemein, aber auch er, der große Gestalter des Überreifen und der Endzustände, ist vom Fäulnisaroma des Stoffes angezogen worden –

102 Stephan Hermlin: *Deutsches Tagebuch in Ost und West.* In: *Aufbau. Kulturpolitische Monatsschrift mit literarischen Beiträgen*, Jg. 7, H. 9, Sept. 1951, S. 836–844, hier: S. 836. Die Annahme, der Roman bedeute nur ein Ausruhen nach dem *Faustus*, ist ein weitverbreiteter Topos der Rezensionen.

103 Heinz Lüdecke: *Erwähltheit und Bewährung.* In: *Aufbau*, Jg. 7, H. 12, Dez. 1951, S. 1081–1086.

hat also mit »solchen Besprechungen« leider doch einiges gemein. Aber, und damit setzt der Rezensent zu seiner eigenen Deutung an, Thomas Mann nutzt die »Gelegenheit, die Zerrüttung und Verbiegung der menschlichen Beziehungen in der Sphäre des sterbenden, parasitär gewordenen Kapitalismus an einer legendären Parallele zu zeigen«; in seiner Erzählung von der »individualistische[n] Hybris« des Inzest, also

> vom stockenden, auf der Stelle tretenden Leben und von den Grenzen, die der teuflischen Verwirrung gesetzt sind, ist Thomas Manns Erkenntnis verschlüsselt, daß das bürgerliche Zeitalter sein Ende erreicht hat und daß der bürgerliche Mensch, sofern er sich nicht der werdenden neuen Ordnung anschließt, nur noch Verderbnis und Widersinn zu zeugen vermag.

Auch dieses resolute Entschlüsselungsbemühen allerdings reichte nicht hin, dem Roman zur Veröffentlichung in der DDR zu verhelfen – zumal Lüdecke selbst am Ende doch wieder Zweifel kommen, ob dem *Erwählten* mit seinem versöhnlichen Schluss nicht »die klare Härte der Entscheidung« fehle; untröstlich bleibt sein Stoßseufzer über den heiligen Helden: »Seine Buße auf der Felseninsel bleibt passiv und ohne sozialen Nutzen.«

Angesichts dieser Verteidigung ist es begreiflich, dass Thomas Mann, der sich in Westdeutschland wegen seiner vermeintlichen Nähe zur DDR angefeindet sah, mit Erleichterung das Interesse des jungen (Ost-)Berliner Germanisten Eberhard Hilscher zur Kenntnis nahm, der sich Ende Oktober 1951 mit einer Reihe von Fragen für seine entstehende Dissertation an den bewunderten Verfasser wandte. Mit einer in den Auseinandersetzungen um diesen Roman beispiellosen Eindringlichkeit und Ausdauer bemüht er sich, diese einzige Gelegenheit zu einer Erklärung seines Romans gegenüber einem jungen Menschen aus dem sozialistischen Deutschland zu nutzen. »[...] versuchte an den Ostdeutschen Hilscher über den Erwählten zu schreiben.« »Brief an den jungen Literarhistoriker Hilscher über den ›Erwählten‹, unfertig.«

Schließlich: »Schrieb den Groß-Brief an Hilscher (Berlin O) zu Ende.«[104] Nach zweitägiger Arbeit schließt er den (auf den 3. November 1951 datierten) Groß-Brief ab. Es ist einer der ausführlichsten Selbstkommentare geworden, die er zu diesem Roman überhaupt verfasste, und zugleich Ausdruck seines Bemühens um eine ostdeutsche Rezeption; er ist in diesem Kommentar deshalb in Materialien und Dokumente (S. 495-498) nachzulesen. Angesichts seines beträchtlichen Umfangs fügt Thomas Mann am Ende sorgenvoll hinzu:

> Der Brief hier gibt mir einigen Grund, mich zu schämen: wenn ich nämlich bedenke, daß Tolstoi, als ein junger Franzose ihn um Rat und Zuspruch gebeten, ihm einen Traktat von 20 Seiten über Gott und die wahre Gesellschaft schrieb. Und ich habe Ihnen nur über den »Erwählten« geschrieben, obgleich ich doch sehr wohl weiß, daß Sie mich einzig und allein im Hinblick auf die wahre Gesellschaft und seine Beziehungen zu ihr über ihn befragt haben. Diese Beziehungen sind locker, das gebe ich zu. Die Geschichte selbst hat ja etwas so Lockeres, daß ein deutscher Kritiker schreiben konnte, ich stellte mich darin mit Gott auf den »Neckfuß«.[105] Nun, mit Goethe habe ich mich auch schon auf den Neckfuß gestellt, – warum nicht gleich mit dem lieben Gott? Ich bin überzeugt, daß Er Spaß versteht; Er hätte sonst die Künstler-Kreatur überhaupt nicht ins Leben gerufen. Daß die eine zweideutige Kreation ist, darüber habe gerade ich mich früh und spät ergangen. Aber irgendwie ist sie geistverbunden und, der Schlechtigkeit spottend, die Dummheit unterminierend, zielt sie schließlich doch auch auf die wahre Gesellschaft [...].[106]

Was das Verhältnis seines Romans zur »wahren Gesellschaft« betrifft, ergänzt Thomas Mann in einem weiteren Brief »an den besorgten E. Hilscher in Berlin«[107] am 20. Februar 1952:

104 Tb. 1., 3. und 4. 11. 1951.
105 Behl, vgl. hier S. 199. 106 DüD III, 409. 107 Tb. 19. 2. 1952.

> Ob das Resultat der Gesellschaft nützlich ist, weiß ich nicht. Daß es etwas mit Humanität zu tun hat, läßt sich behaupten. [...] Ich müßte mich ganz und gar verschrieben haben, wenn nicht auch dieses Buch mein Grundverhältnis zum Sein und zum Leben ausdrückte: Sympathie.[108]

Die – in Anbetracht der mittlerweile europaweiten Rezeption seines Romans auffallende – Aufmerksamkeit für Hilschers Dissertation intensiviert sich noch einmal nach deren Abschluss vier Monate später; Hilscher schickt ihm das hundertseitige Werk zum 77. Geburtstag zu, mit einer ins hektographierte Exemplar getippten und in einem Begleitbrief handschriftlich wiederholten Widmung. In einem selbstbewussten, manchmal polemisch forschen Tonfall erörtert diese Studie nicht nur Stoffgeschichte, Quellenlage und Thomas Manns Adaptation –, sondern kommt auch auf die Kritik des Romans in Ost und West zu sprechen, von Sieburgs »Sackgasse« bis zu Hermlins wegwerfender Geste:

> Man fragt sich nun, was denn um Gotteswillen einen Dichter des 20. Jahrhunderts dazu bewegen könnte, diese so lange außer Kurs gesetzte Münze wieder frisch zu polieren. Hat sie sich nicht im »geisteswissenschaftlichen Museum« mit ihrem grauen Überzug so hübsch würdig, aber eigentlich nur für die Wissenschaft interessant ausgenommen? Wie kann man nur so geschmacklos sein, und in unserem so hoch kultivierten Säkulum, das vom Dichter Hilfen für seine Zeitfragen wünscht, eine so abgestandene Geschichte erzählen! – Dies ist die Meinung der meisten Kritiker. Stephan Hermlin z. B. möchte über den »Erwählten« am liebsten hinwegsehen. Der »Faustus« – ja, das war etwas! [...] Dem Herrn Lüdecke gar sträubt sich schon die Feder allein bei der zu einer Rezension nötigen inhaltlichen »Wiedergabe so absurder und entlegener Dinge«, weshalb er Thomas Mann denn auch eine »ernsteste Prüfung« seiner Kunstauffassung empfiehlt. – Platz jetzt, ein westdeut-

108 DüD III, 415.

scher Professor kommt [*gemeint ist Alois Winklhofer*]! Und der Urteilsspruch lautet – mit bedauerndem Achselzucken: »Ausflucht, um sich einer ernsten Sache nicht stellen zu müssen.«[109]

Hilschers eigene Untersuchung, in der auch aus den Briefen Thomas Manns an ihn zitiert wird, setzt bei der »*Würdigung des Sprachkunstwerkes*« an, ehe er sich dem »*Ideengehalt*« zuwendet;[110] und seine Pointe besagt, dass das eine im anderen enthalten ist. Ausdrücklich gegen die Kritik Winklhofers (s. hier S. 234f.) verteidigt er Thomas Manns Auffassung, dass »der wahre Dichter immer sich selbst aussagen wird« und dass er das am freiesten in der Formkunst seiner Sprache selbst tue:

> Die Bedeutung des rein-Sprachlichen kann, meiner Meinung nach, nicht hoch genug eingeschätzt werden. Innere Erlebnisse und Konflikte haben alle Menschen in ähnlicher Weise wie der Dichter [...]; die klassische Formgebung, die das brennende Anliegen erst zum Kunstwerk macht, gelingt jedoch nur den Erwählten.[111]

Thomas Mann las das mit Genugtuung. Tagebuch, 9. Juni 1952: »Las abends interessiert in der philolog. Studie über den ›Erwählten‹ von E. Hilscher.« Zwei Tage später schreibt er ihm einen weiteren, emphatischen Brief:

> große Brief-Überschwemmung gibt es hier, die Wasser gehen mir fast über den Mund, aber ich will Ihnen doch gleich, so gut es geht, recht herzlich danken für Ihren schönen Geburtstagsbrief und zusammen damit für Ihr Geburtstags*geschenk*, die Dissertation über den »Erwählten«, für die ich Ihnen gleich den Doctor summa cum laude geben würde. Ich habe viel Freude daran gehabt, besonders da ich sonst über das freilich wunderliche Produkt nicht viel Verständiges zu lesen bekommen habe. Es ist eine ganz vorzügliche Arbeit, gelehrt, allen akademisch-philologischen Forderungen durchaus entsprechend und da-

109 Hilscher 1952, S. 11f. 110 Ebd., S. 21 und 35. 111 Ebd., S. 35f.

> bei von so warmer, herzlich entgegenkommender Empfänglichkeit, so freundwilligem und intelligentem Eingehen auf die Absichten des kleinen Werkes, wie man es von verdrossenen Berufskritikern höchst selten erfährt, sondern eben nur von einer Jugend, die sich noch frisch entzücken kann. Denn, unter uns, es ist wirklich manches Entzückende an der Geschichte, mögen auch meine Neubegierde und mein Hang zu Sprachscherzen unerlaubte Purzelbäume darin schlagen. Warum soll ich das nicht sagen, der ich bis ins hohe Alter das Entzücken, den bewundernden Aufblick, die Liebe nie verlernt habe.[112]

Diese Wendung findet sich unter allen erhaltenen Kommentaren zur Rezeption seines Romans nur hier. Allein Eberhard Hilschers Dissertation, dieses Zeugnis für die Möglichkeit einer »freundwilligen und intelligenten« Lektüre des *Erwählten* in der DDR, erlaubt ihm wieder, was die übrige Rezeption ihn schon fast wieder hatte vergessen lassen: den Respekt, das Entzücken, den bewundernden Aufblick zu seinem eigenen Werk.

»Entzücken und Entsetzen«: Rezeption in deutschsprachigen Exil-Zeitungen

In ganz anderen Tonfällen als in den führenden Zeitungen Westdeutschlands, Österreichs und der Schweiz wird der *Erwählte* in den Zeitungen deutschsprachiger Emigranten besprochen. Schon über die Zürcher Lesung aus dem noch unvollendeten Roman am 15. Juni 1950 berichtet der von jüdischen Emigranten gegründete New Yorker *Aufbau* mit freudiger Neugier.[113] Als ein »weises Märchen« sei die neu erzählte Geschichte an diesem Abend »erblüht«; mit »ehrfürchtiger Gewitztheit« erzähle Clemens sie. Es sei denk-

112 DüD III, 423.

113 O. K.: *Thomas Manns neuer Roman: Ein weises Märchen.* In: *Aufbau*, 11. 8. 1950, S. 8.

bar, dass sich hier ein »zukünftiges ›Lieblingsbuch‹ vorbereitet«. Als ebendieses bespricht dann kurz nach dem Erscheinen der deutschen Ausgabe Heinrich Eduard Jacob den Roman im Jahr darauf am 27. April:[114] als ein Buch Thomas Manns, »das selbst in seinem reichen Lebenswerk unvergleichlich dasteht. Ein Buch, in dem Weisheit, Kraft und Frömmigkeit zu Tische sitzen; alle aber werden von der Schalkheit als Magd bedient.« So verwandle Thomas Mann »die Greuel« der mittelalterlichen Legende in eine neue Zuversicht: »Gott aber beschliesst *Gnade.*« Der Rezensierte freute sich, wie er dem Rezensenten am 1. Mai schrieb, »herzlich Ihrer schönen Empfänglichkeit für das kleine Werk und der Ehre, die Sie ihm erweisen. Wie anders lautet das, als die matten, scheelblickenden, hämischen und doch den eigentlichen Verriss nicht recht riskierenden deutschen Anzeigen des Buches«, und verglich Jacobs Lob mit demjenigen von Albrecht Goes.[115]

Als ein Werk der Liebe lesen auch Gerty Agoston und Julius Bab in einer der ältesten deutschsprachigen Zeitungen Amerikas den *Erwählten.* Agoston feiert in der *Staats-Zeitung und Herold* am 13. Mai den Roman als ein einzigartiges Kunstwerk[116]:

> Was uns der irische Mönch Clemens berichtet [...]: das ist kein Prosawerk und kein Gedicht, das ist in Worte gegossene Musik. Der unerschöpfliche Born des leuchtenden, nicht schillernden [...] Wunders, das Thomas Mann heißt, brachte ein zauberisches Ding hervor, das entzückt und entsetzt und im Entzükken und Entsetzen: erhebt.[117]

114 Heinrich Eduard Jacob: *Thomas Manns neuestes Werk.* In: *Aufbau*, Jg. 17, H. 17, 27. 4. 1951, S. 11.

115 Thomas Mann an Heinrich Eduard Jacob, 1. 5. 1951; Reg. N 51/1.

116 Gerty Agoston: *Der unerschöpfliche Born.* In: *Staats-Zeitung und Herold*, 13. 5. 1951, Sonntagsbeilage, S. 6C.

117 Diese Formulierung erheiterte den so Beschriebenen. Thomas Mann an Erika Mann am 20. Mai 1951: »Die N.Y. Staatszeitung hat aus Versehen über den Gregorius einen *Hymnus* von einer gewissen Gerty Agoston (ich weiß nicht, der Name kommt mir bekannt vor) gebracht unter dem Titel ›Der unerschöpfliche Born‹. Das bin nämlich ich.« (Br. III, 207)

Wo die nationalkonservativen deutschen Kritiker auflösende Ironie am Werk sahen, bemerkt Agoston »wärmsten, gütigsten, diskretesten Humor«; wo die DDR-Kritik spätbürgerliche Fäulnis spürte, stehen hier Sünder und Büßer »im Licht des Allesbegreifens«; und nicht in eine Sackgasse verrannt erscheint der alte Thomas Mann hier, sondern als »der ewigjüngste aller Dichter«.

Julius Babs lange Besprechung in derselben Zeitung vom 20. Mai 1951 lässt »kein[en] Zweifel an dem tiefen Gefühl, das der Erzähler ›nicht für die Sünde, aber für die Sünder‹ hegt«.[118] Und er bemerkt als einziger Rezensent, dass dieses Gefühl nicht allein den menschlichen Figuren des Romans gilt: »der Erzähler erstreckt seine Liebe auch aufs Getier – da ist der gute Hund Hanegiff, der zwischen den Geschwistern schläft – [...] und das liebe Pferd Sturmi, das dem Gregor zu seinem verhängnisvollen Sieg über den Feind der schönen Sibylla (seiner unerkannten Mutter) hilft«; da ist eine theologisch wie menschlich (und für die Tiere) sensible, »neuschöpferische Phantasie, die die völlig alte Fabel völlig neu macht.«

In einem Brief vom 30. Mai dankt Thomas Mann dem alten Vertrauten »für Ihre kluge, ruhige Betrachtung des ›Erwählten‹! Ist ja alles Mögliche, daß die New Yorker Zeitung für Staats- und gelehrte Sachen gleich *zwei* Artikel über das Buch gebracht hat.«[119]

Wie im nord-, so wird auch im südamerikanischen Exil der *Erwählte* wahrgenommen, wenn auch mit deutlich gemischteren Gefühlen. Karl L. Mayer setzt dabei in seiner ausführlichen Besprechung im *Argentinischen Tageblatt* vom 8. Juli 1951 bei dem »Lärm« ein, den Thomas Manns »Haltung gegenüber den politischen Auseinandersetzungen der Zeit hervorgerufen hat und nach jeder seiner Meinungsäusserungen immer von neuem hervorzurufen pflegt«. Dass der Schriftsteller dennoch »nicht in resignierender Altersmüdigkeit verstummt« sei, zeige sein neuer

118 Julius Bab: *Thomas Manns Legendenroman.* In: *Staats-Zeitung und Herold*, 20. 5. 1951.
119 Br. III, 208.

Roman – auch wenn er, als »eine Art Gegenstück oder Seitenstück zum Faustus«, doch nur ein Nebenwerk bleibe. Zwar habe er das Zeug zu einem »Fest der Erzählung«, allerdings vertrage sich die »ironiegesättigte Fantasie des Dichters [...] nicht immer mit dem Legendären«. Am Ende überwiegt eine »Lust am Erzählen«, mit deren »Zeitnähe« es allerdings leider »nicht weit her ist«.[120]

In der in Tel Aviv von mitteleuropäischen Einwanderern gegründeten linksliberalen Zeitschrift *Hakidmah* bewundert Schalom Ben-Chorin an Thomas Manns Roman zuerst eine »Sprache, die noch kunstvoller, noch artistischer ist, als alles, was wir bislang von ihm vor Augen bekamen (... und das will etwas heissen!). Es ist *die* Sprache schlechthin – nicht mehr *eine* Sprache, die hier spricht.« Nicht weniger aber bewundert er die Erlösung der »Sünden-« durch die »Gnadenliebe«, die »nicht einfach-feierlich« erzählt werde, sondern mit »Humor und jener Ironie [...], die den Dingen auf den Grund geht und im Zwielicht ihrer fromm getarnten Skepsis die Fraglichkeit aller irdisch-natürlichen Wohlanständigkeit aufdämmern lässt.« So gelinge es dem überaus kunstreichen Buch, »auf Goldgrund ein Heiligenbild zu malen, das wiederum so menschlich ist«.[121]

Nicht weit entfernt von Ben-Chorin nimmt Alice Schwarz am 27. Juli 1951 in der deutschsprachigen israelischen Zeitung *Yedioth Hayom* den Verriss des *Erwählten* in der Zürcher *Weltwoche* (s. hier S. 197f.) zum Anlass einer ausführlichen Besprechung.[122] Sie setzt mit einem ausdrücklichen Protest gegen diese Kritik ein, die sie als exemplarisch dafür liest, wie beharrlich »dieser groesste leben-

120 Karl L. Mayer: *Ein Fest der Erzählung*. In: *Hüben und Drüben*, Beilage zu *Argentinisches Tageblatt*, Nr. 17927, 8.7.1951. Thomas Mann dankt dem Verfasser am 12. August 1951 höflich. Aus Salzburg an Karl Mayer: »Ihre freundlichen Zeilen und die Besprechung des ›Erwählten‹ aus dem ›Argentinischen Tageblatt‹ sind mir hierher gefolgt« (DüD III, 398).

121 Schalom Ben-Chorin: *Der Erwählte*. In: *Hakidmah*, 13.7.1951, S. 8.

122 Alice Schwarz: *Thomas Mann, die Deutschen und Israel*. In: *Yedioth Hayom*, 27.7.1951.

de Schriftsteller« im deutschen Sprachraum »missverstanden« werde. Über *Thomas Mann, die Deutschen und Israel* schreibt sie, über den *Faustus* als den »tragische[n] Abgesang des deutschen Hochmuts« und über die Inzest-Erzählung vom *Erwählten* als »Symbol fuer die Suende des Hochmuts«. Hier erweise sich »das alte Thomas-Mann-Problem« als »auch das Problem des deutschen Volkes«; wenn dem Sünder »der Weg zur Erloesung [...] durch eine ausserordentliche Busse« gezeigt werde, dann sei das aller Travestie zum Trotz »bitter ernst und durchaus dringlich gemeint«. Und in einer überraschenden Wendung erwägt sie, ob nicht der so gelesene Roman »auch auf das Schicksal unseres Volkes in manchen Belangen zutrifft. Vielleicht hat Thomas Mann uns gar nicht gemeint, – obwohl es ihm zuzutrauen waere. Er weiss Bescheid.« Als mahnende Geschichte über die Gefährdungen eines nationalen Exzeptionalismus stehe der *Erwählte* neben dem *Joseph*, der »in der dunkelsten Zeit des deutschen Volkes [...] auch eine Art verkappte Sympathie-Erklaerung an Israel« gewesen sei.

Dem Vater der Rezensentin, Emanuel Schwarz, der ihm diesen Artikel geschickt hatte, sendet Thomas Mann am 5. September 1951

> für Ihre Sendung schönsten Dank. Der Artikel ist außerordentlich anziehend und mit wohltuender Klugheit geschrieben, und ich bitte Sie, der Verfasserin den Ausdruck meiner aufrichtigen Erkenntlichkeit zu übermitteln. Ich gestehe, daß ich diesmal weder an Deutsche noch Juden habe denken wollen und einfach *erzählt* habe. Aber wer kann wissen, was ihn insgeheim zu einem Stoffe zieht? So mag Ihre Tochter mit ihrer Auslegung dennoch recht haben. Jedenfalls hat sie recht damit, daß die Geschichte es, unter hundert Späßen, mit der Idee von Sünde und Gnade durchaus ernst meint.[123]

123 DüD III, 400. Die erste neuhebräische Übersetzung erscheint erst 1962.

»Alleluia on a toy trumpet«: Rezeption in den USA und Großbritannien

Nach den streckenweise wüsten Angriffen aus dem deutschen Sprachraum setzte Thomas Mann seine Hoffnungen auf die amerikanische und britische Rezeption. »Nun, ich denke«, schrieb er am 19. Juni 1951 an die in England lebende Vertraute Ida Herz, »die englische Ausgabe wird eine kritisch ausgeglichenere Aufnahme finden.«[124] Diese Hoffnung erfüllte sich nicht.

Dabei ist der Anfang vielversprechend. Bereits im Mai 1951 hat Thomas Mann erleichtert auf die Versicherung seines amerikanischen Verlegers reagiert, dass sein Text in der Übersetzung nichts an Witz und Glanz verloren habe: »Die englische Uebersetzung scheint, bei allem, was notwendigerweise hat unter den Tisch fallen müssen, überraschend gelungen zu sein,[125] denn Knopf schrieb mir darüber: ›I found the book utterly entrancing. As sheer narrative it seems to me to be perhaps your best work.‹«[126]

Die englischsprachige Rezeption des *Erwählten* beginnt schon vor derjenigen des *Holy Sinner*. Helen T. Lowe-Porters Übersetzung kommt erst Ende August 1951 in die Buchhandlungen; eine erste, kurze Besprechung des deutschen *Erwählten* aber erscheint bereits am 27. April 1951 im Londoner *Times Literary Supplement*, und zwar in der Abteilung *Religious Books*.[127] Und sie lässt an »Dr.

124 Reg. 51/300; TMA.

125 Die Meinungen derjenigen Rezensenten, die (in hier nicht im Einzelnen zu referierenden Bemerkungen) auf Lowe-Porters Übersetzung eingehen, sind zwischen Lob und Kritik ziemlich symmetrisch geteilt.

126 Thomas Mann an Hermann Kesten, 23. 5. 1951; DüD III, 391. Vgl. Alfred Knopfs Brief vom 26. 3. 1951 (TMA; Tb. 1951–52, 404). Vgl. im eben zitierten Brief an Ida Herz vom 19. Juni 1951 die Bemerkung: »Die Uebersetzung (ich habe sie noch nicht gesehen) scheint sehr gut zu sein, denn wer sie kennt, ist entzückt, vor allem Knopf selbst und sein Stab, dazu der Book of the Month Club, der das Buch zu seiner September-Wahl gemacht hat – natürlich eine grosse Annehmlichkeit.« (Reg. 51/300; TMA)

127 [Eliza Marian Butler:] *View of the alcove*. In: *Times Literary Supplement*, Jg. 50, Nr. 2569, 27. 4. 1951, S. 257.

Mann's highly sophisticated version« der alten Geschichte kein gutes Haar, so wenig wie an ihrem Vorgänger: Allzu *sophisticated* sei sie geraten, in ihrem »pseudo-chronicle style« ein komplett gescheiterter Versuch, »a failure«. Nach dem ähnlich verfahrenden »highly questionable *Doktor Faustus*« entfalte das ganze geistreiche Spiel nur eine kalte Pracht, auf Kosten des ehrwürdigen und wehrlosen Stoffes:

> Dr. Thomas Mann's latest novel, *Der Erwählte*, proves (if proof were needed after his *Doktor Faustus* in modern dress) that it is just as impossible to revive medieval legends in modern times as to resuscitate Greek mythology; and that an element of playfulness or irony in the attempt merely underlines the failure. [...]
>
> The whole is like a long-drawn-out *jeu d'esprit*, and arouses at best the moderate interest granted to well told fairy-tales. It leaves the emotions untouched. None of the characters comes to life, and one cannot joy or sorrow with any of them.

Thomas Mann nimmt diese Rezension erbittert zur Kenntnis und schreibt am 14. Oktober 1951 an James Martin Lindsay: »in der London Times Book Review stand natürlich schon wieder eine absprechende Kritik. Ich weiß nicht, was da los ist. Fast bin ich geneigt, diese systematische Feindseligkeit darauf zurückzuführen, daß ich im Jahre 1938 in meiner Schrift ›Dieser Friede‹ das gewaltige Blatt wegen eines Artikels, der der Opferung der Tschechoslowakei zugunsten redete, angegriffen habe. Mit Recht, wie die Herren längst wissen müßten. Aber seitdem bin ich in Ungnade.«[128]

Der einen Monat später, am 29. Mai, im *Manchester Guardian* folgende halbherzige Rettungsversuch des Germanisten Ronald Peacock machte die Sache nicht besser[129] (so wenig wie eine ein Jahr später im *Times Literary Supplement* erscheinende zweite und

128 DüD III, 404.

129 Ronald Peacock: *A Myth by Thomas Mann*. In: *The Manchester Guardian*, 29. 5. 1951, S. 4.

nur wenige Zeilen lange Empfehlung: Der Roman sei »not one of his most important; but it is extremely readable«[130]). Peacock legt unter der Überschrift *A Myth by Thomas Mann* das Gewicht seiner Besprechung auf Thomas Manns wiederholten Versuch einer Modernisierung religiöser Überlieferungen: Nach dem *Joseph*, den *Vertauschten Köpfen* und dem *Faustus* sei er nun abermals zurückgekehrt »to his interest in religious legend and myth«, nämlich zu einer Legende, die im Mittelalter zweifellos treu geglaubt worden sei und die der moderne Erzähler von ihrer orthodoxen Einkleidung »entblöße«, so dass sie sich unter seinen Händen, aller guten Absichten ungeachtet, in humanistische Artigkeit auflöse:

> Mann is unorthodox, modern, psychological, treating the story for its archetypical interest, much as he did the material of the Joseph novels. His skepticism, tolerant and humane, again dissolves the literal truth of religious faith, divesting the ideas of sin and sainthood, guilt and election of their orthodox accoutrements but saving the sense of human pieties.

Das war offenkundig gut gemeint; überzeugend war es nicht. Die ästhetischen und religiösen Vorbehalte, die der ungenannte Rezensent des *TLS* und Peacock als Bedenken formulieren, bleiben Grundzüge auch weiter Teile der kommenden amerikanischen und britischen Rezeption.

Am 5. Juni kann Thomas Mann im Tagebuch die erfreuliche Nachricht festhalten, »daß der ›Holy Sinner‹ für September [*also den Monat nach dem Erscheinen der amerikanischen Ausgabe*] vom Book of the Month [*-Club*] gewählt ist. Bedeutet gewiß 25000 Dollars und ist sehr angenehm, auch sonst erfreulich.« Diese in der Tat relativ bedeutende und weithin (ja auch unter deutschsprachigen Rezensenten) wahrgenommene Auszeichnung durch den einflussreichen »Book of the Month Club« verschafft dem kleinen Roman große Aufmerksamkeit. Frühestes Zeugnis einer kritischen Re-

130 Sammelrezension *An Involved Past* (über *The Holy Sinner* und zwei weitere Neuerscheinungen). In: *Times Literary Supplement*, Jg. 51, Nr. 2622, 2. 5. 1952, S. 293.

zeption in Großbritannien ist eine BBC-Sendung, die am 3. Juli 1951 ausgestrahlt wird. Der junge Cambridger Literaturwissenschaftler Ronald D. Gray beschreibt den humoristischen Legendenroman als eine Art »Halleluja«, das auf einer Kindertrompete gespielt werde, ein »Alleluia on a toy trumpet«.[131] Gray liest den *Erwählten* als hoffnungsvolles Gegenstück zum *Faustus*, in dem Leverkühn diese Geschichte ja bereits komponiert habe. Leichthändig, unterhaltsam und unter Verzicht auf alle spekulative Grübelei gelinge es Thomas Mann nun, von der Gnade zu sprechen, ohne in Sentimentalität oder Zynismus zu verfallen, ja sogar von der Heiligen Dreifaltigkeit zugleich dogmatisch zustimmend und lachend zu sprechen und sein »Halleluja« aus einem Spielzeuginstrument erklingen zu lassen:

> Mann seems at once to affirm the doctrine of the immanent and transcendent Trinity and at the same time to present it in the most laughable aspect. An »Alleluia« has emerged, played with odd sincerity by the virtuoso of a footling instrument.[132]

Noch bevor dieser Text dann auch in der Oxforder Zeitschrift *German Life & Letters* veröffentlicht wurde, hatte die treue Freundin Ida Herz bereits Grays Typoskript beschafft und an Thomas Mann geschickt. Der bedankte sich in einem ausführlichen Brief an Herz am 10. September 1951:

> Dankbar bin ich Ihnen auch für die Uebersendung des Manuskripts von Mr. Gray nebst dem zugehörigen Briefwechsel. Wirklich interessante Dokumente! Ihre Einwände sind berechtigt (besonders Ihre Bemerkung über die »current literary attitude to T.M. in this country« trifft leider zu; ich habe verkehrter Weise kein Glück in England, gerade dort nicht); aber ich bin doch froh, daß Sie jene Bedenken in äußerste Höflichkeit gekleidet haben, wie ich es auch tun würde. Denn R.D.G.

131 Ronald D. Gray: *Alleluia on a toy trumpet*. Typoskript einer BBC-Sendung vom 3.7.1951 (TMA).

132 Ronald D. Gray: *Alleluia on a toy trumpet*. In: *German Life & Letters*, Jg. 5, H. 1, Oktober 1951, S. 57–61; hier: 60f.

> ist ohne Zweifel ein wirklich begabter, für seine Jahre (ich nehme an, daß er jung ist) überraschend durchtriebener Kritiker, der mehr als einmal den Nagel auf den Kopf trifft, wofür der kritisch lustige Satz »We are never allowed to doubt Mann's sincerity … at the same time, however, we are not permitted to take him seriously« ein Beispiel ist. Seine Besprechung, die wirkliches Niveau besitzt, ist bestimmt nicht als boshafte Herabsetzung meiner Erzählung oder meiner Existenz überhaupt gemeint, obgleich das britische understatement, dem er huldigt – manchmal um eine Nuance zu stark huldigt – es gelegentlich so aussehen lassen könnte. Das fängt gleich mit dem Titel an, – der auch noch von mir sein soll! »In Mann's own phrase« sagt Mr. Gray. Possible, que j'ai eu tant d'esprit? […] Mr. Gray hat eine hochstehende, talentierte und kluge Kritik verfaßt. Was ihm zu fehlen *scheint* (ich will nichts behaupten), ist ein wenig Fähigkeit zur Freude, ein wenig Reiz-Empfänglichkeit und Erregbarkeit durch das Exzeptionelle, etwas Bereitschaft zum Entzücken. […] Aber ich habe große Achtung vor der Kritik.[133]

In Amerika zeigte sich die literaturkritische Neugier auf Thomas Manns neuen Roman erst in jenem Monat September 1951, für den er als *Book of the Month* erwählt ist; dann aber gleich mit einem ganzen Schwung von Besprechungen. Auch hier beginnt es mit Lob und Anerkennung, die allerdings sehr bald gravierenden Einwänden und Vorwürfen weichen.

Am 8. September veröffentlicht der 1933 mit seiner Familie aus Berlin nach New York geflohene Literaturkritiker Siegfried Mandel eine große Besprechung im New Yorker *Saturday Review of Literature* – eine der positivsten amerikanischen Besprechungen überhaupt.[134] Auch er vergleicht den *Holy Sinner* im Hinblick auf seine »narrative structure« mit *Joseph and His Brothers* und der in-

133 DüD III, 400–402.

134 Siegfried Mandel: *Woven in a Medieval Tapestry*. In: *Saturday Review of Literature*, Nr. 36, 8.9.1951, S. 19f.

dischen Legende von *The Transposed Heads*, deren leichthändig-spielerische Fortsetzung er sei; aber er tut es in vorbehaltloser Bewunderung für »a sustained work compounded of irony and comic improvisation«. Glänzend gelinge es Thomas Mann, anspruchsvolle und unterhaltungsbedürftige Leser gleichermaßen zu fesseln:

> Here he experiments with techniques which yield startling realism and deep-seated comedy, resulting in increased dramatic intensity. The character creations are among Mann's memorable best, and the novel is at once complex enough with its latent meanings and symbolism to please the literati; more important, the general reader is treated to an exhibition of some of our best contemporary story-telling.

Dieses Lob erstreckt sich ausdrücklich auch auf den ironischen Umgang mit den ernsten Gegenständen:

> Irony at its most difficult best is a literary road to the understanding of psychological problems which plague men; it is especially the eternally contrasting and warring elements of love and death, eroticism and sin, religion and implied skepticism that are here given an entirely fresh treatment within a splendid narrative framework.

Aus der Fülle der lebendigen Gestalten und der musikalischen Polyphonie der Erzählung (»modeled on the polyphonic technique in music«) sieht Mandel den erzählenden Mönch Clemens als »a fictional character in his own right« hervortreten; aber freilich: »many brilliant character creations stand out – alive and dynamic in language and action, amusing in their pettiness, and sympathetic in their seriousness.« In diesem zugleich amüsanten und verstehenden Humor erkennt Mandel die Humanität der neu erzählten Legende. Und er vergisst nicht, am Ende auch der Übersetzerin zu danken: Sie tue »her spirited best to capture the intriguing charm of the original German version«.

Diese Besprechung hatte ein unerwartetes Nachspiel. In einem Leserbrief meldete sich Mandel am 29. September noch einmal zu seinem Artikel zu Wort, wies auf seine erst jetzt gemachte Beobachtung hin, dass Thomas Mann offenbar einige Anregungen aus Erich Auerbachs *Mimesis* bezogen habe, und fragte sich, ob es nicht eine »ritterliche« Geste des Autors gewesen wäre, darauf von sich aus so hinzuweisen wie auf die Dichtung Hartmanns (»who – alas – unlike Auerbach, is no longer able to express his gratitude for the reference«).[135] Darauf antwortete, wiederum auf der Leserbriefseite, Auerbach selbst, winkte freundlich ab[136] und berichtete Thomas Mann brieflich von dieser kleinen, an größere *Faustus*-Streitigkeiten um Urheberschafts- und Plagiatsfragen erinnernden Auseinandersetzung. Der antwortete mit erleichterter Zustimmung:

> Mit Ihrer heiteren Zurückweisung aber von Mr. Mandels Vorhaltung, ich hätte Sie, neben Hartmann (der es ja auch woandersher hatte) als Inspirator des »Erwählten« nennen müssen, sind Sie wohl wirklich im Recht. Es ist kaum Sache des Dichters, alle Quellen und Hilfsmittel eingestehend aufzuzählen, die ihm zum Werke gedient haben, und seine Abneigung, dies Werk als ein Mosaik entliehener Steinchen hinzustellen, wo er doch wünschen muß, daß der Leser es als den künstlerischen Organismus empfinde, der es ist, scheint mir berechtigt.[137]

Der für einen Augenblick zu befürchtende Skandal ist damit ein für alle Mal abgewehrt.

Am 9. September erscheinen mehrere Rezensionen gleichzeitig in den Sonntagsausgaben der Zeitungen, angeführt von der *New York Times* mit einer ausführlichen Besprechung des *Erwählten* durch den englischen Dichter Stephen Spender – ein in seiner eigenwilligen und empathischen Argumentation ganz aus der

135 Siegfried Mandel: [Letter to the Editor.] In: *Saturday Review of Literature*, Nr. 39, 29. 9. 1951, S. 24.

136 *Letters to the Editor*: Erich Auerbach: *Thomas Mann's Sources*. In: *Saturday Review of Literature*, Nr. 42, 20. 10. 1951, S. 24.

137 *[An Erich Auerbach]* 12. 10. 1951; GW XI, 692.

Reihe fallender Text.[138] Als Mr. *Mann's Tale of Agony and Love* liest Spender den Roman, und ohne dass es ausgesprochen würde, scheint der (selbst offen homosexuell lebende) Dichter diskrete und sympathisierende Hinweise darauf geben zu wollen, dass die Spannungen zwischen Vergehen und Verlangen auch etwas mit einer verbotenen erotischen Neigung des Autors zu tun haben könnten, ohne dass etwa eine Monokausalität unterstellt würde. Schon die ersten Sätze sprechen von Thomas Manns Ambivalenz zwischen Selbstsicherheit und Befangenheit, seinem »double self-embarrassment«, das er wie Henry James in eine Kunst des Erzählens verwandelt habe: »Thomas Mann has always been a doubly self-conscious artist; conscious of himself as a ›dichter‹ with a magical – at times even a black-magical – power; and conscious of there being something anomalous about the idea of himself being an artist.« Sonderbar ineinander verschränkt zeigten sich in seinem Lebenswerk, von *Death in Venice* bis zu *Doktor Faustus*, die Faszination durch das Böse und eine Art von Kriminalisierung der Kunst: »there is the preoccupation with evil, which is never disconnected from an esthetic crime – the crime of art.« Die tiefste Einsicht in diese Zusammenhänge gewinne, wer sich bei der Lektüre nicht auf die erzählte Geschichte selbst konzentriere, sondern auf die Figur des Erzählers – der sich als eigenständige Figur etabliere und zugleich zum Verschwinden bringen wolle (»that self-effacing character«), auch in dieser Hinsicht wie bei Henry James: »He will play the same transmitting, clarifying and yet blurring role as a gossip like Fanny Assingham in ›The Golden Bowl‹ or, better, the governess in ›The Turn of the Screw‹.« Auch Clemens der Ire gehöre in die Reihe dieser Erzählerfiguren. Und darum erhebe sich auch dieser glanzvolle Triumph des Geschichtenerzählens über einem Schmutz und Elend, einem »Bösen« und »Perversen«, an dem der Erzähler nur beobachtend, niemals aber mithandelnd Anteil haben könne:

138 Stephen Spender: *Mr. Mann's Tale of Agony and Love.* In: *The New York Times Book Review*, 9.9.1951, S. 1 u. 24.

> Clemens, while being able to enter into his tale, yet somehow, like Thomas Mann, feels outside it. The narrator is the one person who could not have played any role in the narrative. These reasons amount to a triumph of the »spirit of storytelling« which does not have to justify itself. Yet, in the last hundred pages, the triumph is of a different sort. It is of beauty and goodness wrung out of squalor, evil and what looks like, at moments, perverse esthetic tour de force.

Etwas später geht Spender in einer Parenthese einen beiläufigen und entscheidenden Schritt weiter, von dem aus sich diese etwas enigmatischen Andeutungen erklären: Thomas Manns »storyteller« erkunde seine Fähigkeit zur Erschaffung einer Welt »in exploring his power to create a world in which his own experience seems innocent«. Diese Beiseite-Bemerkung findet sich gegen Ende der Besprechung im Blick auf zwei weitere Meisterwerke, mit denen Spender – wie einleitend mit Henry James – den *Erwählten* vergleicht, eines im Blick auf das Mittelalter, das andere im Blick auf den Katholizismus. Als entscheidende Differenzqualität erscheint ihm auch hier wieder Thomas Manns Sinn für die Verschränkung des Zaubers mit dem »Bösen«:

> Is this novel just a tour de force? It has parallels with Flaubert's »La Legende de Saint Julien L'Hospitalier,« and, even more, with Claudel's poetic play »L'Annonce Faite à Marie.«[139] Yet Flaubert's work is an inspired medieval tapestry, and Claudel's message is entirely catholic. Thomas Mann is surely struggling with preoccupation of a great part of his work: that magic is deeply connected with evil [...], and that evil is magic.

Spender konnte, als er dies schrieb, nicht wissen, dass es sich hier tatsächlich um zwei von Thomas Mann lebenslang bewunderte Texte handelte, deren erster ihm in den frühen Arbeitsphasen geradezu als Modell seiner Mittelalter-Erzählung vor Augen ge-

139 Spender konnte von Thomas Manns Bewunderung dieses Hauptwerks des französischen *Renouveau catholique* allenfalls aus den *Betrachtungen eines Unpolitischen* wissen. Vgl. GKFA 13.1, 439–442.

standen hatte (s. hier zur Entstehungsgeschichte S. 44f.). Scharfsinnig und scharfblickend erkennt er aber die besondere Stellung des *Erwählten* in Thomas Manns Werk in dem neuen, erlösenden Umgang mit der Spannung von Erfahrung und Erlösungssehnsucht – ein Umgang, der ihm als Triumph der Kunst und der Moral gleichermaßen erscheint, »a triumph of art indistinguishable from moral sensibility«:

> In this book – which I believe to be a small masterpiece – he [*Thomas Mann*] has pushed the connection of evil with magic and magic with evil to the point where he demonstrates that the magic can perform the final miracle of making evil good.

Stephen Spenders Rezension – auf die Thomas Mann selbst sich keinen rechten Reim machen konnte[140] – blieb ein Einzelgänger; schon der einflussreiche linke *Partisan Review* widersprach ihm einige Wochen später ausdrücklich. Das von Spender gepriesene »small masterpiece« sei der Roman nicht; er sei nur »small«, »one of Thomas Mann's minor works«, eine ohne tiefere Absichten unternommene Entspannungsübung nach dem *Faustus* und im Übrigen »good entertainment«.[141]

Am selben 9. September, an dem Spenders Besprechung erschien, warf Maxwell Giesmar in der *New York Post* auf den Roman einen erklärtermaßen höchst widerwilligen Blick, der denn auch wenig Mitteilenswertes an der mittelalterlichen Geschichte erkennen konnte.[142] Unter der durchaus irreführenden (redaktionellen) Überschrift *Mann Retells Old Tale With Charm and Grace* kann die *Post* dem Roman »bestenfalls« die Qualitäten einer intellektuell und erzählerisch brillanten, im Übrigen aber belanglosen Tragikomödie zuerkennen: »It is at best a tragi-comedy, more

140 Tb. 22.9.1951: »Von Knopfs Bureau Besprechungen. St. Spender in N.Y. Times zögernd-preisend.«

141 Hans Meyerhoff: *Mann's Gothic Romance*. In: *Partisan Review*, Jg. 18, Nr. 6, November–Dezember 1951, S. 715–718.

142 Maxwell Giesmar: *Mann Retells Old Tale With Charm and Grace*. In: *New York Post*, 9.9.1951.

interesting on the intellectual than on the emotional level, told by a gifted artist who should have had a little more to say.« Da der Rezensent allerdings gleich einleitend bekennt, er habe die Lektüre des *Joseph* irgendwo in der Mitte abgebrochen und seither zu seiner Erleichterung keine Zeile von Thomas Mann mehr gelesen,[143] blieb das Gewicht dieses abschließenden Urteils gering.[144]

Drei weitere Beiträge dieses Tages allerdings werfen ein vorbehaltlos enthusiastisches Urteil in die andere Waagschale. Im New Yorker *Compass* rühmt Leon Edel den Roman als »a jewelled masterpiece of fiction – a short and compassionate novel of sin and repentance, told in the grand manner of story-telling that has come down to us across the centuries.«[145] Thomas Manns Sprache, die Jahrhunderte in sich aufnehme, strahle im selben Glanz wie der *Joseph* oder der *Zauberberg*, nur sei aus dem großen *Zauberberg* nun der kleine Fels der Buße geworden (»›The Magic Mountain‹ shrinks to a rock, set in a lake«). Zugleich aber sei auch die rastlose Wahrheitssuche der früheren Jahre einer Ergebung in den Willen Gottes gewichen, jedenfalls was Thomas Manns Gestalten angehe: »Unlike Hans Castorp, Grigorss neither questions nor philosophizes; he does what God wills. The characters of this book are all children of light«. Mit dieser Wendung werde der kleine Roman womöglich zu einem epochemachenden Ereignis: »This book may well be the first authentic and enduring literary masterpiece of the second half of our century.«

Ganz ähnlich liest und bewundert ihn Paul Engle ebenfalls am

143 »Somewhere in the middle of the Joseph series I stopped reading Thomas Mann and never went back. This may be heresy, but it was quite a relief.«
144 Auch Kate Trimble Sharber weiß am selben Sonntag im *Nashville Tennessean* wenig mehr über den Roman zu sagen, als dass der »Book-of-the-Month Club« ihn ausgezeichnet habe und er gewiss zu »the most interesting and instructive of all Thomas Mann's stories« gehöre, warum auch immer. (Kate Trimble Sharber: *Mann Recreates Ancient Legend*. In: *The Nashville Tennessean*, 9. 9. 1951)
145 Leon Edel: *Thomas Mann Writes A Jewelled Masterpiece*. In: *Compass*, 9. 9. 1951.

9. September an einem auffallenden, vielgelesenen Ort, im *Magazine of Books* der *Chicago Sunday Tribune*: »This can only be called a brilliant book«, stellt er im ersten Satz kategorisch fest.[146] Nicht der Plot mache hier die Meisterschaft aus, sondern Thomas Manns Erzählkunst (an der er nur die Archaismen als »sudden and quite inconsistent« missbilligt). Sie mache den Roman zu einer »most urbane, often ironical, meditation« – aber nicht (wie so viele Rezensenten aus derselben Beobachtung folgern) als artistischer Selbstzweck, sondern im Dienst einer humanen Psychologisierung: »the horrors of conscience [...] are the true tensions of the novel.« Die erzählerische Läuterung und Auflösung dieser Schrecken und Gewissensnöte führe zu dem wunderbaren Ende, das schon die Überschrift resümiert: *A Holy Sinner's Triumph Over Evil*.[147]

Und schließlich zeigt sich das New Yorker *Time Magazine* am 10. September erfreut über die schiere Spielfreude des *Holy Sinner* – dessen melancholische Untertöne die Rezension aufmerksam wahrnimmt:

> One of Mann's reasons for going back to the old legendary story: his notion that, after him, there may be nobody to retell it. The Old Dilemma. Prophet Mann is lugubrious, but Novelist Mann is at his most urbane. [...] Here is a delightful story, Mann seems to say: thanks to God's mercy, an Oedipus with a happy ending. And Mann is too good a pessimist not to conceal his own derisive smile.[148]

Die Widersprüche, die in diesen Besprechungen so drastisch hervorgetreten sind, durchziehen auch die Beiträge der folgenden Tage und Wochen. Während die New Yorker *Herald Tribune* am 10.

146 Paul Engle: *A »Holy Sinner's« Triumph Over Evil*. In: *Chicago Sunday Tribune*, 9.9.1951, Teil 4, S. 4.

147 Thomas Manns Tagebuchnotiz vom 14. September 1951: »Medi berichtet von triumphaler Besprechung des ›Erwählten‹ in ›Chicago Sun‹« bezieht sich vermutlich auf diese Besprechung.

148 Anonym: *Pope Oedipus*. In: *Time Magazine*, Jg. 58, Nr. 11, 9.10.1951, S. 102.

September Thomas Manns Roman als »story gently and tenderly told« empfahl, »artfully embroidered in word-pictures und picture-words«,[149] und Van Allen Bradley in den *Chicago Daily News* am 12. September in der Behandlung einer anstößigen »story few novelists could handle« nichts als »sensitivity, tenderness and incredible skill« wahrnimmt,[150] gibt in der *New York Times* am 11. September, nur zwei Tage nach Stephen Spenders Besprechung, am selben Ort und in annähernd gleichem Umfang Orville Prescott den vorgestern noch gepriesenen Roman der Lächerlichkeit preis.[151] Prescott, einer der führenden Literaturkritiker des Landes, verneigt sich mit einer mittlerweile fast obligatorischen Einleitungsgeste vor Thomas Mann als einem unantastbaren Großautor (»the most distinguished and celebrated German writer of the present century«), ehe er ihn nach Kräften antastet. Seine »moral parable« von »sin and repentance, of good born of monstrous evil« sei in ihrer Übersteigerung und Versponnenheit schwerlich ernst zu nehmen: »For modern readers so fanciful a parable as this is hard to take seriously«, eben deshalb habe der sonst für seine Feierlichkeit bekannte Thomas Mann in einem für ihn ungewöhnlichen Maße seine Zuflucht zum Humor nehmen müssen, dessen Ergebnis aber nur ein Durcheinander aus angestrengter Witzigkeit, Rittertum, christlicher Allegorie und haarsträubendem Manierismus sei. In einer (vielleicht absichtsvoll) leicht als angestrengte Höflichkeit durchschaubaren Schlusswendung

149 Anonym: *The Holy Sinner*. In: *New York Herald Tribune*, 10. 9. 1951. Tb. 15. 9. 1951: »Brief von Golo mit bebilderter Besprechung des ›Erwählten‹ aus Herald Tribune, sehr hübsch und freundlich.« Thomas Manns Erleichterung im Tagebuch lässt erkennen, mit wie bescheidenen Zeichen des Respekts er sich mittlerweile bereits zufriedenzugeben gewohnt war. Die Rezension fügt allerdings weniger freundlich hinzu, der *Holy Sinner* sei »a far cry from ›Buddenbrooks‹, but [...] also, some may think, fortunately, a far cry from Mann's ›Joseph‹ trilogy«.

150 Van Allen Bradley: *Mann at His Best in Lively Retelling of Medieval Legend*. In: *The Chicago Daily News*, 12. 9. 1951.

151 Orville Prescott: *Books of the Times*. In: *The New York Times*, 11. 9. 1951.

stellt Prescott anheim, dass geduldigere Leser als er dem im Grunde dummen Zeug vielleicht »symbolism and possible interpretations« abringen könnten; er selber jedenfalls schlägt keine Deutung vor:

> »The Holy Sinner« is a strange performance, a pastiche of labored humor, childish romance, Christian faith, spiritual allegory, outlandish mannerisms – all served up with dash and vigor and vast technical dexterity. Approached literally it can easily seem silly; read with imagination and patience to ponder on its symbolism and possible interpretations it could as easily seem brilliant and profound.

Freundlicher, aber nicht weniger befremdet las am selben Tag Edward H. Martin den Roman in der *Evening Sun* in Baltimore.[152] Stofflich biete der Roman eines Autors, dessen »place as a giant of letters« auch hier als längst unangreifbar präsentiert wird, nur mittelalterliche Absonderlichkeiten; die Erzählweise allein mache ihn lesenswert. Ebendie aber zeige im Blick auf Takt, Religion und Moral dieselben Mängel wie Thomas Manns Gesamtwerk überhaupt. Lesen möge diesen Autor deshalb – da stimmt Martin ganz mit Prescott überein –, wer ihn zu nehmen wisse:

> The art is in the telling. If it is a questionable art as concerns taste and the matter of faith and morals, there can be no doubt that it is of a very high order of skill. In some ways, this volume represents the quintessence of Thomas Mann as a storyteller. [...] »The Holy Sinner« will infuriate those who cannot abide Thomas Mann and delight those who know how to take him.

In genau demselben Sinne, nur schärfer urteilt Katherine Dunlap im *Philadelphia Inquirer Magazine* am 16. September: »For those who regard Thomas Mann as only a little less than a literary god, the new volume will add glitter to the halo«; wer Thomas Mann hingegen nicht für einen Literaturgott halte, werde den *Holy Sin-*

152 Edward H. Martin: *Thomas Mann Retells An Old Legend.* In: *The Evening Sun*, 11.9.1951, S. 20.

ner schwerfällig und peinlich finden (»ponderous«, »awkward«); ja bei einem weniger bekannten Autor hätte man eine derart indiskrete Darstellung von »unpleasant passages« vermutlich gar nicht veröffentlicht.[153]

Am 24. September widmet im linksliberalen *New Leader* der Kriminalschriftsteller John Franklin Bardin (der unter der Titelzeile als »well-know commentator on Thomas Mann« vorgestellt wird) *Thomas Mann's Mythical Romance* einen umfangreichen Beitrag, der unter dem ersten Anschein des Lobs wieder auf einen sowohl ästhetischen wie moralischen Verriss hinausläuft.[154] Im Spiegelkabinett, als das ihm Thomas Manns Werk mittlerweile erscheint, in dem Joseph auf Osiris zurückgeführt worden ist, erscheint jetzt Gregorius als »an antithetical, archetypal linking with Faustus«, und Ödipus erscheine »linked to Joseph and Gregorious. As I have said, it is all done with mirrors.« Aber wie das raffinierte Spiel schal bleibe und in der vermeintlichen Konkurrenz mit Shakespeare nur unterliegen könne – »effects of polyphony, conceits, strophes in silly rhymed couplets that compete vainly with the best of Shakespeare's bawdy« –, so könne auch die fromme Heuchelei (»pious hypocrisies«) des Erzählers Clemens nicht verbergen, dass der Roman »profoundly anti-Christian« und seinem Gegenstand weder moralisch noch künstlerisch gewachsen sei. Dessen Geheimnisse und Rätsel gebe er mit seiner Grobheit und Vorliebe für das Abscheuliche (»a poetic grossness, a sense of abomination«) dem vulgären Gejohle seiner Leser preis: »Thomas Mann has turned a tragedy into a ribald joke that I resent. [...] *The Holy Sinner* is directed at that groundling in all of us who jeers at anything he cannot understand.« Nicht die Sünde, die im Roman zum Thema wird, interessiert Bardin, sondern die Sünde, für die Thomas Mann sich selber in ihm bestraft. Denn ihm scheint

153 Katherine Dunlap: *New Novel By Mann*. In: *The Philadelphia Inquirer Magazine*, 16.9.1951, S. 32.

154 John Franklin Bardin: *Thomas Mann's Mythical Romance*. In: *The New Leader*, Jg. 34, 24.9.1951, S. 16–18.

offensichtlich, dass Thomas Manns lebenslange (Selbst-)Kritik des Künstlers in der widerwärtigen Erniedrigung des Gregorius ihren Höhe- oder vielmehr Tiefpunkt finde. »What is Thomas Mann's sin«, fragt er am Ende. »Could it possibly be the sacrilege of irony?«

Wohlmeinende Freunde hatten Thomas Mann in diesen Wochen der ersten und intensivsten amerikanischen Rezeption glauben lassen, sein Roman sei ein riesiger Erfolg. »Kabel von Agnes Meyer«, notiert er am 18. September im Tagebuch: »All reviews wonderful Congratulations.« Am 1. Oktober vermerkt er: »Kesten sprach davon, daß der Sinner best-seller sei.« Einen Tag später: »Der Sinner soll unglaublich populär sein. Freundliche Besprechungen in ›Nation‹ und ›New Leader‹!« Am 5. Oktober liest er im Letzteren den Artikel von Bardin und schreibt:

> Gestern von Medi den »New Leader« mit bemühtem, wesentlich doch ablehnenden Artikel über den »Sinner« von Einem, der als »well-known commentator on T.M.« vorgestellt wird. Psychologie! »Self flagellation« von Anfang bis zu Ende. Diesmal erniedrige »ich mich« zum Murmeltier. Mache übrigens aus einer Tragödie eine Farce. Welches die Sünde, für die ich mich kasteie? Vielleicht meine »Ironie«? Tief![155]

Auch zum erwarteten »best-seller«-Erfolg kommt es nicht – »Brief von Knopf, seine Enttäuschung ausdrückend über den 28000-Verkauf des ›Sinners‹, während er erwartet hatte, daß das Buch [›]would sweep the country‹«[156] –, und die Kritiken erscheinen Thomas Mann zunehmend dumm und flau.

Das ist begreiflich. In der Oktobernummer von *Harper's Magazine* fällt dem New Yorker Kritiker Charles Poore zum *Holy Sinner* mit seinen »subtle threads of Mann's elaborately antique tapestry of incest and innocence« (»you are hearing a master«) nichts ein als die ärgerliche Frage: »But are you hearing anything more than variations and improvisations on Freudian themes that have in-

155 Tb. 5. 10. 1951. 156 Tb. 30. 11. 1951.

terested him? I doubt it.«[157] Dies umso mehr, als es nur bei der Diagnose bleibe und die reinigende Therapie, »any truly purging element« ausbleibe. Noch energischer greift Anthony West im distinguierten *New Yorker* zu.[158] Allzu germanisch (»wholly Germanic«) erscheinen ihm der alberne Firlefanz und die plumpen Kindereien um das zum Gespött gemachte Mittelalter und den zum Igel verkleinerten Heiligen – die er in einer verblüffenden und wenig glaubwürdigen Schlusswendung als trotz allem »good fun« empfehlen will:

> It is hard to say what Mann can have had in mind when he embarked on the task of spinning this rigmarole out to the length of a novel. [...] Mann has his fun making his monkish narrator into a clumsy-minded clodhopper, and whatever the spirit of the Middle Ages may or may not have been, it is, in its slow way, surprisingly good fun.

Thomas Mann reagierte nicht verletzt, sondern erzürnt. Am 6. Oktober 1951 schreibt er ins Tagebuch:

> In dem gestern abend gekauften »New Yorker« Besprechung des »Sinner«, so nachlässig, faul, abschätzig, nichtig, daß es eine Schande ist. »Surprisingly *good* fun« ist der Gipfel. [...] Mag das Blatt, das ich einst gern hatte, garnicht mehr sehen.

An Ida Herz schreibt er am 10. Oktober, er finde diese Lektüre seines Romans, mit einem Wort, »dämlich. ›Surprisingly funny‹ findet man ihn. Alsob ich noch nie fun gemacht hätte!«[159]

Unter so deprimierenden Umständen ist er bereits für die Kurzkritik dankbar, mit der Henry Walter Brann in der Herbstausgabe der von der University of Oklahoma herausgegebenen Vierteljahresschrift *Books Abroad* den Roman gegen seine Kritiker in Schutz nimmt.[160] Dabei formuliert er eine energische Gegen-

157 Charles Poore: *New Works from Old Hands*. In: *Harper's Magazine*, Oktober 1951, S. 105–108, über den *Erwählten*, S. 106f.

158 Anthony West: *Books*. In: *The New Yorker*, Jg. 27, 6. 10. 1951, S. 114f.

159 DüD III, 402.

160 Henry Walter Brann: *Thomas Mann: »Der Erwählte«*. In: *Books Abroad*, Jg. 25, Nr. 4, Herbst 1951, S. 351f.

these, wenn er den Roman als »Thomas Mann's most sincere confession« liest. Aus seiner lebenslangen Auseinandersetzung mit der Schopenhauer'schen und Wagner'schen Überzeugung von der Sündhaftigkeit des Lebens selbst habe Thomas Mann nun zu einer Art fröhlichem Katholizismus gefunden:

> This book, badly misunderstood even by some enlightened critics, is not only deeply steeped in the best tradition of Judeo-Christian prophetism, but is perhaps one of the strongest Catholic pronunciamentos of our time – ironically composed by one of our foremost liberals.

Das las Thomas Mann gern. »Auch habe ich mich gefreut über Ihre Anzeige des ›Erwählten‹ in ›Books Abroad‹«, schreibt er am 17. September an den Verfasser.[161]

Noch mehr Trost konnte er schließlich in vier Beiträgen finden, die in führenden Zeitschriften an dem Roman dann doch noch einmal Rühmenswertes fanden – und die seine generelle Enttäuschung doch nicht beruhigen konnten. Harvey Breit empfahl in der Oktober-Ausgabe der Zeitschrift *The Atlantic* den Roman als »a charming and altogether satisfactory addition« zu Thomas Manns Lebenswerk, einen makellosen »triumph of Mann's art and skills«.[162] Der einzige Fehler des Buches, das »so engaging and loveable« geraten sei, liege in seiner Kürze: »you wish there were more«. Der in Harvard lehrende Literaturwissenschaftler William H. McClain widmete dem von zauberhafter »irony and levity« getragenen Roman in der Novemberausgabe der (von der »German Section« der »Modern Language Association« herausgegebenen) *Monatshefte* eine ganze Abhandlung, deren Würdigung von Thomas Manns religiösem Humanismus seinen Sympathien für die Unitarier, seiner »amerikanischen Religion« sehr nahe kam.[163] Mit Seitenblicken auf Thomas Manns *Meine Zeit* schreibt McClain:

161 DüD III, 402.

162 Harvey Breit: *Reader's Choice*. In: *The Atlantic Monthly*, Bd. 188, Oktober 1951, S. 76–79; über den *Erwählten*, S. 77f.

163 William H. McClain: *Irony and belief in Thomas Mann's »Der Erwählte«*. In: *Monatshefte*, Jg. 43, Nr. 7, Nov. 1951, S. 319–323.

> In none of his fictional works do the contours of Mann's belief emerge more clearly than in *Der Erwählte*, where both the religious theme of spiritual rebirth through divine grace and the belief in humanity reflected in the work bear ample testimony to his continued adherence to the philosophical and religious convictions which he has always held as a creative artist [...].

So exemplifiziert der Roman für ihn einen neuen Humanismus, »which, while preserving the spiritual and humanitarian values of Christianity, transcends the fundamental dualism of Christian thought«. Damit sah Thomas Mann sich endlich verstanden: »Liebenswürdiger Artikel von W.H. McClain über den ›Erwählten‹ in den ›Monatsheften‹«, hält er am 13. Februar 1952 im Tagebuch fest; an den Verfasser adressiert er noch am selben Tag seinen »Dank für Ihren reizenden Artikel« und bemerkt: »Ich finde ihn wirklich höchst anmutig in seiner heiteren Empfänglichkeit und bin froh, daß Sie diese grotesken Scherze – oder dieses Scherzen mit dem Grotesken – als etwas der Humanität nicht ganz Unzuträgliches empfinden.«[164]

Im selben Sinne würdigte in der *New Republic* im November Sidney E. Lind den *Erwählten* als folgerichtigen, krönenden Abschluss eines großen Lebenswerks von jugendlicher Leidenschaft und Kühnheit (»a brilliant novel which by its youthful zest and audacity alone should delight the most pessimistic of gerontologists«).[165] Mit urbaner Intelligenz, psychologischer Durchdringung und Sprachwitz habe er eine alte Legende in eine Erzählung des zwanzigsten Jahrhunderts verwandelt, ohne das Wunderbare zu verkleinern, und eine triumphale Synthese seiner humanistischen Bemühungen erreicht: »In this novel Mann has synthesized triumphantly his affirmation of human values. *The Holy Sinner* is the last great step in the progression from *The Magic Mountain*

164 DüD III, 414. Vgl. William H. McClain: *Ein unveröffentlichter Thomas Mann Brief über den »Erwählten«*. In: *Monatshefte*, Jg. 54, Nr. 1, Jan. 1962, S. 9f.

165 Sidney E. Lind: *Growth of an Artist*. In: *The New Republic*, Jg. 125, 19. 11. 1951, S. 20f.

through the *Joseph* novels and Dr. *Faustus.*«[166] Und schließlich stimmt auch der Herausgeber des *Hudson Review*, Frederick Morgan, in dessen Frühjahrsausgabe 1952 in dieses Lob ein (worauf er Thomas Mann schon im November 1951 vorbereitet hatte).[167] Kürzer als seine großformatigen Vorgänger sei dieses Werk, aber nicht kleiner, sondern nur »confined and intense«, »as ambitious a novel as Mann has ever written«. Es entfalte »the full-scale deployment of the writer's themes and patterns [...] without apparent effort«, und es halte wunderbar »a firm balance between the human and what transcends it – the superhuman, or perhaps, the inhuman«.

So einhellig dieses symphonische Lob klang, so dissonant platzte eine Besprechung dazwischen, die der bedeutende Literaturwissenschaftler Leslie A. Fiedler am 13. Oktober in *The Nation* erscheinen ließ und die über Thomas Manns *Holy Sinner* hinaus zeigen sollte, »just what my opinion of the main body of his work is.«[168] Diese Meinung ist so sonderbar wie der entschiedene Gestus, mit dem Fiedler sie vorbringt: Seit der Erzählung *Mario und der Zauberer* habe Thomas Mann nichts wirklich Gelungenes mehr geschrieben, und erst dieser kleine Legendenroman zeige wieder seine Größe. Das Verdikt trifft den misslungenen *Zauberberg* (»over-elaboration of platitudes in the name of philosophy«) ebenso wie die einfallslosen Nacherzählungen des *Joseph*- und des *Faustus*-Stoffes (»retelling of an older story«): Man lese diese »sort of self-indulgence [...] at once bored and respectful«, denn der

166 Beiläufig entdeckt Lind eine Spur zurück in den *Zauberberg*, die niemand außer ihm bemerkt hat: »Hans Castorp's dream, when he lies nearly frozen in the snowstorm, and Grigorss' state of penitential isolation [...] finally derive from the same idea.«

167 Thomas Mann an Fredrick Morgan, 13. 11. 1951: »It is very gratifying that the Hudson Review will comment on the little book in its next issue.« (DüD III, 412) – Frederick Morgan: *Seven Novels*. In: *The Hudson Review*, Jg. 5, Nr. 1, Frühjahr 1952, S. 154–160; über den *Erwählten* S. 154–156.

168 Leslie A. Fiedler: *Myth and Irony in Thomas Mann*. In: *The Nation*, Jg. 173, Nr. 15, 13. 10. 1951, S. 307–309.

große Mann rede einfach zu viel (»the great man who just talks too much«). Auf dieses Fundament gründet Fiedler nun sein Lob des *Erwählten*. Zwar fehlten auch hier unterhalb der Ironie Humor und Grazie (»beneath the play of irony a sense of humor is lacking, and [...] no real gracefulness is present«), auch sei »The actual language of the book [...] impossible«. Gerade darum aber sei es frappierend, dass das Ganze doch funktioniere: »nevertheless it somehow *works*«. Das liege an Thomas Manns Umgang nicht nur mit dem alten Stoff selbst, den Fiedler die »Gregorios saga« nennt, sondern auch mit der Geschichte seiner aufgeklärt-rationalistischen Deutungen: Gerade seiner Ironie sei es gelungen, den unauflösbaren Kern der mythologischen Erzählung zu bewahren. Dieser Kern aber bestehe in nichts anderem als der Einsicht, dass die Wirklichkeit so lächerlich sei, dass kein metaphysisches oder moralisches System ihr beikommen könne: »the sense of the ridiculousness of reality, the incompatibility of the given with any system of metaphysics or morality, however complex.« Bei Thomas Mann gebe es darum am Ende keine Wahrheit mehr außer allein dem ironischen Spiel des Erzählens selbst. Und das ist der Grund für Fiedlers Lob.

Der so Gelobte empfand den Artikel als eine Zumutung. »The most objectionable piece of criticism«, schreibt er am 25. Oktober an Helen T. Lowe-Porter,

> came from a certain Professor of literature by the name of Fiedler, writing in the »Nation«, who, although he declares the »Holy Sinner« to be my best book since »Mario and the Magician« (of all things!), goes on to discuss my life's work, as »The Magic Mountain« and the Joseph novels, in terms I did not think possible any more in this country.[169]

Im Rückblick auf zwei literaturkritisch bewegte Monate erscheint ihm in diesem Brief auch die bisherige angelsächsische Rezeption im Ganzen nicht weniger enttäuschend als die deutsche:

169 Reg. 51/430; TMA.

> with the exception of the warm article in »The Atlantic Monthly«, the literary comments written by the leading papers were more or less lukewarm and without any real enthusiasm or understanding for the book.

Es wurde nicht besser, weder östlich noch westlich des Atlantiks. Am 4. Mai 1952 gab Edwin Muir im Londoner *Observer* seiner Bewunderung für Thomas Manns große Romane Ausdruck[170] – nur um hinzuzufügen, dass *The Holy Sinner* leider zu den »occasional failures« gehöre. Für das Mittelalter im Allgemeinen und seine religiösen Moralvorstellungen fehle es Thomas Mann an Verständnis. Seine Geschichte wirke deshalb so unglaubwürdig wie ihre Figuren, und auch der größte Aufwand an erzählerischen Kunstmitteln (»an enormous expense of art«) könne dieses Problem nicht überdecken: »The defect of the story is that you cannot believe it.« Für Thomas Mann, der über die englischen Zeitungen abermals von Ida Herz auf dem Laufenden gehalten wurde, war dieser Artikel ein weiterer Schlag: »Die Herz schreibt, daß die Aufnahme des ›Holy Sinner‹ bei der Londoner Presse durchweg miserabel ist. Beispiel aus dem ›Observer‹. Nervös und deprimiert.«[171] Und an Jonas Lesser schrieb er am 25. Mai 1952:

> Die englischen Besprechungen des »Erwählten«, von denen ich gehört und die ich gesehen habe, sind klägliche Beispiele vollendeten Unverständnisses. Ich kann ja nicht sicher sein, ob ich überhaupt noch einmal ein Buch herausbringe. Aber ich glaube, in England werde ich keinesfalls mehr eines erscheinen lassen.[172]

In den USA nahm währenddessen der große linke Literaturkritiker Frederick W. Dupee den *Holy Sinner* unter der programmatischen Überschrift *Dupee on Mann* zum Anlass für eine Art Nach-

170 Edwin Muir: *The fatal chain.* In: *The Observer*, Jg. 161, Nr. 8396, 4. 5. 1952, S. 7.

171 Tb. 15. 5. 1952. 172 TM/Lesser, 107.

ruf zu Lebzeiten[173] – auf einen Thomas Mann, dessen große Zeit längst abgelaufen sei und dem deshalb nur diese »self-caricature« übriggeblieben sei, eine Parodie seines eigenen Schreibens (»I am unable to see it as much else«) in fortwährender Verulkung seiner Gegenstände und in einer gezierten Schlüpfrigkeit, »a kind of persistent jollification and coy lubricity«. Zusätzlichen Nachdruck verleiht er dieser Erledigung durch einen ebenfalls ins Grundsätzliche gehenden Einspruch gegen Henry Hatfields gleichzeitig erscheinende Monographie *Thomas Mann* in der populären Reihe *Makers of Modern Literature*: »Mr. Hatfield notes that Mann's reputation has lately sufferd a decline«; er behandle diesen Umstand mit Taktgefühl, aber leider auch in der irrigen Annahme, dass es sich nur um eine vorübergehende Erscheinung handle – »simply assuming Mann's continuing importance as if it were a fact«. Diese Annahme aber müsse, bei aller Bewunderung für Thomas Manns vergangene große Werke und bei allem Respekt vor Henry Hatfield, als überholt betrachtet werden. Thomas Manns Werk ist für Dupee eine Sache der Vergangenheit, ein Wiederbelebungsversuch wäre zwecklos.

»Erholung von dem Grauen der Zeit«: Weitere ausländische Rezeptionszeugnisse

Der *Erwählte* wurde in ganz Europa rezensiert; übersetzt wurde er außer ins Englische auch in eine Reihe weiterer Sprachen (s. hier zur Textlage). Nirgends aber war die Rezeption so umfangreich und so kontrovers wie im deutschen und im angelsächsischen Sprachraum.

In Frankreich wurde der Roman freundlich aufgenommen – schon in der deutschen Ausgabe, dann 1952 in Louise Servicens Übersetzung als *L'Élu*. »Aus Frankreich kommt mir viel Freund-

173 *Dupee on Mann*. In: *Perspectives*, Jg. 1, Januar 1953, S. 160–164; zuvor bereits im *Kenyon Review*, Jg. 14, Nr. 1, Winter 1952, S. 149–152.

liches«, schreibt Thomas Mann am 27. Juni 1951 an die Germanistin Geneviève Bianquis: »[...] über die deutsche Ausgabe meines jüngsten Buches ›Der Erwählte‹ hat Maurice Boucher in ›Hommes et Mondes‹ in sehr ehrenden Worten berichtet.«[174] Von reiner Erzählfreude zeuge der Roman, hatte Boucher versichert: »Cette œuvre respire vraiment la joie de conter«. Auch die *Études Germaniques* besprachen den deutschen Text, im Frühjahr 1953, als ein bezauberndes »poème en prose«, eine humoristische Selbstimitation des *Faustus*-Autors (»Zeitblom a revêtu l'habit de saint Benoît«) und zugleich eine Überbietung aller Stigmatisierungs-Erzählungen seines Lebenswerks: »nous assistons, pour la première fois dans l'œuvre de Thomas Mann, au triomphe absolu de l'homme marqué«; das bedeute womöglich nichts Geringeres als »un revirement complet dans l'éthique de note auteur«.[175]

Im Juli erschien dann Louise Servicens Übersetzung; in Thomas Manns Tagebuch wurde sie begrüßt: »Dieser Tage kam aus Paris ›L'Elu‹, hübsche Übertragung, wenn auch nicht ohne Mißgriffe.«[176] Auf diese Übersetzung bezieht sich in der von Jean-Paul

174 Br. III, 215. Maurice Boucher: *Lettres allemandes*. In: *Hommes et Mondes*, Jg. 6, Nr. 59, Juni 1951, S. 143–145. Zwei Tage darauf dankt er Maurice Boucher brieflich, 29. 6. 1951: »wie sehr habe ich mich über Ihren von so feiner Empfänglichkeit zeugenden Artikel über den ›Erwählten‹ in ›Hommes et Mondes‹ gefreut!« (DüD III, 397f.)

175 G. Pauline: *Thomas Mann, »Der Erwählte«*. In: *Études Germaniques*, Jg. 8, Nr. 2/3, April–September 1953, S. 222.

176 Tb. 19. 7. 1952. Einige dieser Missverständnisse vermerkt Thomas Mann in einem Brief an die Übersetzerin am 22. Juli 1952 taktvoll: »Seit einigen Tagen ist ›L'Elu‹ in meinen Händen, und mit Bewunderung habe ich Ihre Übersetzung gelesen. Es ist eine Leistung, die der Übersetzung des Faustus gleichkommt; soviel ich sehe, wird sie auch von der Kritik in diesem Sinn anerkannt. Wiederum bin ich Ihnen für diesen klugen und feinen, sprachlich virtuosen Mittlerdienst zu größtem Dank verpflichtet, und diesen wollte ich mit diesen Zeilen abstatten. Wie es kaum anders sein konnte [...], haben ein paar Mißgriffe oder auch Mißverständnisse sich eingeschlichen, die ich nicht zuletzt darum erwähne, um Ihnen zu zeigen, wie genau ich Ihre Arbeit gemustert habe, zugleich freilich auch in der Hoffnung, daß

Sartre herausgegebenen Monatszeitschrift *Les Temps Modernes* deren mit Sartre befreundeter Redakteur Jean Pouillon.[177] Seine Abhandlung *Le roman selon Thomas Mann* präsentiert nicht lediglich eine Besprechung des *Erwählten*, sondern nimmt den Roman zum Anlass einer literaturtheoretisch weit ausgreifenden Positionsbestimmung von Roman und Romanautor in der Gegenwart – eine der eigenständigsten und überraschendsten Reaktionen, die *L'Élu* nach seinem Erscheinen überhaupt ausgelöst hat.

Pouillon begreift Thomas Manns *Erwählten* mit seiner spielerisch-selbstironischen Fiktion eines zugleich allwissenden und nichts wissenden Erzählers als exemplarisches und extremes Gegenstück zum Romanwerk William Faulkners. Beide Autoren reagierten auf die Krise des Romans in genau gegensätzlicher Weise. Dem Bemühen Faulkners um ein Erzählen, in dem die erzählte Welt sich möglichst unkommentiert in ihrer ganzen Vielstimmigkeit und Widersprüchlichkeit selbst zeigen soll, steht mit Thomas Manns Ich-Erzähler die Karikatur eines allwissenden Vermittlers gegenüber, der das Erzählte nicht versteht und die Sachverhalte der erzählten Welt so nackt und offen dastehen lässt, wie der Protagonist in Edgar Allan Poes *The Purloined Letter* den vergebens gesuchten Brief vor aller Augen zeigt. Der in der Erzählerfiktion karikierte Autor weiß alles, aber er wird niemals wissen, was das Gewusste bedeutet; »l'auteur sait tout, mais le sens vrai de ce qu'il sait peut lui échapper«. Keine Sünde, keine Buße, kein spirituelles oder seelisches Geheimnis gibt es danach im *Erwählten*, schon gar keine moderne Psychologie – sondern nur die einfache »déclaration«, dass der Mensch jederzeit wisse, was er tue (»l'homme sait toujours ce qu'il fait«), und dass kein Romancier und kein Leser ihm auf die unbewussten Schliche einer allzu

es möglich sein wird, diese Kleinigkeiten gelegentlich eines künftigen Neudrucks zu verbessern.« (DüD III, 423f. Es folgt eine Liste von Missverständnissen.)

177 Jean Pouillon: *Le Roman selon Thomas Mann*. In: *Les Temps Modernes*, Jg. 8, Nr. 84/85, Okt./Nov. 1952, S. 811–817.

bequemen, »opportunistischen Psychologie« kommen müsse (»une psychologie trop opportuniste«). Hinter dem Rücken seiner eigenen Erzählfiktion lösche Thomas Mann damit den Autor und seine Werkherrschaft nicht weniger konsequent aus als der umgekehrt verfahrende Faulkner: »Thomas Mann s'efface malgré lui derrière l'histoire qu'il raconte.«

Die italienische Übersetzung von Bruno Arzeni erscheint im Frühjahr 1952 bei Mondadori in Mailand: »Von Mondadori seine Ausgabe des ›Erwählten‹, ›L'eletto‹. Die Verspartieen ganz außer acht gelassen.«[178] Da der Roman sowohl von den katholischen Zeitungen als auch »von der vatikanischen Presse, die sich doch oft und gerne mit literarischen Werken beschäftigt, vollkommen ignoriert worden zu sein« scheint,[179] blieb es Thomas Manns Schwiegersohn Giuseppe A. Borgese überlassen, ihn der literarischen Öffentlichkeit zu präsentieren.[180] Borgese stellt in seiner nicht enden wollenden Besprechung, unter der Überschrift *L'ultimo Mann*, den Roman in weite literarhistorische Zusammenhänge, die von Hartmann über Dante und Goethe bis zu Wagner und D'Annunzio reichen, rühmt die moralische Tiefe des graziösen Spiels ebenso wie seine vollendete Artistik – und gerät mit alldem, wie Thomas Manns germanistische Freundin Lavinia Mazucchetti feststellt, »zu pathetisch«.[181]

178 Tb. 8.5.1952.

179 So das Ergebnis der Recherchen von Mazzetti 2009, S. 92f.

180 Giuseppe Antonio Borgese: *L'ultimo Mann*. In: *Il Corriere della sera*, Jg. 76, 5.6.1951, S. 3. Tb. 30.6.1951: »Artikel über den ›Erwählten‹ von Borgese in ›Corriere della Sera‹.« Schon am 6. Mai 1951 vermerkt das Tagebuch: »Medi telephonisch über ihr und Borgeses Entzücken beim Lesen des ›Erwählten‹. Absicht B.'s, für den Corriere d. S. darüber zu schreiben.« In einem Brief an Elisabeth Mann Borgese stellt er am 6. Juni 1951 – seinem Geburtstag – diese Aussicht als eine Art Geburtstagsgeschenk neben die amerikanische Wahl zum »Buch des Monats«: »Knopf telegraphierte, daß The Holy Sinner Book of the Month Club-Wahl für September ist. *Höchst* angenehm! Wie sehr freue ich mich auf Antonios Artikel!« (Br. III, 210)

181 Tb. 18.6.1951.

Besonnener, aber nicht minder bewundernd argumentiert – anderthalb Jahre später, als die Wogen der Erstrezeption sich längst geglättet haben – der Literaturwissenschaftler Franco Rizzo in der Zeitschrift *Letterature moderne* in einem ausführlichen Essay (Januar/Februar 1954), der sich vor allem auf die religiöse Dimension des Romans konzentriert.[182] Auch er versteht den *Erwählten* im Kontext eines Werkzusammenhangs, der über den *Faustus* hinaus bis zum *Zauberberg* zurückreicht und den er um das große Thema von Leben, Schuld und Erlösung kreisen sieht: »Wir sagen, dass sich nicht nur in diesem *Erwählten*, sondern auf jeder Seite jedes Mann'schen Werkes ebenso eine *Erlösung* findet wie eine wuchernde und kampfeslustige Vitalität« (»noi diciamo che non solo in quest' *Eletto*, ma in ogni pagina di ogni lavoro di Mann è presente una *redenzione*, come è presente una rigogliosa e battagliera vitalità«). Hier, im *Erwählten*, ziele sie auf »eine Macht ohne Grenzen: die Religion« (»una paura senza confini: in una parola: nella Religione«). Thomas Mann las das mit Vergnügen. Am 24. September 1954 dankt er Rizzo verspätet:

> Ich fürchte, daß ich Ihnen noch nicht für die Übersendung Ihrer schönen Studie über den *Eletto* gedankt habe, deren Lektüre mir so viel Freude gemacht hat. Ich bin im allgemeinen sehr glücklich über das außerordentlich intelligente Interesse, das meinem Werk schon seit einiger Zeit in Italien entgegengebracht wird. Aber ich bekenne, daß ich eine besondere persönliche Schwäche für jenes kleine ›curiosum‹ habe, das *Der Erwählte* darstellt, und ich muß sagen, daß ich wohl keine kritische Rezension, in irgendeiner Sprache, kenne, die seinen Charakter mit mehr Feinheit und Sicherheit einfängt als die Ihre.[183]

1955 führt Rizzo bei einem Besuch in Kilchberg das letzte italienische Interview mit Thomas Mann.

182 Franco Rizzo: »L'Eletto« di Thomas Mann. In: *Letterature moderne*, Jg. 5, Nr. 1, Jan./Febr. 1954, S. 223–228. Vgl. Mazzetti 2009, S. 299f.

183 Italienische Version: DüD III, 432. Deutsch bei Jonas 1969, S. 122.

Lebhaft ist die Aufnahme des Romans auch in den Niederlanden, und zwar schon gleich nach dem Erscheinen der deutschen Ausgabe.[184] Am 12. Mai empfiehlt das konservative *Elseviers Weekblad* das mit »großer Erzählkunst« (»hoge vertelkunst«) entfaltete »Experiment« als eine Legenden-Parodie, die dank ihres Taktgefühls, ihrer feinsinnigen Ironie und ihres subtilen Humors (»distinctie, [...] fijnzinnige ironie en subtiele humor«) niemals aufdringlich werde.[185] Unbeschwert durch die »ideologische Überspanntheit« des *Faustus* könne Thomas Mann hier seiner Fabulierkunst freien Lauf lassen (»onbezwaard door ideologische overspanning kon Mann zijn lust tot fabulieren botvieren«), die sich in der Kontrapunktik von archaischen und zeitgenössischen Sprechweisen musikalisch-lebendig bewähre (»het contra-puntisch evenwicht van archaïsch en uiterst genuanceerd, geciseleerd taalgebruik geeft de stijl zijn levendigheid«): eines seiner schönsten Bücher.

Eine ebenso einflussreiche Zeitung, der ehrwürdige *Groene Amsterdammer*, sieht den Roman als »ein Ereignis« (»een evenement«), das die – von vielen Rezensenten beobachtete – »Linie« im Werk Thomas Manns fortsetzt, auf große und ambitionierte Werke jeweils kleinere, verspielte folgen zu lassen.[186] Eine ganze Seite widmet die Zeitung dem *Erwählten* trotzdem, weil der Rezensent Jan Aler in der »Goldschmiedearbeit« dieses Mittelalter-Pastiche, vor allem im »charmanten Spiel mit den Sprachformen« und Sprechweisen (»Dit charmante spel met de taal-vorm«), ein vollendet originales Kunstwerk erkennt (»een volstrekt origineel werk«). Seine Bewunderung gilt »Thomas-Clemens, dem Benediktiner von Pacific Palisades« (»Thomas-Clemens, de Benedictijn van Pacific Palisades«).

184 Die niederländische Übersetzung erschien erst 1963.

185 Ch. Wentinck: *De fabel van een uitverkorene.* In: *Elseviers Weekblad*, Jg. 7, Nr. 19, 12.5.1951, S. 28.

186 Jan Aler: *Een nieuwe roman van Thomas Mann.* In: *De Groene Amsterdammer*, Jg. 75, Nr. 29, 21.7.1951, S. 6.

Auch im auf ausländische Bücher spezialisierten *Litterair Paspoort* fand der *Erwählte* ebenso ausführliche wie sympathisierende Aufmerksamkeit.[187] Hans de Leeuwe beschreibt die »verblüffende« Vielfalt der historischen, literarischen, werkgeschichtlichen Beziehungen des Romans (»een werk met verbluffende relaties en velerlei uitstralingen«) und versteht die ernsten Spiele mit »Sünde und Gnade, Gott, Natur und Geist, Exzentrizität und Extrem« als Antwort auf und Nachspiel zu Thomas Manns *Faustus* (auch in musikalischer Hinsicht: als Leverkühns hohes Cello-g als Zeichen einer »Hoffnung jenseits der Hoffnungslosigkeit«).[188]

In Schweden bespricht als Erster Anders Österling, einer der angesehensten Schriftsteller und Kritiker des Landes, den Roman in *Stockholms-Tidningen* am 30. März 1951 – ausführlich, höflich und mit dem Ergebnis, dass Thomas Mann sich mit dem ironischen Pastiche einen »historisch-legendarischen Ausflug« gegönnt habe (»en historisk-legendarisk utflykt«).[189] Wenig später, am 14. April, führt der in Lund lehrende Literaturhistoriker Olle Holmberg in *Dagens Nyheter* vor, wie Thomas Mann seinen *Erwählten* in den Spuren seines *Joseph* gehen lässt (der Brunnen dort ähnelt dem Stein hier), wie er die Erzählerfiktion des *Faustus* wiederaufnimmt (Clemens als ein mittelalterlicher Zeitblom) und die Sünde eines hochmütigen ästhetizistischen Überlegenheitsgefühls aus *Wälsungenblut* neu verhandelt. Dabei versteht er dies alles als Adaptation von »Freuds seltsamer Psycho-Mythologie« (»Freuds sällsamma psyko-mytologi«), von Ödipus-Komplex und den Inzest-Deutungen in *Totem und Tabu* – und kommt zu dem wenig überraschenden Schluss, das »Schema« des Romans gleiche

187 Hans de Leeuwe: *De uitverkoren zondaar.* In: *Litterair Paspoort*, Jg. 6, November 1951, S. 204–206.

188 »Daar zijn de theologisch-menselijke problemen van zonde en genade, van god, natuur en geest, van excentriciteit en extreem« – »*Der Erwählte*, dat het antwood is op, het naspel van *Doktor Faustus*«; vgl. GKFA 10.1, 711.

189 Anders Österling: *Thomas Manns nya roman.* In: *Stockholms-Tidningen*, Nr. 84, 30. 3. 1951, S. 4.

dem der *Joseph*-Tetralogie (»Schemat var detsamma i den stora Josefserien«).[190]

Erst Käte Hamburger, Thomas Manns Vertraute und empathische Interpretin, aus NS-Deutschland nach Göteborg geflohen und durch Thomas Manns Briefe mit der Entstehungsgeschichte des Romans vertraut,[191] nennt in ihrer Besprechung in *Göteborgs Handels- och Sjöfarts-Tidning* am 23. April 1951 das Stichwort, das den *Joseph* und den *Erwählten* vor allem und zuerst verbindet: Beide feiern, so will sie zeigen, ein »Fest der Erzählung«, das sich sehr absichtsvoll verselbständigt gegenüber den politischen, theologischen, philosophischen Fragen der Gegenwart – die, wer will, allesamt im Roman wahrnehmen kann – und das sich denen verweigert, die es »allzu sehr auf seine ›Idee‹ hin« lesen wollen (»alltför mycket pressar dess ›idé‹«). In der Rolle des Richters über Sünde und Sünder erscheine in dieser Legende der Humor selbst (»humorns milda domarroll«).[192] Das gefiel Thomas Mann, der den »hübsche[n] Artikel von der Hamburger« mit Freude zur Kenntnis nahm,[193] am allermeisten: »Man kann heute den Menschen ein Buch wohl nicht besser empfehlen, als indem man ihm nachsagt, es könne zur Erholung dienen von dem Grauen der Zeit.«[194]

In *Bonniers litterära magasin* schließlich, der wichtigsten Literaturzeitschrift Schwedens, stellt der angesehene Schriftsteller und Kritiker Bengt Holmqvist den *Erwählten*, der 1952 in schwedischer Übersetzung erschienen ist, im November dieses Jahres in einen weiten Zusammenhang von Thomas Manns Leben und Den-

190 Olle Holmberg: *»Den utvalde«*. In: *Dagens Nyheter*, 14. 4. 1951, S. 2.

191 Vgl. Thomas Manns Briefe an sie vom 15. 6. 1948, 28. 10. 1950 und 22. 4. 1951 (TM/Hamburger, 104, 112 u. 113).

192 Käte Hamburger: *Gregorius på Stenen*. In: *Göteborgs Handels- och Sjöfarts-Tidning*, Jg. 120, Nr. 92, 23. 4. 1951.

193 Tb. 27. 4. 1951.

194 Thomas Mann an Käte Hamburger, 28. 4. 1951; TM/Hamburger, 114.

ken[195] – einen Zusammenhang, den er von Beginn an, wenn auch in sich wandelnden Akzentuierungen und Bewertungen, um die Probleme von Hochmut und Einsamkeit, Sozialisierung und Humanismus kreisen sieht. Der werkgeschichtliche Horizont ist dabei weiter ausgespannt als in fast allen anderen Beiträgen. Er umfasst die Zeit von den frühesten Anfängen, den Träumen des 1899 erschienenen *Monolog*-Gedichts von Größe und Ruhm, von den *Hungernden* und *Tonio Kröger* bis zur demokratischen Politisierung in den 1920er Jahren, von der neuen, in deutscher Republik und im amerikanischen Exil weiterentwickelten Konzeptualisierung von »Sünde« als einem »Leben gegen den Geist« bis zu den jüngsten Reden und Vorträgen, von der individualistischen Perspektive in den frühen bis zum gesellschaftlichen und politischen Engagement in den späten Romanen und Essays. In dieser Perspektive stellt sich der Legendenroman beinahe wie von selbst und ohne eine (von Thomas Mann etwa bei Alice Schwarz beargwöhnte) Überinterpretation neben den *Faustus* und *Meine Zeit*. Holmqvist liest ihn ausdrücklich auch als eine indirekte Fortsetzung des kritischen Nachdenkens über Deutschland, das im Mittelpunkt des *Faustus* gestanden hatte, mit der lapidaren Begründung: »genom Tyskland har Thomas Mann ju alltid sett världen« (»immer hat Thomas Mann ja die Welt durch Deutschland gesehen«). Was den *Erwählten* von den vorangegangenen Werken unterscheidet, ist für Holmqvist seine Leichtigkeit, die in den virtuosen Sprachspielen »auf eine manchmal Joyce'sche Weise die konventionellen Grenzen des Materials sprengt« (»på ett stundom nästan Joycesk sätt spränga materialets konventionella gränser«) und deshalb im Grunde unübersetzbar ist. Man müsse, so schließt Holmqvist, den *Erwählten* im deutschsprachigen Original lesen, um zu begreifen: »Det er något av ett under« – »Es ist gewissermaßen ein Wunder.«

195 Bengt Holmqvist: *Kommentar till en utvald.* In: BLM. *Bonniers litterära magasin*, Jg. 21, Nr. 9, November 1952, S. 674–680.

»Dieser Gelehrte weiss alles«: Anfänge der wissenschaftlichen Rezeption

Noch im Erscheinungsjahr des Romans setzt eine literaturwissenschaftliche Rezeption ein, die teils von den mittelalterlichen Bezügen, teils von psychologischen, theologischen und religionsgeschichtlichen Konzepten und teils von narrativen Verfahren ausgeht. Darauf kann hier am Ende nur noch ein knapper Blick geworfen werden, wenn die Rezeptions- sich nicht zur Forschungsgeschichte ausweiten (und damit weiter ausgreifende, die Grenzen eines Kommentars überschreitende Erörterungen notwendig machen) soll. Pionierarbeit leistete auch hier, wie so oft in der Thomas-Mann-Forschung, der aus Czernowitz stammende, 1938 vor den Nazis nach Großbritannien geflohene Schriftsteller und Übersetzer Jonas Lesser, vormals Lektor im Wiener Zsolnay-Verlag und Freund Schnitzlers, Werfels, Hesses und auch Thomas Manns: »Dieser Gelehrte weiss alles. Er hat einen englischen Aufsatz über das Sprachlich-Philologische im ›Erwählten‹ geschrieben«.[196] Das schreibt Thomas Mann am 29. Juli 1951 an seine französische Übersetzerin Louise Servicen, nachdem er schon seit 1948 mit Lesser auch über den *Erwählten* korrespondiert hat. Der erwähnte Aufsatz konnte nicht ermittelt werden; mit hoher Wahrscheinlichkeit handelt es sich aber um eine als Literaturkritik abgedruckte Vorabveröffentlichung des Kapitels »Der Erwählte« in Lessers großem, 1952 erschienenen Buch *Thomas Mann in der Epoche seiner Vollendung*.[197] Im Tagebuch kommentiert Thomas Mann Lessers wie immer mustergültig präzise philologische Spurensuche mit freundlich-spöttischer Bewunderung: »Englischer Artikel Lessers über den ›Erwählten‹, wunderliche philologische Quellenforschung. Erstmalige Analyse der Fischersprache. Das

196 Reg. 51/338; TMA.
197 Erschienen München: Desch, 1952, darin über den *Erwählten* S. 475–530.

Ganze höchst trocken aber spaßhaft.«[198] Und an Lesser selbst schrieb er am 26. April 1951:

> [...] ganz erstaunlich haben Sie sich wieder hervorgetan durch Einsicht in alles Woher und eine Gelehrsamkeit, die gerade mich, der ich mich bei der Zusammenstoppelung meines kristlichen Mittelalters nur rasch überall ein bisschen umgesehen habe, im höchsten Grade Wunder nimmt. Haben Sie das alles denn einfach so am Schnürchen, oder haben Sie auf der Bibliothek gearbeitet?[199]

Wie hier, so war der Übergang zu den im engeren Sinne literaturkritischen Kommentaren oft so fließend, dass eine klare Abgrenzung von vornherein nur in wenigen Fällen möglich ist. Einige davon sind hier bereits erwähnt worden. Literaturwissenschaftlerinnen und Literaturwissenschaftler wie Käte Hamburger in Schweden (in *Göteborgs Handels- och Sjöfarts-Tidning*), Leslie A. Fiedler in den USA (in *The Nation*) oder Franco Rizzo in Italien (in *Letterature moderne*) verfassen feuilletonistische Rezensionen, die mehr oder weniger deutlich philologische oder literaturtheoretische Reflexionen voraussetzen; umgekehrt werden eher akademisch geprägte Untersuchungen zum *Erwählten* wie Bengt Holmqvists Stockholmer Aufsatz (s. hier S. 280f.) als Besprechungen einer interessanten Neuerscheinung (in diesem Fall in der Rubrik *Nya utländska böcker*) veröffentlicht. Besprechungen in Zeitschriften wie den *Monatsheften* (von William H. McClain, Harvard), der Tübinger *Universitas. Zeitschrift für Wissenschaft, Kunst und Literatur* (Alois Winklhofer über *Die Humanisierung des Mythos bei Thomas Mann*, s. hier S. 234f.), Sartres *Les Temps Modernes* (von Jean Pouillon, s. hier S. 275f.) oder dem Jubiläumsheft der *Neuen Rundschau* zu Thomas Manns achtzigstem Geburtstag (Erich von Kahler: *Die Erwählten*, über die Wandlungen dieses Figurenmodells von *Felix Krull* und dem *Joseph* bis zu Gregorius[200]) entfalten jeweils in

198 Tb. 23. 4. 1951. 199 TM/Lesser, 85.
200 *Neue Rundschau*, Jg. 66, H. 3, 1955, S. 298–311.

essayistischem Format Überlegungen, die über die Präsentation und Bewertung des Romans weit hinausgehen und ihn auf allgemeine literarische, historische oder religiöse Probleme beziehen.

Manchmal erscheint ein und derselbe Text in unterschiedlichen Kontexten und zeigt sich dabei, je nachdem, als literaturkritische oder als literaturwissenschaftliche Äußerung. Ronald D. Grays BBC-Besprechung etwa wird zunächst als Rundfunkbeitrag ausgestrahlt und dann in Oxford in der germanistischen Fachzeitschrift *German Life & Letters* gedruckt. Von den drei Beiträgen, die im Feuilleton der NZZ (März 1951) im Laufe von anderthalb Jahren auf Werner Webers kritische Besprechung folgen und die einzelne Aspekte des Romans mythengeschichtlich (Emil Abegg, s. hier S. 207f.), psychologisch (Armin Kesser) oder mediävistisch vertiefen, gerät Bruno Boeschs kulturgeschichtliche Abhandlung so ausführlich, dass sie gleichzeitig auch in der germanistischen Fachzeitschrift *Wirkendes Wort* veröffentlicht wird (*Die mittelalterliche Welt und Thomas Mann's Roman »Der Erwählte«*); sie gibt damit gewissermaßen den Startschuss für eine bis heute andauernde mediävistische Beschäftigung mit Thomas Mann.

Eine andere Art von literaturkritisch-literaturwissenschaftlichen Grenzgängen ergibt sich dort, wo Thomas Mann seinerseits auf dem Weg über eine germanistische Studie Einfluss auf die Rezeption insgesamt zu nehmen versucht; das scheint in seiner ausführlichen Korrespondenz mit Eberhard Hilscher in (Ost-) Berlin der Fall zu sein.

Neben Hilschers Dissertation *Die Neugestaltung von Hartmanns Gregoriuslegende durch Thomas Mann*, (Ost-)Berlin 1952, entstehen auch weitere akademische Qualifikationsschriften; »Dissertationsmanuskripte über den ›Erwählten‹« vermerkt das Tagebuch am 9. Juni 1952. 1953 erscheint Hans Düwels Rostocker Habilitationsschrift über *Die Bedeutung der Ironie und Parodie in der Struktur von Thomas Manns Roman »Der Erwählte«*; 1954 folgt Gerhard Waldners Innsbrucker Dissertation *»Der Erwählte« von Thomas Mann*; alle drei Abhandlungen blieben ungedruckt. Veröffentlicht hingegen wurde die Freiburger Dissertation von Erika Charlotte Regula über *Die Darstellung und Problematik der Krankheit im Werke Thomas Manns* 1952.[201] Der Verfasserin, die ihm ein Exemplar geschickt hatte, antwortet Thomas Mann am 9. August 1953 mit Bemerkungen, die über die obligatorischen Höflichkeitsformeln deutlich hinausgehen:

> Meine Aufmerksamkeit galt besonders den Abschnitten über »Faustus« und den »Erwählten«, aber auch denen über »Joseph«, und ich muß sagen, daß mir gerade in diesen mich von vornherein vorzugsweise anziehenden Partieen Stellen von großer kritischer Schönheit begegnet sind. Beim Lesen konnte ich mich des Gefühls nicht erwehren, daß, was Sie über den religiösen, ja theologischen Gehalt dieser Produkte zu sagen wissen, einigermaßen beschämend wirken mußte auf die Sänger jener Spott- und Dummheitsliedchen von der »Welt ohne Transcendenz«.[202]

Da sind noch einmal die Enttäuschung und der Zorn über die Ablehnung durch die vormals nationalsozialistischen und nun christlich-nationalkonservativ gewendeten Kritiker, deren »speiender Widerwille« Thomas Mann als dem vermeintlichen Zerstörer der abendländischen Kultur entgegengeschlagen war.

Auch außerhalb des deutschen Sprachraums setzt eine wissenschaftliche Beschäftigung mit dem Roman früh ein. In den Niederlanden vergleicht der Mediävist Cornelis Soeteman in der auf niederländisch-deutsche Kulturbeziehungen spezialisierten Zeitschrift *Duitse Kroniek* 1952 als einer der Ersten Thomas Manns Roman mit der Verserzählung Hartmanns von Aue und arbeitet dabei die Züge eines geradezu »naturalistischen« Genaumachens ebenso heraus wie den grundlegenden »ironischen Vorbehalt« des

201 Erika Charlotte Regula: *Die Darstellung und Problematik der Krankheit im Werke Thomas Manns*. Diss. Albert-Ludwigs-Universität, Freiburg i. Br. 1952.
202 Br. III, 301f. Vgl. hier Anm. 7.

modernen Textes gegenüber dem mittelalterlichen;[203] ein Jahr später stellt ihn die deutsch-niederländische Schriftstellerin Elisabeth Augustin, die als Jüdin mit ihrer Familie 1933 aus Deutschland geflohen war, im *Critisch Bulletin* in den Zusammenhang weltliterarischer und neuerer deutschsprachiger Auseinandersetzungen mit Inzest-Motiven.[204]

In Italien setzt die wissenschaftliche Diskussion um Thomas Manns Verhältnis zu seinen Quellen bereits im Erscheinungsjahr 1951 ein, noch vor den ersten literaturkritischen Rezensionen: In den *Annali della Scuola Normale Superiore di Pisa*, in einer sechzehnseitigen Abhandlung der Germanistin Alba Cori, die sich mit der Stellung des Romans in Thomas Manns Werk ebenso auseinandersetzt wie mit den Legenden- und Mythentraditionen, die er in sich aufnimmt.[205] Der bedeutende marxistische Literaturwissenschaftler und Kritiker Cesare Cases lässt im Juli 1955 einen Vortrag über den *Erwählten*[206] im *Notiziario Einaudi* veröffentlichen, der Verlagszeitschrift des Einaudi-Verlags in Turin. Thomas Mann erscheint ihm als »der Geist der Erzählung unserer Zeit«, der in seiner zunehmenden »Annäherung an die Demokratie und den Sozialismus« seinen humanistischen Glauben an die Unzerstörbarkeit des Menschen bezeuge.[207]

In den USA diskutiert Ray B. West im Frühjahr 1952 in der

203 Cornelis Soeteman: *De Gregoriuslegende bij Hartmann von Aue en Thomas Mann.* In: *Duitse Kroniek*, Jg. 4, Nr. 2, Juni 1952, S. 38–46. Am 18. 6. 1954 korrespondiert Thomas Mann mit Soeteman über den Roman, vgl. DüD III, 431f.

204 Elisabeth Augustin: *Van chaos naar orde.* In: *Critisch Bulletin*, Jg. 20, April 1953, S. 166–171.

205 Alba Cori: *Il nuovo romanzo di Thomas Mann: La leggenda di Papa Gregorio.* In: *Annali della Scuola Normale Superiore di Pisa; Lettere, Storia e Filosofia* (Firenze), Jg. 20, Nr. 1, 1951, S. 140–155.

206 Zur italienischen Rezeption vgl. wiederum Mazzetti 2009, hier S. 297–300.

207 Cesare Cases: *Thomas Mann et lo »spirito del racconto«.* In: *Notiziario Einaudi*, Jg. 4, Nr. 6–7, 1955, S. 7–9. Vgl. Mazzetti 2009, S. 298f.

literarischen Vierteljahresschrift *Sewanee Review* die Beziehungen von Psychologie und Moral in Thomas Manns Werk mit besonderer Rücksicht auf *The Holy Sinner*. Gegen die Verwerfung Thomas Manns als eines dekadenten Artisten der moralischen Zweideutigkeit, die er im zeitgenössischen Diskurs der USA ebenso am Werk sieht wie in den Faschismen der 1930er Jahre, vertritt er die im Rückblick wenig überraschende These: »Mann's work celebrates order, not disorder, good, not evil. [...] His controlling concept is modern psychology, but his method involves a reexamination of traditional concepts in terms of that psychology.«[208]

Besondere Mühe machte Thomas Mann die Absicht des deutsch-amerikanischen Germanisten Hermann J. Weigand, eine Abhandlung über den *Erwählten* und seine Quellen zu verfassen. Nachdem Erich Auerbach den Kontakt hergestellt hat, dankt Thomas Mann Weigand am 5. November 1951 dafür, dass er ihn »generös gegen den Vorwurf des Sakrilegs verteidigt« habe;[209] schon dieser Brief enthält einige Hinweise auf die Quellen des Romans. Dem in Harvard lehrenden William H. McClain, der ja seinerseits bereits einfühlsam über den *Erwählten* geschrieben hatte, teilt er am 23. Februar 1952 mit: »Hermann J. Weigand will, ich weiß nicht wo, eine Studie über die Quellen des ›Erwählten‹ veröffentlichen, bei der ich ihm etwas geholfen habe.«[210] Als die Studie dann in zwei Teilen erscheint,[211] tut er sich schwer damit. »Lange zu lesen an Prof. Weigands ungeheuer eingehender Analyse des ›Erwählten‹ in der Germanic Review«, notiert er am 26. April 1952 im Tagebuch.

208 Ray B. West: *Thomas Mann: Moral Precept as Psychological Truth*. In: *The Sewanee Review*, Jg. 60, Nr. 2, 1952, S. 310–317, hier: S. 311.

209 DüD III, 411. 210 Br. III, 246.

211 Hermann J. Weigand: *Thomas Mann's »Gregorius«*. In: *The Germanic Review*, Jg. 27, Nr. 1 u. 2, Februar u. April 1952, S. 10–30 u. 83–95. – Vgl. Theodore Ziolkowski: *Hermann J. Weigand and a letter from Thomas Mann: the critical dialogue*. In: *The Yale Review*, Jg. 56, Nr. 4, Juni 1967, S. 537–549.

»Peinliche Ehre: Torheiten über das Sprachliche, aufgefaßt als Emigrantendeutsch. ›His Sprachgefühl is slipping‹ ist ja auch Messingsch. Viel Lob dabei, aber viel bedrückende Müßigkeit. Die Lektüre nahm Stunden.« Tags darauf dann: »Die Weigand'sche Philologie doch eigentlich ein Ärgernis.«

Das Ärgernis bestand ersichtlich weniger in der pedantisch katalogisierenden Schreibweise Weigands als vielmehr in einem unerwarteten Kurzschluss von den Sprachspielen des Romans auf die sprachliche Verfassung seines Autors am Schluss des Aufsatzes. Wo deutsche Kritiker Thomas Mann »Sprachverhunzung« vorgeworfen hatten, da glaubte der in den USA geborene Weigand eine schwerwiegende Entfremdung des Exilanten von seiner Muttersprache erkennen zu müssen, »a very real predicament of the author«:

> Whereas the mixing of French, medieval and modern, with German playfully parodies the courtly style of Hartmann and Wolfram, the use of English reflects the author's personal situation in a variety of ways.
>
> Ever since his emigration from Germany Thomas Mann has found himself exposed to a bilingual atmosphere that has both an amusing and a deeply disturbing aspect. He knew very little English on his arrival. [...] More intimate communication was limited to the host of German intellectuals in exile, to whom Thomas Mann was the outstanding symbol of the culture from which they were cut off. [...] English usage has with this group encroached upon German idiom, and by now every conversation tends to shuttle back and forth between German and English.
>
> Thomas Mann made use of this phenomenon with obviously humorous intent, in all that part of the story which has the Channel Island as its setting.[212]

Das Sprachenspiel also als Versuch, aus der Not des zwischen die

212 Weigand 1952, Teil 2, S. 91f.

Sprachen geratenen Emigranten eine humoristische Tugend zu machen? Thomas Mann war begreiflicherweise entsetzt über dieses Missverständnis, das angesichts der akademischen Position des Verfassers weitreichende Wirkung haben konnte.[213] So antwortet er Weigand am 29. April auf dessen unruhige Nachfrage mit einem höflichen, aber in der Zurückweisung dieser Passage deutlichen Brief:

> *Und ob* ich Ihren »Versuch« – einen sehr gelungenen Versuch – gelesen habe! Mit Recht nehmen Sie an, daß ich neugierig darauf war, und ich danke es Ihnen besonders, daß Sie mich nicht bis zum Eintreffen der Sonderdrucke warten ließen. Diese Insel, »Der Erwählte«, liegt zwar schon wieder weit zurück im Strome, aber es war doch ein merkwürdig erheiternder, neuartiger Aufenthalt, den ich dort hatte, und einen Mann wie Sie darüber sprechen zu hören – mit solcher Einläßlichkeit und alles beachtenden Genauigkeit darüber sprechen zu hören, hatte geradezu etwas Aufregendes. Wirklich, Sie haben diesem reichlich übermütigen Altersexperiment viel Ehre erwiesen, allein schon durch den Umfang Ihrer Studie, zuviel Ehre, als daß es mich nicht in Gefahr brächte, mir Ihre Warnungen und Bedenken nicht genügend nahe gehen zu lassen. Diese Gefahr wird allerdings verstärkt durch ein gewisses leichtsinniges Vertrauen in mein »Sprachgefühl«, das ich im Grunde nicht für »slipping« halte, und durch den Gedanken, daß es sich bei den sprachlichen Eskapaden des »Erwählten« um etwas durchaus Einmaliges und Unwiederholbares handelt, eine stilistische Vergnüglichkeit, die in dem Schwebezustand des Ganzen eine

213 Dabei ist Weigands These nicht weit entfernt von einem Gedanken, den Adorno in einem Brief an Thomas Mann am 25. 8. 1951 formuliert hatte: »Manches klingt, als wäre Ihnen an einer Verfallsstufe der Sprache, dem Emigrantendeutsch, die latente Möglichkeit eines Europäisch aufgegangen, die durch die nationale Spaltung verhindert ward, aber nun am Ende, wie eine Urschicht, durchleuchtet kraft des Spätesten« (TM/Adorno, 87; vgl. dazu Grothues 2007, S. 500f.).

> Art von Rechtfertigung findet. Die Annahme, daß es nun dahin mit mir gekommen, daß dies nun traurigerweise meine durch das Exil erzeugte Schreibweise sei, wäre zu pessimistisch. Nie wieder werde ich bosten und swaggern, dessen können Sie versicher[t] sein, und selbst an die Wortbildung »ausfigurieren« bin ich nicht hoffnungslos gebunden. Ein paarmal übrigens sehen Sie Symptome der Verkommenheit, wo keine sind. Jemandem »die kalte Schulter zeigen« ist kerndeutsch, und »überall« gebraucht Goethe immer oder fast immer für »überhaupt«. Es ist nicht Englisch, sondern nur etwas altmodisches Deutsch, und einen ähnlichen Geschmack hat das »Aufbringen« eines Kindes, von dem mir vorkommt, alsob Goethe es in aller Unschuld für »aufziehen« oder »auferziehen« hätte brauchen können – wenn er es nicht getan hat.[214]

Einen vorläufigen Schlusspunkt der Rezeption zu Lebzeiten setzt, zumindest in Thomas Manns eigener Wahrnehmung, ein »Erfreulicher Aufsatz über den Holy Sinner in der Vanguard-Zeitschrift ›Accent‹.«[215] Der junge Literaturwissenschaftler Irvin Stock antwortet im Frühling 1954, unter der Überschrift *Mann's Christian Parable*, in der Literaturzeitschrift *Accent* auf die »inadequacies of the first printed responses to *The Holy Sinner*«. Immer und überall leide Thomas Mann unter »the handicap of being a philosophic novelist«; daraufhin habe die überwiegende Kritik ihn gelesen, und darauf habe sie ihn festgelegt. Aber, mit dieser Feststellung beginnt sein Essay: »It is not the least among the distinctions of Thomas Mann's novels that they are intensely enjoyable.« Namentlich den ›linken‹ Kritikern Hans Meyerhoff im *Partisan Review* (s. hier S. 260) und Frederick W. Dupee im *Kenyon Review* und den

214 DüD III, 417f. Verärgert zeigt sich Thomas Mann auch hier wieder über den Vorwurf frivoler Indiskretion: »Finden Sie wirklich, daß Hartmann die Versündigungs-Liebesszene zwischen den Kindern soviel diskreter behandelt hat, als ich?« (ebd., S. 419)

215 Tb. 22. 5. 1954. Gemeint ist Irvin Stock: *Mann's Christian parable: A View of »The Holy Sinner«*. In: *Accent*, Jg. 14, Nr. 2, Frühjahr 1954, S. 98–115.

Perspectives (s. hier S. 272f.) – mit denen er grundsätzlich sympathisiert – hält Stock ihre Humorlosigkeit vor. Geschwind und gescheit beschreibt er dann siebzehn Seiten lang die Spaßhaftigkeit, mit der Clemens als Erzählerfigur etabliert und ironisiert wird, den Witz der Sprachenwechsel, die Erzählspiele mit realistischer Amplifikation und übermütiger Erfindung – und liest Thomas Manns Roman als eine Parabel vom sozialisierten Außenseiter und von göttlicher und artistischer Barmherzigkeit, in der christliche und künstlerische Reflexionen eine humoristische Synthese eingehen. Mit dem Ausruf »No Meaning!« endet sein Essay, denn: »*The Holy Sinner* is at least about the absurdity, the tragedy, and the glory of Christianity and of art. And the rest of what it means I must leave to others.«

Dieser Essay war für Thomas Mann, wie er am 23. Mai 1954 an Irvin Stock schrieb, das Beste und Schönste, was über den *Erwählten* überhaupt geschrieben worden war:

> You made me quite happy by your fine essay on the »Holy Sinner«. It is undoubtedly the best analysis and exegesis of the novel I ever read. [...] your review has something sensational for me because you are the first American critic who calls my books »enjoyable«, »humoristic«, »funny« instead of »ponderous« and »pompous«[216] which are the two epitheta mostly given to them. What a terrible misunderstanding! I feel quite redeemed by your discovery which must be an enormous surprise to all your collegues. I assure you: in the German original these books are still more funny than in English.[217]

Wer könnte dem widersprechen?

216 Thomas Mann spielt auf Orville Prescott an. Vgl. hier S. 263f.
217 DüD III, 431.

Mittelhochdeutsche Worterklärungen folgen Matthias Lexers *Mittelhochdeutschem Taschenwörterbuch*. Eine Reihe von Aufschlüssen verdanken die Herausgeber der Studie von Carsten Bronsema, die der Verfasser auch »als Vorarbeit zur Großen kommentierten Frankfurter Ausgabe« versteht (Bronsema 2005, S. 5).

9 1 *Wer läutet?*] Thomas Manns Darstellung des Glockenwunders bezieht sich über die *Betrachtungen eines Unpolitischen* auf Hans Pfitzners *Palestrina*-Oper zurück; die Verarbeitung des mittelalterlichen Wunderberichts zu einer modernen Oper über ein Sujet des 16. Jahrhunderts weist bereits diskret auf das Prinzip der Vermischung unterschiedlicher Zeiten hin. Vgl. dazu hier S. 57f.

2 *supra urbem*] Lat.: über der Stadt.

5–6 *in babylonischem Durcheinander*] Hinweis auf die Geschichte um den Turmbau zu Babel (Gen 11,1–9) und die Sprachverwirrung der Menschheit als Strafe Gottes für die Hybris.

12 *»In te Domine speravi«*] Lat.: Auf dich, o Herr, habe ich vertraut (Ps 71,1). Vgl. Nbl. [68].

12–13 *»Beati, quorum tecta sunt peccata«*] Lat.: Selig, denen die Sünden erlassen sind. Verkürzte Form von Ps 32,1: »beati quorum remissae sunt iniquitates et quorum tecta sunt peccata.« Vgl. Nbl. [68]. Beide Zitate verweisen auf das Grundthema des Romans; Thomas Mann übernimmt sie aus Gregorovius, *Wanderjahre*, S. 213 (vgl. seine Anstreichung).

16 *Von den Höhen läutet es und aus der Tiefe*] Im *Joseph*-Roman bildet der doppelte Segen von oben und aus der Tiefe ein Leitmotiv (vgl. etwa GKFA 7.1, LII u. LVIII, und 8.1, 911, 1582, 1864 u. 1901). Insofern das Motiv die Versöhnung von sinnlicher und moralischer Welt resümiert, verweist seine andeutende Wiederaufnahme hier auf das Paradoxon des »Holy Sinner«.

16–17 *sieben erzheiligen Orten der Wallfahrt*] Die sieben römischen Pilgerkirchen (Peterskirche, Lateran, St. Paul vor den Mauern, St.

Laurentius vor den Mauern, Santa Maria Maggiore, San Sebastiano und Santa Croce in Gerusalemme), deren Besuch für Pilger obligatorisch war, die Ablass erhalten wollten. Sie mussten an einem Tag und zu Fuß besucht werden.

9 18 *zweimal gebogenen Tibers*] Randmarkierung in Gregorovius, *Rom* I, S. 15. Nachträglich in der Hs. eingefügt.

19 *Aventin*] Südlichster der sieben Hügel Roms; Randmarkierung in Gregorovius, *Rom* I, S. 15, Übernahme auf mehrere Notizblätter.

19 *Palatin*] Vgl. den Kommentar zu S. 236₃; Randmarkierung in Gregorovius, *Rom* I, S. 15, Übernahme auf mehrere Notizblätter.

20 *Sankt Johannes im Lateran*] Unterstreichung in Gregorovius, *Rom* I, S. 52, vgl. Nbl. [2].

21–22 *Santa Maria Maggiore*] Unterstreichung in Gregorovius, *Rom* I, S. 63, Übernahme auf mehrere Notizblätter.

22 *in Domnica*] Unterstreichung in Gregorovius, *Rom* I, S. 601, vgl. Nbl. [3], [6] (die Schreibung dort irrtümlich: »Dominica«) u. [68].

22 *in Cosmedin*] Unterstreichung in Gregorovius, *Rom* I, S. 515, vgl. Nbl. [3].

23 *in Trastevere*] Vgl. die Auflistung Nbl. [3].

23 *Ara Celi*] Santa Maria in Aracoeli (auch in der Schreibung Ara Coeli); die falsche Schreibung »Ara celi« kommt aus: Gregorovius, *Wanderjahre*, S. 232 (s. die Unterstreichung), vgl. Nbl. [3] (korrekte und falsche Schreibweise).

23 *Sankt Paulus außer der Mauer*] Sankt Paul vor den Mauern, Basilika außerhalb der antiken aurelianischen Stadtmauer; Unterstreichung in Gregorovius, *Rom* I, S. 52, vgl. Nbl. [2].

23–24 *Sankt Peter in Banden*] Basilika San Pietro in Vincoli; markiert in Gregorovius, *Rom* I, S. 126, vgl. Nbl. [3] u. [5].

26 *Oratorien*] Ursprünglich Versammlungsräume der frühen Christen, später Gebetsräume.

27 *Wer nennt die Namen und weiß die Titel?*] Anklang an Schillers Ballade *Die Kraniche des Ibycus*: »Wer zählt die Völker, nennt die Nahmen« (V. 89).

9 28–29 *Äolsharfe*] Seiteninstrument, das durch Luftzug zum Klingen gebracht wird, benannt nach dem griechischen Gott Aiolos, dem Beherrscher der Winde; in der christlichen Theologie auch Bild für das Wirken des Heiligen Geistes.

30–31 *in schwirrender Allharmonie*] Anspielung auf die im Kapitel *Die Offenbarung* erwähnte Lehre des Origenes von der durch Gottes Gnade bewirkten Allversöhnung am Ende der Zeiten.

10 8 *ungrammatischer Kopf*] Ein Kopf, der nicht in der *grammatica* als einer der für die klösterliche Bildung obligatorischen »Sieben freien Künste« ausgebildet ist.

11–12 *hic et ubique*] Lat.: Hier und überall. Wie auch die folgenden Eigenschaften (»körperlos, allgegenwärtig, nicht unterworfen dem Unterschiede von Hier und Dort«) Eigenschaften des Heiligen Geistes; vgl. hier zur Entstehungsgeschichte S. 58f.

12–13 *Sankt Georg in Velabro*] Basilika im Zentrum Roms; vgl. Gregorovius, *Rom* I, S. 388, und Nbl. [3].

13 *Santa Sabina*] Vgl. Gregorovius, *Rom* I, S. 158 u. 161, und Nbl. [3].

20–23 *»Er ist's.« … Ich bin es.*] Vgl. hier zur Entstehungsgeschichte S. 60.

25 *Sankt Gallen im Alamannenlande*] Benediktinerabtei in der heutigen Schweiz, wichtiges Kulturzentrum des Frühmittelalters mit bedeutender Buchmalerei; Unterstreichung in Baum, *Malerei*, S. 122, und Übernahme auf mehrere Notizblätter, u. a. [66].

26 *Notker der Stammler*] Notker I. von St. Gallen (um 840–912), genannt »Notker Balbulus« (der Stotterer), bedeutender Dichter und Tonsetzer lat. liturgischer Versdichtungen und Prosaerzählungen, Leiter der Klosterschule. (Vgl. Thomas Manns Unterstreichung, Randanstreichung und Randnotiz: »Notker!« in Scherer, *Geschichte*, S. 54, vgl. Nbl. [38].) Wenn Thomas Mann seinen Erzähler Clemens betonen lässt, dass er am Pult Notkers seine deutsche Prosa verfasse, erinnert er auch an den ebenso berühmten Nachfolger des »Stammlers«, Notker III., genannt »Teutonicus« (der Deutsche; um 950–1022), der durch seine Übersetzungs-

arbeit einer der Begründer einer (althoch-)deutschen Literatursprache wurde. Ursprünglich war Notker hier noch nicht vorgesehen, im ersten Entwurf hieß es: »Ich bin der Geist der Erzählung, der zur Unterhaltung und zu außerordentlicher Erbauung diese Geschichte erzählt, indem er – indem ich mit ihrem Ende beginne« (Hs. 2).

10 29 *id est*] Lat.: das heißt.

11 1 *Clemens der Ire*] »Clemens« ist lat. »der Milde«; Unterstreichung und Randanstreichung in Scherer, *Geschichte*, S. 52.

1 *ordinis divi Benedicti*] Lat.: des Ordens des hl. Benedikt von Nursia (auch »Ordo Sancti Benedicti«, OSB). Unterstrichen in *Gesta* II, S. 295, vgl. Nbl. [58] und hier Quellenlage S. 113

3 *Kilian vom Kloster Clonmacnois*] Kilian: iroschottischer Missionar des Frankenreichs im 7. Jahrhundert, unterstrichen in Baum, *Malerei*, S. 23, übernommen auf Nbl. [64]. Clonmacnois war eines der bedeutendsten irischen Klöster; im heutigen County Offaly gelegen; gegründet im 6. Jahrhundert von St. Ciarán, mit bedeutendem Scriptorium. Der Klostername unterstrichen in Baum, *Malerei*, S. 118 u. 167, vgl. Nbl. [56] u. [65].

4–5 *seit Columbanus' und Gallus' Tagen*] Columban von Luxeuil (540–615), irischer Mönch und Missionar, der begleitet von einigen Brüdern um 591 von Irland aus aufbrach, um auf dem europäischen Festland zu missionieren. Unter seinen Begleitern war auch sein Schüler Gallus, möglicherweise gleichfalls irischer Herkunft, davon geht Thomas Mann hier zumindest aus, der 612 eine Einsiedelei gründete, die als Ursprung des Klosters St. Gallen gilt. Columban unterstrichen in Baum, *Malerei*, S. 23, und Scherer, *Geschichte*, S. 37, vgl. Nbl. [37]; Gallus unterstrichen in Scherer, *Geschichte*, S. 38, vgl. Nbl. [37] u. [64].

8 *Fulda*] Unterstrichen in Bernhart, *Vatikan*, S. 96; auch *Meyers Lexikon* II, Sp. 440 (»Klosterschulen«); vgl. Nbl. [37], [39] u. [66].

8 *Reichenau*] Kloster auf der gleichnamigen Insel im Bodensee; unterstrichen in Baum, *Malerei*, S. 122, vgl. Nbl. [66]. Die Klosternamen hat Thomas Mann ausgetauscht: Zunächst war statt »Rei-

chenau und Gandersheim« Salzburg vorgesehen, das gleichfalls bei Baum genannt ist.

11 8–9 *Gandersheim*] Das niedersächsische Stift Gandersheim war ein Konvent für adlige Damen, die ein gottgefälliges Leben führen wollten; im 10. Jahrhundert Wirkungsstätte der lat. Dramatikerin Hrotsvit (Roswitha) von Gandersheim. Name unterstrichen in Baum, *Malerei*, S. 123, vgl. Nbl. [39] u. [66].

9 *Sankt Emmeram*] Benediktinerabtei; unterstrichen in Baum, *Malerei*, S. 122, vgl. Nbl. [66].

9 *Lorsch*] Das hessische Kloster Lorsch wurde 764 gegründet und von Benediktinern bewohnt; es gehört heute zum UNESCO-Weltkulturerbe. Unterstrichen in Baum, *Malerei*, S. 122, vgl. Nbl. [66].

9 *Echternach*] Im Mittelalter für ihre Buchmalerei bekannte Abtei im heutigen Luxemburg; unterstrichen in Baum, *Malerei*, S. 122, vgl. Nbl. [66]. Hinter Echternach folgten in der Hs. zunächst noch Trier und dann Metz, die gleichfalls bei Baum genannt sind.

10 *Corvey*] Benediktinerabtei an der Weser mit wertvoller Bibliothek; unterstrichen in Baum, *Malerei*, S. 122, vgl. Nbl. [66].

11 *köstlicher Buchmalerei*] St. Gallen war berühmt für seine Buchmalerei (etwa *Psalterium Aureum* und *Evangelium Longum*).

14 *Refektur*] Von lat. reficere: wiederherstellen. Anklang an das Refektorium, den Speisesaal des Klosters. Übernahme aus dem Artikel »Kloster« in *Meyers Lexikon* II, Sp. 440, auf Nbl. [27].

20 *Gozbert*] 816 bis 837 Abt des Klosters St. Gallen. Unterstreichung des bei Geistlichen des Mittelalters mehrfach belegten Namens in Baum, *Malerei*, S. 114, vgl. Nbl. [65]. Thomas Mann hatte hier zunächst »wieder einmal mit Namen Gozbert« vorgesehen (vgl. hier zur Entstehungsgeschichte S. 57f.).

20 *ein irisches Kreuz*] Beschreibungen der irischen Hochkreuze fand Thomas Mann bei Baum, *Malerei*, S. 118–120 u. 167. Dort finden sich zahlreiche Unterstreichungen.

22 *Arbor vitae*] Lat.: Baum des Lebens; der Genuss seiner Früchte verleiht Unsterblichkeit; beliebtes Motiv in der christlichen Kunst. Erwähnt in Baum, *Malerei*, S. 120, vgl. Nbl. [65].

11 23 *Ecclesia*] Allegorische weibliche Figur, die die christliche Kirche verkörpert und meist mit Krone, Kreuz und Kelch dargestellt wird. Übernahme aus Baum, *Malerei*, S. 120.

28–29 *Sankt Patricks buchtenreichem Eiland*] Der heilige Patrick missionierte im fünften Jahrhundert Irland und wurde zum Nationalheiligen. Vgl. Nbl. [55], auf dem Thomas Mann den Eintrag »Irischer Freistaat« aus *Meyers Lexikon* exzerpiert (Bd. II, Sp. 286–288).

12 4–5 *sich ausbreitete*] In der Hs. gestrichen: »Hat nicht schon Sankt Columbanus, unser Prophet und der Alamannen Apostel, die alten Poeten zugleich mit den Kirchenvätern empfohlen und sich auf Juvenal berufen zur Stütze evangelischer Maximen.«

11–12 *allerdings ein Augustiner*] Spiel mit der (wenig christlichen) Konkurrenz unterschiedlicher Ordensgemeinschaften; die Augustiner-Chorherren waren eine Ordens-, aber im strengen Sinne keine Mönchsgemeinschaft.

12–14 *»Habeo tibi aliqua secreta dicere. Robustissimus in corpore sum et saepe propterea temptationibus Diaboli succumbo.«*] Lat.: »Ich habe dir noch einige Geheimnisse zu sagen. Ich bin körperlich äußerst kräftig und unterliege folglich oft den Versuchungen des Teufels.« Die Komik liegt in der wörtlichen Übernahme der deutschen Syntax. Der Satz verwendet Elemente aus Beispielen für schlechtes Mönchslatein, die Thomas Mann im Kommentar der von ihm benutzten Übersetzung der *Gesta Romanorum* angestrichen hatte (*Gesta* II, S. 302f., vgl. Nbl. [58] und hier zur Quellenlage S. 114). (In besserem Latein hätte es etwa heißen müssen: »Tibi in fidem fateor, corpus meum in tantum vigere, ut instigante Diabolo saepe in turpissima peccata inciderim.«) Thomas Manns Fortsetzung des vorgefundenen Satzes deutet bereits auf das Thema der sexuellen Sündhaftigkeit voraus.

17 *Unrede*] Mhd.: ungehörige, böse Rede. Vgl. die Listen mit mittelhochdeutschen Begriffen und ihrer Übersetzung Nbl. [2] u. [7].

18 *Suprematie*] Vorherrschaft, Oberhoheit; unterstrichen im Inhaltsverzeichnis von Gregorovius, *Rom* I, S. 1506.

12 19–22 *wir irischen Mönche … zuerst die kristliche Lehre gepredigt*] Angefangen mit Patrick von Irland im 5. Jahrhundert und unabhängig von der Kirche in Rom missionierten keltisch-irische Mönche im 6. Jahrhundert Nordeuropa.

26 *Bischof im Lateran*] Lateran: Stadtgebiet in Rom mit zentralen kirchlichen Gebäuden, offizieller Sitz des Papstes, der zugleich Bischof von Rom ist.

29–13,5 *Man kann sagen … zu lesen steht*] Auf der Rückseite von Hs. 5 in der überarbeiteten Textpassage ist dieser Passus neu eingefügt.

30 *die Kirchen von Jerusalem, Ephesus und Antiochia*] Also der ältesten christlichen Gemeinden, von denen in der Apostelgeschichte die Rede ist. Exzerpt auf Nbl. [2] aus Gregorovius, *Rom* I, S. 11 (Randanstreichung). Hier wie im gesamten Abschnitt lässt Thomas Mann den frommen Clemens eine Skepsis gegenüber katholischen Lehrmeinungen zu Kirche und Papsttum andeuten, die an Positionen der kirchenkritischen deutschen Geschichtsschreibung des 19. Jahrhunderts erinnert (vgl. Wimmer 2012b, S. 109–111).

31 *Petrus*] Vgl. Nbl. [2], Exzerpt aus Gregorovius, *Rom* I, S. 11.

32–33 *gewisse Hahnenschreie*] Jesus prophezeit seinem Jünger Petrus, dass er ihn nach seiner Gefangennahme dreimal verleugnen werde, noch bevor der Hahn krähe; was auch geschieht (Mt 26,34 u. 69–75). Vgl. Randanstreichung in Bernhart, *Vatikan*, S. 13.

13 5 *zu seinem Lehensträger hienieden*] Laut Mt 16,18f. macht Jesus Petrus zu seinem Stellvertreter auf Erden mit der Kraft zu binden und zu lösen, vgl. die Anstreichungen in Gregorovius, *Rom* I, S. 11. Der Ausdruck »Lehensträger« verweist auf die ›Germanisierung‹ der christlichen Verkündigung im frühen Mittelalter, die Bemerkung, dass dieser Einsetzungsbericht »allerdings nur bei diesem« Evangelisten »zu lesen steht«, auf die Papstkritik der protestantischen Bibelexegese vor allem im späten 19. Jahrhundert.

7 *Episkopate*] Lat.: episcopatus; Bischofsamt.

8 *Dekretalen*] Urkundliche Antworten des Papstes auf juristische Anfragen; päpstliche Rechtsprechung. Unterstrichen im Inhaltsverzeichnis von Gregorovius, *Rom* I, S. 1506.

13 10 *Papstes Linus*] Vermutlich von 67 bis 79 Bischof von Rom, erster Nachfolger von Petrus.

16 *Sella gestatoria*] Auch: sedia, lat.: Tragsessel. Gemeint ist die zeremonielle Sänfte, in der sich der Papst als Zeichen der Heiligkeit seines Amtes tragen ließ. Sie kam erst im 15. Jahrhundert in Gebrauch, gehörte aber zur Entstehungszeit des Romans zu den Symbolen, durch deren Betonung Papst Pius XII. den monarchischen Anspruch seines Amtes geltend machte. Unterstrichen in Gregorovius, *Rom* I, S. 56, exzerpiert auf Nbl. [2].

20 *Morhold*] Figur aus *Parzival*: Morhold von Irland nimmt als Gegner Gahmurets am Turnier in Kanvoleis teil (unterstrichen in *Parzival* I, S. 79, vgl. die Namensammlung Nbl. [19]). Im *Tristan* wird der irische Ritter, der zur Tafelrunde gehört, von Tristan tödlich verwundet, so dass der dessen Platz in der Tafelrunde einnimmt.

23 *Tunika*] Untergewand; vgl. hierzu und zu den folgenden Kleidungsstücken den Eintrag »Benediktiner« aus *Meyers Lexikon* I, Sp. 275, exzerpiert auf Nbl. [36].

23 *Skapulier*] Mantelartiger Überwurf der Mönchstracht. Quelle ist derselbe Artikel in *Meyers Lexikon*, vgl. Nbl. [36].

25–26 *Paul ad Ephesios … ›Anziehen eines neuen Menschen‹ nennt*] Im dem Apostel Paulus zugeschriebenen Brief an die Gemeinde in Ephesus wird die Bekehrung zum Glauben mit einer Einkleidung verglichen; in der Luther-Übersetzung von 1912 lautet der Vers: »ziehet den neuen Menschen an, der nach Gott geschaffen ist in rechtschaffener Gerechtigkeit und Heiligkeit« (Eph 4,24).

29 *Cingulum*] Gürtel der Priester-, Diakons- und Ordensgewänder, meist in Form eines Stricks. Ebenfalls Übernahme aus *Meyers Lexikon* auf Nbl. [36].

14 19 *Titular-Basiliken*] Vgl. die Übersicht in Gregorovius, *Rom* I, S. 157–161, die Thomas Mann auf Nbl. [5] exzerpiert. Basiliken sind besonders ranghohe Kirchen; die hier gemeinten Titularkirchen (die Entstehung des Begriffs ist umstritten) sind Kirchen, die römischen Presbytern oder Kardinal-Priestern zugewiesen sind.

14 32 *Fridolin*] Unterstrichen in Baum, *Malerei*, S. 23, vgl. Nbl. [64]. Auch Taufname von Thomas Manns Lieblingsenkel Frido(lin) Mann, dem lebensweltlichen Vorbild des (wundersamerweise Mittelhochdeutsch sprechenden) Nepomuk Schneidewein, genannt »Echo«, in *Doktor Faustus* (vgl. hier zur Entstehungsgeschichte S. 62).

15 9 *thiudisc*] Volkssprachig (im Gegensatz zum Latein), danach im engeren Sinne »deutsch«; vgl. die Unterstreichung in Baum, *Malerei*, S. 19 (theodisc), und Nbl. [63].

10 *Alamannen*] Auch Alemannen; westgermanischer Volksstamm im heutigen Elsass, in Süddeutschland und der hier gemeinten Schweiz (an Helen T. Lowe-Porter, 25. Oktober 1951: »›[...] Allemannenland‹, that is in Switzerland. This geographical term did not exist yet at the time«; Reg. 51/430), unterstrichen in Baum, *Malerei*, S. 18, exzerpiert auf den Nbl. [62]–[64].

11 *britunsches*] Bretonisch oder britisch. Vgl. den Aufsatz zu *Thomas von Britannien und Gottfried von Strassburg* von Samuel Singer, den Thomas Mann »mit Interesse« gelesen hat (Tb. 27.11.1947), in dem von »britunschen buochen« die Rede ist, die Thomas von Britannien gelesen habe (Singer, *Thomas*, S. 100).

24–25 *Kaisers Caroli ... Schutzherr der Grammatik*] Karl der Große (747/48 bis 814) stieß Reformen in der Wissenschaft und Bildung an, dazu gehörte auch die Durchsetzung der grammatischen Regeln für eine korrekte lateinische (Schrift-)Sprache nach antikem Maßstab, da nur in korrekter Sprache Gott angemessen gedient werden könne. Dazu wurde auch eine einheitliche und gut lesbare Schrift eingeführt.

28–32 *das Gehüpf auf drei, vier jambischen Füßen ... wohlgefügte Prosa*] Thomas Mann folgt in dieser Darstellung der Versepik (nicht in der polemischen Bewertung) Scherer, *Geschichte*, S. 163f. Der hier Clemens zugeschriebene Vergleich von metrisch geregelter und prosaischer Dichtung und die traditionelle Abwertung der Letzteren beschäftigten den jungen Novellisten, Essayisten und Romancier Thomas Mann (der seine Laufbahn als »[l]yrisch-dramatischer Dichter« begonnen hatte, vgl. GKFA 21, 21) lebhaft.

16 1–4 *Es war ein Fürst, nommé Grimald, / Der Tannewetzel macht' ihn kalt. / Der ließ zurück zween Kinder klar, / Ahî, war das ein Sünderpaar!*] An den Reimen hat Thomas Mann intensiv gearbeitet, wie sich Hs. 8 entnehmen lässt. Ursprünglich lauteten die Verse: »Es war ein Herzog, Grimald genannt, / Durch Tannewetzel den Tod er fand / der ließ zurück zween edle Kinder, / Ahi, was waren das für Sünder!«

1 *nommé*] Frz.: genannt, namens.

2 *Tannewetzel*] Eigentlich mhd.: Seuche; von Thomas Mann hier aber im Sinne eines Schlaganfalls eingesetzt. Unterstrichen in Heil, *Städte*, S. 114, exzerpiert auf Nbl. [40]. Gegenüber der Übersetzerin Helen T. Lowe-Porter erläutert Thomas Mann am 27. Februar 1951: »[...] unter den ›Seuchen‹ ist in mittelalterlichen Büchern der ›*Tannewetzel*‹ genannt, neben Bürzel, Ganser, Ziegenpeter und Mumps. ›Tannewetzel‹ bedeutet ›Schlag an die Schläfe‹. Als Erreger ist ein dämonisches Wesen gedacht, wie bei Hexenschuß, Alpdrücken, *Schlagfluß*, Fieber und – seit Einführung des Christentums – auch bei Geisteskrankheiten.« (DüD III, 380)

3 *klar*] Mhd.: hell, lauter, rein, schön; unterstrichen in *Parzival* II, S. 382: »Junker klar«, übernommen auf Nbl. [24], [32] u. [52].

4 *Ahî*] Mhd. Ausruf der Überraschung; u. a. in Auerbach, *Mimesis*, S. 98, auch auf Nbl. [35].

9 *Rimelein*] Von mhd. rîm: Reim; kleine Reimereien.

17 1 *Grimald und Baduhenna*] Grimald: Name unterstrichen in Dieffenbacher, *Privatleben*, S. 58, vgl. Nbl. [19] u. [36]; Baduhenna: vgl. den Brief vom 19. März 1948, in dem Samuel Singer Thomas Mann verschiedene Frauennamen vorschlägt, den Namen »Baduhenna« unterstreicht Thomas Mann darin ebenso wie »Sibylla«. – Wie Thomas Mann in *Joseph in Ägypten* einen einzigen Bibelvers zur dramatischen Geschichte von Mut-em-enets unerfülltem Begehren ausgesponnen hat, so entwickelt er nun aus zweieinhalb Versen von Hartmanns Erzählung (»des selben landes herre / gewan bî sînem wîbe / zwei kint«, V. 180–182) ein ganzes Kapitel. Damit übernimmt er ein Strukturprinzip aus den Romanen Gottfrieds

und Wolframs: Wie dort die Geschichten der Eltern des Helden als Voraussetzung und Reflex seiner Abenteuer erzählt werden, so wird hier in der Neigung Grimalds zu seiner Tochter das Inzestmotiv angespielt, klingt die (ihrerseits auf den *Tristan* verweisende) Verbindung von Minne und Tod an und weist die marianische Überhöhung der Weiblichkeit auf die Darstellung der erwachsenen Sibylla voraus.

17 2 *Herzog in Flandern und Artois*] Heute zu Belgien und Frankreich gehörende Region zwischen Calais und Antwerpen. Übernahme aus dem Artikel »Flandern« in *Meyers Lexikon* I, Sp. 818, exzerpiert auf Nbl. [54]. Schon früh macht Thomas Mann sich Gedanken über die Handlungsorte: »Dabei wird es nicht leicht sein, die Geschichte zu lokalisieren. Aquitanien ist ja Guyenne, sehr südlich, das gefällt mir nicht. Ein Herzogtum Flandern-Artois, sagenhaft, wäre mir lieber.« (Am 13. Februar 1948 an Samuel Singer; Br. III, 21.) Singer antwortet am 19. März 1948: »Mit der Verlegung des Schauplatzes nach Flandern bin ich sehr einverstanden«. Während der frühen Arbeiten am *Erwählten* las Thomas Mann den historischen Roman *Ulenspiegel* (1867), das Hauptwerk des flämischen Erzählers Charles De Coster.

3–4 *Eckesachs … Guverjorß*] Der Sachs ist ein einschneidiges Schwert, »Eckesachs« in der germanischen Mythologie der Name des vom Zwergen Alberich geschmiedeten Schwertes. Quelle für den Schwertnamen ist Scherer, *Geschichte*, S. 72 (Unterstreichung), vgl. Nbl. [36] u. [39]. Guverjorß: Pferd des Klamidê, unterstrichen und mit Ausrufezeichen versehen in *Parzival* I, S. 238, (dort S. 239 ist auch der Name Grigorß unterstrichen und am Rand »Grigorß« notiert) und auf Nbl. [48] übertragen.

2–4 *Vor Zeiten … genannt*] Die ersten drei Sätze des Kapitels, mit dem die eigentliche Erzählung beginnt, imitieren Stil und Syntax der typischen Anfänge altnordischer Sagas.

6 *erblich angestorbenen*] Unterstrichen in *Parzival* I, S. 108: »die mir als Erbe angestorben«; Nbl. [26] u. [43].

8 *maisnie*] Afrz., mhd. massenîe: Haushalt, Hofstaat. Unterstri-

chen in *Parzival* I, S. 174, Anm. 1, und übernommen auf Nbl. [45] u. [48].

17 9 *Tambours*] Trommler; unterstrichen in *Parzival* I, S. 51; die ganze Szenerie aus Gahmurets Einzug in Patelamunt ist auf Nbl. [41] exzerpiert und zur Beschreibung der Hofhaltung von Grimald in den Roman übernommen.

17 *die Füße kreuzweis setzten*] In Hs. 9 und Ts. 10 folgte noch: »und die Köpfe wiegten.«

19 *Chastel Belrapeire*] Frz. bel repaire: schöner Unterschlupf/Aufenthalt; in Wolframs von Eschenbach Versroman *Parzival* befreit der gleichnamige junge Held die Stadt Belrapeire von der Belagerung und heiratet Königin Condwiramurs. Übernahme aus *Parzival* I, S. 210, Anm. 2 (unterstrichen), auf Nbl. [46]. Der Begriff »Chastel« für Burg auch bei Auerbach, *Mimesis*, S. 130, übernommen auf Nbl. [28].

21 *Söllern*] Offene, balkonartige Plattform zumeist auf Säulen als Vorbau etwa eines Schlosses.

26 *Donjon*] Großer, starker Hauptturm einer französischen Burg, in dem meist die Wohnräume der Burgherren lagen. Exzerpt aus Clasen, *Baukunst*, S. 214f., auf Nbl. [56].

18 2 *Pfellelseide aus Halap und Damaskus*] Mhd. phellel: Seidenstoff. Thomas Mann verdoppelt den Begriff, indem er an Pfellel Seide anhängt. Unterstrichen in *Parzival* I, S. 70 mit Anm. 3; ebenfalls unterstrichen in Dieffenbacher, *Privatleben*, S. 81; u. a. auf Nbl. [15] u. [28]. Halap: Aleppo, unterstrichen in *Parzival* I, S. 48, übernommen auf Nbl. [41].

5–6 *trüglichen Mären*] Übernahme »trügelîche mæren« aus Hermann Pauls Einleitung zu seiner *Gregorius*-Ausgabe, S. III, auf Nbl. [16] u. [36].

6 *Artus*] Sagenhafter britannischer Heerführer und König, der seit dem späten 9. Jahrhundert in Chroniken als Kämpfer gegen Eindringlinge vom Festland erwähnt wird. Seit dem 12. Jahrhundert als Typus des Idealherrschers beliebte Gestalt der höfischen Literatur, erstmals ausführlicher 1136 in Geoffreys of Monmouth

Historia Regum Britanniae. Name unterstrichen in *Parzival* I, S. 22, vgl. Nbl. [50].

18 7 *Britanneisen*] Briten; unterstrichen in *Parzival* I, S. 300, vgl. Nbl. [50].

7–8 *Gutwetterkönig Orendel*] *Orendel*: Das mhd. Versepos aus dem 12. Jahrhundert über die Brautfahrt und die Abenteuer des Königssohns Orendel wurde in der Germanistik des 19. Jahrhunderts, mit einem heute überholten Begriff, zur »Spielmannsdichtung« gerechnet (in Thomas Manns Text: »Mären der Spielleute«). Thomas Mann liest darüber in Scherer, *Geschichte*, S. 95f., und exzerpiert auf Nbl. [60]. Orendel betet in Seenot um Hilfe vor Wogen und Sturm; er wird als Einziger der Schiffsleute gerettet.

9–11 *Kämpfen … in … Ethnise, Gylstram oder Rankulat*] In *Parzival* erwähnte Orte, dabei ist mit Ranculat Römerburg (Hromghla) am Euphrat gemeint, also ein Ort im fernen Osten (unterstrichen in *Parzival* I, S. 41, vgl. Nbl. [40]), Gylstram ist ein erfundener Ort, der im Westen zu denken ist (ebd. unterstrichen und ebenfalls Nbl. [40]); Ethnise ist eine Stadt am Tigris (unterstrichen und am Rand markiert in *Parzival* II, S. 81; übernommen auf Nbl. [50]).

11 *Kranichköpfen*] Wundervolk von Menschen mit Kranichköpfen und -hälsen, u. a. in *Gesta Romanorum* erwähnt; unterstrichen in Scherer, *Geschichte*, S. 95, exzerpiert auf Nbl. [60].

12 *Plattfüßlern*] Phantastisches Volk; Plattfüße unterstrichen in Scherer, *Geschichte*, S. 95, vgl. Nbl. [60].

12 *Stirnäuglern*] Möglicherweise übersetzt Thomas Mann hier den Begriff Cyklop, den er ebenfalls bei Scherer, *Geschichte*, S. 95, unterstreicht und auf Nbl. [60] überträgt.

12 *Pygmäen*] Hier: phantastisches Zwergenvolk; unterstrichen in Scherer, *Geschichte*, S. 95, übernommen auf Nbl. [60].

13 *Magnetbergs*] Unterstrichen in Scherer, *Geschichte*, S. 95, und übernommen auf Nbl. [60].

13–14 *Überlistung der Greifen um ihr rotes Gold*] Die Greifen, mythische Mischwesen aus Raubvogel und Löwe, galten als Bewacher des Goldes. Vgl. *Parzival* I, S. 102 (und dazu Nbl. [43]), und die

Unterstreichung in Scherer, *Geschichte*, S. 95, exzerpiert auf Nbl. [60].

18 14–15 *Glaubensstreit des heiligen Silvester vor Kaiser Konstantin mit einem Juden*] Papst Silvester I. (gest. am 31. Dezember 335) soll mit zwölf Rabbinern ein Streitgespräch darüber geführt haben, dass die Mutter von Kaiser Konstantin ihren getauften Sohn zum Judentum bekehren wollte. Elf der Rabbiner soll er dabei bekehrt haben; gegen den zwölften ließ er sich auf ein Duell um einen Stier ein, in dem es darum ging, den Stier mittels Anrufung Gottes zunächst zu töten (der Rabbi) und dann wiederzubeleben (Silvester). Daraufhin sollen sich auch der letzte Rabbiner und die Mutter des Kaisers bekehrt haben. Randanstreichung in *Parzival* II, S. 383, Anm. 3, vgl. Nbl. [52].

21–22 *Corteisie und Fug*] Unterstreichung der Wendung in *Parzival* I, S. 77, vgl. Nbl. [28] u. [42]. Afrz. corteisie: höfisches Benehmen.

26 *Kienspäne*] In Hs. 10 und Ts. 12 »knallende Kienspäne«.

31–32 *Fürst von Kanvoleis … König von Anschauwe*] In Kanvoleis schlägt sich Parzivals Vater Gahmuret (vgl. *Parzival* I, S. 91, und Nbl. [26], [42] u. [43]), Anschauwe (Anjou) ist seine Heimat (angestrichen in *Parzival* I, S. 39, Anm. 2, vgl. Nbl. [40]).

32–33 *bien soi venu, beau Sire!*] Frz.: Seid herzlich willkommen, edler Herr! So begrüßen die Abgesandten der Königin Herzeloyde den Ritter Gahmuret (unterstrichen in *Parzival* I, S. 107, vgl. Nbl. [30] u. [43]).

19 3 *Achmardi*] Mhd.: golddurchwirktes grünes Seidenzeug aus Arabien, Gahmuret hat eine Reitdecke und einen Waffenrock daraus (unterstrichen in *Parzival* I, S. 47; vgl Nbl. [41]).

9–10 *Vögel, im Sprenkelholz gefangen*] Fangvorrichtung für Vögel bestehend aus einer gebogenen Holzrute mit gespannten Fäden und einem Lockmittel, in der der Vogel sich mit den Füßen verheddert (unterstrichen in *Parzival* I, S. 301, übernommen auf Nbl. [50]).

11 *Agraß*] Mhd.: Sauce aus unreifem Obst (meist grüne Trauben), die als Würzmittel diente, weswegen sie hier in Verbindung mit

dem Pfeffer auftaucht (markiert in *Parzival* I, S. 267, Anm. 1, vgl. Nbl. [49]).

19 14–15 *Sinopel … Lautertrank … Klaret*] Gewürzrotwein. Markierte Übernahmen aus *Parzival* I, S. 267 u. 272 und dort Anm. 2, übernommen auf Nbl. [49].

22 *Assagauker*] Azagouc: Erfundenes afrikanisches Königreich; die wertvollen Pokale aus Edelsteinen, die von dort kommen, tauchen in *Parzival* auf, von dort übernimmt Thomas Mann sie (unterstrichen in *Parzival* I, S. 115, vgl. Nbl. [43]). »›Assagauker Prachtgerät‹ und ›Eisenschienen von Soissons‹ kommen in der höfischen Epik (im ›Parzival‹ von Wolfram v. Eschenbach etwa) vor. ›Assagauk‹ ist wohl der verderbte Name eines morgenländischen Herstellungsplatzes, und Soissons war offenbar berühmt für seine Produktion von ritterlicher Waffenkleidung (Rüstung, Arm- und Beinschienen).« (An die französische Übersetzerin Louise Servicen, 29.7.1951; Reg. 51/338; TMA.)

24 *Spezereien*] Vom mhd. spëcierîe: Gewürze; vgl. *Parzival* II, S. 377, und Nbl. [51].

26 *Ambra, Theriak*] Ambra, auch Amber: seltene, wohlriechende Substanz aus dem Verdauungstrakt der Pottwale, die zur Herstellung von Parfüm benutzt wurde (unterstrichen in *Parzival* II, S. 378). Theriak: Arznei gegen Tiergifte, aber auch als Universalheilmittel eingesetzt (markiert ebd., S. 86, Anm. 1 erklärt, was Theriak ist). Vgl. Exzerpt auf Nbl. [51].

29 *Kalzidon*] Quarzart; erwähnt in *Parzival* II, S. 379 (dort am Rand notiert: »Edelsteine«; vgl. Exzerpt auf Nbl. [51]).

30 *Sardonyx*] Varietät des Kalzidons; ebenfalls *Parzival* II, S. 379, und Nbl. [51].

32–33 *Härsenieren und Schildern von Toled*] Härsenier: hier: Kettenhaube, Nackenschutz der mittelalterlichen Ritterrüstung (Unterstreichung in *Parzival* I, S. 107 u. 289, Übernahme auf mehrere Nbl.). Die spanische Stadt Toledo war berühmt für ihren Stahl und ihre Waffenschmieden. Stadtname unterstrichen in *Parzival* I, S. 78 u. 289, vgl. Nbl. [42] u. [49].

20 1 *Covertiuren, Sielzeug … Schellenzäumen*] Covertiure: Schützender und schmückender Überwurf für Pferde (unterstrichen in *Parzival* I, S. 46, vgl. Nbl. [41]); Sielzeug: Brustriemen des Pferdes (unterstrichen in *Parzival* I, S. 285, vgl. Nbl. [49]); Schellenzäume: Zaumzeug mit Glöckchen (Übernahme aus *Parzival* I, S. 285, auf Nbl. [49], dort steht korrekt das Wort »Schellenzaum«, in der Hs. macht Thomas Mann daraus irrtümlich »Schellenzäune«, so auch im Ts. und in der Erstausgabe (S. 20). Dieser Irrtum ist von den Hg. rückgängig gemacht).

3 *Federspielen, Mausersperbern*] Federspiel: Beuteattrappe an einer langen Leine, die zum Trainieren von Greifvögeln für die Jagd benutzt wird. Der Sperber (mûzersperwære) kommt im *Parzival* vor und dient dort als fliegender Bote, der ausgesandt wird, um die baldige Ankunft des Hausherrn in dessen Schloss anzumelden (Randanstreichung in *Parzival* I, S. 192, markiert auch die Erklärung in Anm. 2; Übernahme auf Nbl. [46]).

9 *Kristenheit*] Vgl. *Gregorius*, V. 143, und die Sammlung mittelhochdeutscher Begriffe und Wendungen auf Nbl. [17]. In der Hs. ist die Schreibung noch uneinheitlich, mehrfach korrigiert Thomas Mann das ch in das im mittelalterlichen germanischen Bereich verbreitete k. Die folgende Passage streicht Thomas Mann: »und wie es wohl in den Geschichten heißt, ›mit allen Gütern der Erde reich gesegnet‹. Danach heißt es wohl: ›Nur eines fehlte zu ihrem Glücke‹, und so bin auch ich genötigt, fortzufahren mit Leide nicht nur darüber, daß es so war, sondern darüber auch, wie doch die Wahrheit so herkömmlich lauten und nach dem Buche schmecken mag. Nur Eines fehlte, ihr Glück vollkommen zu machen: das waren Kinder, nur manch traurig zweifelnder Blick, mit dem das Eine dem Andern die Schuld an diesem Mangel schweigend beimaß, ging zwischen den Gatten hin und wider« (Hs. 12). Die Schuldfrage spart Thomas Mann also in der neuen Fassung aus.

10 *in den Geschichten*] Möglicherweise Anspielung auf *Robert der Teufel*, diese Geschichte hatte Thomas Mann in Gustav Schwabs

Die Deutschen Volksbücher gefunden, die er im Januar und Februar 1948 las (vgl. Quellenlage S. 131-133).

20 10–11 *»Nur eines fehlte zu ihrem Glücke«*] Anklang an eine in Variationen wiederkehrende Wendung in den Grimm'schen *Kinder- und Hausmärchen.*

19 *ward*] Die alte Präteritumform von »werden« hat Thomas Mann markiert in Singer/Bauer, *Gregorius*, S. 27 (»Ein Schiff ward ihm bereitet«), hier Materialien und Dokumente S. 440.

21 8 *Cambrey*] Heute: Cambrai, Stadt in Nordfrankreich; vgl. Eicken, *Weltanschauung*, S. 172, und Nbl. [58].

9 *Exequien*] Lat. exequiae: Begräbnisfeier.

9 *Dom zu Ypern*] Die St. Martins-Kathedrale in der flandrischen Stadt Ypern im heutigen Belgien wurde ab 1230 erbaut und 1370 fertiggestellt.

17 *Schoydelakurt*] Frz. Joie de la court: Freude des Hofes, eigentlich Schauplatz einer ritterlichen aventiure in *Erec* (vgl. *Parzival* I, S. 207, Nbl. [4]). Thomas Mann benutzt die Bezeichnung hier aber wörtlich im Sinne eines erfreulichen Anblicks für den ganzen Hof.

22 *vorerst*] In der Hs. eingefügt, zudem wird aus »Lächeln« das jetzige »Engelslächeln«.

29 *Wiligis und Sibylla*] Beide Namen in einem Brief von Samuel Singer vom 19. März 1948, dort von Thomas Mann unterstrichen und übernommen auf Nbl. [7] (Sibylla) u. [36] (dort in der Variante Willigis), auf diesem Nbl. stellt Thomas Mann verschiedene Überlegungen zu den Namen an. Dort sollte Sibylla noch Herburg oder Rischoyde heißen, in der Hs. war dann zunächst der Name Sigune vorgesehen (Hs. 14). Vgl. auch hier zur Quellenlage S. 126.

30 *Willo*] Name markiert in Scherer, *Geschichte*, S. 89, übernommen auf Nbl. [19].

32 *wie auf ihr ganzes Geschlecht*] In der Hs. eingefügt.

22 4 *Tjostieren*] Ritterlicher Zweikampf, bei dem die Reiter aufeinander losstürmen und versuchen, sich mit einer Lanze vom Pferd zu stoßen bzw. mindestens einen Treffer auf dem Gegner zu landen.

Den Begriff »Tjost« markiert Thomas Mann in *Parzival* I, S. 67 und in Anm. 1, und übernimmt ihn auf Nbl. [41], das Verb Nbl. [43].

22 6 *das kannte man*] In der Hs. dahinter gestrichen: »und war selbst so«.

7 *zarten Weibtums aber*] In der Hs. dahinter gestrichen: »zu dessen Füssen wir uns im Staub verdreschen und das den Sieger kränzt«.

9 *Löli*] Schweizerdeutsch für Trottel, Tölpel. In der Hs. korrigiert aus: »lieb Bengel«.

23 4 *Seim*] Mhd.: Honig; dickflüssiger Saft.

5 *Kleiewasser*] Ein Kleiebad aus Schalen von Getreidekörnern wird traditionell in der Pflege von Säuglingen eingesetzt, weil es pflegende Wirkstoffe für empfindliche Haut enthält.

8 *wie Perlen, dabei sehr scharf*] Farbe und Schärfe der Zähne sind in Thomas Manns Werk seit *Buddenbrooks* Zeichen der Lebenskraft oder Todesnähe.

16 *wälisch*] Mhd. welsch: italien., frz., romanisch. Vgl. *Gregorius*, V. 177, und Nbl. [17].

24 11 *gevitzten*] Mhd. vitzen: künstliche Muster einweben; vgl. Nbl. [7] u. [17]; für diese und weitere mittelhochdeutsche Ausdrücke und Wendungen benutzt Thomas Mann das mittelhochdeutsche Wörterbuch von Matthias Lexer (vgl. hier zur Quellenlage S. 114f.).

16 *Deu vus sal*] Afrz.: Gott zum Gruß. Vgl. Thomas Manns Brief an Samuel Singer vom 13. April 1948 (DüD III, 353f.) und dessen Antwort am 20. April 1948; übertragen auf Nbl. [31].

18 *›gent mignote de soris‹*] Afrz. Übersetzung von »hübsches (oder niedliches) Mäusegeschlecht« (so Thomas Manns Anfrage an Marga Bauer am 8. April 1948; DüD III, 353). Ihr Antwortbrief selbst ist wohl nicht erhalten, Singer bezieht sich aber auf ihn (20. April). Die Wendung findet sich auf Nbl. [21], auf dem Thomas Mann eine ganze Reihe altfranzösischer Begriffe notiert, die er brieflich bei Bauer und Singer angefragt hat.

18–19 *Trutgesindlin*] Mhd. trût: Liebste, Geliebte. Gesinde meint den Weggenossen oder den Diener.

24 19–20 *Saint Esperit*] Afrz.: Heiliger Geist. In dieser Schreibung bei Auerbach, *Mimesis*, S. 124.

21 *baß*] Von mhd. baz: besser, mehr. Übernahme aus *Gregorius*, V. 486, auf Nbl. [17].

22 *Nu lohn Euch Gott*] Mittelalterliche Wendung unterstrichen in Dieffenbacher, *Privatleben*, S. 145.

28 *Gesellschaftspapeganen*] Mhd. papegân: Papagei. Papageien wurden im Mittelalter als Luxustiere verschenkt und galten als Statussymbol mit Seltenheitswert. In der Hs. war das Gemeinte noch deutlicher, da Thomas Mann dort die Spezifizierung »genannt ›Inséparables‹« vorgesehen hatte; vgl. auch seinen Brief an Singer vom 13.4.1948 (DüD III, 354). Er spielt also hier auf die sogenannten Unzertrennlichen (Agapornis, von griech. agape: Liebe) an, eine kleine Papageienart, deren Benennung auf die meist lebenslange Paarbindung der Vögel zurückgeht. Weil sie zudem auch den körperlichen Kontakt intensiv pflegen, werden sie auch Liebesvögel (im engl. Sprachraum: lovebirds) genannt. Stirbt ein Partner, so trauert das hinterbliebene Tier und wird oft krank oder stirbt selbst.

30 *Spannbetten*] Die Beschreibung des Betts übernimmt Thomas Mann aus *Parzival* II, S. 378, – sie ist dort angestrichen – auf Nbl. [24].

33 *Palmat*] Seidenstoff; Randanstreichung in *Parzival* II, S. 378.

25 4 *n'est-ce voir?*] Afrz.: Nicht wahr? Am 13. April 1948 fragt Thomas Mann bei Singer nach der älteren Form von »n'est-ce pas« (DüD III, 354). Singer antwortet am 15. Mai, und Thomas Mann unterstreicht die Wendung mit Rotstift und überträgt sie auf Nbl. [30].

4 *seurement*] Afrz.: sicherlich. Vgl. Auerbach, *Mimesis*, S. 141, und Nbl. [7] u. [32].

7 *Himele*] Unterstreichung in Waag, *Gedichte*, S. 131, und Dieffenbacher, *Privatleben*, S. 145, Übernahme auf Nbl. [20] u. [38].

10 *que Deus dispose*] Afrz.: Lass das Gottes Sache sein. Formulierungsvorschlag von Samuel Singer in einem Brief vom 20. April 1948 nach Anfrage von Thomas Mann am 13. April.

25 11 *Deus ne volt*] Afrz.: Gott will es nicht. Ratschlag von Singer (Brief vom 20. April 1948) auf Anfrage von Thomas Mann (Brief vom 13. April).

12 *kastigieren*] Lat. castigare: strafen; kasteien. In Hs. 17 und Ts. 19 »castigieren«.

29 *alsus*] Mhd.: auf solche Weise; vgl. Nbl. [16], [17] u. [24].

26 3 *fein und klug*] Ursprünglich folgte in der Hs. noch »und graceful« (Hs. 18, wieder gestrichen).

5 *Michel*] Die Bezeichnung des Genitals spielt mit dem verbreiteten Männernamen und dem mhd. Adjektiv michel: viel, groß; vgl. *Gregorius*, V. 235, und Nbl. [17] u. [24]. Gegenüber der französischen Übersetzerin Louise Servicen betont Thomas Mann am 22. Juli 1952, dass allein das Genital gemeint sei: »Natürlich ist das altertümliche deutsche ›Michel‹, das groß und viel bedeutet, französisch nicht wiederzugeben; aber ›lourdaud‹ würde sich doch auf die ganze untere Erscheinung beziehen und diese als plump und schwerfällig bezeichnen.« (DüD III, 424) In der Hs. stand ursprünglich: »dann so ein Michel und Walandes Werkzeug«. Das Teufelswerkzeug streicht Thomas Mann wieder heraus.

6–7 *L'espoirs des dames*] Afrz.: Hoffnung der Frauen. Auch diese Wendung ist eine Übersetzung Samuel Singers (Brief vom 20. April 1948) auf eine Anfrage von Thomas Mann (Brief vom 13. April).

12 *Trutgespiel*] Mhd.: Freund, Geliebter. Unterstrichen in Dieffenbacher, *Privatleben*, S. 144, vgl. Nbl. [38].

13 *Gedinge*] Mhd.; hier: Gedanke, Zuversicht, Hoffnung auf etwas.

13 *kratz ich die Augen aus*] In Hs. 18 und Ts. 20 die frz. Variante: »j'arrachierai les yeux« (vgl. Brief an Samuel Singer vom 27. April 1948 und dessen Antwort vom 15. Mai).

14 *Pön*] Von lat. poena: Strafe; im Anklang an das Adjektiv »verpönt« schwingt auch der Aspekt der Schande mit. Im Mhd. eigentlich: pen.

15 *Cleve eine Gräfin*] Name unterstrichen in Scherer, *Geschichte*, S. 146, vgl. Nbl. [24] u. [62].

26 18 *Gurvenal*] Kurvenal ist der Hofmeister und Erzieher Tristans. Vgl. auch die Erwähnung Kurvenals als Inbegriff des höfischen Erziehers in *Parzival* (Unterstreichung in *Parzival* I, S. 174, Anm. 2, Übernahme auf Nbl. [25] u. [45]).

18 *Eisengrein*] Der Name ist unterstrichen in der Liste von Männernamen, die Samuel Singer Thomas Mann in einem Brief vom 19. März 1948 vorschlägt, und auf Nbl. [7] u. [30] übernommen.

19 *Cons du chatel*] Afrz.: Burggraf; Unterstreichung in *Parzival* I, S. 74, Anm. 2, vgl. Nbl. [24], [30] u. [52].

20 *Berchfrit*] Von mhd. bërvrit: Bergfried; Wehrturm einer mittelalterlichen Burg. Übernahme in dieser ungewöhnlichen Schreibung aus Dieffenbacher, *Privatleben*, S. 21 (Unterstreichung), vgl. Nbl. [57].

21–22 *Rousselaere und Thorhout*] Heute Roeselare und Torhout in Westflandern im heutigen Belgien.

28 *maistre de corteisie*] Afrz.: Meister des höfischen Benehmens und der höfischen Etikette.

29 *Patafrid*] Namensvorschlag von Singer in seinem Brief vom 19. März 1948, Übernahme auf Nbl. [7].

27 2 *un om de gentilesce*] Afrz.: Edelmann, Mann von höfischen Manieren.

3 *afeitié, bien parlant et anseignié*] Afrz.: Liebenswürdig, angenehm redend und fein gebildet. Formulierung aus der Beschreibung eines Mädchens in Chrétiens de Troyes *Yvain*, Übernahme aus Auerbach, *Mimesis*, S. 123, auf Nbl. [7]. In einem Brief an Samuel Singer vom 27. April 1948 erkundigt sich Thomas Mann, ob er die grammatische Form ändern müsse, wenn nicht wie in *Yvain* von einem Mädchen, sondern von einem Jüngling die Rede ist.

9 *Soissons*] Im 5. Jahrhundert Hauptstadt des Frankenreichs, bevor Paris Hauptstadt wurde. Auch in *Parzival* kommen Rüstungsteile aus Soissons vor (*Parzival* I, S. 289, Nbl. [28], [32] u. [50]); vgl. den Kommentar zu S. 19$_{22}$.

12 *Gabylot*] Kleiner Wurfspieß (unterstrichen in *Parzival* I, S. 157, auch Anm. 2; Nbl. [25] u. [45]).

27 14 *Beize*] Falkenjagd.

16 *blatten*] Von mhd. blaten: auf einem Blatt pfeifen, um Rehe (bei Thomas Mann erweitert zu »allem Wild«) anzulocken. Erwähnt, aber nicht unterstrichen in *Parzival* I, S. 150; vgl. Nbl. [26] u. [45].

20 *das Hürnen*] Mhd. Verb: auf dem Horn blasen, hier zum Zeichen für den Jagderfolg; Randanstreichung in Hertz' Nachwort zu *Tristan*, S. 556.

21 *Gefälle*] Fall, Zusammenbruch; Randanstreichung ebd.

22 *Gejägtes*] Mhd. gejegede: Jagdbeute; Randanstreichung ebd., S. 557.

32 *Buhurd*] Mhd., auch »bûhurt«: Ritterliches Kampfspiel ohne scharfe Waffen, bei dem größere Gruppen von Kämpfern gegeneinander antreten und es mehr um die Reitkunst als um die Verwundung der Gegner geht. Unterstreichung in *Parzival* I, S. 255 und Markierung der Anm. 1, vgl. Nbl. [48], vgl. auch Dieffenbacher, *Privatleben*, S. 132f., den Thomas Mann auf Nbl. [4] u. [7] exzerpiert.

28 1 *in Carrière*] In vollem Galopp; vgl. Dieffenbacher, *Privatleben*, S. 134.

2 *Plan*] Mhd. plân: freie Fläche, Ebene.

4 *Hurterei*] Mhd. hurte: Stoß, Anprall, stoßendes Losrennen; vgl. den Kommentar zu S. 27$_{32}$ und Dieffenbacher, *Privatleben*, S. 132f.

8–9 *Hals- und Schulterberge*] Halsberge: Teil der ritterlichen Rüstung, die Hals, Schultern und Oberkörper schützt (markiert in *Parzival* I, S. 88, vgl. Nbl. [26], [32] u. [42]). Die Schulterberge ist eine Erfindung Thomas Manns; die Halsberge schützt auch die Schultern.

10 *Wappenrock*] Oberkleid, das über den Panzer gezogen wurde (unterstrichen in *Parzival* I, S. 47 u. 102 (dort Beschreibung der Ritterkleidung), Übernahme auf mehrere Nbl.).

10 *Korsett*] Brustharnisch (unterstrichen in *Parzival* I, S. 47, gleichfalls auf mehrere Nbl. übernommen).

24–25 *so war sie angetan mit einem Kleide*] Diese Passage überarbeitet

Thomas Mann entsprechend einem Gemälde, dessen Reproduktion er besaß (vgl. Quellenlage S. 153 und Abb. hier S. 155). Im Entwurf lautete die Passage: »so trug sie ein Kleid so grün wie Gras von Assagauker Sammt, schön weit und lang und zierlich gerafft, einen mit edlen Steinen dicht besetzten Gürtel um die Hüften und im offenen Haar ein Kränzlein aus bunten Blüten. Das grüne Kleid war sittsam hoch unterm Kinn geschlossen, aber etwas tiefer, als mildes Zugeständnis an das Auge, war eine kleine Öffnung, worin man denn doch von ihrer Brust ein elfenbeinfarbenes Stückchen sah. Der Junker sah so manches Mal viel mehr von ihr, aber wie oft ist nicht das Wenige kostbarer als das Viele.« (Hs. 21)

28 25 *Sammet*] Samt (und in der zweisilbigen Form auch Name des jüdischen Arztes, der in *Königliche Hoheit* über Stigma und Erwählung räsonniert); unterstrichen in Dieffenbacher, *Privatleben*, S. 81, vgl. Nbl. [15].

29 21 *jambelierst*] Mhd. schambelieren: dem Pferd die Schenkel geben (Markierung im Nachwort von Hertz in *Tristan*, S. 550).

32 *derrière*] Frz.; meint hier das Hinterteil.

30 8 *unserem Nachteil*] In der Hs. folgte zunächst noch (mit einem Anklang an das *Schneewittchen*-Märchen der Brüder Grimm): »Das schöne Geschlecht seid ihr, will sagen: Du bist es, denn in meinen Augen bist du die Schönste in der Runde.« (Hs. 22)

10 *kosen*] Mhd.: sprechen, plaudern; vgl. Textlags S. 171.

11–12 *Kynewulf … ›Kurzibold‹*] Thomas Mann verbindet zwei Personen zu einer: Kynewulf: engl. Dichter zu Anfang des 9. Jahrhunderts (unterstrichen in Scherer, *Geschichte*, S. 43, vgl Nbl. [19] u. [36]); Kurzibold: Konrad Kurzbold, Graf des unteren Niederlahngaus, der seinen Beinamen aufgrund seiner geringen Körpergröße erhielt (unterstrichen in Scherer, *Geschichte*, S. 62, vgl. Nbl. [19]).

13 *Klamidê*] Klamidé belagert in *Parzival* Condwiramurs, die er unbedingt zu heiraten gedenkt, und wird von Parzival vor Belrapeire besiegt (Unterstreichung in *Parzival* I, S. 211, Anm. 3, vgl. Nbl. [18], [25] u. [47]).

30 13–14 *fils du comte Ulterlec*] Frz.: Sohn des Grafen Ulterlec; Karnachkarnanz, Graf von Ulterlec, ist der erste Ritter, den der kindliche Parzival erblickt (und für einen Gott hält) und dessen Vorbild er selbst nacheifern will (Name unterstrichen in *Parzival* I, S. 151, vgl. Nbl. [18]).

15 *Garschiloye von der Beafontane*] Neukombination zweier Namen aus *Parzival*: Garschiloye ist eine Jungfrau der Gralsgesellschaft (unterstrichen in *Parzival* I, S. 283, vgl. Nbl. [18]), Imane von der Beafontane (schöne Quelle) eine entführte Jungfrau (vgl. *Parzival* I, S. 155, und Nbl. [18]).

20 *Scenter*] Möglicherweise von engl. scent hound; englische Laufhunde, die wegen ihres guten Geruchssinns und ihrer langen Laufausdauer bei der Jagd eingesetzt werden. Von Thomas Mann in der Hs. eingefügt.

20 *Hanegiff*] Übernahme aus einer Liste »Deutsche Hundenamen« in *Gesta* II, S. 294, dort unterstrichen und mit Ausrufezeichen versehen, vgl. auch Nbl. [58]. In einem Brief an Wilhelm Kamm (16. Oktober 1951; DüD III, 405) gibt Thomas Mann zwar an, er beziehe den Namen nicht aus den *Gesta Romanorum*, aber er irrt. An Hermann J. Weigand schreibt er am 29. April 1952: »Hinzugetan habe ich die Tötung des schönen Hundes, teils um die Szene blutig-schrecklicher zu gestalten, teils um dem Erzähler Gelegenheit zu geben, diese Tat schlimmer zu finden als alles Uebrige.« (DüD III, 419) Von dieser (von Thomas Mann neu erfundenen) Szene mit den Warnrufen der Käuzchen und der Tötung des Hundes an wird der Weg seines Helden – vergleichbar demjenigen von Chrétiens und Hartmanns »Löwenritter« Iwein – begleitet und reflektiert von Tieren, bis er selbst während seiner Buße zum »Igel« und »Murmeltier« wird.

24 *materas*] Mhd. materaz: mit Wolle gefülltes Ruhebett (Randmarkierung in Dieffenbacher, *Privatleben*, S. 46).

27 *Herde dickwolliger Schafe*] Vgl. zur Bildvorlage Quellenlage S. 156.

29 *Alisse von Poitou*] Ebenfalls eine Kombination zweier Namen

aus *Parzival*: Alisse: Schwester des Königs von Gascogne (unterstrichen in *Parzival* I, S. 99, und Nbl. [19]); von Poitou: Graf Schiolarß von Poitou (vgl. *Parzival* I, S. 100, und Nbl. [43]).

30 31 *Ninive*] Mesopotamische Stadt (heute im Stadtgebiet von Mossul, Irak); dorthin wird im Alten Testament der Prophet Jona gesendet; unterstrichen in *Parzival* I, S. 132 u. 263; vgl. Nbl. [28] u. [49].

32 *wätlich*] »›Waetlich‹ (schön, stattlich) hätten Sie in einem mittelhochdeutschen Lexikon schon gefunden. Ich nehme an, daß es mit dem moderneren ›Weidlich‹ zusammenhängt.« (Thomas Mann an Julius Bab, 30.5.1951; Br. III, 209). Vgl. *Gregorius*, V. 2910, und Nbl. [7] u. [17].

31 6 *Riesen Hugebold*] Von engl. huge: groß, riesig. Markierte Übernahme aus Scherer, *Geschichte*, S. 72, auf Nbl. [19].

6 *Rassalig*] Name unterstrichen in *Parzival* I, S. 72, vgl. die Namensammlung auf Nbl. [19].

11 *que plus n'i quiers veoir*] Afrz.: Denn ich will niemand anderen sehen. Vgl. Auerbach, *Mimesis*, S. 123, und Nbl. [7] u. [21]. Vgl. auch den Brief an Samuel Singer vom 27. April 1948 (DüD III, 354), in dem Thomas Mann sich auf dieses Zitat bezieht und Singers Antwort vom 15. Mai.

13 *Escavalon*] Fiktives Königreich in England; vgl. *Parzival* I, S. 98, Anm. 1, und Nbl. [26].

16 *maistresse*] Afrz.: Herrin, Meisterin; hier wohl im Sinne einer Hofdame oder Erzieherin. Unterstrichen im Nachwort von Hertz in *Tristan*, S. 548.

20 *Askalon*] »Askalon ist aus dem französischen Escavalon, Cavalon enstellt« (*Parzival* I, S. 98, Anm. 1); vgl. Nbl. [42] und den Kommentar zu S. 31₁₃.

27 *refus*] Von frz. Verweigerung, Ablehnung.

32 1 *Gebürte*] Mhd.: Abkunft; Übernahme aus *Gregorius*, V. 734, auf Nbl. [17].

2 *dévotement*] Frz.: fromm, andächtig.

5 *Bürzel, Ganser*] Hustenseuchen. Beide übernommen aus Heil,

Städte, S. 113 (dort unterstrichen und am Rand markiert), auf Nbl. [40]. »›*Ganser*‹ können Sie ruhig mit einem altertümlichen Namen für Keuchhusten übersetzen.« (An die französische Übersetzerin Louise Servicen, 29.7.1951; Reg. 51/338; TMA.)

32 7 *tout de même*] Frz.: dennoch, trotzdem.

18–19 *Gent, Löwen ... Anvers und Bruges-la-vive*] Flandrische Städte; Gent, Löwen, Anvers (Antwerpen) übernommen aus *Meyers Lexikon* I, Sp. 818 (Eintrag »Flandern«) auf Nbl. [54], die frz. Übersetzung für Antwerpen aus dem gleichnamigen Artikel aus *Meyers Lexikon* I, Sp. 102; Bruges (Brügge): vgl. *Meyers Lexikon* I, Sp. 408, und Nbl. [1] u. [30]; bei Meyer erscheint Brügge als »Bruges-la-Morte«, wie im gleichnamigen, in Thomas Manns Jugendzeit erschienenem und der Décadence nahestehenden Roman von Georges Rodenbach (1892); Thomas Mann bildet also den Begriff als Gegenbegriff zu dem der Décadence neu (und kehrt erst in der Schilderung des Niedergangs zu ihm zurück (Textband S. 138₃₁)).

19 *am tiefen Haff*] Thomas Mann gebraucht das norddeutsche Wort für das Meer (ursprünglich das Wattenmeer, also nicht für eine Nehrung), wie er es von Theodor Storm kannte (etwa in dem bewunderten Gedicht *Meeresstrand*: »Ans Haff nun fliegt die Möwe«).

33 5 *Fils du duc*] Frz.: Sohn des Herzogs. Die Wendung »fils du« unterstreicht Thomas Mann mehrfach in seiner *Parzival*-Ausgabe (z.B. I, S. 42).

5 *Fanz*] Verächtlich für einen sehr jungen Mann. In der Hs. eingefügt.

14 *Allez avant*] Frz.: Treten Sie vor (markiert im Nachwort von Hertz in *Tristan*, S. 560, vgl. Nbl. [4]).

20 *Beau corps*] Frz.: schöner Leib (vgl. *Parzival* I, S. 217; Nbl. [25] u. [47]).

20 *Franze*] Franzose; möglicherweise Übernahme aus Eicken, *Weltanschauung*, S. 207, dort das Herzogtum Franzien. Zugleich Anspielung auf den herabsetzenden patriotischen Ausdruck des 18. Jahrhunderts, der in Goethes *Faust* in der Szene »Auerbachs

Keller« ironisiert wird: »Ein echter deutscher Mann mag keinen Franzen leiden, / Doch ihre Weine trinkt er gern.«

33 20 *florie*] Mhd.: Blume, Blüte, frischer Glanz (unterstrichen in *Parzival* II, S. 384; Nbl. [24] u. [53]).

22 *Hélas*] Frz.: Ach!

27 *pourtant*] Frz.: dennoch, trotzdem.

31–32 *Brautlauf*] Mhd. brûtlouf: Zug der Hochzeitsgesellschaft mit der Braut zum Haus des Bräutigams; Hochzeit. Unterstrichen in Dieffenbacher, *Privatleben*, S. 109, und ebenfalls in *Parzival* I, S. 84; vgl. Nbl. [31] u. [42].

34 4 *wenn er mit ihr im Bogen saß,*] In Hs. 26 und Ts. 29 statt Komma ein Semikolon: »saß;«.

7 *Schwertleite*] Verleihung der Ritterwürde, Ritterschlag. Unterstrichen in *Parzival* I, S. 40, Anm. 2; vgl. Nbl. [26] u. [40].

11 *Sankt Vaast*] Saint Vaast, Kathedrale in Arras, vgl. Nbl. [4].

12 *Magen und Mannen*] Mhd. mâge: Verwandtschaft. In *Parzival* »sîne man, sîne mage« (unterstrichen *Parzival* I, S. 81 und Anm. 2; vgl. Nbl. [26] u. [42]).

15 *quemune*] Afrz.: Bürgerschaft einer Stadt (»commune«); vgl. Nbl. [7] u. [32].

16 *Schevelier*] Frz. chevalier: Ritter; Unterstreichung im Nachwort von Hertz in *Tristan*, S. 585.

30 *Schafillor*] In *Parzival* König von Aragon (unterstrichen in *Parzival* I, S. 110; vgl. Nbl. [19]). Notiert auf Nbl. [26] u. [42] (Exzerpt aus *Parzival* I, S. 98 und Anm. 2).

30–31 *Schiolarß von Ipotente*] Kombination von zwei Namen aus *Parzival*: Schiolarß (vgl. *Parzival* I, S. 100, und Nbl. [26] u. [43]) und Ipotente (vgl. *Parzival* I, S. 238, und Nbl. [18]). An diesem und den folgenden Namen hat Thomas Mann in der Hs. zahlreiche Änderungen vorgenommen.

31 *Obilot*] Junges Mädchen in *Parzival*, das sich in den Ritter Gawan verliebt (vgl. *Parzival* I, S. 372 u. 395, und Nbl. [28] u. [50]: »Der junge süße Obilot«), Thomas Mann macht also aus dem Mädchen einen Herzog.

34 31 *Plihopliheri*] Ritter, der in *Parzival* und *Iwein* vorkommt; Name unterstrichen in *Parzival* I, S. 164.

32 *Waleis*] Valois, Region im heutigen Nordfrankreich; unterstrichen in *Parzival* I, S. 91; auf mehrere Nbl. übernommen.

32–33 *Hennegau und Haspengau*] Mhd.: Henegouwe, Haspengouwe; Übernahme auf Nbl. [17] aus *Gregorius*, V. 1575f. Gegenden im heutigen Belgien.

36 5 *Gesponsen*] Ehegatten.

10 *gel*] Mhd.: gelb, hell.

15 *der Grieche Klias*] Ritter im *Parzival* (vgl. *Parzival* I, S. 360, und Nbl. [28] u. [50]). Thomas Mann setzt hier den griechischen Namen für einen Arzt ein, da griechische Mediziner als Experten in ihrem Fach galten. In der Hs. streicht er das Adjektiv »heilkundige«, das diesen Bezug deutlicher gemacht hätte.

29 *Seignurs barons*] Frz. »seigneur«: adliger Grundherr. Übersetzung: »Meine Herren Barone« (vgl. Auerbach, *Mimesis*, S. 98, und Nbl. [7]).

37 1 *cornure de prise*] Frz.: Hornsignal bei der Jagd, das die Erlegung eines Wilds vermeldet (Übernahme aus dem Nachwort von Hertz in *Tristan*, S. 556).

2 *entbästen*] Die kunstgerechte Enthäutung und Zerlegung eines Wilds, in der sich Tristan bei Gottfried von Straßburg als Meister erweist (Randanstreichung ebd.).

4 *verjehen*] Auch als bejehen und Bejehung (Textband S. 289$_{5\text{ u. }19}$); mhd. jëhen: sagen, behaupten, beichten (vgl. *Gregorius*, V. 1409 u. 2424, Nbl. [17]).

9 *marterlichen*] Qualvollen (vgl. *Gregorius*, V. 105, Übernahme auf Nbl. [36]).

11 *lützel*] Mhd.: wenig (vgl. *Gregorius*, V. 1996 u. 2128); vgl. auch die Liste mit mhd. Begriffen und Wendungen, die Thomas Mann aus Pauls *Gregorius*-Ausgabe exzerpiert auf Nbl. [2].

12 *Ungehabe*] Mhd.: Aufregung, Klage (vgl. *Gregorius*, V. 2527, und Nbl. [7] u. [17]).

18 *gewaere*] Mhd.: wahrhaft, zuverlässig, tüchtig (vgl. *Gregorius*, V. 1020, und Nbl. [16] u. [17]).

37 19 *Urlag'*] Mhd.: Krieg.

30 *Vere, vere*] Lat.: Wahrlich, wahrlich. Den folgenden Satz hat Thomas Mann in der Hs. nachträglich eingefügt. Die Schuld des Vaters dem Sohn gegenüber sollte also ursprünglich nicht thematisiert werden.

38 8 *schatzgierig*] Mhd. schazgir: geldgierig (vgl. *Gregorius*, V. 3294, und Nbl. [2]).

39 3–4 *Britanje, Parmenien, Equitanien, Brabant*] Britanje: hier ist die Bretagne gemeint (vgl. *Tristan*, S. 560). In dem fiktiven Land Parmenien, das man sich im heutigen Frankreich zu denken hat, wächst Tristan auf (vgl. *Tristan*, S. 9); Aquitanien: Herzogtum im mittelalterlichen Frankreich; Brabant: Herzogtum im heutigen Staatsgebiet Belgiens und der Niederlande (vgl. den gleichnamigen Eintrag in *Meyers Lexikon* I, Sp. 382, und Nbl. [53]). Equitanien fügt Thomas Mann in der Hs. zusätzlich ein und streicht dafür Burgund.

18 *als Vater nicht länger zwischen den Geschwistern*] Von dieser Szene an modelliert Thomas Mann seine Darstellung der beiden Inzeste in dezidierter Abweichung von Sigmund Freuds Konzept: Ziel der Beseitigung des Vaters ist nicht der ödipale Mutter-Sohn-, sondern der Geschwisterinzest, in dem »Gleich und Gleich sich liebt« (Thomas Mann an Walter Rilla, 11.1.1951; DüD III, 378), und in die Position des verbietenden Vaters rückt das (an-)klagende Tier ein; im späteren Mutter-Sohn-Inzest wird dann die Konkurrenz des Sohns mit dem Vater (anders als der Geschwisterinzest) keine Rolle mehr spielen. Vgl. Emig 1996, S. 203–220.

19 *nach Valandes argem Ratschlag*] Mhd. vâlant: Teufel. Vgl. Dieffenbacher, *Privatleben*, S. 145, und Nbl. [31] u. [38].

23 *Meintat*] Mhd.: treulose Missetat (vgl. *Gregorius*, V. 3971, und Nbl. [2], [7] u. [16]).

41 12 *Anaclet*] Der Name findet sich in Samuel Singers Brief vom 19. März 1948 in der Reihe der vorgeschlagenen Männernamen, Thomas Mann überträgt ihn auf Nbl. [7].

21 *Minne*] Mhd.: (höfische) Liebe; Nbl. [44]. Diesen Halbsatz hat Thomas Mann in der Hs. eingefügt.

41 24–29 *»Nen frais pas. J'en duit.« … Ouwê, mais tu me tues! …«*] Übernahme aus Auerbach, *Mimesis*, S. 141, auf Nbl. [7]. Bronsema 2005, S. 145 u. 147: »unter Tilgung des Namens *Adam* nach dem Imperativ *manjue* (V. 289). Bei der Integration in den Romantext wurden die ersten beiden Verse gegeneinander vertauscht und somit dem Kontext angepasst. Dabei wurde Thomas Mann nicht etwa von Samuel Singer oder Marga Bauer unterstützt, sondern orientierte sich an der Übersetzung des altfranzösischen Dialogs in Auerbach, *Mimesis*, S. 142. Die Übersetzung der Mann'schen Version des Dialogs lautet demnach wie folgt: Nein, das tu ich nicht! Ich fürchte mich davor! – Mach es! Iss, du weißt nicht, was das ist! Nehmen wir dies Gut, das für uns bereitet ist! – Ist es so gut? – Du wirst es bald erfahren! Du kannst es nicht erfahren ohne zu kosten! […] Oh weh, aber du tötest mich.« Zur Beziehung von Logos und Eros in dieser Passage (und darüber hinaus im Roman insgesamt mit »seine[r] inzestuöse[n] Sprachmischung (Sprachenbabel) […] und seiner inzestuösen Verstrickung (Sündenbabel)«) vgl. Lubich 1986, hier S. 271.

29 *Gewaffen*] Markiert in *Nibelungen*, S. 241. Da meint es aber wirklich Waffen und nicht das Geschlechtsteil.

42 21 *Gebände der Frauen*] Mhd. gebende; mittelalterliche Kopfbedeckung verheirateter Frauen in Form eines Leinenbandes, das um Ohren und Kinn gewickelt und mit einem Stirnband kombiniert wurde (markierte Übernahme aus Dieffenbacher, *Privatleben*, S. 76, vgl. Nbl. [23]).

43 5 *ungebärer Ehe*] Mhd. ungebære: unangemessen, ungeziemend (vgl. Nbl. [7] u. [17]).

12–13 *Herr Wittich*] Name markiert in Scherer, *Geschichte*, S. 26, vgl. Nbl. [19].

15–16 *Einhorn fange … in seiner keuschen Schwester Schoß*] Das Einhorn symbolisiert in der christlichen Bildlichkeit Reinheit und Keuschheit und wird daher als Symbol für Jungfräulichkeit verwendet; der Überlieferung zufolge ist es schwer zu jagen, es wird aber von Jungfrauen magisch angezogen und schläft in deren Schoß ein (die freudianische Lesart des Motivs ist hier wohl mitzudenken). In der Hs. war ursprünglich die Bezeichnung »Tier Monicirus« vorgesehen, die Thomas Mann aus *Parzival* übernimmt, er korrigiert in das geläufigere Einhorn.

44 9 *Vriedel traut*] Mhd. vriedel: Geliebter, Liebling, Bräutigam, Gatte; mhd. trût: lieb, traut (Unterstreichung in Dieffenbacher, *Privatleben*, S. 144, vgl. Nbl. [31] u. [38]).

45 2 *Deus, si forz pechiez m'appresset!*] Afrz.: Gott, wie schwer drückt mich die Sünde! (Übernahme aus der Schilderung der Hochzeitsnacht im *Alexiuslied* in Auerbach, *Mimesis*, S. 114; Nbl. [7]). In der Hs. eingefügt.

46 16 *ich sehe Euch*] Hier wechselt Sibylla vom vertraulichen Duzen ins höfisch strenge »Ihrzen« (vgl. Textband S. 212$_{31-32}$: »wenn Ihr mich du nennt [...], ich aber Euch ireze«). Am Ende ihrer Rede ist sie wieder beim Du.

47 29 *Löwin*] In der Hs. geändert, vorher war es eine Wölfin, die das Lamm säugt.

48 6–7 *der ungeheuerlich gesegneten Jungfrau*] Also im Gegensatz zur tatsächlich gesegneten und tatsächlich jungfräulichen Gottesmutter (dieselbe Opposition dann im Kapitel *Sibyllas Gebet*).

49 30 *auf ganz unordentliche Art*] Die dreifache Betonung der »Unordnung und Konfusion« der Kinder erinnert an Thomas Manns Erzählung *Unordnung und frühes Leid* (1925).

50 11 *Base*] Mhd.: Schwester des Vaters, Tante; später auch Cousine (Unterstreichung in Dieffenbacher, *Privatleben*, S. 98, Übernahme auf Nbl. [15]).

51 14 *Fahr*] Mhd. vâr: Gefahr.

26 *Facilitäten*] In Hs. 45 und Ts. 51 mit z statt c.

33–52,4 *Hat sie kein Gut mehr, so bleibt ihr nur die Güte ... die Güte zu vollbringen*] Solche etymologischen Wortspiele liebt Wolfram im *Parzival*. Hartmanns Artusroman *Iwein* beginnt mit Versen über das Verhältnis von Gut und Güte: »Swer an rehte güete / Wendet sîn gemüete, / Dem volget sælde und êre.« (Sinngemäß: »Wer sein Gemüt auf das wahrhaft Gute richtet, der wird himmlisches und weltliches Ansehen erwerben.«)

52 13–14 *über die Brücke wollen wir gehen, wenn wir zu ihr gelangt sind*] Eindeutschung der engl. Redensart »Let's cross that bridge when we come to it«.

53 3–6 *ander Geschwisterpaar ... bei Sublacus im Tale*] Um den Gegensatz zwischen dem mustergültig heiligen Geschwisterpaar der *Vita Benedicti* und den begnadeten »schlimmen Kindern« auszugestalten (vgl. hier zur Entstehungsgeschichte S. 73f.), ändert Thomas Manns Darstellung die Überlieferung erheblich, was ihm durch die unscharfe Zusammenfassung bei Gregorovius erleichtert wurde. Die *Vita Benedicti* Gregors des Großen erzählt zwar von der innigen Beziehung der Geschwister Benedikt und Scholastika, die geradezu als Herzens-Lehrerin ihres Bruders erscheint. In »Sublacus im Tale« allerdings, dem heutigen Subiaco im Anienetal (von Thomas Mann unterstrichen in Gregorovius, *Rom* I, S. 296), lebt Benedikt als Einsiedler in einer Höhle. Möglicherweise resultiert das Missverständnis daraus, dass das Scholastika geweihte Kloster im Anienetal angeblich auf eine Gründung Benedikts zurückgeht. Euprobus: markierte Übernahme aus Gregorovius, *Rom* I, S. 296, auf Nbl. [4] u. [7]. Scholastica: markiert in Gregorovius, *Rom* I, S. 296, Nbl. [24] und Übernahme aus Gregorovius, *Wanderjahre*, S. 437, auf Nbl. [68].

8 *Hetären*] Gebildete Prostituierte des Altertums. Die Legende vom Verführungsversuch des Teufels bezieht sich in der *Vita Benedicti* Gregors des Großen nicht auf Sublacus, sondern auf das Klosterleben Benedikts; die hl. Scholastika kommt auch in dieser Episode nicht vor.

15 *leiernden Apoll*] Die Kithara, eine Leier, gehört zu den Attributen Apolls als des Beschützers von Musik und Dichtung. Von der Errichtung des Klosters Montecassino am Ort eines von Benedikt zerstörten Apoll-Heiligtums erzählt Gregors des Großen *Vita Benedicti* (wo von einer Beteiligung Scholastikas nicht die Rede ist).

55 4–5 *Sicherheit ... annehmen*] Untertänigkeitsgelübde des Besiegten und Gefangenen, das der Sieger annehmen oder ablehnen konnte.

55 7 *sein Schutzkind*] Das korrigiert Thomas Mann in der Hs. aus »sie«.

8 *Reisige*] Mhd.: Krieger, Reiter.

17 *so zu sprechen*] Anglizismus: »so to speak«.

27 *entherzt*] Diesen Begriff ebenso wie das Bild vom »Herzenstausch« benutzen – nach Hartmanns *Erec* und *Gregorius* – auch Gottfried von Straßburg im *Tristan* (vgl. *Tristan*, S. 294) und Wolfram von Eschenbach in *Willehalm* (vgl. Klein 2019, S. 238).

32 *Massilia*] Die frz. Stadt Marseille. Thomas Mann notiert den Namen auf der Rückseite eines Briefes von Singer vom 20. April 1948.

56 24 *Ranzen*] Hier in der älteren Wortbedeutung: Bauch.

30–31 *Ingesinde*] Dienerschaft (Markierungen in *Nibelungen*, S. 217 u. 241).

33 *in Tüchten*] Von mhd. tuht: Kraft, Tauglichkeit; in tüchtiger, rechter Weise.

57 5 *Strauß*] Von mhd. strûz: Zwist, Streit, Gefecht.

31 *atzte*] Mhd.: speisen, beköstigen.

58 6 *Lebens Samen trage*] In Hs. 52 und Ts. 58 »trag«.

25–27 *Traum … sie gebäre einen Drachen*] In Wolframs *Parzival* träumt die Mutter des Helden, Herzeloyde, sie gebäre und säuge einen Drachen, der zu ihrem Kummer davonfliege.

59 3 *bamsen*] Schlagen, prügeln; hier: ihm einen Klaps geben, damit es schreit und so seine Lunge mit Luft füllt.

60 29 *keiserlicher*] Mhd.: herrlich, stattlich, vollkommen (vgl. *Tristan*, S. 547, und Nbl. [4] u. [16]).

61 4 *du Herodes*] Der biblischen Überlieferung zufolge (Mt 2) lässt König Herodes aus Furcht vor dem neugeborenen »König der Juden« alle männlichen Kleinkinder in Bethlehem töten: Bereits von der Geburt an tritt Gregorius – geboren aus »dieser Jungfrau«, die »unsere Herrin« ist, bedroht von »Herodes« und als Wesen, das in der Welt »keine Stätte« hat (Textband S. 61_{8} u. 131_{11}; vgl. Lk 9,58) – in eine *imitatio Christi* ein (vgl. Makoschey 1998, S. 206–215).

31 *dem Unbehausten*] »Bin ich der Flüchtling nicht? der Unbehaus'te?/ Der Unmensch ohne Zweck und Ruh?«, fragt Faust in Goethes *Faust. Der Tragödie erster Teil* (V. 3348f.).

62 3 *ihn auf das Meer auszusetzen*] Analogie zur Kindheitsgeschichte des Mose (Ex 2,1–10); vgl. hier den Kommentar zu S. 87₁₆ (Abt Gregorius in der Rolle von Pharaos Tochter).

24 *O, tu es mult de pute foi!*] Afrz.: Oh, du bist ein ganz gemeiner Kerl (vgl. Auerbach, *Mimesis*, S. 141, und Nbl. [7] u. [32]). Was hier Sibylla über Herrn Eisengrein sagt, sagt bei Auerbach Adam über den Teufel.

30 *Ünden*] Mhd. ünde: Flut, Welle (vgl. *Gregorius*, V. 940, und Nbl. [17]).

64 4 *hecken lassen*] Mhd.: sich fortpflanzen; hier also das Geld durch Zinsanlage sich vermehren lassen.

12–13 *früh und spat … Rat*] Ursprünglich hieß der Reim: »Nun sage, wie bei stiller Nacht, Mutter Eisengrein sich dies ausgedacht.« (Hs. 58)

19 *von Golde zwanzig Mark*] Tausend Mark gibt Gahmurets Mutter dem Sohn mit, als der auf aventiure zieht, das entspricht ungefähr einem Zentner Gold oder Silber.

24 *Helfenbein*] Mhd.: Elfenbein. In der Übersetzung von Marga Bauer (Singer/Bauer, *Gregorius*, S. 12; vgl. hier Materialien und Dokumente S. 424) findet sich »Elfenbein«, Thomas Mann setzt aber das »Helfenbein« des Originals ein (vgl. *Gregorius*, V. 721).

28 *Gallustinte*] Schwarze Tinte, die aus Galläpfeln hergestellt wird.

65 2 *als ein Ritter dafür streitest, wenn es in Not*] Die Wendung klingt an Wagners *Lohengrin* an; vgl. Wimmer 1998, S. 101.

16–17 *eingepicht*] Mit Pech wasserdicht verschmiert.

66 8 *wir Schmerzensreichen*] In der Hs. korrigiert aus »Gebärerinnen«; die »Schmerzensreiche« Muttergottes ist (anknüpfend an Lk 2,35) Maria unter dem Kreuz Christi. Auch das »heilige« ist nachträglich dem »Wochenbett« hinzugefügt. Die ungewollte Schwangerschaft verbindet Sibylla ebenso mit Margarete (Gretchen) in Goethes *Faust. Der Tragödie erster Teil* wie ihr Mariengebet: »Ach neige, / Du Schmerzenreiche, / Dein Antlitz gnädig meiner Not!« (V. 3587–3589)

67 24 *daß fünf Schwerter ihr Herz durchbohrten*] In Darstellungen der

schmerzensreichen Maria ist das Herz der »Mater dolorosa« von einem oder von sieben Schwertern durchbohrt. (»Es sind *fünf* Schwerter, die das Herz der Sibylla durchdringen. Das spätere ›sieben‹ ist ein bloßer Schreibfehler, in der deutschen Korrektur verbessert«, betont Thomas Mann ausdrücklich in einem Brief an seine Übersetzerin Helen T. Lowe-Porter am 27. Februar 1951; DüD III, 380.) Die folgende Auslegung der fünf Schwerter imitiert die Praxis mittelalterlicher Allegorese. Zu Thomas Manns Übernahme der Zahlenmetaphorik aus Hartmann und ihrer Ausweitung vgl. Rölleke 2017; zu den fünf Schwertern dort S. 337f. Rölleke weist zudem nach, wie Thomas Mann allein durch den Einsatz von Zahlen eine offensichtliche Parallele zwischen Sibylla und Maria herstellt (Rölleke 2017, S. 324f.).

68 17 *Amacht*] Mhd. âmaht: Schwäche, Ohnmacht.

24 *mit verkehrtem Schilde*] Die Soldaten eines Fürsten trugen nach dessen Tod als Zeichen ihrer Trauer den Schild umgedreht mit der Spitze nach oben, das ist zugleich ein Symbol der friedlichen Absicht.

69 19 *Kreuzritterschaft*] In Hs. 63 und Ts. 71 »Kreuzesritterschaft«.

25 *mitleidig sein Roß*] Wie der soeben (Textband S. 58₈) erinnerte Hund Hanegiff reagiert das Tier unmittelbar mitleidend.

30 *Leilach*] Mhd. lîlach: Betttuch (vgl. *Gregorius*, V. 3460).

70 6 *Kondukt*] Trauerzug.

28 *Leichkar*] Sarg, Bahre.

71 4 *Für Weisung und zarte Anspielung*] In Hs. 64 und Ts. 73 ging der wörtlichen Rede noch ein »Sie gab ihm dies zurück:« voraus.

17 *beschieden sein*] Unterstrichen in *Parzival* I, S. 111, und übernommen auf Nbl. [26] u. [43].

23–24 *Seneschalk … Truchseß*] Der älteste, vornehmste Hofbeamte, der die Oberaufsicht über die Hofhaltung hatte und dem Haushalt vorstand. Übernahme aus dem Eintrag »Seneschall« in *Meyers Lexikon* III, Sp. 530, auf Nbl. [4]. Truchseß: Randanstreichung der erklärenden Passage in Hertz' Anmerkungen zu *Tristan*, S. 585.

31–32 *celui je tiendrai ad espous qui nos redemst de son sanc precious*] Afrz.:

Den werde ich mir zum Gatten nehmen, der uns erlöste mit seinem kostbaren Blut (Übernahme aus dem *Alexiuslied*, das in Auerbachs *Mimesis* auf S. 114 zitiert wird, auf Nbl. [7]). Vgl. dazu Makoschey 1998, S. 207.

72 3 *Nonnenfürstin*] Wie die hl. Elisabeth von Thüringen, deren Legende Thomas Mann als Quelle diente (vgl. hier zur Quellenlage S. 135).

5 *weiß Krist*] Übernahme des mhd. »wizze Krist« aus *Gregorius*, V. 1348, auf Nbl. [17].

10 *Serjanten*] Mhd. sarjant: Knappe, Fußknecht (Unterstreichung in *Parzival* I, S. 213, Übernahme auf Nbl. [23], [30] u. [47]).

15 *die sie heilig priesen*] In der Hs. eingefügt.

17 *Nachtmetten*] Von der Matutin, der klösterlichen Gebetsstunde zwischen Mitternacht und Morgengrauen, abgeleiteter nächtlicher oder frühmorgendlicher Gottesdienst.

73 1 *Roger*] Unterstreichung des Namens in Scherer, *Geschichte*, S. 94; vgl. Nbl. [60].

2 *König vom Arelat*] Nach der Stadt Arles benanntes burgundisches Königreich unter deutscher Vorherrschaft in der heutigen Schweiz und Frankreich (vgl. die Ausführungen im Eintrag »Burgund« in: *Meyers Lexikon* I, Sp. 430, übernommen auf Nbl. [23] u. [54]). In der Hs. korrigiert aus »Herzog von Burgund«.

24 *Gockel*] In der Hs. korrigiert aus »seine Eitelkeit«.

26 *sein Ehr sei hin*] Wimmer erkennt darin eine Anspielung auf Graf Friedrich von Telramunds Klage über seinen Ehrverlust in Wagners *Lohengrin* (Wimmer 1998, S. 100f., und Wimmer 2012a, S. 111).

74 23 *Hengist*] Hengst; hier: eitler Mann (vgl. die Markierungen in *Parzival* I, S. 25 – da geht es jedoch um die historische Person dieses Namens – und die Unterstreichung in *Tristan*, S. 579). Der Name taucht auch in einem Zeitungsartikel auf, den Thomas Mann unter den Materialien für den Roman aufbewahrt hat (TMA, A-I-Mat. 7/39); darin geht es um die Invasion in England unter den legendären Heerführern Hengist und Horsa (›Hengst‹ und ›Ross‹).

75 3 *›Minnekrieg‹*] Beliebtes Motiv in mittelalterlichen Versromanen. In *Parzival* führt Klamidé einen Minnekrieg um Condwiramurs, in dem Parzival als siegreicher Befreier auftritt und Land und Frau erhält, in Hartmanns *Gregorius* ergeht es dem Titelhelden ebenso.

4–5 *bei wechselndem Glücke*] In der Hs. hatte Thomas Mann ursprünglich angesetzt mit: »da die Launen des Schlachtengottes vielmals«.

7–9 *»Gebt, Fraue, ... Sie aber sprach: »Jamais!«*] Nachdem Thomas Mann am 14. Juni 1948 im Tagebuch notiert hat, er arbeite »am VIII. Kapitel, das nicht leicht zu schließen«, vermerkt er am folgenden Tag befriedigt: »Schloß das Kapitel ›Die 5 Schwerter‹ ab mit Verselein.«

76 2 *die Werke der Weisheit Gottes*] Vgl. Buch der Sprüche 8, 22–26.

7 *Karolingen*] Mittelalterliches Frankenreich (Unterstreichung und Anm. 3 angekreuzt in *Parzival* I, S. 118, vgl. Nbl. [44]).

7 *Engelland*] England (Land der Angeln).

25–26 *»Nemo contra Deum nisi Deus ipse.«*] Lat.: Niemand gegen Gott außer Gott selbst; Motto zum 4. Teil von Goethes *Dichtung und Wahrheit*. Auf den Satz stößt Thomas Mann möglicherweise bei der Suche nach einem Motto für *Die Entstehung des Doktor Faustus* und baut sie dann in den entstehenden Roman ein (Makoschey 1998, S. 138f. u. 211).

30 *Francia*] Fränkisches Reich (Unterstreichung in Baum, *Malerei*, S. 124; vgl. Nbl. [67]).

77 9 *Sankt Dunstan*] Vorbild sind die Kanalinseln, von denen aber keine so heißt; die nördlichste Insel ist Alderney. Thomas Mann gibt an, den Namen erfunden zu haben (Brief an Erich Auerbach vom 12. Oktober 1951 und nochmals an C. Soeteman am 18. Juni 1954; GW XI, 692 u. DüD III, 432). Im TMA ist eine kleine Skizze erhalten, auf der Thomas Mann sich die Lage der Inseln vergegenwärtigt (A-I-Mat. 7/16; vgl. hier Abb. S. 157). Der Name taucht als Personenname in Baum, *Malerei*, S. 124, und auf Nbl. [27] u. [67] auf.

17 *des Klosters ›Agonia Dei‹*] Lat.: Leiden, Not Gottes; im Deutschen

klingt die »Agonie« als Todeskampf mit an. Thomas Mann übernimmt den Namen aus: Ernst Alfred Philippson, *Über das Verhältnis von Sage und Literatur*, hier S. 251 (Anstreichung; vgl. Nbl. [27] u. [53] und hier zur Quellenlage S. 119). Auch die Übersetzung als »Not Gottes« stammt von Philippson; auf mehreren Kanalinseln lebten Mönche, keines der Klöster hieß so.

77 18 *Laura und Koinobiten-Siedelung*] Griech. Laura: Mönchssiedlung, Kloster; Thomas Mann korrigiert in der Hs. aus »Eremitenklause«; Koinobiten (von griech. koinos: gemeinsam und bios: Leben) heißen in der Regel die in Klostergemeinschaft des hl. Benedikt lebenden Mönche; Übernahme aus *Meyers Lexikon* II, Sp. 851 (Stichwort »Mönchtum«), vgl. Nbl. [57].

19 *Regel von Cistercium*] Der benediktinische Reformorden der Zisterzienser folgt der strengen Regel des Klosters von Cîteaux. Vgl. den Eintrag »Zisterzienser« in: *Meyers Lexikon* III, Sp. 1155, und Nbl. [27].

21–22 *heute noch bildet*] In der Hs. streicht Thomas Mann hier eine stark überarbeitete Passage. Ihre Endfassung lautete: »Wie angenehm ist es mir, mich in der Gesellschaft eines gelehrten Gottesmannes und damit, wenn ich so sagen darf, in der von meinesgleichen zu finden, nachdem ich mich so lange mit allerlei Ritterwesen und verfänglicher Weltlichkeit habe abgeben müssen! Mit wahrem Vergnügen blicke ich in des Abtes mondhaft mildes und herzensgutes Antlitz, über welchem sich ein schön polierter Glitz- und Glatzkopf wölbte.« (Hs. 71)

22 *Konventualen*] Stimmberechtigte Mitglieder der Klostergemeinschaft (vgl. Eicken, *Weltanschauung*, S. 495, und Nbl. [27]).

31–33 *Abte … nach dem Sinn der Sprache*] Abt von lat. abbas, zurückgehend auf aramäisch abba: Vater. An dieser Stelle hat Thomas Mann in der Hs. 72 heftige Korrekturen vorgenommen. Er streicht die Fortsetzung des Satzes: »da abba, abbé und abbot ›Vater‹ bedeuten«. Eine vorherige, auf das Vaterunser anspielende Version lautete: »wir Gelehrten sind nicht im Dunklen darüber, daß das Wort ›Abt‹ sich vom syrischen ›abba‹ herleitet, welches ›lieber Vater‹ bedeutet«.

78 9 *Tournure*] Körperhaltung, Erscheinung.

79 3 *Ich murre nicht*] In der Benedikts-Regel, deren Einhaltung dem Abt obliegt, gilt das »Murren« als streng zu ahndender Verstoß.

6 *Vorseen*] Eigentlich eine Lagune oder ein Meeresarm, hier ist wohl eher ein flacherer Meeresbereich gemeint.

10 *Wiglaf und Ethelwulf*] Unterstrichen in Baum, *Malerei*, S. 118; vgl. Nbl. [27] u. [65]. Die beiden englischen Königsnamen verwendet Thomas Mann für ein Fischerpaar.

31–32 *Denn unter den Klöstern der Kristenheit ist es ein geringes*] Vgl. Mi 5,2: »Und du Bethlehem Ephrata, die du klein bist unter den Städten in Juda, aus dir soll mir kommen, der in Israel HERR sei, welches Ausgang von Anfang und von Ewigkeit her gewesen ist.« (Luther-Übersetzung 1912; vgl. Mt 2,6)

32–33 *Kapitel … Zönakel … Konventsaal*] Kapitel: Versammlungsraum der Klostergemeinschaft, in dem die nicht liturgischen Zusammenkünfte stattfinden; Zönakel: Speisesaal, Quelle ist möglicherweise das Stichwort »Kloster« in *Meyers Lexikon* II, Sp. 440, vgl. Nbl. [27]; Konvent: Gruppe der stimmberechtigten Klostermitglieder, der Konventualen.

80 6 *smoothlich*] Spielerischer Anglizismus, aus engl. smooth: weich, glatt, ruhig. In der Hs. streicht Thomas Mann das dahinterstehende »fluentlich«. An seinen philologisch spurensuchenden und über die Anglizismen erfreuten Leser Jonas Lesser schreibt Thomas Mann am 26. April 1951: »*Ganz* vollständig sind Sie nicht. Das ›smoothlich‹ des Abbots haben Sie ausgelassen.« (TM/Lesser, 85)

15 *Claustrum*] Lat.: Schloss, Riegel; hier für Kloster. Vgl. den Eintrag zu »Kloster« in: *Meyers Lexikon* II, Sp. 440, und Nbl. [27] u. [57].

28–29 *infulierter Abbot*] Infulieren: jmd. das Recht verleihen, eine Bischofsmütze zu tragen; abbot: engl. für Abt.

30–81,2 *Ob diese Leute … und starb*] Diese sagenhafte Geschichte kennt Thomas Mann aus Philippson, *Verhältnis*, S. 260.

81 12 *Glauben des vulgus*] Von lat. vulgus: gemeines Volk, Pöbel; Volksglauben (mit dem Nebensinn des ›Vulgären‹).

82 7 *neue Stätten suchen*] Die ursprüngliche Version der Passage war

deutlich ausführlicher, Thomas Mann kürzt stark und verfasst sie auf der Rückseite von Hs. 76 neu. Die längere Passage lautete wie folgt: »auch neue Stätten suchen mußten, die sie entweder verlassen vorfanden oder aus denen sie, indem sie diejenigen vertrieben, die sie inne hatten; oder sie schon verlassen vorfanden. So habe ich dunkle Kunde von Goten und Gepiden [*Korr. in:* den Burgunden] die vom hohen Thule [*gestrichen:* aus ihrer Heimat Bornholm im hohen Norden] hinabzogen bis an den römischen Limes und nicht ohne Selbstgefälligkeit am Ufer des Rhenus saßen, wo sie jedoch von den Hunnen gemetzelt wurden bis auf Wenige. Die gründeten [*gestrichen:* ein Reich um den Montblanc] zu Füßen des Schneeberges ein neues Reich, dem es beschieden war, zum Frankenreich geschlagen zu werden. Ferner weiß ich von Vortigern, dem Britenfürsten, der seefahrende Germanen, Haugen, Sachsen, Angeln und Jüten zur Hilfe holte, gegen die wilden Pikten, mit denen doch jene Gerufenen [*gestrichen:* sich bald verbündeten] im Nu gemeinsame Sache machten gegen den Rufer. Und es geschah, daß Sachsen und Angeln ein britisches Reich schufen, darauf setzte sodann der Norman den Fuß [*gestrichen:* setzte, es faßte und ergriff] und ergriff es mit seinen Händen. [*Gestrichen:* Wie ich unterrichtet bin, das ist erstaunlich! Aber, um Gott, statt gänzlich abwegige Gedanken zu spinnen, und mich an meinen Kenntnissen gestisch zu weiden] Meine Kenntnisse, die sind erstaunlich! Aber, mein Gott, statt mich mit ihnen zu blähen vor mir selbst, sollte ich mich erinnern, daß all die abwegigen Gedanken, die ich spinne, nur meiner Unruhe entspringen wegen des Mangels an Fürsorge, dessen ich mich schuldig gemacht [*gestrichen:* wenn auch wieder aus Fürsorge nur] und der freilich wieder nur auf Fürsorge beruht«.

82 10 *Burgunden … Thule*] Hier und im Folgenden referiert der Abt, was Thomas Mann bei Baum, *Malerei*, S. 19f., gelesen hat. »Vom hohen Thule«: meint in diesem Fall nicht den Ort auf Grönland, sondern meinte im Mittelalter den äußersten Nordrand der bewohnten Welt, z.B. wurde Island als Thule bezeichnet, aber auch etwa die Färöer.

82 14 *Vortigern*] Sagenhafter Feldherr des fünften Jahrhunderts, der nach Abzug der Römer Britannien gegen Angriffe der Skoten aus dem Westen und der Pikten aus dem Norden zu verteidigen suchte und dafür ein Söldnerheer aus Sachsen zusammenstellte, die dann aber revoltierten und das Land für sich selbst eroberten. Unterstrichen in Baum, *Malerei*, S. 19, und übernommen auf Nbl. [27] u. [63].

15 *Pikten*] Angehörige schottischer Volksstämme, erstmals um 300 n. Chr. in lateinischen Quellen erwähnt, deren Name oft vom lateinischen Picti (die Bemalten, Tätowierten) abgeleitet wird; möglicherweise handelt es sich aber um eine Bezeichnung aus dem Keltischen. Die Pikten versuchten von Norden aus, ihren Einfluss auszudehnen (vgl. Baum, *Malerei*, S. 19, und Nbl. [63]).

17 *Haugen*] Übernahme aus Baum, *Malerei*, S. 19, auf Nbl. [63]; ein Volksstamm dieses Namens ist nicht bekannt.

33 *Fallzeit*] Von engl. fall: Herbst.

83 3 *Freise*] Mhd.: tobende Elemente, Fluten (Übernahme aus *Gregorius*, V. 954, auf Nbl. [17]).

5 *ungrisch Leder*] Auf ungarische Weise gegerbtes, haltbares Leder (Anstreichung in *Parzival* I, S. 214).

10 *Sankt Aldhelm*] Fiktive Kanalinsel; der Personenname ist übernommen aus Baum, *Malerei*, S. 118, auf Nbl. [19]; auf Nbl. [65] mit »St.« ergänzt. Markiert auch in Gregorovius, *Rom* I, S. 516, und Scherer, *Geschichte*, S. 42. In der Hs. korrigiert aus »Ahlstan«.

84 3 *mit raumem Winde*] Nautischer Begriff: guter Wind zum Segeln (Übernahme aus dem Artikel »Segeln« in *Meyers Lexikon* III, Sp. 518, auf Nbl. [27]).

7 *Ho-he, Hoi-ho*] Ruf der Schiffer im 1. Akt von Richard Wagners *Tristan*; ähnlich in der *Götterdämmerung* (Wimmer 1991, S. 291f.) und im wilden Ritt der Walküren (»Hojotoho! Hojotoho! Heiaha! Heiaha!«).

25 *gewallt*] Gewandelt, gepilgert (vgl. *Gregorius*, V. 91, und Nbl. [36]).

28 *littel bit*] Engl. little bit: etwas, ein bisschen. Vgl. Thomas

Manns Brief an Julius Bab am 30. Mai 1951 (Entstehungsgeschichte S. 65; Br. III, 208f.).

84 29 *Lucke*] Engl. luck: Glück.

30 *coups de vent*] Frz.: Windstöße. Im Tagebuch notiert Thomas Mann am Neujahrstag 1949 über dieses Kapitel: »Das Sprachgemisch amüsant.« Ursprünglich hatte Thomas Mann in der Hs. sogar die nicht ganz einwandfreie phonetische Umschrift »kupsdewang« gewählt.

32 *drawen*] Engl. draw: schöpfen.

33 *den Timon holden*] Das Steuer halten; timón: span. für Steuer, Ruder; holden von engl. hold: halten.

85 11 *Nee, nee, Herr, wie wern wi denn.*] In Hs. 79 und Ts. 89 »Ne, ne, Herr, wie wern wir denn.«.

24–25 *Puhr Pipels Stoff ... Da kehrt ein Herr gar nich vor*] Anglizismus, aus engl. »poor people's stuff«: armer Leute Zeug und »to care for«: sich kümmern um. Thomas Mann korrigiert in der Hs. aus: »Da luckt [*von engl. look: sieht*] ein feiner Herr garnich nach.«

86 1 *schell*] Engl. shall: soll.

2 *Durft*] Mhd.: Bedürfnis (deutlicher Hs. 80: »Notdurft«).

2 *fresch Water*] Engl. fresh: frisch, water: Wasser.

3 *Dram in zum Tippeln*] Wortspiel: engl. dram: Schnaps (ursprünglich Gewichtsmaß: 1/8 Unze); der Begriff existiert in dieser Bedeutung erst seit dem 19. Jh. Tippeln von engl. tipple: zechen, saufen.

23 *Marner*] Mhd.: Schiffsführer (Unterstreichung und Markierung der Anm. in *Parzival* I, S. 85, und Nbl. [42]).

87 16 *Deus dedit*] Lat.: Gott hat es gegeben (vgl. auch den Papstnamen in Gregorovius, *Rom* I, S. 355, und Nbl. [18]). Ursprünglich hatte Thomas Mann in der Hs. noch eine biblische Assoziation vorgesehen, die er aber streicht: »›Moses, Moses!‹ so rief er, ›Wie Pharaos Tochter geschah, so geschieht nun mir [...]‹« (Hs. 81).

24 *ein Baby*] Amerikanischer Anachronismus; vgl. den »Suckling« (Textband S. 90₆).

88 1 *seliglich*] Mhd. sæleclich: anmutig, wohlgeartet; Thomas

Manns Schreibweise hebt den religiösen Nebensinn (gottgefällig) hervor (vgl. *Gregorius*, V. 1142, und Nbl. [17]).

88 8 *Mahaute*] Schwiegertochter von Gurnemanz in *Parzival* (unterstrichen in *Parzival* I, S. 207, vgl. Nbl. [4] u. [28]).

12 *Credite mi!*] Von lat. credite mihi: Glaubt mir (vgl. Nbl. [28]). In der Form »Crede mihi« unterstrichen in Singer/Bauer, *Gregorius*, S. 24; vgl. hier Materialien und Dokumente S. 428. In der Hs. stand ursprünglich »Credemi« und das »te« ist mit Bleistift über dem Wort eingefügt.

22 *des Kindes unterwinden*] Mhd.: es auf sich nehmen, sich um etwas zu kümmern; in *Parzival* unterwindet sich Gurnemanz der Pflege des jungen Parzival und macht ihn mit höfischer Etikette vertraut (unterstrichen, allerdings nicht im Zusammenhang mit einem Kind, in *Parzival* I, S. 308).

31 *Alisaundre*] Alexandria.

89 9 *Fiddel-Faddel*] Engl. fiddle-faddle: Unfug, Unsinn.

10–11 *dämpfig … hälpig und halig*] Dämpfig: kurzatmig, hustenkrank; hälpig: vielleicht von engl. helpy; halig: von engl. hale: gesund, rüstig (Bronsema 2005, S. 120, führt die beiden Wörter auf niederdt. halen: holen und helpen: helfen zurück). Ursprünglich sollte nicht Ethelwulfs Tochter, sondern seine Frau das Kind bekommen haben, da mischt sich aber Ethelwulf ein und erklärt: »Min Weib is gar nich dämpfig, sundern bloß barren und unfekund, un ich säh' in den Sand for twantig Jihr.« In der Vorversion hatte gestanden: »sondern nur unfruchtbar«, das übersetzt Thomas Mann ins Englische und macht aus engl. »fecund«: »unfekund« (Hs. 83).

11 *twelf*] Engl. (wie ndt.) twelve: zwölf.

12 *Kiddens upbringen*] Wortschöpfungen aus engl. kids: Kinder und engl. upbringing: Aufzucht, Erziehung.

12 *Hoax*] Engl.: Schwindel.

14 *tellen*] Engl. (wie ndt.) tell(en): sprechen, erzählen.

15 *widerbellen*] Mhd.: widersprechen, sich widersetzen (vgl. Nbl. [4]).

90 6 *Suckling*] Engl.: Säugling.

7 *bappen*] Möglicherweise von engl. baptize: taufen.

9 *parentes*] Lat.: Eltern. In der Hs. korrigiert aus »Brudersleute«.

11 *Kristenung*] Taufe; möglicherweise analoge Bildung zu engl. christening.

91 2–3 *wie Gott es … gegen sich selbst … durchsetzte*] Vgl. den im Textband S. 76 25-26 zitierten Goethe-Satz »Nemo contra Deum nisi Deus ipse.«.

9 *die Weisheit*] Zunächst war in der Hs. »Gott« vorgesehen.

27–28 *So lag es … in schlechten Wickeln und auf Stroh gebettet*] Wie das Jesuskind im Stall (Lk 2, 7 u. 12).

29 *Flann*] König Flann aus Clonmacnois; auf den Namen stößt Thomas Mann im Zusammenhang mit dem irischen Hochkreuz, das er beschreibt (Textband S. 11) und das den Erzähler an sein heimisches Kloster Clonmacnois erinnert. Der Name unterstrichen in Baum, *Malerei*, S. 167, und übertragen auf Nbl. [56]. In der Hs. war es zunächst nicht der Fischerknabe Flann, sondern das »Fischerbalg«; als Name war David vorgesehen.

92 1 *Fiakrius*] Eigentl. irischer Einsiedler in Frankreich (geb. um 590, gest. 670), später heiliggesprochen. Quelle für den Namen ist Eicken, *Weltanschauung*, S. 493, Übernahme auf Nbl. [27].

3 *›Summa Astesana‹*] Astesanus de Asti (gest. 1330) war ein Franziskanermönch, der 1317 die *Summa de casibus conscientiae* verfasste, die auch unter dem Namen *Summa Astesana* bekannt und viel gelesen wurde, eine Zusammenfassung der aktuellen theologischen und kirchenrechtlichen Debatten und eine Art Handbuch für Beichtväter. Übernahme aus Eicken, *Weltanschauung*, S. 505, auf Nbl. [27]. In einem Brief an Helen T. Lowe-Porter vom 27. Februar 1951 schreibt Thomas Mann: »Unter meinen Notizen findet sich […] auch die ›Summa Astesana‹ als Lektüre verzeichnet. Sie enthält unter anderem ein Kapitel ›Über die Rede‹, muß also irgend ein theologisch-philosophisches Lehrbuch sein. Es liegt nichts daran.« (DüD III, 380) Thomas Mann erinnert sich also nicht daran, dass er nicht das Buch selbst gelesen hat, sondern nur etwas

darüber bei Eicken. Möglicherweise kommt es so auch zur Fehllesung seiner eigenen Notizen, und aus dem Buch »über die Reue« wird das über die »Rede«.

92 12 *Starenspruch*] Der Star kann menschliche Laute nachahmen, wenn man sie ihm beibringt. Meint hier also: sein auswendig gelerntes Sprüchlein.

12 *siechen*] Kranken (unterstrichen in Dieffenbacher, *Privatleben*, S. 69).

19 *Kötner*] Ndt. für Kätner, einen abhängigen Kleinbauern oder Tagelöhner, der in einer Kate wohnt und sich auf einem größeren Hof verdingt.

20 *eloquentiam*] Lat.: Beredsamkeit, Redekunst (Akkusativ).

29–30 *fast keine Substantia, oder eine vom Himmel*] Vgl. das Spiel mit der (auch auf den Körper des Gregorius bezogenen) Transsubstantiationslehre im Kapitel *Die Wandlung*.

94 1–2 *betrieb die bittere Fischerei*] Hier korrigiert Thomas Mann in der Hs. aus: »war ein gemachter Mann« (Hs. 89).

2–3 *durch den Segen des Kindes*] Eine der christologischen Stilisierungen des kleinen Gregorius; das Jesuskind wird in der mittelalterlichen Malerei häufig mit segnender Geste abgebildet.

7 *etwas später noch eine*] In Hs. 89 und Ts. 99 »etwas spaeter noch zwei«.

13 *Luxurei*] Möglicherweise eine Bildung aus engl. luxury: Luxus, Aufwand, Komfort.

14 *kranke Speise*] Mhd. kranc: schlecht, gering (vgl. *Gregorius*, V. 2899 u. 2904, und Nbl. [17]).

15 *gelfe Leute*] Mhd.: glänzend, hell; hier: übermütig (Übernahme aus *Gregorius*, V. 3391, auf Nbl. [2]).

16 *Sagst du mir nicht*] In der Hs. hatte Thomas Mann noch vorgesehen, dass Mahaute ihrem Mann mit dem Abt drohen sollte: »Ich glaube fast, du hast es mit dem Dewwel, und ich will's dem Abte sagen, daß du's mit jenem treibst und Reichtümer häufst mit Preisgab von unser aller Sachen! Tell him! sagte der Mann. Er sieht ja alles selbst und weiß es besser. Aha! Oho! So, so! Er gab dir also das Kaufgeld?« (Hs. 89)

94 18 *Dewwel*] Engl. devil: Teufel.

23 *Ich habe dir*] Auch diese Passage hat Thomas Mann auf der Rückseite der betreffenden Hs. neu formuliert; ursprünglich stand dort: »Die hängen aber zusammen, murmelte der Mann. Aha! Oho! So, so! Sieh da! Hab' ich dich, daß sie zusammenhängen, Kind und Geld!« Und auch zu dieser Version gab es einen Vorgänger: »Aha! Oho! So, so! Sieh da! Hab' ich dich, somit, daß wir aufgezahlt werden für irgend eine Schande?« (Hs. 90)

95 5 *twaddelst es aus*] Engl. twaddle: (aus)schwatzen, quatschen, quasseln.

14–15 *aus feinerem Holz geschnitzt*] Wie Felix Krull, an dessen Memoiren Thomas Mann unmittelbar nach Abschluss des *Erwählten* weiterarbeitet (»daß ich aus edlerem Stoffe gebildet oder, wie man zu sagen pflegt, aus feinerem Holz geschnitzt war«; GKFA 12.1, 18).

31 *zu Seiner Not*] In Hs. 91 und Ts. 102 »seiner Not«; gleichfalls zwei Zeilen später »seine Burg« statt »Seine Burg«.

96 12–13 *Heckgeld*] Zinsen.

16–17 *Chrysogonus*] Griech.: Golderzeuger. Eigentlich der Name eines frühchristlichen Märtyrers des 4. Jahrhunderts. Unterstreichung in Gregorovius, *Rom* I, S. 157, und Übernahme auf Nbl. [5].

21 *toten Wert*] In der EA wurde der in der Hs. 92 und dem Ts. 102 benutzte Begriff »caput mortuum« (lat.: Totenkopf; hier im Sinne von totes Kapital) durch »toten Wert« ersetzt. Auf wessen Veranlassung das geschah, konnte nicht ermittelt werden, auch nicht, warum in GW dann wieder der ursprüngliche Wortlaut (als *lectio difficilior*) eingesetzt wurde.

22–24 *Nun heißt es ja … wuchern lassen*] Zusammenfassung des biblischen Gleichnisses von den anvertrauten Talenten (Mt 25,14–30; Lk 19,12–27); vgl. Textband S. 132.

25 *wieder des Kristen Sache nicht*] Zunächst hatte Thomas Mann in der Hs. vorgesehen, dass der Abt selbst Chrysogonus den Auftrag geben sollte, das Geld Timon zu bringen, denn der Abt fährt fort: »darum gib, bitte, diese Summe dem Juden Timon von Aleppo,

im Bart und spitzen Hut« (Hs. 92). Er ändert das aber und lässt den Vorschlag vom Finanzexperten statt vom Abt kommen.

96 33 *Londinium in Essex*] Röm. Name für London (Übernahme aus dem Eintrag »London« in *Meyers Lexikon* II, Sp. 691, auf Nbl. [27]), hinter dessen antik-mittelalterlichem Bild hier der moderne Ort des Börsenhandels mit »Zins und Zinseszins zum Grundgeld« sichtbar wird (Textband S. 97₁), wo »reiches Capitale [...] zu Profit« gemacht wird (ebd., S. 96₁₈₋₂₁). Ein Blick in Thomas Manns Quellen zeigt, dass diese Anspielungen weniger anachronistisch sind, als sie erscheinen; in Heinrich von Eickens Werk *Mittelalterliche Weltanschauung* hat Thomas Mann die mit dem Zinsverbot verbundenen Abschnitte über »Arbeit und Eigentum« intensiv gelesen (vgl. hier zur Quellenlage S. 134).

97 8–9 *den Waisenschatz*] Hier korrigiert Thomas Mann in der Hs. aus »das Gold« (Hs. 92): Es geht nicht um sein eigenes Kapital, sondern um eines, das er für eine Waise verwaltet.

9 *im gelben Hut*] Auf dem Laterankonzil von 1215 legte Papst Innozenz III. eine neue, diskriminierende Kleiderordnung für Juden fest. Männliche Juden mussten einen gelben Hut mit hoher, kegelförmig endender Spitze tragen. Deswegen spricht auch Chrysogonus vorher vom »spitzen Hut« (Textband S. 96₂₉).

11 *Recepisse*] Von lat. recipere: annehmen; Empfangsbestätigung.

98 1 *Trauerer*] Bereits die Kapitelüberschrift verweist auf Tristan, dessen Name hier (wie mehrfach in Gottfrieds *Tristan*-Roman) ins Deutsche übersetzt ist.

11 *gleich wieder im Gedächtnis der Leute verloren*] Hier streicht Thomas Mann noch in der Hs. eine ursprünglich vorgesehene Passage: »Hätten sie sich's aber gemerkt, so hätte es ihnen auch nicht erklärt, worüber sie sich mit der Zeit zuweilen wunderten.« (Hs. 94)

17 *Marbels*] Engl. marble: Marmor. Hier: eine Murmel, also eine Spielkugel für Kinder, die ursprünglich aus Marmor war. Zunächst lautete die Stelle in der Hs.: »Fein es de Milk-Pay, credemi«, die »Marbels« fügt Thomas Mann nachträglich über der Zeile ein

(Hs. 94), streicht dann allerdings beide Varianten und fügt die endgültige Fassung erst im Ts. handschriftlich wieder ein (Ts. 105).

98 22 *Hütten-Messingsch*] Ein mit niederdeutschen Elementen vermischtes Hochdeutsch.

99 7 *imstande*] In Hs. 95 und Ts. 105 »imstand«.

20 *Pater Petrus-et-Paulus*] Die Kombination der beiden Apostelnamen hat Thomas Mann in Gregorovius, *Rom* I, S. 196, mit einem Kreuz markiert.

20–21 *als Gelehrter und Dichter Galfried von Monmouth*] Der britische Geistliche, Gelehrte und Geschichtsschreiber Geoffrey von Monmouth (geb. um 1100, gest. um 1154) verfasste die *Historia regum Britanniae*, die zur Grundlage der Geschichten um König Artus wurde (Randanstreichung des Namens in Scherer, *Geschichte*, S. 160, vgl. Nbl. [19]).

23 *Alkube*] »Alkube ist Alkoven« (Thomas Mann an die Übersetzerin Louise Servicen, 29.7.1951; Reg. 51/338; TMA), also ein Schrankbett.

29 *Theorbe*] Laute (vgl. Nbl. [4] u. [13]).

00 8 *Castanen*] Von lat castanea: Kastanie.

8 *Widerwillen*] In der Hs. stand zunächst eindeutiger: »Haß« (Hs. 96).

15 *Grammaticus*] Schüler der Grammatica als einer der drei Trivia (Grammatik, Rhetorik, Dialektik) der Sieben freien Künste, also der obligatorischen höheren Ausbildung. Markiert in Singer/Bauer, *Gregorius*, S. 18 (hier Materialien und Dokumente S. 430; vgl. *Gregorius*, V. 1183); Nbl. [17].

16 *Divinitas*] Lat.: Gottesgelehrsamkeit, Theologie. (Vgl. die Markierung in Singer/Bauer, *Gregorius*, S. 18; hier Materialien und Dokumente S. 430. Vgl. auch *Gregorius*, V. 1187, und Nbl. [17].)

20 *de legibus*] Lat.: über die Gesetze, Jura; Übernahme aus *Gregorius*, V. 1193, auf Nbl. [17].

22 *Legiste*] Gesetzeskundiger, Jurist; Übernahme aus *Gregorius*, V. 1196, auf Nbl. [17].

100 33 *in seinen Stand, in seines Lebens Umlauf*] Hier tilgt Thomas Mann in der Hs. eine andere Formulierung, eine deutliche Anspielung auf Hans Christian Andersens Märchen vom Zinnsoldaten (das er selbst als »im Grunde das Symbol meines Lebens« bezeichnete, an Agnes E. Meyer; TM/AM, 797): »passe nicht in die Form seines Lebens« (Hs. 97).

101 5 *Ehre*] Hier korrigiert Thomas Mann in der Hs. aus »Bestimmung« (Hs. 97).

21 *wo zweie*] In der Hs. folgte noch: »oder Dreie, Mann oder Weib« (Hs. 97). Das ändert Thomas Mann möglicherweise, um die Anspielung auf Mt 18,20 zu tilgen (»Denn wo zwei oder drei versammelt sind in meinem Namen, da bin ich mitten unter ihnen«).

24 *Jungster*] Engl. youngster: Jugendlicher, junger Bursche.

28 *Lad*] Engl.: Jüngling. In der Hs. war hier zunächst engl. »Chap« und dann »tschap« vorgesehen (Hs. 98).

102 11 *mit sich selber*] In der Hs. folgte noch der dann gestrichene Satz: »Zweifelt Einer, ob er ist, was er vorstellt, so ist die Frage nicht so sehr, ob er mehr oder weniger ist, als was er scheint; daß es nicht stimmt mit ihm, das ist die Unrast.« (Hs. 98)

15 *Schildesamt*] Ritterwürde (markiert in *Parzival* I, S. 11); zur berühmten Selbstcharakterisierung Wolframs von Eschenbach: »Zum Schildesamt ward ich geboren« (»schildes ambet ist mîn art«), vgl. Nbl. [31] u. [40].

15 *Vassellage*] Afrz.: Lehnspflicht (vgl. Auerbach, *Mimesis*, S. 132, und Nbl. [28] u. [32]).

17 *Aventuren*] Von mhd. aventiure: Begebenheit, Wagnis, Ereignis, Schicksal; meint davon abgeleitet das ritterliche Ausziehen auf eine Bewährungsprobe und die Textgattung, die diese schildert (vgl. Randanstreichung in *Parzival* I, S. 36, und Nbl. [28]).

19 *Dianasdrun*] Schauplatz der Artussagen (unterstrichen in *Parzival* I, S. 244; vgl. Nbl. [28] u. [48]).

19–20 *wie Dichter zu sagen pflegen*] Wolfram im *Parzival* (Unterstreichung in *Parzival* I, S. 42). Fügt Thomas Mann in der Hs. zusätzlich ein (Hs. 99).

02 20 *Gentlevolk*] Ableitung von Gentleman (vgl. Nbl. [28] u. [32]).

22 *Kopf auf einem Stein*] Wie Jaakob in *Die Geschichten Jaakobs*, ehe ihm im Traum die Offenbarung seiner ›Erwählung‹ widerfährt (GKFA 7.1, 90–95).

23 *Hersenier*] Vgl. den Kommentar zu S. 19$_{32-33}$. In Hs. 99 und Ts. 110 (dort handschriftlich korrigiert aus »Hoersenier«) »Härsenier«.

24–103,3 *zu einer Quelle … zu stimmen*] Übernahme der Geschichte vom Anfang des *Yvain* von Chrétien de Troyes aus Auerbach, *Mimesis*, S. 125. Thomas Mann erinnert sich an diese Episode möglicherweise auch noch aus seinem Studium; sie war Thema in Wilhelm Hertz' Vorlesung (wie aus Thomas Manns Notizen in seinem Collegheft hervorgeht; *Collegheft*, 119f.).

03 20–21 *die Volte schwenken, leisieren und jambelieren*] Volte schwenken: voltigieren (markierte Übernahme aus dem Nachwort in *Tristan*, S. 550); leisieren: mit verhängtem Zügel reiten, dabei wird der Zügel am Sattelknauf festgebunden, damit der Reiter die Hände frei hat, z.B. zum Kampf (markierte Übernahme aus ebd. auf Nbl. [4]); jambelieren: vgl. den Kommentar zu S. 29$_{21}$. »Leisieren« und »jambelieren« fügt Thomas Mann in der Hs. zusätzlich ein (Hs. 100); es »sind fremdsprachige Ausdrücke aus der Reitkunst, die ich ebenfalls, wenn ich nicht irre, aus dem ›Parzival‹ übernommen habe.« (Thomas Mann an die Übersetzerin Louise Servicen, 29.7.1951; Reg. 51/338; TMA.)

23 *eben weil er es*] Hier ändert Thomas Mann das Urteil: Zunächst wundert sich Grigorß selbst über sein Selbstbewusstsein: »eben weil es ihn so wunderte« (Hs. 100).

04 8 *Tristanz, der Sorgsame, qui onques ne rist*] Afrz.: der niemals lacht (unterstrichen in *Tristan*, S. 549, übernommen auf Nbl. [4]).

18 *Disport*] Engl.: Spiel, Unterhaltung.

05 28–106,1 *Ballstoß … Spielführer … Halten des Tors*] »Der mit Kies bestreute Spielhof und der Anger ebenso wie die von den Jungen betriebenen Sportarten sind von mir erfunden.« (An C. Soeteman, 18.6.1954; DüD III, 432) Auch wenn es im mittelalterlichen Eng-

land schon eine Vorform des modernen Fußballspiels gab, orientiert sich Thomas Manns Darstellung ganz an diesem Letzteren (ohne den Begriff zu verwenden). Sie gehört damit, wie die englisch-plattdeutsch-französische Sprache der Fischer von Sankt Dunstan oder die Anspielungen auf die Londoner Börse, zu den kalkulierten Anachronismen des Romans.

105 33 *Backschießen*] Von engl. backshot: Rückschuss im modernen Fußballspiel, das hier geschildert wird.

106 1 *Elf*] In Hs. 102 und Ts. 114 »Elfe«.

108 15 *las in einem Buch*] Wimmer merkt an, dass auch das Bild Gregors am Strand mit einem Buch zu den kalkulierten modernen Anachronismen des Romans gehört (Wimmer 1998, S. 98, und Wimmer 2012a, S. 109).

20–23 *Nebenbei gesagt ... eingeschnitten war*] Diese Tatsache fügt Thomas Mann in der Hs. erst auf der Rückseite des Blatts ein (Hs. 105); zunächst war nicht von einem Ring die Rede.

28–30 *Bugspriet ... Rahsegel ... Vorsteven*] Bugspriet: mit dem Schiffsrumpf fest verbundenes Rundholz, das über den Bug hinausragt (Übernahme aus dem Eintrag »Takelung« in *Meyers Lexikon* III, Sp. 732–735, auf Nbl. [29]); Rahsegel: rechteckiges oder trapezförmiges Segel, das von einer Holzstange (Rahe), die jeweils quer mittig vor dem Mast befestigt ist, herabhängt; Vorsteven: vorderer Teil des Schiffsrumpfes.

109 1 *›Reine Inguse‹*] Frz. Reine: Königin; Vorbild für den Namen ist die Königin von Bachtarließ (vgl. *Parzival* I, S. 329, und Nbl. [18] u. [28]).

25–26 *lächelnd ... eine Grille von ihm*] Diesen Kommentar fügt Thomas Mann nachträglich ein (Hs. 106).

27–28 *nach dem Rechten geschaut*] Anspielung auf den *Joseph*: Joseph reizt seine Brüder, indem er sie wissen lässt, er sei gekommen, um bei ihnen nach dem Rechten zu sehen (GKFA 7.1, 540; vgl. Wimmer 1998, S. 106).

31–32 *mit leichtem Erröten*] Auch das fügt Thomas Mann erst nachträglich ein (Hs. 106).

09 33 *›De laudibus sanctae crucis‹*] Lat.: Vom Lob des heiligen Kreuzes; eines der großen, virtuos durchgeführten Figurengedichte, für die Hrabanus Maurus in Fulda berühmt war, hier aber wohl eher wegen des Titels als wegen der Durchführung genannt. Quelle für den Buchtitel ist Waag, *Gedichte*, S. XV; vgl. Nbl. [27].

10 1 *Kriechisch*] Griechisch (Übernahme aus *Gregorius*, V. 1630, auf Nbl. [17]).

8 *bosten und swaggern*] Von engl. boast: prahlen, angeben, großtun; swagger: prahlerisch einherstolzieren.

17 *eine Maiden*] Von engl. maiden: Jungfer, Mädchen.

11 3 *soßiger Kerl*] Von engl. saucy: keck, frech, gewagt. Die Wendung »wie ein Mann und soßiger Kerl« fügt Thomas Mann erst nachträglich in der Hs. ein, um den Charakter der Brüder noch deutlicher voneinander abzugrenzen (Hs. 108).

4 *du Kauert*] Von engl. coward: Feigling. Thomas Mann an Erich Auerbach, 12. Oktober 1951: »Das englische Plattdeutsch der Fischer von der nicht existierenden Insel Sankt Dunstan und Sprachscherze wie ›Du Kauert, du lauernder, kauernder Pfaffenkauert‹ sind, wie so manches andere, meine persönliche Erfindung.« (GW XI, 692f.)

15 *sondern wie aus dem Kuckucksei gekrochen bist du*] Nachträglich in der Hs. eingefügt (Hs. 108).

17 *der Teufel*] In der Hs. korrigiert aus »Gott« (Hs. 108).

22 *Bankert*] Auch: Bankhart; abfällig für ein unehelich geborenes Kind.

26–27 *mit deinem feinen, was unerträglich ist*] Zunächst stand in der Hs.: »daß wir hören, wie gemein unser Maul ist, es hören von dir« (Hs. 109).

29–30 *du bringst die Welt durcheinander und verwirrst die Unterscheidungen*] Flann umschreibt so den Namen des »Diabolos«, des »Durcheinanderwerfers«.

31 *slackichter, flimsiger*] Von engl. slack: schlapp, schlaff, träge; flimsy: schwach, zart. Statt »flimsiger« steht in der Hs. zunächst »sluggischer« (von engl. sluggish: träge, faul).

111 32 *Pepp*] Amerikanismus (aus pepper: Pfeffer); pep: Schwung, Elan.

112 7–8 *gründlich zum Äußersten*] Die Andeutung auf die Kain-und-Abel-Geschichte verweist hier bereits auf das im Weiteren entfaltete Gnaden-Ethos des Romans: Der absehbare Brudermord findet *nicht* statt. Die folgende Darstellung des Kampfes weist zurück auf die frühe Erzählung *Wie Jappe und Do Escobar sich prügelten* (1911); auch hier handelt es sich ersichtlich um einen Boxkampf, also (ähnlich wie der Fußball, vgl. hier den Kommentar zu S. 105₂₈–106₁) um eine der im frühen 20. Jahrhundert für Deutschland »neuen, britischen Sportarten« (so Elsaghe 2012, S. 36).

113 21–22 *sichtlich … auf den seine Augen gerichtet waren*] Thomas Mann fügt beide Wendungen in der Hs. zusätzlich ein.

114 5 *Bastard*] Korrigiert in der Hs. aus dem bereits früher verwendeten »Kauert«.

15 *Sparring*] Engl., von to spar with someone: sich mit jemandem auseinandersetzen; im zeitgenössischen Sport Bezeichnung für ein Übungsboxen (Übernahme aus Roget, *Thesaurus*, S. 264, auf Nbl. [8]).

33 *eine Weile*] In Hs. 112 und Ts. 124 »eine kleine Weile«.

116 6 *Die Hütte*] Zunächst stand in der Hs. noch »Die Unsrigen dort«, Thomas Mann vergrößert also hier bereits die Distanz zwischen Grigorß und seinen Pflegeeltern.

7 *pönen*] Strafen, vgl. den Kommentar zu S. 26₁₄.

9–10 *es austragen*] In Hs. 113 und Ts. 125 »es austrügen«.

16 *Clamadex*] In *Parzival* I, S. 211, Anm. 3, unterstrichen: »Clamadex, d.h. rufe Gott!« Vgl. Nbl. [18].

21 *schwelend*] In Hs. 113 und Ts. 125 verwendet Thomas Mann die Wortform »schwählend«, entsprechend dem älteren Lautstand (wie z.B. auch in Gottfried Benns Gedicht *Astern – schwälende Tage*).

117 21 *O lackadesi!*] Von engl. lackaday (alack the day) oder lackadaisy; ein moderner, wenn auch 1950 schon etwas altmodischer Ausruf der Sorge oder des Leids: Ach! O weh!

24 *Fistiköff … Quarrel und Skrambel*] Engl. fisticuff: Faustkampf;

quarrel: Streit; scamble: Hetzerei, Balgerei, Durcheinander (alle Begriffe in Roget, *Thesaurus*, S. 264f., und auf Nbl. [8]).

17 29–30 *lamenten*] Von engl. lament: jammern, beklagen, lamentieren.

18 6 *Tricker*] Engl.: Betrüger, Gauner.

15–16 *Nun wich die Schleuse … kein Halten mehr.*] Thomas Mann ersetzt in der Hs. seine ursprüngliche Formulierung auf der Rückseite des Blatts durch die gereimte: »Nun ging es los, mit Gellen und Keifen, ein entzügelt Gegeifer« (Hs. 115).

17 *Ha, ha, ha, ha!!*] In Hs. 115 und Ts. 127 »Ha, ha, ha, hah!«.

20–21 *Hanki-Panki … Mockerei*] Engl. hanky-panky: Taschenspielerei, Betrug; mockery: Spötterei, Possenspiel.

29 *der Fundevogel*] Das Grimm'sche Märchen *Fundevogel* (KHM 51) erzählt von einem Findelkind, das durch das Zusammenwirken von Liebe und Natur vor neidischer Verfolgung gerettet wird.

19 8 *unbehelligt in seinem Dünkel*] In der Hs. eingefügt.

13 *Almusenier*] Mhd. almuosenære; hier: der Almosengeber (unterstrichen in Singer/Bauer, *Gregorius*, S. 20; hier Materialien und Dokumente S. 433).

20 19–20 *aber das Geheimnis*] In Hs. 117 und Ts. 130 »aber ein Geheimnis«.

21 3 *Abt*] In Hs. 118 und Ts. 130 »Abbot«.

8–9 *»peccavi.« »Peccavisti?«*] Lat.: Ich habe gesündigt. Du hast gesündigt?

22 2 *»In nomine Domini«*] Lat.: Im Namen des Herrn.

3 12 *zur Irrfahrt*] Gregorius zieht nicht wie in der Vorlage auf ritterliche »aventiure«, sondern »auf Irrfahrt« (wie Textband S. 128_{7}) wie Odysseus, dessen von den Göttern gelenkte Irrfahrt im Mittelalter christlich als Weg der Seele gedeutet wurde.

24 10 *dear me*] Engl. etwa: Du meine Güte!

25 19 *die Fahrt nach mir selbst*] Wie *Wilhelm Meister* in Goethes Bildungsroman (»mich selbst, ganz wie ich da bin, auszubilden, das war dunkel von Jugend auf mein Wunsch«, *Wilhelm Meisters Lehrjahre*, 5. Buch, 3. Kap.) und wie *Heinrich von Ofterdingen* bei Novalis, an

dessen Satz »Wo gehn wir denn hin? Immer nach Hause« (2. Teil, Die Erfüllung) auch Gregors Gewissheit erinnert: »Sicherlich finde ich irgendwo das unbekannte Land, aus dem ich stamme.«

126 8 *Du begehrst nach Ritterschaft!*] Der Konflikt zwischen Gregorius und dem Abt wiederholt hier den zwischen Parzival und Herzeloyde in Wolframs Roman.

20 *Pfaffheit*] Geistlichkeit (vgl. *Gregorius*, V. 1463, und Nbl. [17]).

21–22 *zum Gotteskind bist du geboren*] In der Hs. stand ursprünglich »bist für den unsren geboren«.

25 *Gebt mir aber*] In Hs. 124 und Ts. 137 »Gebt aber mir«.

32 *Grigorius*] In Hs. 124 und Ts. 137 »Grigorß«.

127 6 *Träumen*] In Hs. korrigiert aus »Gedanken«.

11 *Speer*] In Hs. 124 und Ts. 138 benutzt Thomas Mann die Wendung »gegen Wehr und Schild«, in der EA steht hingegen »Speer und Schild« (EA, S. 135, Z. 18).

17 *sursangle*] Frz.: Obergurt, Sattelgurt; mhd.: surzengel. Marga Bauer weist in ihrer Übersetzung auf das frz. Wort und seine Bedeutung hin (Singer / Bauer, *Gregorius*, S. 24; von Thomas Mann markiert; hier Materialien und Dokumente S. 436).

24 *poigneis*] Afrz. poigneiz; mhd. puneiz; Anrennen mit der Lanze beim ritterlichen Turnier. Marga Bauer erklärt: »mfz. poingneis von lat. pungere, stossendes Anrennen auf den Gegner« (Singer/Bauer, *Gregorius*, S. 24; von Thomas Mann markiert; hier Materialien und Dokumente S. 436).

28 *Suade*] Redegewandtheit.

128 8 *Heller, Pfennig und Batzen*] Heller: kleinste Münze des Mittelalters, benannt nach der Stadt Schwäbisch-Hall, wo diese kupferne Halbpfennigmünze ab ca. 1228 geprägt wurde; Pfennig: Silbermünze; Batzen: Silbermünze, ab 1492 in der Stadt Bern mit deren Wappen geprägt, später in der ganzen Schweiz und in Süddeutschland verbreitet. Die auf einer Kanalinsel des früheren Mittelalters kaum zu erwartenden Münzbezeichnungen sind hier entweder redensartlich (›auf Heller und Pfennig‹) oder als bewusste Anachronismen gesetzt.

28 10 *Subsidia*] Lat.: Hilfe, Beistand.

27–28 *Mich ehelich hier in Wohlstand zu verliegen*] Dies ist, mit dem zentralen Begriff des ›sich verligen‹ (in der ehelichen Gemeinschaft die Pflichten des Rittertums zu vergessen), der Ausgangskonflikt von Hartmanns erstem (und wie der *Iwein* Chrétien de Troyes nacherzählten) Artusroman *Erec*.

30 12 *ein Monster, ein Drache, ein Basilisk*] Monster: Anglizismus für Monstrum; Drache: vgl. Sibyllas Drachentraum; Basilisk: mythisches Mischwesen mit dem Oberkörper eines Hahns, dem Unterleib einer Schlange und mit einer Krone auf dem Kopf, unter dessen Blick ein Mensch vor Schreck erstarrt; allegorisch auch für den Teufel und die Sünde.

30–31 *die mich in Sünden gezeugt und zum Sünder*] Fügt Thomas Mann in der Hs. verstärkend zusätzlich ein.

31 11 *dem, der in der Welt keine Stätte hatte*] Der Abt spricht von Gregorius wie Jesus vom »Menschensohn«: »Die Füchse haben Gruben, und die Vögel unter dem Himmel haben Nester; aber des Menschen Sohn hat nicht [*sic*], da er sein Haupt hin lege.« (Lk 9,58; Luther-Übersetzung 1912)

14 *hatt ich gehofft*] In Hs. 129 und Ts. 143 »hatte ich gehofft«.

23–24 *all mein Lieben wende auf ander Blut ... für seine Not*] Wieder die fast leitmotivische Bezugnahme auf Wagners *Lohengrin* (vgl. hier den Kommentar zu S. 65_{2} und Wimmer 1998, S. 101).

32 13 *zwanzig*] Wie so oft kämpft Thomas Mann mit den Zahlen: In der Hs. stand zunächst siebzehn, das ist in zwanzig korrigiert, im Ts. steht gleichfalls siebzehn; auch dort ist zu zwanzig korrigiert. Thomas Mann hatte also die drei Mark, die Wiglaf und Ethelwulf bekamen, zunächst nicht in die Gesamtsumme eingerechnet.

15–16 *vergrub ich nicht und ließ sie nicht schimmeln noch vom Roste fressen*] Erneut Anspielung auf das biblische Gleichnis von den anvertrauten Talenten (Mt 25,14–30; Lk 19,12–27); vgl. Textband S. *96*. In Hs. 130 und Ts. 144 ist ein Komma eingefügt: »nicht schimmeln, noch vom Roste fressen«.

33 5 *Grigorß und Grigorius*] In Hs. 131 und Ts. 145 »Grigorß und Gregorius«.

134 4 *Houppelande*] Langer glockenförmiger Mantel mit weiten Ärmeln und hohem Kragen, mit einem Gürtel geschlossen.

14 *das Symbolum Christi*] Symbolum: hier sowohl im älteren Sinne Glaubensbekenntnis (»symbolum«) wie im neueren Sinne Sinnbild. Der Fisch wurde in den Christenverfolgungen der Antike zum Sinnbild Christi, weil die Buchstaben seiner griechischen Bezeichnung »Ichthys« den Anfangsbuchstaben des Glaubensbekenntnisses »Jesus Christus, Sohn Gottes, der Retter« entsprechen.

21–22 *In sein gestreiftes Segel … eingewoben.*] Dass auch das Segel schon aus der Entfernung sichtbar den Fisch zeigt, ist in der Hs. nachträglich eingefügt (Hs. 133).

32–33 *da er in sich den Helden einer Geschichte … sah*] So wie es leitmotivisch auch Joseph getan hat. Der erzählerische Trick, Nebenpersonen ironisch abzutun, begegnet schon früh in der Erzählung *Tristan*: »Übrigens ist, neben Herrn Doktor Leander, noch ein zweiter Arzt vorhanden, für die leichten Fälle und die Hoffnungslosen. Aber er heißt Müller und ist überhaupt nicht der Rede wert.« (GKFA 2. 1, 321)

136 3 *lunzend*] Mhd.: leicht schlafen, dösen (vgl. Nbl. [17]).

25 *Mangen … Griechisch Feuer*] Mange: Steinschleuder zum Einsatz im Krieg (Randmarkierung mit Notiz »Belagerung« und dann mit Tinte Unterstreichung der Wörter »Mangen«, »Ebenhöhn« und »Igel« in *Parzival* I, S. 234; Übernahme auf Nbl. [23], [31] (mit ausdrücklichem Hinweis auf *Parzival*) u. [48]). Griechisch Feuer: eine der gefährlichsten Waffen in mittelalterlichen Kriegen, als eine Art Flammenwerfer für den Seekrieg entwickelt.

137 10 *Schultheiß … Maire*] Staatsbeamter, der in einer Gemeinde die Steuern und Abgaben einzieht und auch als Richter tätig ist; frz. Maire: Bürgermeister, von lat. maior: der Ältere.

20 *Seekönige*] Normannische Wikinger (vgl. Scherer, *Geschichte*, S. 25, und Nbl. [31] u. [37]).

26 *Ukersee*] Vgl. *Parzival* I, S. 239, und Nbl. [30] u. [47].

29 *Poitewin*] Name unterstrichen in *Parzival* I, S. 103, ebenso die Anm. 5; vgl. Nbl. [19] u. [29].

37 30–31 *Schildesamt ... ist meine Art*] Vgl. den Kommentar zu S. 102₁₅.
31 *auf Ritterschaft*] In der Hs. korrigiert aus »Irrfahrt«. Vgl. den Kommentar zu S. 123₁₂.
38 4–5 *ich solle, was ich bin, wenden an fremdes Blut und als ein Ritter dafür streiten*] Wieder Anklang an Wagners *Lohengrin*.
5 *Behuf*] Notwendigkeit.
14 *Collacie*] Leichte Mahlzeit. Vgl. Nbl. [4] u. [30].
15–17 *Man soll ... zu üben wüßte*] In der Hs. hatte Thomas Mann ursprünglich einen Satz folgen lassen, der dieser Aussage einen anderen Akzent gibt: »Hat auch der kleine Mann in dieser einst feisten Stadt nur noch sehr schlecht zu essen, so lebe doch ich, als Schultheiß, noch leidlich nach meinem Stand.« (Hs. 137)
30 *Ukerland*] Vgl. *Parzival* I, S. 234, und Nbl. [30] u. [47].
39 5 *Aquitaniern, Gascognern*] Regionen im Südwesten Frankreichs (Übernahme der gesamten Namensreihe aus Eicken, *Weltanschauung*, S. 517, auf Nbl. [27]).
27 *Urliuge*] Mhd.: Kampf, Krieg. In der EA: Urlinge (Lesefehler, S. 149, Z. 15; vgl. Wysling 1967, S. 264). Vgl. *Gregorius*, V. 910 u. 1898, und Nbl. [17] u. [30].
28 *der Herrin*] In der Hs. stand ursprünglich »Sibylla«, zunächst war, mit deutlicherer marianischer Akzentuierung, in »unserer Frau« korrigiert. Ähnlich ist einige Seiten später (Textband S. 150₂₅) »Grimalds Tochter« durch »die Fürstin« ersetzt.
32 *Ellendem*] Mhd.: Fremder; die moderne Wortbedeutung des Elenden schwingt mit (*Gregorius*, V. 1825; Nbl. [17] u. [30]).
40 5–6 *nun schon lange*] In Hs. 139 und Ts. 153 »nun lange schon«.
7 *Ebenhöhen, Igeln, Katzen*] Vgl. auch den Kommentar zu S. 136₂₅; Übernahme aus *Parzival* I, S. 234, mit vielfältigen Anstreichungen, Unterstreichungen, Randnotiz: »Ir ebenhoehe unde ir mangen, / swaz ûf redern kom gegangen, / igel, katzen in den graben, / die kunde daz viur hin dan wol schaben.« Ebenhöhe: Belagerungsturm, der höher ist als die Burgmauer, so dass man diese überklettern kann. Igel: Mauerbrecher in Form eines Karrens, der mit einem mit langen Stacheln bewehrten Balken versehen ist. Katze:

rollbarer Unterstand, mit dem man sich den Burgmauern nähern kann, ohne von Geschossen getroffen zu werden, und der es beispielsweise ermöglicht, sich unter der Burgmauer durchzugraben.

140 13–14 *nicht besser tät*] In Hs. 140 und Ts. 154 »nicht besser täte«.

17 *Coterie*] Frz.: Clique.

18 *Niemalen de la vie!*] Frz.-dt. Sprachmischung: Nie im Leben!

21 *Schaffnerin*] Mhd. schaffenærinne: Wirtschafterin, Haushälterin. Den Begriff unterstreicht Thomas Mann in *Parzival* I, S. 266, ebenso die Worterklärung »Tafelaufseher«.

27 *nach langer, umhüllter Fahrt*] Wieder Anspielung auf Wagners *Lohengrin*; vgl. Wimmer 1998, S. 101.

141 23 *Entourage*] Frz.: Gefolgschaft.

30 *Fama*] Lat.: Ruf, Reputation, Gerücht.

142 1–3 *»Ihr seid sehr klug, Herr Gastfreund« … »Ich bin es«*] König erkennt als Vorbildfigur für Herrn Poitewin den Bürgermeister van Bett in Albert Lortzings komischer Oper *Zar und Zimmermann*: »O ich bin klug und weise, / und mich betrügt man nicht.« (König 1997, S. 603).

13 *Skaramutzien*] Von ital. scaramuccia: Geplänkel, Scharmützel.

27 *der Bücher kundig seid Ihr auch?*] Als einen der Bücher kundigen Ritter stellt Hartmann von Aue sich in den Prologen zu *Iwein* und *Der arme Heinrich* selbst vor: »Ein ritter sô gelêret waz, / Daz er an den buochen las«.

143 5 *Tournure*] In Hs. 143 und Ts. 157 »Tournüre«.

10 *Feirefitz von Bealzenan*] Feirefîz heißt der schwarz-weiß gescheckte Halbbruder Parzivals. Name unterstrichen in *Parzival* I, S. 88, und der Anm. 1; vgl. Nbl. [8] u. [19]. Bealzenan ist die Hauptstadt von Anschouwe (Anjou); vgl. *Parzival* I, S. 289, und Nbl. [4], [49] u. [50].

18 *Dexterität*] Von lat. dexteritas: Geschicklichkeit, Gewandtheit.

22 *pover*] Von frz. pauvre: arm (so auch in moderner berlinischer Umgangssprache).

29–30 *Nägelein*] Gewürznelke.

145 5 *Au reste … incidemment und à propos*] Frz.: überdies, im Übrigen; und nebenbei, beiläufig.

45 12 *gire*] Mhd. eigentlich girig oder giric: gierig. Bronsema 2005, S. 116, sieht eine Übernahme aus *Gregorius*, V. 3294 (»schazgire«), vgl. Nbl. [2].

13 *Lehnsmann*] In der Hs. ursprünglich: »Streiter«.

17–18 *faux pas*] Frz.: Fehltritt, Verstoß gegen Benimmregeln; Anachronismus, da der Begriff erst im 18. Jahrhundert in Deutschland gebräuchlich wurde.

46 1 *Degen*] Held (so stand es auch ursprünglich in der Hs.), und zwar in der Sprache nicht mehr des höfischen (Artus-)Romans, sondern jetzt des Heldenliedes (vgl. Randanstreichung *Parzival* I, S. 216, und *Nibelungen*, S. 217); Textband S. 147_{33} ist aus »Junge« ebenfalls »Degen« geworden.

7 *Gaffelsegel*] An einer schräg vom Mast nach oben ragenden verschiebbaren Stange befestigtes Segel (vgl. Nbl. [29]).

11 *männlicher Verschwiegenheit*] In der Hs. korrigiert aus »einiger Verschwiegenheit«.

24 *hochfärtiges*] Mhd. hôchvertec: stolz, hoffärtig, übermütig.

25 *tenue*] Frz.: Benehmen, Verhalten.

26 *Ihr mögt Wunder hören*] Anspielung auf den Anfang des *Nibelungenliedes* (vgl. hier Quellenlage S. 127f.): »Uns ist in alten mæren wunders vil geseit / Von helden lobebæren, von grôzer arebeit ... muget ir nu wunder hœren sagen«. Herrn Poitewins Verse folgen nicht mehr dem vierhebig-jambisch bestimmten Maß der Reimpaarverse, wie sie die mittelhochdeutschen Artusromane und Legenden wie den *Gregorius* bestimmten, sondern ahmen (sehr frei) die heroischen Verse der Nibelungenstrophe nach: Wie Clemens' Erzählung sich bisher, in der Schilderung höfischer Herkunft und klösterlichen Lebens des Gregorius, als Prosa-Auflösung der (zur Erinnerung immer wieder spielerisch variierten) höfischen Reimpaarverse zu erkennen gegeben hat, so bezieht sie sich nun, in der Darstellung seines ritterlichen Lebens, auf Motive und Wendungen, Wortschatz und Formtradition des heroischen Epos. An Jonas Lesser schreibt Thomas Mann am 26. April 1951, dass »die Nibelungenlied-Verse, aus denen der Stadtschulze nicht heraus-

findet bei seinem Bericht von Grigorss' ›Diversion‹« (TM/Lesser, 85) die heroische Vorlage parodieren: »Dass Einer glatt in der Mitte durchgehauen wird, ohne es zu merken, und erst oben abfällt, als er sich bücken will, kommt ja tatsächlich im Liede vor, und der Schulze ist anständig genug, es als erfunden zurückzunehmen.« – Dass die Verse des Nibelungenliedes »bei dem Erzählen einer Heldentat des Gregors humoristisch nachgeahmt werden« könnten, erwog Thomas Mann beim »Wiederlesen des Nibelungenliedes« (so an Helen T. Lowe-Porter, 11.4.1950; DüD III, 368).

146 28 *Soldgraf*] Herzoglicher Marschall, der die Oberaufsicht über die berittenen Truppen führt, mitunter aber auch die Aufsicht über den kompletten Hof eines Fürsten hat.

147 8 *schwindem*] Kräftig, hart, stark (markiert in *Nibelungen*, S. 214).

148 5 *Nun sagt mir*] Wörtliche Übernahme aus *Nibelungen*, S. 217, dort von Thomas Mann angestrichen.

21 *Juvenils*] Von lat. juvenilis: Jugendlicher.

149 3–11 *Mariä Empfängnis … empfangen wurde*] Clemens (oder Thomas Mann) vermischt in der Apostrophierung Marias als der »Ros ohne Dornen« (unterstrichen in Dieffenbacher, *Privatleben*, S. 110) eines der stehenden marianischen Bilder für die jungfräuliche Empfängnis und Geburt Jesu, unter anderem in der *Lauretanischen Litanei*, mit der Lehre von der selbst bereits »sündenlos« empfangenen Gottesmutter. In der Hs. lautete die Passage zunächst: »Am Tage da die Jungfrau so hehr und wundersam empfangen, dieses Wintertags«, das ist zunächst in das knappe »Am Tage der Empfängnis« und dann in die jetzige Version korrigiert (Hs. 150). Das Fest »Mariä Empfängnis« (»Immaculata Conceptio«) gilt der Empfängnis Mariens durch ihre Eltern, nicht der Empfängnis Jesu »durch Eingießung des Geistes«, wie sie im Kapitel *Sibylla's Gebet* auf dem »schöne[n] Bild« dargestellt ist. Das Fest war bis zur dogmatischen Definition 1854 verbunden mit der theologischen Frage, ob Maria im Blick auf ihre Aufgabe im Heilswerk Christi seit ihrer eigenen, allein in diesem Sinne »unbefleckten« Emp-

fängnis als von der Erbsünde frei angesehen werden müsse. In seiner Korrespondenz mit Wolfgang F. Michael, dessen Buch zum liturgischen Spiel er als Quelle benutzte, hat Thomas Mann über diese Fragen Informationen eingeholt (vgl. Quellenlage S. 119f.).

49 12 *asturischen Zelter*] Asturien: Fürstentum im Norden Spaniens; von dort kommt das Asturcon, eine bereits bei den Römern beliebte Pony-Rasse, die den Tölt beherrscht, also eine für den Reiter besonders angenehme Gangart. Zelter: im Mittelalter ein leichtes Reitpferd oder Maultier, das solche ruhigen und dennoch schnellen Gangarten (Zeltgang) beherrschte, besonders von Frauen bevorzugt (vgl. Thomas Manns Unterstreichung in Dieffenbacher, *Privatleben*, S. 124).

18 *ihr Auge gesenkt*] Ursprünglich sollte die demütige Haltung Sibyllas betont werden. Thomas Mann streicht aber die Mitteilung, dass sie »in Demut ihren Weg nahm durch die Weite des Heiligtums zu ihrem Gestühl«, und fügt statt der Demut die Beschreibung ihrer Kleider und Haltung ein (Hs. 150).

19 *Nusche*] Spange oder Schnalle, die den Mantel am Hals zusammenhält (vgl. Dieffenbacher, *Privatleben*, S. 72, und Nbl. [15]; vgl. hier Abb. S. 138). Die gesamte Beschreibung geht zurück auf Dieffenbacher, *Privatleben*, S. 101: »Den Blick sollte man beim Ausgehen senken, mit der linken Hand die Spange oder das Schnürlein anfassen, das den Mantel über dem Busen zusammenhielt, und mit zwei Fingern der rechten den Mantel empornehmen«. Thomas Mann orientiert sich also bei der Schilderung von Sibyllas erstem Auftritt vor ihrem Sohn an Dieffenbachers Beschreibung für feines Benehmen der Dame.

27 *Wangengebände*] Vgl. den Kommentar zu S. 42 21.

33 *ich hergeführt bin*] In der Hs. korrigiert aus »Gott mich gesandt hat«. Vielleicht ein Anklang an das Duett Tannhäusers und Elisabeths im 2. Akt von Richard Wagners *Tannhäuser*.

50 15–16 *»Ite, missa est«*] Lat.: Gehet hin, ihr seid entlassen/gesandt. Entlassungsruf am Ende der katholischen Messfeier. Die Bezeichnungen ihrer liturgischen Bestandteile erfragt Thomas Mann bei

Wolfgang F. Michael; besonders die Bezeichnung des letzten Teils interessiert ihn (Brief vom 1.10.1949; vgl. Quellenlage S. 120).

150 21 *Herr Grigorius, ein Ritter von Ukersee*] In der ersten Begegnung zwischen dem Ritter Gregorius und Sibylla erkennt Wimmer diskrete Reflexe der Begegnung zwischen Lohengrin und Elsa von Brabant in Wagners *Lohengrin*, freilich nur als ein – im markanten Gegensatz zum *Faustus* – »locker-beliebiges Spiel mit Anklängen« (Wimmer 1991, S. 292f.). In Hs. 151 und Ts. 166 »Herr Gregorius«.

151 12–13 *O Schwert, wie gehst du aufs neue so grimmig durch mein Herz!*] So weissagt es Simeon Maria im Tempel im Blick auf Passion und Kreuzestod ihres Sohnes (Lk 2,35: »Und es wird ein Schwert durch deine Seele dringen«). Sibylla selbst begibt sich in die Rolle der Himmelskönigin (und rückt damit zugleich »mein Kindlein« wieder in christologische Bezüge ein).

23–25 *zugleich kann … vererbte*] Diese Passage hat Thomas Mann in der Hs. mehrfach umformuliert, darunter ist eine Version, in der Sibylla feststellt, »daß der Knabe da von Gebürte hoch sein muß« (Hs. 153). Diese Wendung streicht Thomas Mann wieder.

30–31 *Augen, mit den bläulichen Schatten*] Wie bereits Gerda von Rinnlingen in *Der kleine Herr Friedemann*, Gerda und Hanno Buddenbrook in *Buddenbrooks* und Fürstin Dietlinde in *Königliche Hoheit*.

33 *und mutete sie in tiefster Seele an*] Ergänzt in der Hs.

152 12–13 *Man spricht … sollte*] In der Hs. korrigiert aus »rühmt« und »möge«. Die Stelle ist eine Anspielung auf das Nibelungenlied, wie Thomas Mann am 26. April 1951 an Jonas Lesser schreibt: »Sibyllas Wort: ›Man spricht, Ihr wäret kühner, als jemand sollte sein‹ ist auch Nibelungen-Citat.« (TM/Lesser, 86) »Man rühmt, er wäre kühner, als jemand möge sein: / Das hat uns schlecht bewiesen in dieser Not der Augenschein«, so das Zitat in der von Thomas Mann benutzten Ausgabe (*Nibelungen*, S. 238; vgl. Quellenlage S. 128). Das Zitat war in der ursprünglichen Version also wörtlicher übernommen als in der jetzigen.

18 *unterfahn*] Mhd. undervâhen: etwas auf sich nehmen, unterfangen; unterstrichen in *Nibelungen*, S. 199.

53 2 *Girde*] Mhd.: Begierde, Verlangen.

54 14 *aus der Fischerhütte*] In der Hs. korrigiert aus »von ›Not Gottes‹«.

55 6 *Neidspiel*] Mhd. nîtspil: Feindseligkeit, Kampf; Zweikampf, in dem der Sieger die Habe des Besiegten als Beute erhält (unterstrichen in Dieffenbacher, *Privatleben*, S. 131, übernommen auf Nbl. [15]).

9 *Sarjanden*] Vgl. den Kommentar zu S. 72₁₀.

13 ›*der Hagel der Feinde*‹] Hyperbolisches Bild, das Wolfram im *Parzival* verwendet: »ein Hagelschlag im Streite« (*Parzival* I, S. 86) und »im Streit wie Hagelschlag« (ebd., S. 104, mhd.: ein hagel an rîterschaft).

28 *Sturmi*] In der Hs. eingefügt. Den Namen des ersten Abts des Klosters von Fulda, Sturmius, trägt hier das Pferd (unterstrichen in Scherer, *Geschichte*, S. 45, und übernommen auf Nbl. [19], [29] u. [37]).

30 *Kammbehang*] Mähne.

31–33 *Der Seide ... zuckten und spielten*] Von Thomas Mann in der Hs. auf der Rückseite des Blattes eingefügt.

56 3 *Achmardi*] Grüner Seidenstoff (*Parzival* I, S. 103 u. ö.; auf ihm wird der Gral getragen, ebd., S. 264).

13 *friedliche*] In der Hs. eingefügt.

15 *Schimpfturneie*] Schimpfturniere wurden zum Spaß und zur Unterhaltung abgehalten (mhd. schimpf: Spaß, Spiel, Kurzweil), dabei sollte nach Möglichkeit niemand zu Schaden kommen (vgl. Dieffenbacher, *Privatleben*, S. 131, und Nbl. [15]).

57 10–11 *Tristan le preux, lequel fut ne en tristesse*] Afrz.: Tristan, der Mutige, der in Trauer geboren war (unterstrichen in *Tristan*, S. 549, und Nbl. [4]).

27–28 *rechtfertigen*] In der Hs. korrigiert aus »zu Ehren bringen«.

58 18–19 *er gedachte, zu siegen im Zweikampf für die Frau*] Abermals Anspielung auf Wagners *Lohengrin*; vgl. Wimmer 1998, S. 101.

59 2 *streitliche*] Mhd. strîtlîche: kriegerisch, kämpferisch (»strîtlîch gewant« unterstrichen in Dieffenbacher, *Privatleben*, S. 82, vgl. Nbl. [15]; hier Abb. S. 356).

59 3 *Heerkönigs*] In Hs. 162 und Ts. 176 »Herzogs«.

9 *Fianze*] Untertänigkeitsgelübde des Besiegten oder Gefangenen (vgl. Dieffenbacher, *Privatleben*, S. 131).

13 *ennuyant*] Frz.: ermüdend, langweilig (auch im Salon-Französisch von Thomas Manns Jugendzeit), wie engl. annoying.

17–18 *der Schanden letzte ist es am Ende nicht*] In der Hs. war zunächst eine etwas andere Akzentuierung vorgesehen, dort sagte der Schultheiß: »›[…] ich fürchte, Ihr meßt dem Geiste, in dem man ficht, garzu viel Einfluß bei auf des Straußes Ausgang.‹ ›Ist das ein Irrtum‹, sprach da Grigorß und bekam sein schönes Gesicht, ›so ist es einer, wert dafür zu fallen.‹« (Hs. 162) Bei der Überarbeitung der Passage fällt das weg.

31 *Kartell*] Im Turnier die schriftliche Festlegung der Kampfregeln zwischen den Gegnern.

60 6 *Turnei zu Ernste*] Mhd. ërnest, ërnst (im Gegensatz zu »schimpf«, »spil«): Kampf; Kampfturnier (vgl. Dieffenbacher, *Privatleben*, S. 131, und Nbl. [15]).

15 *Waffenlich*] Mhd. wâfenlîch: zur Bewaffnung gehörend (markiert in Dieffenbacher, *Privatleben*, S. 82, übernommen auf Nbl. [15]); vgl. Abb. gegenüber.

17 *Harnasch*] Mhd.: Harnisch, Oberteil der Ritterrüstung, das den Oberkörper schützt.

18 *Schildesrand*] Meint den ganzen Schild.

18–21 *Deren … Eisenhandschuh*] Diese Passage ist in der Hs. neu eingefügt auf der Rückseite des Blattes (Hs. 164).

62 5 *bonne chance!*] Frz.: Viel Gück!

63 2–3 *in Glut geklärt*] Klären meint hier: durch das Schmieden hell und leuchtend machen.

20–21 *puneiz … Holmgang*] Mhd., vgl. den Kommentar zu S. 127₂₄. Holmgang (vgl. *Tristan*, S. 580): im germanischen Heldenepos Duell zur Beilegung von Streitigkeiten, für das es genaue Regeln gab.

64 9–10 *Wenig, würde ein Dichter sagen, vergaßen sie da ihrer Schwerter.*] Die Redefigur der Litotes, die zum festen Inventar der Artusepik u. a. bei Hartmann von Aue gehört.

166 6 *Valet*] Abschiedsgruß; von lat. valete: Lebt wohl (vgl. auch den Schluss des Romans).

15 *Porte*] Frz.: Tür, Tor (vgl. Dieffenbacher, *Privatleben*, S. 25).

19–20 *nur Nebenpersonen*] Vgl. oben den Kommentar zu S. 134 32–33.

167 3–4 *Dankesjubel*] In der Hs. folgte zunächst noch: »das Te Deum«.

168 1 *Urfehde*] Beeideter Verzicht auf eine Fehde, also den Vollzug einer Rache, Einstellung der Gewalthandlungen und Verpflichtung zum Frieden.

15 *Komment*] Brauch, Sitte, Regel.

169 2 *Klerisei*] Geistlicher Stand, Priesterschaft.

3 *dem »Ja, ja, so sei es« allen Volkes*] Wie am Ende von Thomas Manns Erzählung *Das Gesetz*: »Und alles Volk sagte Amen.« (GKFA 6.1, 457)

20–21 *auf ranken Beinen im Schmiegestoff*] In der Hs. eingefügt.

170 12–13 *Und sie nahm seine Rechte … und führte sie an ihren Mund.*] Die titelgebende Geste ist ein szenisches Selbstzitat: So nimmt in *Königliche Hoheit* die prinzessinnenhafte Imma Spoelmann die verkrüppelte Linke des Prinzen Klaus Heinrich, »die linke, verkümmerte, das Gebrechen«, und küßt sie (GKFA 4.1, 313).

14 *Kämmerinnen*] Kammerfrauen.

171 22–23 *nach Rechtfertigung unsres Lebens*] Die Worte des Gregorius entsprechen wörtlich denen Thomas Manns über seine Arbeit als Künstler in *Meine Zeit*: »Denn selten wohl ist die Hervorbringung eines Lebens […] so ganz und gar, vom Anfang bis zum sich nähernden Ende, eben diesem bangen Bedürfnis nach Gutmachung, Reinigung und Rechtfertigung entsprungen, wie mein persönlicher und so wenig vorbildlicher Versuch, die Kunst zu üben.« (E VI, 160) So »setzt der Prozeß der Schuldbegleichung, der – wie mir scheinen will, religiöse – Drang nach Gutmachung des Lebens durch das Werk sich im Werke selbst fort« (ebd., S. 161). In der Hs. stand zunächst im Anschluss daran noch »nach Buße« (gestrichen).

172 1–2 *Schachzabel*] Mhd.: Schachspiel von mhd. zabel: Spielbrett (Randanstreichung in Dieffenbacher, *Privatleben*, S. 120).

72 14 *den Ihr verschontet*] In der Hs. eingefügt.

19 *für Euch*] Keine Hervorhebung des »für« in Hs. und Ts.

25 *festhaltende Hand*] Das hier einsetzende Leitmotiv erinnert an Klaus Heinrich in *Königliche Hoheit*, der gemäß der Prophezeiung »mit einer Hand« mehr geben soll, »als andere mit zweien nicht vermöchten« (GKFA 4.1, 325).

30–31 *als sei diese Stätte das vorbestimmte Ziel meiner Irrfahrt gewesen*] Gregorius spricht von Sibyllas, seiner Mutter und künftigen Ehefrau, Land so, als sei er der exemplarische Irrfahrer Odysseus, der nach Ithaka und zu seiner Frau Penelope heimkehrt.

73 1 *Wunsche*] In Hs. 179 und Ts. 193 »Wunsch«.

74 4–5 *auf friedsamen Feldern*] In Hs. 180 und Ts. 194 »auf friedsam bestellten Feldern«.

75 4 *Arras*] Stadt im Nordosten des heutigen Frankreich in der Provinz Artois (vgl. *Parzival* II, S. 187, und den Eintrag »Artois« in *Meyers Lexikon* I, Sp. 145, sowie Nbl. [36]).

76 4 *ihren letzten Einschub*] In Hs. 182 und Ts. 196 »diesen letzten Einschub«.

19 *Akkord*] Hier im Sinne von Übereinkommen, Vereinbarung.

77 11–12 *noch immer hoch und wonnig-bang*] Der erste Entwurf dieser Passage lautete in der Hs.: »der nach ihrem Weggang auch das Herz fortfuhr, hoch zu schlagen. Denn der Antrag, den man ihrem Weibtum gemacht, löste wonnig die Starre, worin es sich Gott zum Trotze gehüllt, als der süße Bruder dahin war und sie beschlossen hatte, daß Gott nun überhaupt kein Weib mehr an ihr haben sollte, – nicht nur kein sündiges, sondern ganz und gar keines mehr, nur eine unversöhnliche Braut des Schmerzes. Diese eidliche Starre wollte nun schmelzen« (Hs. 184).

17–19 *nicht zu den männlichen Wesenheiten der Gottheit, sondern zu der Mutter, dem hehren Himmelsweib*] Der Kontrast zwischen den bereits in Clemens' Prolog im ersten Kapitel angedeuteten drei Personen der Trinität – dem Vater, dem Sohn und dem Heiligen Geist – und der hier selbst als Muttergottheit vorausgesetzten Maria greift auf weit vorchristliche religionsgeschichtliche Bestände zurück, die im *Joseph*-Roman im Bild der Fruchtbarkeitsgöttin Ischtar reflektiert (und ihrerseits auf die christliche Marienverehrung bezogen) werden und hier in der Wendung vom »hehren Himmelsweib« in germanisch-heroischer, an das Bild der Walküren erinnernder Variante aufgerufen werden. Im Hintergrund könnten hier auch die Schlussverse von Goethes *Faust. Der Tragödie zweiter Teil* stehen, in denen Maria vom »Doctor Marianus« angeredet wird mit den Worten »Jungfrau, Mutter, Königin, / Göttin, bleibe gnädig.« (V. 12102f.).

177 23 *ein schönes Bild*] Die Bildvorlage nennt Thomas Mann in einem Brief an Jonas Lesser vom 15. Oktober 1951: »Meine Vorlage für die ›Verkündigung‹ im ›Erwählten‹ war ein Bild oberrheinischer Schule (Konrad Witz, Germanisches Museum in Nürnberg).« (TM/Lesser, 91f.) Er fand es in Fritz Burger: *Die deutsche Malerei vom ausgehenden Mittelalter bis zum Ende der Renaissance. I. Allgemeiner Teil – Böhmen und die österreichisch-bayerischen Lande bis 1450*. Berlin 1913 (= Handbuch der Kunstwissenschaft; VIII.1), S. 119. Vgl. Abbildung S. 154.

178 8 *Heimsuchung*] Das Motiv der »Heimsuchung«, hier auf die Überwältigung Marias durch den Heiligen Geist bezogen, weist zurück auf »die Idee der *Heimsuchung*, des Einbruchs trunken zerstörender und vernichtender Mächte in ein gefaßtes und mit allen seinen Hoffnungen auf Würde und ein bedingtes Glück der Fassung verschworenes Leben« (wie Thomas Mann sie, als ein Grundmotiv seines Frühwerks seit dem *Kleinen Herrn Friedemann*, mit diesen Worten in [*On Myself*] zusammengefasst hat, GW XIII, 136, und wie sie in den Liebesqualen Mut-em-enets in *Joseph in Ägypten* abermals ausgestaltet wird) – nun aber in göttlich besänftigter, lebensfreundlicher Form.

12–180,12 *Maria, milde Königin … Mutter und Braut*] »Sibyllas […] Gebet an die Jungfrau lehnt sich an die ›Vorauer Sündenklage‹, Mitte des 12. Jahrhunderts, an. Allerdings sind die besten Verse von mir«, so Thomas Mann an Jonas Lesser am 26. April 1951 (TM/Lesser, 86). Das lange Gebet Sibyllas greift umfangreich außerdem auch auf das *Arnsteiner Marienlied* zurück, zwei frühmittelhochdeutsche Mariengebete des 12. Jahrhunderts (vgl. hier zur Quellenlage S. 128-131), in denen – untermischt mit lateinischen Wendungen aus liturgischen Texten wie dem *Ave Maria*, dem *Salve Regina* und dem *Stella Maris* – Frauen um die Fürsprache der Gottesmutter in Sündennot bitten. Nach den höfischen Reimpaar- und den heroischen Nibelungen-Versen bringt es mit den füllungsfreien, oft nur assonierend gereimten Versen der frühmittelhochdeutschen Dichtung ein drittes metrisches Schema in die moderne Prosaerzählung ein.

178 12 *Megedin*] Diminutiv von mhd. maget: Jungfrau; meint hier die Jungfrau Maria (markiert in Waag, *Gedichte*, S. 132; vgl. Nbl. [20]).

20 *viel hart*] Mhd. vil harte: sehr schwer.

22 *Sancta Maria, gratia plena*] Lat.: Heilige Maria, voll der Gnade. Verbindung von zwei Teilen des *Ave Maria*, dem Anfang »Ave Maria, gratia plena« und dem Beginn des zweiten Teils »Sancta Maria, mater Dei« (markiert in Waag, *Gedichte*, S. 134, übernommen auf Nbl. [20]).

23 *Cherubin … Seraphin*] Eigentlich Cherubim und Seraphim (markierte Übernahme aus Waag, *Gedichte*, S. 127, auf Nbl. [20]): Engelschöre, in biblischen Texten Gottesboten und himmlischer Hofstaat. In der hier verwendeten Pluralform populär durch Ignaz Franz' das *Te Deum* nachdichtende Kirchenlied *Großer Gott, wir loben dich* (1771), dessen zweite Strophe beginnt: »Alles, was dich preisen kann, / Cherubim und Seraphinen / Stimmen dir ein Loblied an«.

25 *Apostolen*] Apostel (Randanstreichung Waag, *Gedichte*, S. 127, und Nbl. [20]).

26 *Magedein*] Vgl. den Kommentar zu S. 178$_{12}$.

29–30 *benedictus fructus ventris tui! Stella maris*] Kombination aus einem Teil des *Ave Maria* (lat.: Gebenedeit ist die Frucht deines Leibes; Unterstreichung in Waag, *Gedichte*, S. 134, und übernommen auf Nbl. [20]) und dem Beginn des Mariengebets *Stella maris* (lat.: Meeresstern; Unterstreichung in Waag, *Gedichte*, S. 131f., übernommen auf Nbl. [20]).

179 5 *Holde Maria, heiligstes Weib*] In Hs. 186 und Ts. 200 »Holde Maria, reizende Maria, heiligstes Weib«.

16–17 *daß ich den Reinen binde an meine große Sünde*] In der Hs. war auch folgende Variante zeitweise vorgesehen: »und wonnig zu erwarmen in eines Trauten Armen«.

180 3 *unherber*] In der Hs. korrigiert aus: »reifer«.

15–16 *das Mündchen der Erkorenen besuchte*] In der Hs. macht Thomas Mann zunächst deutlicher, dass es sich um Wunschdenken handelt; es folgte noch: »Es mochte aber nur das Lächeln sein, das immer, uneingestanden und unnachweisbar sich andeutete um ihre Lippen, so, als wäre sie in tiefster Demut der Heimsuchung doch nicht ganz« (Hs. 188). Hier bricht Thomas Mann ab und streicht die Passage.

181 10–11 *des Landes Schützer*] Wimmer sieht hier eine Anspielung auf den Titel des Lohengrin in Wagners Oper (Wimmer 2012a, S. 111).

183 18 *Zinkenbläser*] Zink, auch Kornett: Blasinstrument aus Holz, im 15. bis 17. Jahrhundert zunehmend auch als Soloinstrument verwendet (Randanstreichung bei der Beschreibung eines Hochzeitsfests in Heil, *Städte*, S. 155).

29 *Aalraupen*] Ein dem Aal ähnlicher Knochenfisch (Übernahme aus ebd., dort unterstrichen).

184 19–20 *Aus einem Gleichmut … so bodenlos*] In der Hs. stand zunächst: »Aus ungeheuerlichem Gleichmut«. Auf bodenlos folgte noch: »stumpfsinnig«.

185 2–3 *nicht anders kann man's sagen und berichten*] In der Hs. korrigiert aus: »Gott lob und daß Gott erbarm« (Hs. 193).

18 *Herrad*] Name unterstrichen in Dieffenbacher, *Privatleben*, S. 71, vgl. Nbl. [15] u. [19]. Zunächst sollte sie Rigunthe heißen (Hs. 193 u. 197f.), auch dieser Name unterstrichen in Dieffenbacher, *Privatleben*, S. 43.

186 1–2 *als je einer Tage gesetzt und Ding gehalten*] Mhd.: dinc; Ding oder Thing halten: zu Gericht sitzen. Normalerweise waren für Thing-Treffen drei feste Zeitpunkte im Jahr vorgesehen, der Richter

konnte aber besondere Tage festsetzen, zu denen die zu befragenden Personen zur Gerichtsverhandlung zu erscheinen hatten.

87 1 *Jeschute*] In Wolframs *Parzival* wird Jeschute vom jugendlichen Titelhelden, der die ritterlichen Aufgaben missversteht, geküsst und ihres Schmuckes beraubt (vgl. *Parzival* I, S. 159, und Nbl. [18]). Auf Nbl. [36] noch als möglicher Name für Wiligis' und Sibyllas Mutter (jetzt: Baduhenna) notiert.

14 *verworfene Lust geteilt*] Anklang an das Papsturteil in Wagners *Tannhäuser*.

88 7 *irdischer Freude*] In der Hs. noch: »irdischer Lust«.

21 *Trügener*] Mhd. trügenære: Betrüger (vgl. *Gregorius*, V. 2787, und Nbl. [16] u. [17]). Dazu Makoschey 1998, S. 142.

89 14 *die Mitgift ins Fäßlein*] Von Thomas Mann in der Hs. ergänzt.

90 5 *Pönitenziar*] Vgl. den Kommentar zu S. 26 14; eigentlich der Beichtvater, hier aber im Sinne von Bestrafter bzw. demjenigen, der an sich eine Strafe vollzogen hat, verwendet (vgl. Bernhart, *Vatikan*, S. 383).

15 *Kitzliges*] In Hs. 198 und Ts. 213 »Kitzliches«.

21 *urschelte*] Von Urschel: törichte, liederliche Frau; etwas ausurscheln hier: etwas leichtsinnig ausplaudern, plappern.

23 *divertieren*] Von lat. divertere: ablenken; hier: ergötzen, belustigen.

91 7 *glostete*] Mhd. glosen: glühen, glänzen.

13 *Schlumpe*] Unordentliche, schlampige Frau.

16–17 *saß es ihr süßlich ums Herz*] In der Hs. korrigiert aus dem abfälligeren: »schwelt' es in der Trulle« (Hs. 200).

92 10 *cuissins*] Von frz. coussin: Kissen.

17–18 *schnatzte ihr Haar*] Mhd. snatzen: kämmen, frisieren, aufputzen. Stackmann bezieht den Begriff auf das Grimm'sche Märchen von der *Gänsemagd* (KHM 89; Stackmann 1974, S. 24–26).

27 *Trulle*] Unordentliche weibliche Person.

94 1 *Dachteln*] Ohrfeigen.

28–29 *»Ganz so. Ich schweige.« Es verstrich*] In Hs. 204 und Ts. 218 war hinter »Ganz so. Ich schweige.« ein Absatz vorgesehen.

197 1 *Falkenieren*] Falkner.

198 1 *Der Abschied*] Nach Thomas Manns eigener Darstellung hat das »kleine Buch […] seinen Aufstieg und Höhepunkt […] etwa in dem Kapitel ›Der Abschied‹« – so an Oscar Schmitt-Halin (7.4.1951; DüD III, 385).

3 *der ritterliche Rudel*] Das Wort »Rudel« wird im Oberdeutschen auch maskulin gebraucht (so das Grimm'sche Wörterbuch).

5–6 *Rallen, Wallnister … Trappen*] Rallen: Familie der Kranichvögel; Wallnister: Familie der Großfußhühner; Trappen: bodenlebender Kranichvogel. Alle Namen auf Nbl. [29], übernommen aus *Meyers Lexikon* III, Sp. 955, Eintrag »Vögel«.

7 *von Sibylla selbst abgerichteten*] In der Hs. eingefügt.

199 4 *Cabane*] Frz.: Hütte, Verschlag. Bronsema (2005, S. 94) liest den Ausdruck hier als »Privatgemach«.

16 *Ein kleiner Ruf nur*] Ursprünglich sollte an dieser Stelle stehen: »Es fuhr in sie wie ein Streich, die Hand erbebte und zitterte.«

18–19 *Wehmutsvoll … Auf einmal*] Diese Stelle hat Thomas Mann in der Hs. stark überarbeitet, die endgültige Version notiert er auf der Rückseite von Hs. 209. Ursprünglich lautete sie: »Doch dabei fuhr es in sie wie ein Streich, die haltende Hand fuhr aus, als hätte man sie geschlagen und bebte vom Schlage nach, sie nahm die andere zu Hilfe und die Magd hörte sie murmeln: ›Wie das? Wie das?‹«

200 29 *Verloren ihr bester Falke*] Schon im Hinweis auf den »von Sibylla selbst abgerichteten Mausersperber« zu Beginn des Kapitels (Textband S. 198_{7}) ist der Bezug auf eines der frühesten und bekanntesten Lieder des Minnesang angedeutet, der hier wieder aufgenommen wird: das *Falkenlied* des Kürenbergers. In dessen erster Strophe spricht eine höfische Dame (im selben Maß wie die Nibelungenstrophe) von ihrem Geliebten im Bilde eines Falken, den sie aufgezogen hat und der sie verlassen hat: »Ich zôch mir einen valken / mêre danne ein jâr. / Dô ich in gezamete, / als ich in wolte hân, / und ich im sîn gevidere / mit golde wol bewant, / er huop sich ûf vil hôhe / und vlouc in anderiu lant.«

oo 29–30 *Überkröpft … Luder*] Überkröpfen: überfüttern, den Kropf des Vogel überfüllen (markiert in *Parzival* I, S. 221, vgl. Nbl. [25] u. [47]). Mhd. luoder: Lockspeise für den Falken.

01 26 *Liebste*] Das in der Hs. zunächst noch folgende »Reinste« streicht Thomas Mann.

02 25 ich *schrieb*] Keine Hervorhebung des »ich« in Hs. und Ts.

03 1 *vergib dem Verbrecher*] In der Hs. korrigiert aus: »Wo ist mein Vater?« – Der Satz »Mutter, […] vergib dem Verbrecher«, nimmt die Verse des Orest in Goethes *Iphigenie auf Tauris* auf, in denen »Der Mutter Geist« über ihn ausruft: »Verfolgt den Verbrecher! Euch ist er geweiht!« (3. Aufzug, 1. Szene, V. 1056)

4 *Sohn und Herr*] In der Hs. korrigiert aus: »Liebling«.

16 *Unsal*] Unglück, Unheil.

18 eine *Lust*] Keine Hervorhebung des »eine« in Hs. und Ts.

26 *graß*] Grässlich, furchtbar.

05 1 *Verzweiflung – es ist wider das Gebot*] Gemeint ist die »Sünde wider den Heiligen Geist« (Mt 12,31f.) als die Verzweiflung an Gottes Gnadenwillen, die »desperatio«. Im Mittelalter wurde die Gregorius-Legende als Beispiel für die Möglichkeit des Menschen zitiert, dieser Sünde zu widerstehen (dazu Ohly 1995).

12 *so seid Ihr gerettet*] Wie Margarete am Ende von Goethes *Faust. Der Tragödie erster Teil*, wenn auf Mephistos Satz »Sie ist gerichtet!« eine »Stimme von oben« antwortet: »Ist gerettet!« (V. 4611f.)

22 *Werimbald*] Eigentlich Bischof von Cambrai (Name unterstrichen in Dieffenbacher, *Privatleben*, S. 13, vgl. Nbl. [15], [19] u. [29]. Auf Nbl. [36] auch als Name für das Schwert von Grimald erwogen).

26 *Wittumsgut*] Versorgung der Witwe aus dem Nachlass.

26–27 *ein Asylum bauen*] Wie es der Legende zufolge die hl. Elisabeth von Thüringen, deren Legende Thomas Mann für diese Kapitel studierte, zu Füßen der Wartburg tat (vgl. hier zur Quellenlage S. 135).

206 5–6 *Stultitia … Humilitas … Miserabilis*] Lat.: Einfalt … Demut… die Beklagenswerte (vgl. Nbl. [6] u. [9]; Humilitas markiert in

einer Bildunterschrift in Baum, *Malerei*, S. 116, und auf Nbl. [29] übertragen).

208 2 *härenes Hemd*] Grobes Hemd aus Haaren (etwa Rosshaar oder Schweineborsten), das sich auf der Haut besonders unangenehm anfühlt und deswegen zur Buße getragen wird; Bußkleid.

12–13 *der die ersten Blätter fallen ließ auf den Pilger*] Hier setzen sich die Anspielungen auf Wagners *Tannhäuser* fort, vgl. oben den Kommentar zu S. 149_{33} und 187_{14}; vgl. Wimmer 1998, S. 102.

16–19 *Die Menschen und ihre Straßen … Stoppeln der Felder*] Zur Selbstkasteiung des Gregorius auf seiner Fahrt vgl. wiederum Wagners *Tannhäuser*; dazu Wimmer 1998, S. 101f.

21 *Forest*] Mhd. und engl.: Wald, Forst (Begriff unterstrichen in Dieffenbacher, *Privatleben*, S. 9; Nbl. [15] u. [16]).

209 4 *auf der Schwarte verwalkt*] Auf dem Kopf verfilzt (vgl. *Gregorius*, V. 3425, und Nbl. [2]).

15 *Lungerer*] Herumtreiber.

24 *Ochsenstachel*] Langer Stock mit einer scharfen Spitze zum Antreiben von Zugtieren.

210 17 *Itewize*] Mhd. itewîz: Strafrede, Schmähung, Tadel (vgl. *Gregorius*, V. 3634, und Nbl. [2]).

21–22 *Erbarmekeit*] Mhd.: Barmherzigkeit; vgl. *Gregorius*, V. 111, und Nbl. [16], [17] u. [24].

32 *Bettlersack*] Bettlergewand.

211 27–28 *Ranft von Haberbrod*] Mhd. ranft: Brotrinde; haber: mhd. und plattdt. Hafer (vgl. *Gregorius*, V. 2892, Übernahme auf Nbl. [16] u. [17], markiert in Singer / Bauer, *Gregorius*, S. 42; hier Materialien und Dokumente S. 456).

212 5 *verstehen auf Lurren und Lurrendreyer*] Thomas Mann korrigiert in der Hs. aus: »auf alle Art Trug und Schwindel verstehen!«; Lurre: Lüge, Märchen (vgl. Nbl. [17]: »Lurre, falsches Vorgeben, Lüge«); Lurrendreier: Betrüger, Schmuggler (vgl. ebenfalls Nbl. [17]).

7 *weder Mann noch Weib*] In Hs. und Ts. 238 »weder Mann und Weib«.

11 *flätig*] Mhd. vlætic: sauber, zierlich, schön (vgl. Nbl. [2] u. [16]).

12 18 *eher weiß ich*] Keine Hervorhebung des »weiß« in Hs. und Ts.
32 *ireze*] Mhd.: mit »ir« (Ihr) anreden (vgl. Dieffenbacher, *Privatleben*, S. 144, und Nbl. [38]). Vgl. den Kommentar zu S. 46₁₆.

13 21 *Wâge*] Mhd.: Wogen und Wellen (Übertragung aus *Gregorius*, V. 934, auf Nbl. [17]).

14 10 *Pilgrimsfalke*] Wanderfalke, der bevorzugt in Felswänden nistet (vgl. *Tristan*, S. 550, und Nbl. [4] u. [16]).

15 24 *Trage sie, wie der Herr Krist sein Kreuz!*] Einer der deutlichsten Hinweise auf die »imitatio Christi«, die dem Gregorius als (künftigem) Heiligen zukommt.

16 17 *Da sitze!*] In der Hs. korrigiert aus: »So freue dich!«
21–22 *Gut Heulen und Zähneklappern!*] In Luthers Übersetzung einer der im Neuen Testament mehrfach genannten Umstände der (wirklichen oder scheinbaren) Gottferne, zumeist in Zusammenhang mit der Verdammnis im Weltgericht, etwa Mt 8,12: »Aber die Kinder des Reichs werden ausgestoßen in die Finsternis hinaus; da wird sein Heulen und Zähneklappern« (Luther-Übersetzung 1912). Mit demselben Bild hat der Teufel Adrian Leverkühns Frage nach der Beschaffenheit der Hölle beantwortet (GKFA 10.1, 358).

17 8–9 *das mir Überlieferte glaubwürdig mitzuteilen*] So Paulus in seiner Darstellung von Tod und Auferstehung Jesu: »Denn ich habe euch zuvörderst gegeben, was ich empfangen habe« (1 Kor 15,3; Luther-Übersetzung 1912).

18 3–4 *nur kurze Zeit, geschweige denn siebzehn Jahre lang*] In der Hs. eingefügt.
4–5 *Kamen Raben geflogen, ihn zu speisen?*] Wie den Propheten Elia im Alten Testament, 1 Kön 17,2–6: »Und das Wort des HERRN kam zu ihm und sprach: Gehe weg von hinnen und wende dich gegen Morgen und verbirg dich am Bach Krith, der gegen den Jordan fließt; und sollst vom Bach trinken; und ich habe den Raben geboten, daß sie dich daselbst sollen versorgen. [...] Und die Raben brachten ihm das Brot und Fleisch des Morgens und des Abends, und er trank vom Bach.«

218 5 *Fiel Manna vom Himmel*] Wie im Buch Exodus für das Volk Israel (Ex 16; vgl. Thomas Mann, *Das Gesetz*; GKFA 6.1, 410f.).

219 2–9 *Er war satt ... in Schlaf*] Wie der junge Joseph nach der Befreiung aus dem Brunnen (»in der Erde Schoß«, GKFA 7.1, 564): »Er trank so gierig, daß ihm ein gut Teil der Milch, kaum daß er abgesetzt, ganz sanft wieder hervorlief, wie einem Säugling.« (GKFA 7.1, 581)

17 *ausfigurieren*] Anglizismus: figure out, ausrechnen.

29 *die Alten gelesen*] Floskeln wie dieser Verweis auf »die Alten« (oder »die Geschichte weiß« und »so bin ich unterwiesen«) »entsprechen einem oft gebrauchten Topos der mittalterlichen Literatur: der höfische Dichter nennt Autoritäten der Theologie, Philosophie oder Naturkunde als Referenzen seines Wissens, um zu beglaubigen, was er gesagt hat.« (Jeßing 1989, S. 588)

30 *großen Mutter und magna parens*] Hier und im Folgenden Übernahme aus Kerényi, *Urmensch*, S. 54; vgl. hier zur Entstehungsgeschichte S. 75f. und S. 81-85, sowie zur Quellenlage S. 147f. Die Wendung »große Mutter« meint die *magna mater* antiker Mutterkulte wie des Kybele-Kultes; die *magna parens* die Erde als Erzeugerin und Nährerin der Geschöpfe. In einem Brief an Wilhelm Kamm vom 16. Oktober 1951 erklärt Thomas Mann selbst, woran er gedacht hat: »Der Gedanke, daß die Erde ihre Kinder mit eigener Milch ernährt habe, findet sich bei Epikur, der ihn aber auch schon von viel früher her hat, und bei Lukrez. Das sind die ›Alten‹, von denen mein Mönch spricht. Mir wurde die Geschichte entgegengebracht von meinem Freunde Karl Kerényi, dem ungarischen Mythologen, in seiner Schrift ›Urmensch und Mysterium‹.« (Reg. 51/422)

33–220,2 *homo und humanus ... humus*] Unterstrichen in Kerényi, *Urmensch*, S. 53. Lat. »homo« wird seit Varro, *De lingua latina* (1. Jh. v. Chr.) in der lateinischen Literatur fast einhellig etymologisch mit »humus« (»Erde«) verbunden. Für das ganze Mittelalter gültig hat das Isidor von Sevilla (7. Jh.) formuliert: »Homo dictus, quia ex humo est factus, sicut in Genesi dicitur (2,7): ›Et creavit Deus hominem de humo terrae.‹« (»*Homo* wird er genannt, weil er aus *humus* gemacht ist, wie es in der Genesis 2,7 heißt: ›Und Gott machte den Menschen aus Erde.‹« *Etymologiae* XI, 4) Verspottet wurde die Etymologie dagegen von Quintilian mit dem Argument, dass doch auch die Tiere aus Erde gemacht seien, diese Herkunft also keine Besonderheit des Menschen darstelle (*Institutio oratoria* I, 34f.).

20 9 *uteri*] Lat.: Gebärmuttern (rot am Rand markiert in Kerényi, *Urmensch*, S. 46). Vgl. Thomas Manns Brief an Theodor W. Adorno vom 9. Januar 1950: »Der Büßer ist jetzt auf seinem wilden Stein, und um seine Ernährung zu rationalisieren, nehme ich oder nimmt der Mönch die Idee Epikurs (und des Lukrez) von den uteri der Erde und von der ›Milch‹ zu Hilfe, die sie zur Ernährung der ersten Menschen entwickelt habe. Von einem solchen Schlauch, der zur Erde hinab die Wurzeln versenkt, ist für Gregorius einer übrig geblieben. Man muß sich zu helfen wissen. Übrigens scheint mir bei Hartmann etwas Ähnliches angedeutet.« (Br. III, 128f.)

17 *und unerwachsen, heißt es*] In der Hs. eingefügt.

17–18 *noch nicht berufen zur Weihe*] In der Hs. korrigiert aus: »auch unrein und noch nicht eingeweiht in das Geheimnis«.

26 *gleichsam aus alter Gewohnheit*] In der Hs. eingefügt.

21 21–22 *Nährlymphe*] Von lat. lympha: klares Wasser. Körperflüssigkeit, die Nähr- und Abfallstoffe durch den Körper transportiert, hier, bezogen auf die Personifikation der Erdmutter, als externe Nahrungsquelle. Die Idee dazu übernimmt Thomas Mann von Karl Kerényi, *Urmensch* (vgl. Quellenlage S. 147f.).

22 7 *seines Felsensitzes*] Gegenstück und Vorwegnahme des Heiligen Stuhles (»sedes Petri«) des Apostels Petrus (des »Felsens«). Zur Ähnlichkeit dieses erhobenen und isolierten Sitzes mit den Säulen der Säulenheiligen Grothues 2007, S. 499.

20 *verkleinerten*] In der Hs. eingefügt.

23 2 *Zeit, wenn sie nichts weiter ist als das*] Anklang an den *Zauberberg* (vgl. GKFA 5.1, 157–162, »Exkurs über den Zeitsinn«).

223 12 *ein Igel*] In der Hs. korrigiert aus: »der Kopf eines Menschen«. Thomas Mann ändert hier also bewusst in den Igel ab; rückblickend wird Gregorius selbst sich auch mit einem Murmeltier vergleichen (Textband S. 294₁₄). Hannah Rieger verweist auf die erstaunliche Verwandtschaft beider Vergleiche mit »einer möglichen Vorlage, auf die bislang noch nicht eingegangen wurde. Mir scheint hier ein Verweis auf eine Psalterübersetzung des im 10. und 11. Jahrhundert lebenden Notker von St. Gallen (Notker III., Notker der Deutsche) vorzuliegen«, nämlich der »Übersetzung und Kommentierung von Psalm 103,18 Petra refugium erinaciis. Trägt man die althochdeutsche Linie zusammen, ergibt sich der Psalm: ›Petra refugium erinaciis. CHRISTVS ist steîn. er sî fluht mûrmunton ich meîno súndigen. múrmenti ist ein tiêr also michel so der ígil. [...]‹ Ins Neuhochdeutsche übersetzt: ›Der Stein ist eine Zuflucht den Igeln. Christus ist der Stein, er ist die Flucht der Murmeltiere, ich meine der Sünder. Das Murmeltier ist ein Tier, das so groß ist wie der Igel« (mündliche Auskunft). Nicht zu ermitteln war bislang eine Quelle, aus der Thomas Mann die Verbindung der Motive von Fels / Petrus einerseits, Igel und Murmeltier als Bilder des armen Sünders andererseits hätte beziehen können. Zum Igel als einem mittelalterlichen Teufelssymbol vgl. Rieger 2015, S. 63–65. – Auf die darwinistischen Implikationen der Regression vom Menschen zum Tier und der Anpassung des Geschöpfes an die veränderten biologischen Lebensumstände (die exakt »the Darwinian concept of ›survival of the fittest‹« entsprechen) verweist Eming 2010, S. 156.

12 *filzig-borstiges*] In der Hs. korrigiert aus: »filzig-haariges« (Hs. 235).

22–30 *Blauschwarze, schweflichte Wetter ... der siebenfarbige Bogen.*] Die Wetterphänomene, die dem zum »Naturding« gewordenen Gregorius nichts mehr anhaben können, spielen an auf die Sintflut (Gen 6–9), von der die Bosheit strafenden Schleuse des Himmels bis zum Gnadenzeichen des Regenbogens. Der igelhafte Büßer ist in seiner regredierten Gestalt buchstäblich ›jenseits von Gut und

Böse‹ – wie Thomas Mann in seinem Brief an Oscar Schmitt-Halin vom 7. April 1951 bemerkt: »Ich [...] ließ den Büßer zum verzwergten Naturwesen, ja zu einem bemoosten Naturding herabgesetzt werden, das von Zeit und Wind und Wetter nichts mehr spürt. Ich mußte es in Kauf nehmen, daß das auch eine Herabsetzung der subjektiven Schwere seiner Buße bedeutet. Sein Wille zu radikaler Buße schien mir entscheidend, und die Gnade erkennt ihn an, indem sie den unters Menschliche Erniedrigten wieder zum Menschen, ja über alle Menschen erhebt.« (DüD III, 385)

23 31 *moosige*] In der Hs. eingefügt.

25 2 *wie ich las*] Thomas Mann las es bei Gregorovius, Rom I, S. 106f.; er verändert jedoch die Konstellation: Bei ihm heißen die Gegenpäpste, die sich 417 um den Papsttitel streiten, Symmachus und Eulalius, tatsächlich aber war Symmachus der Unterstützer des Eulalius und der Gegenpapst war Bonifacius (vgl. ebd. und Nbl. [5]). Thomas Mann verbindet diese Ereignisse mit dem achtzig Jahre späteren Streit um die Päpste Symmachus und Laurentius (Gregorovius, Rom I, S. 156, vgl. ebenfalls Nbl. [5]).

4 *dreifache Krone*] Die Tiara, die dreistufig gestaltete Krone des Papstes, die den Anspruch auf das höchste Priestertum mit weltlichem Herrschaftsanspruch verbindet (wurde 1963 von Papst Paul VI. abgelegt).

10 *Kurie*] Von lat. curia: Rat, Gerichtshof; Verwaltungs- und Leitungsgremium der Kirche, das den Papst bei seiner Amtsausübung unterstützt.

11 *Schisma*] Kirchenspaltung.

12 *Faktionen*] In der Hs. korrigiert aus: »Parteien«. Gruppierungen innerhalb einer Partei (unterstrichen in Gregorovius, Rom I, S. 106).

16–17 *Symmachus ... Archidiakonus Eulalius*] Vgl. auch den Kommentar zu S. 225₂. Nach dem Tod von Papst Anastasius II. 498 wurden zwei Päpste gewählt, der Klerus unterstützte Symmachus, der Adel und das Volk den Gegenkandidaten Laurentius. Dieser unterlag, wurde aber als Gegenpapst etabliert und behielt diese Funktion bis 505. Es kam in der Folge immer wieder zu heftigen Auseinandersetzungen zwischen den Parteien, besonders als Symmachus 501 wegen verschiedener Verbrechen angeklagt wurde, aber betonte, er unterliege keiner weltlichen Gerichtsbarkeit. Den Titel Archidiakonus und den Namen Eulalius unterstreicht Thomas Mann in Gregorovius, *Rom I*, S. 106, den Namen Symmachus markiert er am Rand in ebd., S. 149. Alle Übernahmen auf Nbl. [5].

225 31 *Konklave*] Versammlung der zur Papstwahl berechtigten Kardinäle.

226 4 *Kaiser Hadrians runder Grabesfeste*] Die Engelsburg war als Grabfestung für Kaiser Hadrian gebaut worden, wurde aber auch von den Päpsten als Burg genutzt.

5 *Bullen*] Rechtserlasse des Papstes.

10 *›Rute Assur‹*] Anspielung auf Jes 10,5: »Wehe Assur, der meines Zornes Rute und meines Grimmes Stecken ist!«

11 *Saeculums*] Lat.: Jahrhundert, Zeitalter. In der EA (S. 242) irrtümlich: »Soeculums«.

30 *Träger der Weltenkrone*] In der Hs. korrigiert aus: »Hirten der Völker«.

33 *Sextus Anicius Probus*] Name unterstrichen in Gregorovius, *Rom I*, S. 57, übernommen auf Nbl. [2] u. [5]. Die Anicier waren eine höchst einflussreiche römische Familie, die sich vor allem in der Phase der Christianisierung hervortat und hohe Staatsposten bekleidete. »Im vierten Jahrhundert war das Haupt dieser Familiendynastie Sextus Anicius Petronius Probus, ein Mann von unermeßlichem Reichtum und mit öffentlichen Ehren überhäuft« (Gregorovius, *Rom I*, S. 57).

227 2 *Faltonia Proba*] Quelle für die Auswahl des Namens ebd.: »Sowohl er als seine geistvolle Gemahlin Faltonia Proba bekannten sich zum Christentum«.

4 *Millien*] Eine röm. Meile (mille passus) entspricht 1,5 km (unterstrichen in Gregorovius, *Rom I*, S. 59).

5 *fünften Region … Via Lata*] Diese (Pseudo-)Präzisierung ergänzt

Thomas Mann in der Hs. Die fünfte Region war Esquiliae auf einem der sieben Hügel Roms. Dort verlief die hier erwähnte Via Lata *nicht*, deren Name an dieser Stelle, als diskreter Scherz, auf die »Breite Straße« in Thomas Manns Vaterstadt Lübeck (und in *Buddenbrooks*) anspielen könnte, in die die Mengstraße mit dem Buddenbrookhaus einmündet (Randanstreichung in Gregorovius, *Rom* I, S. 15, vgl. Nbl. [2] u. [4]).

227 9 *Hippodrom*] Pferderennbahn (vgl. Gregorovius, *Rom* I, S. 45).

20 *Kandelabern*] Armleuchtern (unterstrichen in Gregorovius, *Rom* I, S. 860).

27–28 *und die Verkleidungen aus feinem Silberblech zerbeult davon abstanden*] In der Hs. eingefügt. – Das Motiv des langsamen Verfalls einstiger repräsentativer Pracht bestimmt in ähnlicher Weise schon die Schilderungen der aristokratischen Wohnungen in *Königliche Hoheit*.

228 2 *Anicier*] In Gregorovius, *Rom* I, S. 57, unterstrichen, auf Nbl. [2] übertragen.

4 *reizenden Leibes*] In der Hs. eingefügt.

7–8 *bekümmert … Ratlosigkeit*] In der Hs. eingefügt.

9 *nach dem Speisen*] Zunächst stand in der Hs.: »zur Zeit des Vesperläutens, nur wenige Tage nach dem kläglichen Ende der Gegenpäpste, der Einstellung des Bürgerkrieges und der Verordnung der allgemeinen Gebete und machte wohl« (Hs. 241). Die Passage streicht Thomas Mann und formuliert auf der Rückseite des Blattes diese Ersetzung und den folgenden Satz (S. 228, Z. 9–12) neu.

10–11 *Basilika der Apostel Philippus und Jakobus*] Santi Filippo e Giacomo, heute: Santi XII Apostoli; in der Basilika werden die Reliquien der beiden Apostel aufbewahrt.

16–18 *Vision und Offenbarung … ein blutendes Lamm*] Das Bild von Christus als dem geopferten »Lamm Gottes« erscheint im Johannesevangelium (Joh 1,29: »Siehe, das ist Gottes Lamm, welches der Welt Sünde trägt.« Luther-Übersetzung 1912) und ausführlich im letzten Buch der Bibel, in der (in Luthers Bibelübersetzung so bezeichneten) *Offenbarung des Johannes*.

228 27 *Vlies*] Schaffell.

32–33 *Habetis Papam. Ein Papst ist euch erwählt.*] Abwandlung der Formel »Habemus papam«, mit der dem Volk die Wahl eines neuen Papstes bekanntgemacht wird.

229 32 *»Wer da sucht, der wird finden«*] Mt 7,7.

230 9 *dem berühmten Sankt Gallen*] Der Schreibort des Erzählers Clemens trägt damit hier (wie auch Textband S. 248₆) dasselbe Attribut wie wenig später »das berühmte Rom« (ebd., S. 233₁₅).

16 *auf dem Wert*] Mhd.: Insel, Halbinsel (vgl. *Gregorius*, V. 3238, und Nbl. [2]). Dazu auch Makoschey 1998, S. 141f., der darauf hinweist, dass es sich um eine direkte Übernahme aus dem mittelhochdeutschen *Gregorius* handelt.

16 *Bei ihm*] In der Hs. folgte: »und seinem frommen Weibe«.

31–32 *Origines … verdammt*] Thomas Mann schreibt durchweg »Origines«. Origenes, einer der originellsten und wirkungsmächtigsten theologischen Denker der Antike, galt zeitweise als »Erzketzer«, weil er die Lehre der »apokatástasis pánton« (»Wiederbringung aller«) verkündete, der zufolge am Ende der Zeiten die Gnade Gottes alle von ihm abgefallenen Wesen umfassen werde – also die theologische Grundlage der auch in diesem Roman (bzw. Clemens' Erzählung) vertretenen Gnadenlehre und der Vergebungs- und Losbetungs-Praxis auch des zum Papst erhobenen Gregorius. (Von Thomas Mann markiert in Bernhart, *Vatikan*, S. 36 u. 46.)

231 11 *zehn oder zwölf*] In der Hs. waren es zunächst nur »fünf oder sechs«.

25–26 *Kimmeriern*] Gemeint sind hier wohl die nordjütischen Kimbern (so auf Nbl. [62]), die als Vorfahren der Briten und Schweden gelten, beide Namen gehen auf den biblischen Begriff Gomer zurück. Auf Nbl. [55] taucht der Begriff »kymr.« als Abkürzung für die Kymren, also die Walliser, auf. »Kimmerien« ist in der Dichtung ein poetischer Begriff für das Europa nördlich der Alpen.

33 *die Ausgeburt eines*] In Hs. 245 und Ts. 262 »Ausgeburten deines«.

32 11 *dahingestellt sein lassen.*] In der Hs. folgte noch: »Aber dies nur am Rande.«

22–23 *Liberius*] Im 4. Jahrhundert Papst. Thomas Mann übernimmt den Namen als Randanstreichung aus Gregorovius, Rom I, S. 63, auf Nbl. [5].

30 *Kardinal-Presbyter von Sancta Anastasia sub Palatio*] Thomas Mann korrigiert in der Hs. »unter dem Palatin« zur lateinischen Version. Presbyteri cardinales waren Priester an einer Titelkirche, also einer Kirche, der ein Kardinalsamt zugewiesen war und die eine besonders enge Bindung zum Papst hatte – so auch die Basilica di Sant'Anastasia al Palatino. Unterstrichen in Gregorovius, Rom I, S. 160.

31 *Prälat*] Von lat. praelatus: der Vorgezogene; hoher kirchlicher Würdenträger.

32 *Sedisvakanz*] Lat. sedis vacantia: Unbesetztheit des Stuhls; meint die Phase der Vakanz des Papstamtes.

34 6–7 *schmerzlich-frommen Ausdruck*] In der Hs. korrigiert aus: »Ausdruck von Weltkenntnis und Weltverneinung«.

24 *Zetas estivalis*] Gekühlter Sommerraum. In Gregorovius, Rom I, S. 859, markiert Thomas Mann am Rand die Beschreibung eines Palastes und versieht sie mit einem Ausrufezeichen.

27 *nahe dem Speisesaal*] In der Hs. war noch eingefügt: »›Trichorus‹ genannten«.

35 14 *Optimat*] Angehöriger der herrschenden Geschlechter und Mitglied der Senatspartei im alten Rom (unterstrichen in Gregorovius, Rom I, S. 1508).

16 *die Tragweite*] In Hs. 249 und Ts. 267 »ihre Tragweite«.

24 *Presbyter*] In der Hs. korrigiert aus: »Priester«.

36 3 *Hügel der Gründung*] Der Sage zufolge ist der Palatin der Gründungshügel Roms. Von ihm aus erblickte Romulus zwölf Adler und wurde so zum Namensgeber der neugegründeten Stadt (sein Bruder Remus hatte vom Aventin aus nur sechs Adler gesehen).

17 *Divination*] Ahnung, Voraussage, Vorahnung.

37 1 *sagte Probus*] In der Hs. folgte noch: »etwas niedergeschlagen«.

Probus' Enttäuschung darüber, dass er nicht als Einziger diesen wichtigen Traum geträumt hat, fällt also weg.

237 12–13 *lang bewimperten Augen*] In der Hs. eingefügt; vgl. die Beschreibung Hanno Buddenbrooks im 10. Teil, 2. Kap. von *Buddenbrooks*: »mit seinen langen, braunen Wimpern und seinen goldbraunen Augen« (GKFA 1.1, 683).

19 *Dalmatika*] Liturgisches Gewand der Diakone (unterstrichen bei der Beschreibung der päpstlichen Kleider in Bernhart, *Vatikan*, S. 350; Übernahme aus Gregorovius, *Rom* I, S. 349, auf Nbl. [6] u. [13]).

238 2 *Rosenwunder*] Wie hier die Blutstropfen, so verwandelt sich im »Rosenwunder« der hl. Elisabeth von Thüringen, deren Legende zu Thomas Manns Quellen gehörte, das für die Armen bestimmte Brot in Rosen.

22 *Heimsuchung*] In der Hs. zunächst: »Verkündigung«.

239 2–3 *Der Fischer und seine Frau … in ihrer Einöde auf dem Wert*] Das von Philipp Otto Runge aufgezeichnete Märchen *Von dem Fischer un syner Fru* ist einer der frühesten Texte in Jacob und Wilhelm Grimms *Kinder- und Hausmärchen* (KHM 19; allerdings sind dort die Charaktereigenschaften von Fischer und Fischersfrau genau umgekehrt verteilt). Der hier beschriebene Schauplatz erinnert an den Beginn von Friedrich de la Motte-Fouqués romantischem Märchen *Undine* (1811).

16 *Plötze … Bitterling*] Kleine Karpfenfische (Übernahme aus dem Eintrag »Süßwasserfauna« in *Meyers Lexikon* III, Sp. 718, auf Nbl. [6]).

240 3 *ordinär*] Thomas Mann korrigiert in der Hs. zunächst »munter« zu »roh« und dann zu »ordinär«.

5 *empfindlich wie Sinnkraut*] Die sprichwörtlich berührungsempfindliche Mimose. In Hs. 255 und Ts. 273 »empfindsam«.

9 *Hamen*] Fischernetz (Übernahme aus dem Artikel »Fischerei« in *Meyers Lexikon* I, Sp. 812, auf Nbl. [6]).

12 *sechs Fuß*] Fuß: ca. 30 cm; der Fisch ist also 1,80 m lang, was für einen Hecht sehr groß ist.

42 32 *Selig sind die Sanftmütigen*] Aus den Seligpreisungen der Bergpredigt (Mt 5,5).

43 3 *Amice*] Lat. Anrede: Freund.

19 *Halunk*] In Hs. 259 und Ts. 277 »Holunck«.

44 29 *vor Monden*] In Hs. 261 und Ts. 279 »vor nahezu einem halben Jahr«.

45 7 *so knieten die Fischersleute*] In der Hs. kniet zunächst nur die Frau des Fischers nieder und erbittet den Segen (Hs. 261).

14 *In nomine suo benedico vos.*] Lat.: In seinem Namen segne ich euch.

33 *Florinen*] Mittelalterliche Goldmünze, die 1252 bis 1533 in Florenz geprägt wurde.

46 4 *Cappermtunke*] Von Lat. capparis: Kapern.

47 9 *Suchet, so werdet ihr finden*] Mt 7,7.

14 *Schlüften*] Schluchten, Höhlen.

19 *Hörner*] Schweizerisch: zackige Berggipfel im Hochgebirge.

30–31 *So waren sie … andere*] Ursprünglich sagte Probus an dieser Stelle in der Hs.: »›Nein, aber sie waren fiebrig, scherzhaft‹, versetzte der andere, den er Sextus nannte, ›Wie es gänzlich aus deiner Art fällt.‹« (Hs. 264)

48 3 *Kunkel*] Spinnrocken; Stab, an dem die zu verspinnenden Wollfasern befestigt werden.

15–16 *Krieg und Kriegsgeschrei*] Zitat aus den Reden Jesu vom Weltende im Markusevangelium (Mk 13,7: »Wenn ihr aber hören werdet von Kriegen und Kriegsgeschrei, so fürchtet euch nicht«; Luther-Übersetzung 1912).

24 *dieser Halbinsel*] Thomas Manns frühe Überlegungen zu den Handlungsorten schließen auch die Insel des Büßers ein: »Was aber die eigentliche Gregorius-Insel, den ›Stein‹ betrifft, – sollte es sich bei der überhaupt um eine Meeresinsel handeln? Ich weiß wohl, daß ›sê‹ im Mittelhochdeutschen männlich ist, auch wenn es das Meer bedeutet, aber ich bin unter dem Eindruck, daß der Büßer landeinwärts gewandert ist, und wenn es heißt ›Nu gie ein stic (der was smal) / nâhe bî einem sê ze tal‹, so ist doch offenbar ein See im Hinterlande gemeint, an dem der üble Fischer sein

Gewerbe treibt. Oder was meinen Sie?« So an Samuel Singer am 8. März 1948 (Br. III, 27); der Befragte antwortet am 19. März: »Natürlich haben Sie ganz recht, dass es sich bei der Placierung des wilden Felsens um einen See und nicht um das Meer handelt, und zwar vielleicht um einen Gebirgssee.«

249 15 *nach dem wir*] In der Hs. folgte: »zwei dazu Berufenen«, korrigiert in »Auserlesenen«, schließlich gestrichen.

250 2 *In Fisches Magen!*] Vielleicht eine Reminiszenz an Friedrich Schillers Ballade *Der Ring des Polykrates*, die ein ähnliches Wunder erzählt: »Sieh, Herr, den Ring, den du getragen, / Ihn fand ich in des Fisches Magen« (V. 88f.).

12–13 *daß ich … nenne*] In der Hs. zunächst: »wie es dem Leser wohl augenblicksweise schon geahnt« (Hs. 267).

23 *Gestäupt*] Stäupen: jemanden am Pranger schlagen, züchtigen oder auspeitschen. Bronsema 2005, S. 116, nimmt an, die Quelle sei Heil, *Städte*, S. 132, gewesen; Thomas Mann hat hier eine Stelle am Rand markiert, an der eine »Staupsäule« erwähnt wird.

251 1 *und ihm abbitten*] In der Hs. eingefügt.

3 *und mich geschlagen mit einem Wunder*] In der Hs. zunächst: »und mir durch ein Wunder Hohn und Härte verwiesen, nun nicht gleich, nicht bald, sondern wie es seine Art ist« (Hs. 268). Hier bricht Thomas Mann ab und formuliert neu.

4 *den Schlüssel, verschlungen vom Fisch*] Die märchenhafte Episode lässt außer der (gleich im Text erläuterten) biblischen Erzählung von der »Schlüsselgewalt« (Textband S. 295$_7$) des Petrus auch drei weitere Texte anklingen. Im Alten Testament wird der Bauch eines riesigen Fisches für den ungehorsamen Propheten Jona zum Ort seiner Buße; im Bauch eines Fisches wird in Andersens Märchen, einem Lieblingsmärchen Thomas Manns, der *Standhafte Zinnsoldat* wiedergefunden. Im Bauch eines Fisches findet Petrus, der Aufforderung Jesu folgend, eine Münze für die Tempelsteuer (Mt 17,27).

11–12 *Anima mea laudabit te … et indicia tua me adjuvabunt!*] Ps 119, 175: »Lass meine Seele leben, dass sie dich lobe, und dein Recht [in

Thomas Manns Fassung: deine Zeichen] mir helfe.« Im Psalm ist von iudicia (Recht) die Rede, während bei Gregorovius, *Rom I*, S. 349, indicia steht (Zeichen-, Lesefehler). Die Passage ist am Rand markiert und mit Ausrufezeichen versehen, Thomas Mann übernimmt die Wendung also von dort zunächst auf Nbl. [6] und dann in den Roman (vgl. zu diesem »Fehler« Makoschey 1998, S. 213).

51 19 *zum Felsen ..., ad petram*] Lat.: zum Stein. Die lateinische Wendung stellt die Beziehung zum Namen »Petrus« als dem von Jesus selbst eingesetzten »Felsen« der Kirche her: »Tu es Petrus, et super hanc petram aedificabo Ecclesiam meam. Et portae inferi non praevalebunt adversus eam: et tibi dabo claves regni caelorum.« (Mt 16,18f.: »Du bist Petrus [*der Fels*], und auf diesen Felsen werde ich meine Kirche bauen. Und die Pforten des Totenreiches sollen sie nicht überwältigen; und ich will dir die Schlüssel des Reiches der Himmel geben.«)

52 6–8 *in Ewigkeit werd ich hin und her fahren müssen zwischen Stein und Steg zum Lohn meiner Sünde*] Das Märchenmotiv des verdammten Fährmanns findet sich u. a. im Grimm'schen Märchen vom *Teufel mit den drei goldenen Haaren* (KHM 29).

11–12 *der Kleriker ... und sein weltlicher Freund*] Zunächst waren die Rollen in der Hs. hier vertauscht: »sagte Probus dann, und sein geistlicher Freund setzte hinzu« (Hs. 270).

54 26–27 *»Kepha« ... »Petra«*] Aramäisch und lat. für Stein, entsprechend Joh 1,42: Jesus sagt zu Petrus: »Du bist Simon, der Sohn des Johannes; du sollst Kephas heißen, das heißt übersetzt: Fels.« (Markierte Übernahme aus Bernhart, *Vatikan*, S. 13 u. 15, auf Nbl. [12] u. [16]).

55 28 *vom Glauben nicht gestärkt*] In der Hs. eingefügt.

56 10–11 *und von Gramestiefe*] In der Hs. korrigiert aus: »unfaßlich, vom Grad kläglichen Seelenschmerzes«.

14 *zum Schluß und am Ziel sich als Lüge erweisen*] In der Hs. korrigiert aus: »am Ende Lüge gewesen sein? Sie gaben sich nicht dazu her, es zu glauben. Hinter der Leere, dem scheinbaren Nichts, mußte Bestätigung sich verbergen« (Hs. 275).

257 10 *zum Himmel gefahren*] Zunächst sollte Liberius auf diese Annahme des Fischers wie folgt reagieren: »Liberius, den Schlüssel aufrecht in der Hand, schüttelte das Haupt. ›Du warst ungläubig, Freund‹, sagte er, ›und bist aus Beschämung nun überglücklich. Nur Einer ist gen Himmel gefahren‹, sagte der Presbyter mit Strenge, ›Er fuhr auf, nachdem er auf dem Felsen seine Kirche gegründet. Es ist‹« (Hs. 276). Hier bricht Thomas Mann ab, überarbeitet die Stelle mehrfach und streicht sie schließlich ganz. Das Motiv, dass Liberius den Schlüssel hält, fügt er zunächst an anderer Stelle wieder ein und streicht es dann endgültig.

12–13 *Empor fuhr Er, der auf den Felsen Seine Kirche gegründet.*] Jesus spricht mit dessen Namen wortspielend zu seinem Jünger Simon Mt 16,18: »Du bist Petrus, und auf diesen Felsen will ich meine Gemeinde bauen«.

15 *Konjekturen*] Von lat. conicere: vermuten; Vermutungen.

260 2 *nur die Abdankung übrigbleibt*] In der Hs. folgte zunächst noch: »Ja, dieses sprechende, weinende Wesen ist der Erwählte.« (Hs. 280)

4 *Fugamus!*] Lat.: Wir verjagen! Fehlerhaftes Latein (vgl. Wimmer 1998, S. 106); Thomas Mann meint »Fugiamus!«, also: »Lasst uns fliehen!«

14–16 *zum Binden und Lösen vorgebildet … ihm den Schlüssel zu reichen*] Anspielung auf die päpstliche »Schlüsselgewalt« (Textband S. 295$_{7}$), zu binden und zu lösen (unter Berufung auf Mt 18,18: »Was ihr auf Erden binden werdet, soll auch im Himmel gebunden sein, und was ihr auf Erden lösen werdet, soll auch im Himmel los sein.« Luther-Übersetzung 1912).

17 *Numquam!*] Lat.: Niemals!

32 *Diener*] In der Hs. korrigiert aus: »Mann«.

261 6 *Larve*] Hier: Schreckgestalt.

7 *Tiara*] Vgl. den Kommentar zu S. 225$_{4}$ (unterstrichen in Bernhart, *Vatikan*, S. 349).

7 *Sedia gestatoria*] Vgl. den Kommentar zu S. 13$_{16}$ (unterstrichen in Bernhart, *Vatikan*, S. 349).

13 *Erwachsenheit wird mir zurückkehren*] In der Hs. war zunächst der

Sachverhalt klarer erläutert: »kindische Frühnahrung setzte meine Gestalt herab. Gebt mir höhere und erwachsene Menschheit wird wieder mein Teil sein« (Hs. 281).

61 20–23 *Der Geringste ... kann Papst werden*] Der Umstand, dass Papst Gregorius zunächst zum Priester hätte geweiht werden müssen, hat Thomas Mann nachträglich beschäftigt. Auf die Kritik eines klerikal sachkundigen Lesers, des schottischen Germanisten Eudo Colecestra Mason, antwortet er am 31. August 1951: »Ich habe mich irre führen lassen dadurch, daß sie [*die Weihe*] bei Hartmann, und in der Legende überhaupt, nicht vorkommt; besonders aber durch die Tatsache (die Probus erwähnt), daß jeder Katholik, und besitze er auch nicht einmal die Weihen, zum Papst erhoben werden kann. Ich sehe wohl ein, daß er darum noch nicht die Messe zelebrieren darf. Aber andererseits, wo ist der Bischof, der dem Bischof aller Bischöfe die Weihen spenden dürfte? Ein Problem! Aber ein Märchen-Problem.« (DüD III, 399)

22 *Schismatiker*] Abweichler, Verursacher einer Kirchenspaltung.

22 *Simonie*] Kauf oder Verkauf eines geistlichen Amtes.

29–30 *Meiner Sündhaftigkeit war es gegeben*] In der Hs. zunächst: »Ein Ritter war ich und teilhaft der Gabe« (Hs. 282).

62 9 *»Et tibi dabo claves regni coelorum«*] Jesus sagt zu Petrus: »Ich will dir die Schlüssel des Himmelreichs geben« (Mt 16,19); der Vers auch in der Kuppel der Peterskirche zu lesen (unterstrichen in Bernhart, *Vatikan*, S. 7; vgl. Nbl. [16]).

12–13 *Schlüssel ... ich will euch lösen*] Über die päpstliche »Schlüsselgewalt« hinaus (vgl. Textband S. 295$_7$) Anspielung auf Christi »descensio ad inferos«, den Abstieg des Gekreuzigten in das »Gefängnis« der Unterwelt, um die Verdammten zu befreien (so im 1. Brief des Petrus 3,19).

63 1 *Die Wandlung*] Die Kapitelüberschrift verweist hier auf das zentrale Mysterium der Eucharistiefeier, die Transsubstantiation von Brot und Wein in Leib und Blut Christi und ihre – hier physischwörtlich genommene – verwandelnde Kraft für die teilnehmenden Gläubigen. Schon im ersten Absatz des Romans »klingelt es

hell von kleineren Stätten, als rühre der Meßbub das Wandlungsglöcklein.« – Mit diesem Kapitel war und blieb Thomas Mann unzufrieden: »Bedenken habe ich nur gegen das Kapitel ›Die Wandlung‹, das zwar einen hübschen Schlussteil hat, aber anfangs, da wo die Rückverwandlung des Igels in den Mann beschrieben wird, wohl das Schwächste in dem ganzen Büchlein und wirklich nur ein Notbehelf ist.« (An Hermann Kesten, 1.3.1953; Reg. 53/60; TMA.)

263 8 *behutsam*] In der Hs. korrigiert aus: »ehrfürchtig«.

17–18 *in kristlicher Selbstprüfung*] In der Hs. eingefügt.

264 11 *»Mich hungert und dürstet«*] Anspielung auf Mt. 5,6 (Bergpredigt): »Selig sind, die da hungert und dürstet nach der Gerechtigkeit; denn sie sollen satt werden.« Als Anspielung auf Jesu Wort am Kreuz (»Mich dürstet«, Joh 19,28) Fortsetzung der *imitatio Christi*.

15–16 *Er aß vom Brote, trank von dem Wein*] Die Idee, dass zur eigentlichen Menschwerdung des urtümlichen Zwergenwesens Brot und Wein gehören, übernimmt Thomas Mann aus Karl Kerényis *Urmensch und Mysterium* (vgl. dazu hier zur Entstehungsgeschichte S. 81-87 und Quellenlage S. 148).

22 *Sieger im Drachenkampf*] In dieser Umschreibung wie Siegfried im *Nibelungenlied*. »Und in der Tat ist Gregorius, soweit er Siegfried ist, auch der Siegfried Wagners: er stammt [...] aus dem Inzest eines Zwillingspaars und ist wie der Sohn Siegmunds und Sieglindes auf der Suche nach der Mutter« (Wimmer 1991, S. 291, und Wimmer 1998, S. 100).

265 3 *Werder*] Mhd.: (Halb-)Insel.

11 *Gott kennt meine Sünde*] In der Hs. korrigiert aus: »denn meine Sünde ist groß« (Hs. 285).

14–15 *Inzicht, gleisnerisch*] Inzicht: Beschuldigung; gleisnerisch: heuchlerisch, trügerisch.

15 *meine Augen hatten*] In Hs. 286 und Ts. 303 »mein Auge hatte«.

22 *Absolvo te.*] Lat.: Ich spreche dich frei. Lösungsformel nach der Beichte zur Lossprechung von den Sünden. Thomas Mann hat

diese Passage in der Hs. stark überarbeitet; so war zeitweise auch folgender Satz vorgesehen: »Ist das Fleisch des Teufels, so entwinde es Gott ihm, indem er es zum Wurzelboden des Geistes macht. Absolvo te.« (Hs. 286)

55 25 *Indulgenz*] Lat. indulgere: nachgeben; Nachsicht, Gnade.

56 11 *da ist's wüst und leer*] Wie am Beginn einer neuen Schöpfung: »Am Anfang schuf Gott Himmel und Erde. Und die Erde war wüst und leer, und es war finster auf der Tiefe; und der Geist Gottes schwebte auf dem Wasser.« (Gen 1,1f.; Luther-Übersetzung 1912)

31–32 *würfet im Schweiße Eures Angesichtes die Erde auf*] Wie Adam nach dem Sündenfall: »verflucht sei der Acker um deinetwillen, mit Kummer sollst du dich darauf nähren dein Leben lang. Dornen und Disteln soll er dir tragen, und sollst das Kraut auf dem Felde essen. Im Schweiße deines Angesichts sollst du dein Brot essen« (Gen 3,17–19; Luther-Übersetzung 1912).

57 7–8 *Die Brennesseln … achtete nicht darauf*] In der Hs. eingefügt.

12 *Mitgift*] In der Hs. korrigiert aus: »Erbstück«.

15–16 *in der andern den Schlüssel*] In der Hs. folgte noch: »und besann seines Lebens absonderliche Führung. Die heilige Alchimie Gottes besann er, die Fluch in Segen, Fleischeselend in Würde wandelt und die Selbstherrlichkeit seiner Gnade, die den Sohn und Bettgenossen der Sünde den Menschen setzt zum Schließer der Paradiesespforten.« (Hs. 288)

24 *Höchlichst*] In der Hs. korrigiert aus: »staunend«.

25 *Irdscher Notdurft*] In der Hs. korrigiert aus: »Vor der Sehnsucht«.

26 *Öffne Paradieses Pforten*] Unmarkiertes Zitat aus der letzten Strophe von *Hegire*, dem (aus der Perspektive des Mohammed gesprochenen, auf die islamische Überlieferung bezogenen) Eröffnungsgedicht von Goethes *West-östlichem Divan*: »Wisset nur, daß Dichterworte / Um des Paradieses Pforte / Immer leise klopfend schweben / Sich erbittend ew'ges Leben.« (V. 39–42) Der Schluss des Kapitels ist nicht zitiert, sondern von Thomas Mann selbst erfunden: »Der Reimspruch ›Soll ich meines Lebens Grauen‹ […] ist einfach von mir« (Thomas Mann an Hermann J. Weigand, 5.11.1951; DüD III, 411).

268 9–10 *populatio urbis*] Lat. populatio: Verwüstung, Zerstörung; gemeint ist aber offensichtlich populus: Volk, Bevölkerung. Lat. urbs, urbis: der Stadt.

20 *Eidam … Schwäher*] Schwiegersohn, Schwiegervater. Eidam ist in der Hs. aus »Schwiegersohn« korrigiert.

21 *greuliches*] In der Hs. eingefügt.

269 21 *so bin ich unterwiesen*] Thomas Mann bezieht seine Unterweisung wiederum aus Gregorovius' *Geschichte der Stadt Rom*. Wie schon im Falle der Gegenpäpste montiert er auch im Folgenden wieder mehrere historische Ereignisse (vgl. dazu ausführlich Quellenlage S. 141f.). Auf den Seiten 556 bis 558 finden sich sowohl Bleistiftmarkierungen als auch solche mit Rotstift; diese Passagen übernimmt Thomas Mann nahezu wörtlich.

22 *Nomentanischen Straße*] Straße vom Ort Nomentum nach Rom (Gregorovius, *Rom* I, S. 557, Passage am Rand mit Bleistift markiert und nochmals rot unterstrichen: »Am vierzehnten Meilenstein der nomentanischen Straße lag damals noch der alte Ort Nomentum, schon seit dem vierten Jahrhundert Sitz eines Bischofs; hier war Leo mit Klerus, Miliz und Volk hinausgezogen, den König feierlich zu begrüßen.« Die Ursprungsszene bei Gregorovius schildert nämlich den Einzug Leos III. in Rom im Jahr 799 und den Einzug Karls des Großen 800. Thomas Mann übernimmt die Schilderung auf Nbl. [6] und fast wörtlich in den Roman).

29 *Laudes*] Lat.: Lobgesänge, monastisches Morgengebet (unterstrichen in Gregorovius, *Rom* I, S. 488). In der Hs. war ursprünglich vorgesehen: »Vivats«; dann korrigiert in: »Hosianna«.

270 3 *so liest man*] Von Thomas Mann in der Hs. zusätzlich eingefügt. Man liest es wieder bei Gregorovius, *Rom* I, S. 558; von Thomas Mann mit Rotstift unterstrichen.

4–5 *Milvische Brücke … Aposteldom*] Übernahme aus Gregorovius, *Rom* I, S. 558, auf Nbl. [6]. Bei Gregorovius lautet die Passage: »Der König blieb die Nacht in Nomentum; am 24. November brach er nach der Stadt auf. Er hielt seinen Einzug nicht durch das nomentanische Tor, sondern zog längs den Mauern hin und dann über die milvische Brücke, um so zuerst nach dem S. Peter zu gelangen, wo ihn der Papst auf den Stufen der Basilika erwartete und in den Aposteldom führte.« – Das Rom, in das der Erwählte hier Einzug hält, ist ein gewissermaßen entzeitlichtes, überzeitliches; die Peterskirche etwa wird in ihrer erst seit der Renaissance bestehenden Gestalt gezeigt.

70 7–10 *»Ihr Völker … ob allen!«*] Aus einem Pfingsthymnus des Prudentius; Thomas Mann zitiert ihn nach Gregorovius, *Rom* I, S. 44.

8 *Graecia*] Lat.: Griechenland.

9 *Thraker … Skythen*] Antike Reitervölker (die Verse sind übernommen aus Gregorovius, *Rom* I, S. 44, auf Nbl. [2] u. [12]).

14 *Grabeskirche*] Die (über dem Grab des Apostels errichtete) Peterskirche. In der Hs. korrigiert aus: »Aposteldom« (so bei Gregorovius, *Rom* I, S. 558). Die Änderung verbindet die römische Kirche mit der Jerusalemer Grabeskirche Jesu.

16–17 *»Benedictus qui venit in nomine Domini.«*] Lat.: Hochgelobt sei, der da kommt im Namen des Herrn; aus dem *Sanctus* der Abendmahlsliturgie, wo es auf den Einzug Jesu in Jerusalem anspielt (Mt 21,9; Unterstreichungen in Gregorovius, *Rom* I, S. 489, und Bernhart, *Vatikan*, S. 79). An Beethovens *Missa solemnis* schätzte Thomas Mann vor allem die »Große Schönheit des Sanctus« (Tb. vom Gründonnerstag, 9. April 1936).

18 *Paradisus*] Kirchenvorhof, entspricht dem Atrium (markiert in einer ausführlichen Beschreibung der Peterskirche bei Gregorovius, *Rom* I, S. 54).

20 *Pallium*] Eine weiße Wollstola, die das verlorene Schaf symbolisiert, das der gute Hirte auf seinen Schultern trägt; vom Papst als Zeichen seines Hirtenamtes getragen (markiert in Gregorovius, *Rom* I, S. 349, und Übernahme auf Nbl. [6] u. [13]).

28–29 *Falda … Albe*] Falda: Päpstlicher Rock aus weißer Seide; Albe: weißes liturgisches Untergewand (beide Begriffe unterstrichen in Bernhart, *Vatikan*, S. 350).

32 *Stola*] Vgl. den Kommentar zu S. 270_{20} (gleichfalls unterstrichen in Bernhart, *Vatikan*, S. 350, übernommen auf Nbl. [10]).

270 32 *Manipel*] Über dem linken Unterarm zu tragendes breites Band als Teil der liturgischen Kleidung (unterstrichen in Bernhart, *Vatikan*, S. 351).

271 14 *Apsis*] Halbkreisförmige Nische als Anbau an den Kirchenhauptraum (unterstrichen im Rahmen der Gesamtbeschreibung der Peterskirche in Gregorovius, *Rom* I, S. 54).

14 *musivischem*] Fachbegriff: mit Steinen oder Glasstücken eingelegt; Mosaik (angestrichen in Gregorovius, *Rom* I, S. 60 u. 184).

22 *Judices*] Lat.: die Richter (unterstrichen in Gregorovius, *Rom* I, S. 488, hier geht es um die erste Romfahrt Karls des Großen 774). »Äbte und Judices« sind in der Hs. nachträglich eingefügt.

25 *auf überliefertem Wege*] Traditioneller Krönungszug von der Peterskirche zum Lateranpalast, seit dem 15. Jahrhundert ritt der Papst nicht auf einem Pferd, sondern wurde getragen (Gregorovius, *Rom* I, S. 1218, massive Anstreichungen, dort ebenfalls die Triumphbögen).

27 *Parione*] Stadtteil in Rom um die Piazza Navona (unterstrichen in Gregorovius, *Rom* I, S. 1219, und wegen der Erwähnung der Juden mit Rufzeichen versehen).

28 *Chromatius*] Bischof von Aquileia im 4. Jahrhundert (Unterstreichung in Gregorovius, *Rom* I, S. 1219).

29 *mit wiegenden Köpfen*] In der Hs.: »Loblieder sang mit erhobenen Händen« (Hs. 293).

29 *Sancta Via*] Straße in Rom (Unterstreichung in Gregorovius, *Rom* I, S. 1218).

29–30 *Colosseum*] Unterstrichen in Gregorovius, *Rom* I, S. 157.

272 5–6 *woanders hergenommener*] Möglicherweise denkt Thomas Mann hier an die Kirche Santa Maria in Cosmedin, für deren Bau Teile und Fundamente von Herkules-Heiligtümern benutzt wurden (vgl. Gregorovius, *Rom* I, S. 514).

9 *Aurelianischen Mauer*] Wichtigste Stadtmauer Roms, die von Gregor II. gegen einen Angriff der Langobarden verstärkt wurde (vgl. Gregorovius, *Rom* I, S. 413, und Nbl. [6]).

9 *Radicofani*] Stadt in der heutigen Toskana, ehemals Festung im

Besitz der Benediktiner, an der für die Pilgerströme wichtigen Via Cassia nach Rom; Thomas Mann übernimmt hier Heldentaten Hadrians IV. aus Gregorovius, *Rom* I, S. 1170, auf Nbl. [6] u. [13].

72 11 *ein Findlingshaus*] In der Hs. eingefügt.

11 *Atrium*] Vorhof vor der Kirche, vgl. auch den Kommentar zu S. 270$_{18}$ (unterstrichen in Gregorovius, *Rom* I, S. 184, und übernommen auf Nbl. [4]).

13 *Ädicula … Porphyrsäulen*] Ädicula: Säulenreihe mit Dreiecks- oder Segmentbogengiebeln, die eine Nische umrahmen; Porphyr: Vulkangestein (unterstrichen in Gregorovius, *Rom* I, S. 184, und übernommen auf Nbl. [4]).

15 *Patrimonien*] Erbgüter, Patrimonium Petri: das durch Schenkungen erworbene wachsende Vermögen der römischen Kirche (unterstrichen in Gregorovius, *Rom* I, S. 1170, und Übernahme auf Nbl. [6] u. [13]).

17–18 *machte ihm auch die Dynasten und trutzigen Barone … gefügig*] Wie *Joseph der Ernährer* (1942) es in Ägypten getan hat; hier wie dort ist als zeitgenössisches Vorbild der *New Deal* Franklin D. Roosevelts erkennbar.

22 *homines Petri*] Lat.: Menschen (hier im Sinne von: Gefolgsleuten) des Petrus.

24–27 *die Manichäer, die Priscillianer und Pelagianer, dazu die monophysitische Ketzerei überwand, die halsstarrigen Bischöfe Illyriens und Galliens*] Abgesehen von der parodistischen Glossierung der seit der Antike in der Kirche geführten dogmatischen Kämpfe (und den Streitigkeiten zwischen römischer Zentrale und eigenmächtigen Kirchenprovinzen wie Gallien im Westen und Illyrien im Osten) weisen die genannten Häresien auch Beziehungen zum Romanthema von Sünde und Gnade auf. Die Manichäer waren eine gnostische (auf der Annahme von gleichstarken Mächten des Lichtes und der Finsternis gründende), die Priscillianer eine radikal egalitäre und im Verdacht der Unzucht stehende, die Pelagianer eine die menschliche Erbsünde bestreitende Bewegung; »monophysitisch« ist die Annahme einer ausschließlich göttlichen, nicht auch menschlichen Natur Christi. (Übernahmen aus Gregorovius, *Rom* I, S. 134, auf Nbl. [5] u. [13].)

273 2 *ex cathedra*] Berufung auf die volle apostolische Amtsgewalt des Papstes; die unter dieser Voraussetzung getroffene Entscheidung gilt als unfehlbar (vgl. Bernhart, *Vatikan*, S. 329).

2–3 *afrikanischen Donatisten*] Die Donatisten in Nordafrika bestanden auf dem Ausschluss von Kirchenmitgliedern, die unter dem Druck der Christenverfolgungen zeitweise abtrünnig geworden waren. Randanstreichung mit Ausrufezeichen und Unterstreichung des Wortes »Donatisten« in Bernhart, *Vatikan*, S. 53, mit Seitenangabe übernommen auf Nbl. [16].

3 *der grimme Tertullian*] Der in Nordafrika geborene Theologe Quintus Septimius Florens Tertullianus (geb. nach 150, gest. nach 220) verfasste scharf polemische Streitschriften gegen das Judentum und gegen kirchliche Häretiker (Name unterstrichen in Bernhart, *Vatikan*, S. 43).

18–20 *Kaiser Trajan … aus der Hölle losbetete*] Eine vielüberlieferte Legende berichtet, Papst Gregor der Große (geb. um 540, gest. 604) habe den zwar heidnischen Kaiser Trajan (53–117) aus der Hölle losgebetet, nachdem er beim Überqueren des Trajansforums dessen Stimme gehört zu haben meinte (Name des Forums markiert in Gregorovius, *Rom* I, S. 172). Dante Alighieri erzählt die Geschichte ausführlich im X. Gesang des *Purgatorio* und im XX. Gesang des *Paradiso*. Die von Thomas Mann oft benutzte Übersetzung von Otto Gildemeister ist im TMA erhalten (*Dantes Göttliche Komödie*. Übersetzt von Otto Gildemeister. Vierte Auflage. Stuttgart und Berlin 1905).

26–28 *aus dieser Disposition … Bedenken erregenden*] In der Hs. stand an dieser Stelle ursprünglich: »salomonische Urteile wert, aufgezeichnet zu werden im goldenen Buche der Kristenheit, erflossen von seinem Richterstuhl« (Hs. 295).

274 2–3 *im Geiste der Aufklärung*] Der historische Anachronismus betont die (erwünschte) Übereinstimmung christlicher und aufklärerischer Traditionen; vgl. hier zur Entstehungsgeschichte S. 94-97.

274 3–5 *Sankt Peter … aus dem Material des Circus des greulichen Kaisers Caligula erbaut*] Der Circus des autokratisch herrschenden wahnsinnigen Caligula (12–41) lag auf dem vatikanischen Hügel, Reste des Gebäudes befinden sich noch immer unter der Peterskirche (Übernahme aus Gregorovius, *Rom* I, S. 19, auf Nbl. [2]). Lorek sieht hier Anspielungen vom antiken auf den faschistischen Cäsarenwahn und seine Opfer (Lorek 2015, S. 128).

275 14 *Unweise werde es sein, die Konversion*] In Hs. 297 und Ts. 315 »Unweise wüde es sein, ihnen die Konversion«.

21 *P. M. m. p.*] In der Hs. korrigiert aus: »Pontifex Maximus«. Die Abkürzung bedeutet: »Pontifex Maximus manu propria«, also »Der Papst [unterzeichnet] mit eigener Hand«.

23–24 *Häretiker*] Markierte Übernahme aus Bernhart, *Vatikan*, S. 44f., auf Nbl. [10] u. [16].

24 *halsstarrige Leugner des Primats*] Primat: Anspruch des Papstes, Führer des gesamten Christentums zu sein. Die Auseinandersetzungen darum führen u. a. zur Trennung von römisch-katholischer und orthodoxer Kirche.

30–276,1 *Gesandtschaft aus Karthago … Primas von Afrika*] Anspielung auf die bereits erwähnte donatistische Bewegung. Primas: der Vorsteher (Passage unterstrichen in Bernhart, *Vatikan*, S. 45).

276 5–6 *die von Petrus getragenen Ketten, den jerusalemischen und den römischen Teil*] Die von Petrus nach seiner Befreiung durch einen Engel im Kerker zurückgelassenen Ketten sollen der Legende nach von der römischen Kaisergattin Aelia Eudokia in Jerusalem gekauft und nach Rom gebracht worden sein, wo sie dem Papst Sixtus III. übergeben wurden. Dort wiederum gab es die Ketten, die Petrus als Gefangener von Nero getragen hatte. In den Händen des Papstes sollen beide sich zusammengefügt haben; sie werden als Reliquie in der Kirche San Pietro in Vincoli gezeigt.

8–9 *Fest Petri Kettenfeier*] Katholisches Fest anlässlich der Befreiung des Petrus aus dem Kerker, das am 1. August gefeiert wird. Im Mittelalter einer der wichtigen Festtage, der von Gregor dem Großen in den Kalender eingebracht wurde.

276 33 *Wen hätten solche Lehren wohl nicht erfreuen sollen?*] Anspielung auf den Schluss der Arie Sarastros in Mozarts (vom Hauslehrer Überbein in *Königliche Hoheit* um ihres Aufklärungsdenkens willen verspotteten; GKFA 4.1, 96f.) *Zauberflöte*, deren beide Strophen überhaupt dem Inhalt dieses Kapitels entsprechen: »In diesen heil'gen Hallen / Kennt man die Rache nicht, / Und ist ein Mensch gefallen, / Führt Liebe ihn zur Pflicht. / Dann wandelt er an Freundes Hand / Vergnügt und froh ins bess're Land. / In diesen heil'gen Mauern, / Wo Mensch den Menschen liebt, / Kann kein Verräter lauern, / Weil man dem Feind vergibt. / Wen solche Lehren nicht erfreun, / Verdienet nicht, ein Mensch zu sein.«

277 9 *›Doctor mellifluus‹*] Lat.: honigfließender (d. h. in der Eindringlichkeit seiner Predigten musterhafter) Lehrer; Ehrentitel des Bernhard von Clairvaux (Unterstreichung in Bernhart, *Vatikan*, S. 137).

278 1 *Penkhart*] Von Bankert, vgl. den Kommentar zu S. 111 22.

2 *sie hatten nur einen Leib*] Annähernd wörtliche Übernahme aus Hartmanns *Gregorius*, wo die – theologisch riskante – Analogie zur Trinitätslehre bereits deutlich herausgestellt wird: »Sîn muoter, sîn base, sîn wîp / (diu driu heten einen lîp«, V. 3831f.; entsprechend auch in Marga Bauers Übersetzung, vgl. hier Materialien und Dokumente S. 470). Im Hintergrund steht das Bibelwort über die Ehe: »und werden die zwei ein Fleisch sein« (Mt 19,5; Luther-Übersetzung 1912). – Vgl. hier den Kommentar zu S. 293 20–21.

24 *Pappe und Schlippermilch*] Mhd. pappe: Brei; Schlippermilch: Sauermilch.

25 *auf einem Strohsack*] In der Hs. eingefügt.

279 2 *Gudula*] Einer der Frauennamen, die Samuel Singer in seinem Brief vom 19. März 1948 Thomas Mann zur Verwendung vorschlägt.

7 *nur irrtümlich*] In der Hs. korrigiert aus: »zu unrecht«.

15–16 *handlicher Knecht*] Anglizismus, aus engl. handy: geschickt, anstellig.

279 17 *ein Bettschreiner*] In der Reihe der Berufe war in der Hs. für Penkhart noch Schmied, Schlosser, Keßler und Gürtler vorgesehen, diese streicht Thomas Mann. Den Ofensetzer fügt er noch nachträglich in der Hs. ein.

21 *Miselsüchtigen*] Leprakranke (unterstrichen in Dieffenbacher, *Privatleben*, S. 69). Von der »Miselsucht« wird der *Arme Heinrich* in der neben dem *Gregorius* zweiten berühmten (u. a. von Gerhart Hauptmann neu bearbeiteten) Legendendichtung Hartmanns von Aue geheilt.

33 *Spelunken*] Lat. spelunca: Höhle, Grotte; auch: Etablissement mit zweifelhaftem Ruf; hier aber nur im Sinne von kleinen Anbauten.

33–280,3 *ein gedrungener … Backenbart*] Auf der Rückseite von Hs. 301 eingefügt.

280 13 *Eiter und Kränke*] In der Hs. korrigiert aus: »eiternder Krankheit«. Vgl. dazu Eicken, *Weltanschauung*, S. 507f.: Kranke zu betreuen und eiternde Wunden zu versorgen oder zu küssen, galt als Ideal bußfertiger Haltung etwa in der Legende der hl. Elisabeth.

16–17 *mit täuschender Ähnlichkeit*] Anachronismus; eine darauf zielende Porträtkunst ist dem Mittelalter unbekannt.

281 18–19 *sondern den schönen … geteilt*] In der Hs. korrigiert aus: »womöglich sich«.

26 *hart*] In der Hs. korrigiert aus der (vielleicht auf Hans Christian Andersens Märchen von der *Prinzessin auf der Erbse* anspielenden) Formulierung »auf Erbsen«.

282 1–2 *orbis terrarum christianus*] Orbis terrarum: lat. die bewohnte Welt; orbis christianus: die christliche Welt.

7–9 *Man muß es nur nötiger haben … einen Namen.*] Die Wiederaufnahme des Stigma-Motivs variiert die Bemerkungen des jüdischen Kinderarztes Doktor Sammet in *Königliche Hoheit* über die »Ausnahmen und Sonderformen«, die »in einem erhabenen oder anrüchigen Sinne vor der bürgerlichen Norm ausgezeichnet sind«: »Man ist gegen die regelrechte und darum bequeme Mehrzahl nicht im Nachteil, sondern im Vorteil, wenn man eine Veranlassung mehr, als sie, zu ungewöhnlichen Leistungen hat.« (GKFA 4.1, 34)

282 29 *finde ich Ruhe*] In der Hs. korrigiert aus: »findet meine Seele Ruhe«.

283 19 *vortrefflicher Junge*] In der Hs. folgte hier noch: »Ihn will ich mitnehmen, das kommt gerade zur Reife in mir, er soll uns ein guter Wallfahrergehilfe sein.« (Hs. 305)

23–25 *Nomenculator … conseiller … Muntwalt der Pupillen*] Nomenculator: Mitarbeiter des Papstes, der u.a. für die Einladung von Gästen zuständig ist (viele Anstreichungen auf entsprechenden Seiten in Gregorovius, *Rom* I, S. 534, und Nbl. [10]); frz. conseiller (oder korrekt: conseilleur): Berater; der Muntwalt vertrat die Frau in juristischen Angelegenheiten, da Frauen ihre Interessen öffentlich nicht selbst vertreten durften, meist wurde diese Aufgabe vom Vater, Bruder oder Gatten übernommen (Unterstreichung in Dieffenbacher, *Privatleben*, S. 107); frz. pupille: unmündige, unter Vormundschaft stehende Person.

25 *Gnadensachen*] Unterstrichen in Gregorovius, *Rom* I, S. 534.

284 26–30 *einiger junger Leute … zur Schule gingen im Farbenreiben und Pinseln*] Wie die Betonung der täuschend ähnlichen Porträtkunst eher Verweis auf die Künstlerschulen im Italien der Renaissance, wie Thomas Mann sie in *Fiorenza* darstellt.

285 9–10 *ohne daß ihr Fuß an einen Stein gestoßen wäre*] Anspielung auf Ps 91,11–12: »Denn er hat seinen Engeln befohlen, dass sie dich behüten auf allen deinen Wegen, dass sie dich auf den Händen tragen und du deinen Fuß nicht an einen Stein stoßest.«

13–14 *Frauenkloster Sergius und Bacchus*] Am Rand angestrichen in Gregorovius, *Rom* I, S. 588, vgl. Nbl. [6].

286 1 *Die Audienz*] Die Szene spielt insgesamt wieder in einem betont überzeitlichen, Bilder unterschiedlicher Epochen verschmelzenden Vatikan. Die Würdenträger, Saalfluchten, Garden usw. gab es Wimmer zufolge vor der Frühen Neuzeit so wenig wie die Mozetta des Papstes (vgl. Wimmer 1998, S. 98).

4–8 *Cubicularius … Protoscriniar … Vestiarius … Vicedominus … Primi-*

cerius der Defensoren] Päpstliche Angestellte (markierte Übernahmen aus Gregorovius, *Rom* I, S. 532f. u. 535, auf Nbl. [10]).

286 12 *Hellebardieren, Nobelgardisten*] Hellebarde: Hieb- und Stichwaffe mit langem Stiel, die eine Speerspitze mit einem Beil kombiniert und im 14. bis 16. Jahrhundert zum Einsatz kam; Nobelgarde: fürstliche Leibwache, die ausschließlich aus Adligen bestand; hier eine der ehemals vier päpstlichen Garden. Heute gibt es nur noch die Schweizer Garde, die 1506 gegründet wurde.

18 *Curopalata*] Lat. curopalatus: Leiter des Palastes; eine Art oberster Hofmeister (vgl. Gregorovius, *Rom* I, S. 535, und Nbl. [10]).

287 4–6 *in eine rote … Sammetkappe gehüllt war*] Als Bildvorlage nutzte Thomas Mann ein Porträt des Papstes Gregor XII. aus Gregorovius, *Rom* II, S. 496, unter dem er handschriftlich »Rote Mozzetta« vermerkt hatte (vgl. die Abb. hier S. 144).

289 12 *Schwester*] In der Hs. folgte noch: »in Christo«.

290 22–23 *den Geliebten … müssen*] In der Hs. korrigiert aus: »das herrliche Kind« (Hs. 318; »kühnes, herrliches Kind«, nennt Wotan in Richard Wagners *Der Ring des Nibelungen* Brünnhilde).

32 *wo still die Wahrheit wohne*] In der Hs. korrigiert aus: »wo es keine Faxen gäbe, sondern Wahrheit herrsche« (Hs. 314). Den Begriff der »Faxen« sollte also ursprünglich Sibylla benutzen; Thomas Mann lässt ihn dann aber doch erst zwei Seiten später bei Gregorius auftauchen. Hier sieht sich Thomas Mann in Übereinstimmung mit Freuds Psychoanalyse – so jedenfalls in einem Brief an den Psychoanalytiker Erwin Loewy-Hattendorf (15.9.1954; DüD III, 432): »[…] daß im ›Erwählten‹ Mutter und Sohn einander ihr heimliches Wissen bekennen, ist eine Selbstanalyse, die kaum als Widerspruch gegen die analytische Theorie verstanden werden kann.«

293 20–21 *die Drei-Einheit … von Gatte, Kind und Papst*] Explizite Wiederaufnahme der im Eingangskapitel entfalteten Bemerkungen zur Trinität, jetzt übertragen von den himmlischen auf die menschlichen Mysterien dieser Geschichte. Zur entsprechenden Anspielung im Kapitel *Penkhart* vgl. hier den Komentar zu S. 278[2].

294 14 *Murmeltier*] Vgl. den Kommentar zu S. 223₁₂.

23 *vermählt sind*] Hier folgte in der Hs. eine andere Reaktion des Papstes, die Thomas Mann aber streicht: »›Das war Seelenirrung und Teufelswerk‹, rief er, ›du hast recht: ein Wort von mir, und es fällt dahin. Der Teufel hat nicht legem studiert und kennt die Erlasse nicht von Synoden und Kapitularen. Er weiß nicht, daß sogar bis zum vierten Verwandtschaftsgrad die Ehe verboten ist und daß, wie untrennbar immer der Ehebund grundsätzlich sei, daß derjenige, der den Kanones zuwider sind [*sic*], getrennt werden solle. Geschieden sind wir hiermit als Gatten, um desto inniger vereint zu sein als Mutter‹« (Hs. 319) – hier bricht Thomas Mann ab und streicht die Passage. Mutter und Sohn bleiben also verheiratet.

297 17–18 *mich einzuschließen in euer Gebet … im Paradiese wiedersehen*] Die in mittelalterlichen Texten gebräuchliche Demutsformel steht hier bei Clemens in genauer Gegensatzanalogie zum Schlussgebet Zeitbloms am Ende des *Doktor Faustus*: »Gott sei euerer armen Seele gnädig, mein Freund, mein Vaterland.« (GKFA 10.1, 738)

19 *Valete*] Lat.: Lebt wohl!

298 2–4 *»Gregorius« … »Vie de Saint-Grégoire«*] Die polyphon-europäische Neuerzählung des Gregorius-Stoffes fügt der Angabe der mittelhochdeutschen Hauptquelle einen Verweis auf deren französische Vorlage hinzu. Das ist umso auffälliger, als »ich ›La Vie du Pape Grégoire‹, niemals in Händen gehabt habe« (an C. Soeteman, 18.6.1954; DüD III, 431).

MATERIALIEN UND DOKUMENTE

Aus: *Gesta Romanorum das älteste Mährchen- und Legendenbuch des christlichen Mittelalters* [...] von Johann Georg Theodor Gräße. Leipzig 1905; der Band ist digital über das TMA einsehbar. Exemplar aus Thomas Manns Nachlassbibliothek (Signatur im TMA: Thomas Mann 70:1, S. 141–159) mit seinen Anstreichungen und Markierungen:

Einundachtzigtes Capitel.[1]

Von der wundersamen Gnade Gottes und der Geburt des seligen Papstes Gregor.

Einst herrschte der kluge König Marcus, der nur einen einzigen Sohn und eine einzige Tochter hatte, die er zärtlich liebte. Wie er aber zu einem sehr hohen Alter gelangt war, da ergriff ihn eine schwere Krankheit und als er sah, daß er nicht länger leben könne, ließ er alle Fürsten seines Reiches zu sich berufen und sprach zu ihnen: Ihr Lieben, Ihr müßt wissen, daß ich heute meine Seele dem Herrn wieder zurückgeben muß: nun habe ich aber in meinem Herzen keine größere Besorgniß, als über meine Tochter, weil ich sie noch nicht verheirathet habe und darum mein Sohn, der Du mein Erbe bist, befehle ich Dir bei Verlust meines Segens, daß Du sie so anständig, wie es sich gebührt, verheirathest und mittlerweile sie so wie Dich selbst alle Tage in Ehren hältst. Wie er so gesprochen hatte, wandte er sich gegen die Wand um und gab seinen Geist auf und über seinen Tod erhob sich im ganzen Lande ein gewaltiges Wehklagen und sie begruben ihn auf das Ehrenvollste. Nach diesem fing nun der Sohn an auf das Klügste zu regieren und seine Schwester in allen Ehren zu halten, da er sie gar wundersam liebte, so daß sie jeden Tag, wenn auch seine Edlen bei ihm waren, an einem Tische auf einem Sessel ihm gegenüber saß, Beide mit einander aßen und in einer Kammer in getrennten Betten bei einander schliefen. Nun begab es sich aber

1 Mit einem Kreuz links markiert und rechts mit Ausrufezeichen versehen.

eines Nachts, daß ihn eine große Versuchung überkam, so daß es ihm schien, als müsse er seinen Geist aufgeben, wenn er nicht an seiner Schwester seine Lust büßen könnte. Er sprang also vom Bette auf und ging zu seiner Schwester hin, welche er schlafend fand, und weckte sie. Als sie nun also geweckt war, sprach sie: o Herr, wozu bist Du denn zu dieser Stunde gekommen? Er aber antwortete: wenn ich nicht bei Dir schlafen darf, werde ich um mein Leben kommen. Sie aber versetzte: fern sey es von mir, eine solche Sünde zu begehen: rufe Dir es in's Gedächtniß zurück, wie unser seliger Vater Dich vor seinem Tode mit seinem Segen unter der Bedingung beehrt hat, daß Du mich in allen Ehren hältst: so Du aber eine solche Sünde begehen wolltest, würdest Du weder dem Zorne Gottes noch dem Aerger der Menschen entgehen können. Jener aber sprach: wie es auch kommen mag, ich will meinen Willen haben, und also schlief er bei ihr: nachher aber kehrte er auf sein Lager zurück. Die Prinzessin aber weinte bitterlich und wollte sich nicht zufrieden geben, der Kaiser[2] aber tröstete sie, so gut er konnte, und liebte sie merkwürdiger Weise immer mehr. Als aber ein halbes Jahr vergangen war, saß sie einst auf ihrem Sessel am Tische und ihr Bruder betrachtete sie aufmerksam und sprach: meine Liebe, was ist Dir? Dein Gesicht ist in seiner Farbe verändert und Deine Augen haben ihre Schwärze verloren. Jene aber sprach: das ist kein Wunder, denn ich bin schwanger und folglich zerknirscht. Als Jener das hörte, wurde er unglaublich traurig, weinte bitterlich und sprach: verflucht sey der Tag, wo ich geboren ward, denn ich weiß durchaus nicht, was ich thun soll. Jene aber erwiderte: Herr, folge meinem Rath und es wird Dich nicht gereuen: wir sind nicht die Ersten, welche Gott schwer beleidigt haben. Hier wohnt in der Nähe ein alter Krieger, ein Rath unseres seligen Vaters, nach dessen Meinung unser Vater oft gehandelt hat: der mag hierher berufen werden und unter dem Siegel der Beichte wollen wir ihm Alles sagen: er aber wird uns

2 Mit Fragezeichen versehen.

einen nützlichen Rath geben, wie wir Gott Genugthuung leisten und der weltlichen Schande entgehen können. Darauf entgegnete der König: das gefällt mir ganz wohl: indessen wollen wir versuchen uns erst mit Gott zu versöhnen. Sie beichteten also Beide reinen Herzens und mit großer Zerknirschung,[3] als sie aber gebeichtet hatten, sandten sie nach dem Krieger und berichteten ihm im Geheimen Alles mit vielen Thränen. Darauf sprach jener: Herr, da Ihr Euch mit Gott versöhnt habt, so höret meinen Rath. Damit Ihr das Aergerniß der Welt vermeiden möget, müßt Ihr für Euere und Eueres Vaters Sünden das gelobte Land besuchen[4] und an dem und dem Tage alle Fürsten Eueres Reiches vor Euch zusammenrufen und dann folgende Worte ordentlich zu ihnen sprechen: Ihr Lieben, ich will das heilige Land besuchen und habe keinen Erben als meine Schwester: dieser müßt Ihr nun wie mir selbst Gehorsam leisten und mir dieses in Gegenwart Aller versprechen: Dir aber, mein Lieber, befehle ich bei Leibesstrafe, daß Du die Bewachung meiner Schwester übernimmst. Ich aber gebe Euch die Hand darauf, daß ich sie so geheim und sicher bewachen will, daß Niemand zu irgend einer Zeit weder vor- noch nachher etwa von Euerem Falle erfahren soll, ausgenommen meine Frau, welche ich ihr mit meinen eigenen Händen zur Bedienung geben will. Darauf erwiderte der König: das ist ein guter Rath, ich werde Alles erfüllen, was Ihr mir sagt. Alsbald ließ er alle seine Reichsfürsten zusammenrufen und erfüllte Alles von Anfang bis zu Ende, wie es oben geschrieben steht, nach dem Rathe des Kriegers. Wie er aber Alles zu Stande gebracht hatte, sagte er Allen Lebewohl und machte sich nach dem gelobten Lande auf den Weg, der Krieger aber führte seine Herrin, die Schwester des Königs nach seiner Burg. Wie aber die Frau des Ritters dieses sah, eilte sie ihrem Herrn entgegen und sprach: mein geehrter Herr, wer ist denn diese Dame? Er aber antwortete: es ist unsere Gebieterin,

3 Am Rand notiert: »Reaktion des Beichtigers«.

4 »Eueres Vaters Sünden« am Rand mit Fragezeichen versehen.

die Schwester des Königs: schwöre mir bei dem allmächtigen Gott und bei Verlust Deines Lebens, daß Du Alles, was ich Dir sagen werde, geheim halten willst. Jene aber entgegnete: Herr, ich bin bereit. Wie sie aber geschworen hatte, sprach der Ritter: unsere Gebieterin ist durch unsern Herrn, den König geschwängert worden, weshalb ich Dir hiermit befehle, daß ihr kein menschliches Wesen einen Dienst thue, Deine Person ausgenommen: so wird der Anfang, die Mitte und das Ende geheim bleiben können. Jene aber versetzte: Herr, ich will Alles getreulich erfüllen. Die Dame ward nun in ein besonderes Gemach geführt und in Allem auf das Glänzendste bedient. Wie aber ihre Zeit gekommen war, gebar sie einen schönen Knaben,[5] und als der Ritter das gehört hatte, sprach er zu ihr: o theuerste Gebieterin, es wird gut seyn einen Priester zu rufen, daß dieser den Knaben taufe. Diese aber sprach: ich gelobe meinem Gotte, daß derjenige, so von einer Schwester mit ihrem eigenen Bruder gezeugt ist, durch mich nicht die Taufe erhalten soll.[6] Darauf sprach der Ritter: Ihr wißt, daß eine schwere Sünde zwischen Euch und Euerem Bruder begangen worden ist, wollet jedoch darum nicht die Seele des Knaben tödten. Darauf erwiderte die Dame: ich habe ein Gelübde gethan und das will ich streng halten, Dir aber befehle ich, daß Du mir ein leeres Faß bringst. Darauf versetzte jener: dazu bin ich bereit, und ließ ein Faß mit sich in das Gemach bringen. Sie aber legte den Knaben anständig in eine Wiege und schrieb auf ein kleines Täfelchen folgende Worte: Ihr Lieben, Ihr müßt wissen, daß dieser Knabe nicht getauft ward, da er von einem Bruder mit seiner Schwester erzeugt ist, lasset ihn also zur Ehre Gottes taufen. Ihr werdet unter seinem Haupte einen schweren Schatz von Gold finden, mit dem möget Ihr ihn aufziehen, zu seinen Füßen liegt aber ein Pfund Silber, mit dem mag er ein Gewerbe betreiben.[7]

5 Am Rand notiert: »Gregorius«.
6 Am Rand mit einem Ausrufezeichen versehen.
7 Von »Ihr Lieben« bis »betreiben« am Rand angestrichen.

Und als dieses Alles geschrieben war, legte sie das Täfelchen in die Wiege unter die Seite des Knaben, das Gold unter den Kopf, das Silber zu den Füßen. Hierauf bedeckte sie die Wiege mit seidenen und goldbrokatenen Zeugen und befahl hierauf dem Ritter, die Wiege in das Faß zu thun und in's Meer zu werfen,[8] auf daß sie dahin schwämme, wohin es Gott haben wolle: der Ritter aber vollzog Alles und als das Faß in's Meer geworfen war, blieb er so lange am Ufer stehen, bis er das Faß wegschwimmen sah. Nach diesem kehrte er zu seiner Gebieterin zurück, als er aber in die Nähe seiner Burg gekommen war, da kam ihm ein königlicher Bote aus dem heiligen Lande in den Weg und er sprach zu ihm: mein Lieber, wo kommst Du denn her? Der aber antwortete: ich komme vom gelobten Lande. Jener aber entgegnete: Was bringt Ihr denn Neues mit? Jener erwiederte: mein Herr, der König ist gestorben und sein Leichnam nach einem seiner Schlösser geführt worden. Als das der Ritter hörte, weinte er bitterlich, und als seine Frau dazu kam und vom Tode des Königs hörte, wurde sie viel trauriger, als man nur glauben kann. Der Krieger aber richtete sich auf und sprach zu seiner Frau: weinet nicht, daß es unsere Gebieterin nicht merke: wir wollen ihr nicht eher etwas davon sagen, als bis sie aus den Wochen ist. Mit diesen Worten begab sich der Ritter zu seiner Gebieterin hinein und seine Frau folgte ihm; wie aber die Dame sie gewahr wurde und sie ganz niedergeschlagen fand, sprach sie: Ihr Lieben, weshalb seid Ihr denn traurig? Jene aber erwiederten: hohe Frau, wir sind nicht traurig, sondern vielmehr voller Freude, weil Ihr von der schweren Gefahr befreit seyd, in welcher Ihr Euch befandet. Jene aber antwortete: dem ist nicht also, sondern zeiget mir an, was es giebt, und wollet nichts vor mir geheim halten, es sey böse oder gut. Darauf sagte der Ritter: es ist ein Bote aus dem heiligen Lande vom Könige unserem Herrn und Euerem Bruder gekommen, der Neuigkeiten mitgebracht hat. Alsbald sprach sie: lasset den Boten

8 Randnotiz: »Lage der Burg am Meer«.

rufen. Wie der gekommen war, sprach die Dame zu ihm: wie steht's mit meinem Herrn? Der aber erwiederte: Euer Herr ist gestorben und sein Leichnam aus dem heiligen Lande nach seinem Schlosse gebracht worden, auf daß er neben seinem Vater begraben werde. Wie das die Dame gehört hatte, fiel sie zur Erde nieder, und der Ritter, wie er den Schmerz seiner Gebieterin sah, warf sich ebenfalls zu Boden und mit ihnen die Frau des Ritters und der Bote und sie alle lagen eine lange Weile da,[9] und vor dem unendlichen Schmerz war in ihnen weder Sprache noch Empfindung mehr. Nach geraumer Zeit richtete sich aber die Prinzessin auf, zerraufte sich die Haare ihres Hauptes, zerkratzte sich das Gesicht bis auf's Blut und schrie mit lauter Stimme: Weh mir, verflucht sey der Tag, an welchem ich empfangen ward, verwünscht sey die Nacht, in welcher ich geboren wurde: wie viele Unbilden erleide ich und was ist an mir schon erfüllt worden! Dahin ist meine Hoffnung, dahin ist meine Kraft, mein einziger Bruder, mein zweites Ich. Was ich jetzt weiter thun soll, weiß ich durchaus nicht. Da sprang der Ritter auf und sprach: O theuerste Gebieterin, höret mich. Wenn Du Dich aus Schmerz selbst umbringen willst, wird das ganze Reich untergehen. Du allein bist noch übrig und nach dem Erbrechte kommt Dir die Regierung zu. So Du Dich also tödten wirst, wird Reich und Land an Fremdlinge kommen. Laßt uns also aufstehen und an den Ort gehen, wo der Leichnam liegt, und ihn mit allen Ehren beerdigen,[10] dann wollen wir sehen, wie wir das Land regieren müssen. Sie aber faßte wieder Muth durch die Worte des Ritters und machte sich mit einer anständigen Begleitung nach dem Schlosse ihres Bruders auf. Als sie aber daselbst angelangt war, fand sie den königlichen Leichnam auf der Bahre, sie warf sich auf denselben hin und küßte ihn von der Sohle seiner Füße bis zu dem Scheitel seines Hauptes. Ihre Ritter aber, wie sie in ihr den allzugroßen Kummer

9 Am Rand mit Ausrufezeichen versehen.

10 Randnotiz: »Rückkehr nach dem väterl. Schloß«.

über den Tod ihres Bruders gewahr wurden, rissen ihre Gebieterin von dem Leichname hinweg,[11] führten sie in ihr Kämmerlein und übergaben den Körper mit gebührenden Ehren dem Grabe. Nach diesem sendete ein Herzog von Burgund seine feierlichen Abgesandten an sie, sie solle ihm ihre Hand als Ehefrau reichen. Sie aber antwortete sogleich: so lange ich lebe, will ich keinen Mann nehmen. Wie das die Gesandten hörten, meldeten sie ihren Willen ihrem Herrn: der Herzog aber, als er Solches vernahm, wurde zornig auf sie und sprach: wenn ich sie bekommen hätte, wäre ich jetzt Besitzer ihres Landes, aber daß sie mich so gering geschätzt hat, das soll ihrem Lande nicht zu Gute kommen. Hierauf versammelte er sein Heer, drang in ihr Land ein, sengte und brennte, mordete und vollbrachte unzähliges Böse und trug in allen Schlachten den Sieg davon. Die Prinzessin aber flüchtete in eine Stadt, welche starke Mauern hatte und in welcher ein sehr festes Schloß war, und da blieb sie viele Jahre.[12] Um aber wieder auf den in's Meer geworfenen Knaben zu kommen, so schwamm denn das Faß mit dem Kinde durch viele Länder, bis es endlich am sechsten Feiertage in die Nähe eines Mönchklosters kam. An demselben Tage ging aber der Abt desselben an das Meeresufer und sprach zu den Fischern, lieben Leute, machet Euch bereit zum Fischen. Diese aber rüsteten ihre Netze zu, und während sie noch so ihre Vorbereitungen machten, kam das Faß mit den Wellen an's Land. Da sprach der Abt zu seinen Knechten: sehet, hier ist ein Faß, öffnet es und sehet zu, was darin ist. Diese aber öffneten das Faß und siehe ein kleiner Knabe in kostbare Stoffe gehüllt schaute den Abt an und lächelte. Der Abt aber sprach mit betrübtem Gesicht: o mein Gott, was ist das, daß wir hier einen Knaben in seiner Wiege finden? Er hob ihn hierauf mit seinen eigenen Händen heraus, fand unter seiner Seite das Schrifttäfelchen, welches seine Mutter dahin gelegt hatte, und las darin,

11 Am Rand mit Ausrufezeichen markiert, darunter: »Arrest« / »Sie darf der Bestattung nicht beiwohnen«.

12 TM fügt eine Markierung ein und notiert am Rand: »Abschnitt«.

daß er von einem Bruder und einer Schwester gezeugt und noch nicht getauft worden sey, daß man ihn aber um Gottes Willen bitte, ihm das Sacrament der Taufe zu geben, dann auch, daß er ihn mit dem Golde, welches er unter seinem Haupte finden werde, erziehen und daß jener mit dem Silber zu seinen Füßen irgend ein Gewerbe treiben solle. Wie der Abt solches gelesen und die mit kostbaren Stoffen geschmückte Wiege gesehen hatte, erkannte er, daß der Knabe aus edlem Blute sei: er ließ ihn also sogleich taufen und legte ihm seinen eigenen Namen bei, nämlich Gregorius, und gab den Knaben hierauf einem Fischer zum Aufziehen,[13] nachdem er demselben das Pfund Gold, welches er gefunden hatte, eingehändigt hatte.[14] Der Knabe aber wuchs heran und ward von Jedermann geliebt, bis er sieben Jahre seines Alters erfüllt hatte, worauf ihm der Abt sogleich einen Lehrer bestellte. Er aber machte solche Fortschritte in seinen Studien, daß ihn bald alle Mönche des Klosters wie einen ihrer Brüder liebgewannen, der Knabe aber übertraf innerhalb weniger Jahre Alle an Wissenschaft. Da begab es sich, daß er eines Tages mit den Söhnen des Fischers Ball spielte und den einen derselben, dessen Vater er für den seinigen hielt, mit dem Balle verwundete. Der aber weinte bitterlich, als er getroffen war, ging nach Hause und klagte es seiner Mutter also sprechend: mein Bruder Gregor hat mich verwundet. Wie das aber seine Mutter gehört hatte, ging sie hinaus und ließ ihn hart an also redend: O Gregorius, wie kannst Du es wagen meinen Sohn zu werfen, da wir doch nicht wissen, weder wer noch woher Du bist. Jener aber antwortete: o meine liebe Mutter, bin ich denn nicht Dein Sohn, daß Du mir solches vorwirfst? Sie aber versetzte: mein Sohn bist Du nicht, und woher Du bist, ist mir unbekannt, Eins aber weiß ich, daß man Dich eines Tages in einem Fasse gefunden und der Abt Dich mir zum Aufziehen übergeben hat. Jener aber, als er das gehört hatte,

13 Randnotiz: »Schande edlen Blutes«.

14 Randnotiz: »Betont redlich« / »Gegen kirchliche Habsucht«.

weinte bitterlich, machte sich zu dem Abt auf und sprach: o mein Herr, ich bin lange bei Euch gewesen und habe gemeint ein Fischerknabe zu seyn, während ich es doch nicht bin und nicht einmal meine Eltern kenne: so es Euch gefällt, lasset mich unter die Soldaten gehen, denn hier will ich nicht länger mehr bleiben. Der Abt aber erwiderte: mein Sohn, denke nicht daran: alle Mönche so in diesem Hause sind, haben Dich so lieb, daß sie Dich nach meinem Tode zu ihrem Abte machen werden.[15] Jener aber entgegnete: Herr, ganz gewiß will ich nicht eher Ruhe haben, als bis ich zu meinen Eltern gekommen bin. Wie das der Abt gehört hatte, ging er zu seiner Truhe und zeigte ihm das Brieftäfelchen, welches er in seiner Wiege gefunden hatte, und sprach also zu ihm: Nun mein Sohn, lies darin und Du wirst ganz deutlich erfahren, wer Du bist. Als der aber las, daß er der Sohn eines Bruders und seiner Schwester sey,[16] fiel er zur Erde nieder und sprach: o weh mir, was habe ich für Eltern. Ich will zum gelobten Lande reisen und da für die Sünden meiner Eltern streiten und mein Leben daselbst beschließen. Ich bitte Dich also inständigst, o Herr, daß Ihr mich unter die Soldaten bringt. Dieses that der Abt auch, und als er Freiheit hatte sich weg zu begeben, da erhob sich eine große Trauer im Kloster, Jammern unter dem Volke und in der ganzen Nachbarschaft ein Wehklagen. Er begab sich aber an's Meer und machte mit den Schiffern aus, daß sie ihn in's gelobte Land brächten. Wie sie aber dahin fuhren, war ihnen der Wind entgegen und plötzlich wurden sie nach der Stadt getrieben, in deren Schlosse seine Mutter war.[17] Die Schiffer aber wußten durchaus nicht, was das für eine Stadt oder was es für ein Land war. Wie aber der Ritter[18] in der Stadt angekommen war, da kam ihm ein Bürger entgegen und sprach zu ihm: Herr, wo wollt Ihr hin? Und er antwortete: ich suche eine Herberge. Der Bürger aber

15 Am Rand angestrichen von »mein Sohn« bis »werden«.
16 Am Rand mit Ausrufezeichen versehen.
17 Am Rand angestrichen von »war ihnen« bis »Mutter war«.
18 Randnotiz: »Gregorius«.

führte ihn mit seiner ganzen Dienerschaft in sein Haus und bewirthete sie köstlich. Wie sie aber noch bei Tafel saßen, sprach der Herr Gregorius zu seinem Wirth: Herr, was ist denn das für ein Städtchen, wer ist denn der Besitzer derselben? Jener aber sprach: Werthester, wir hatten einst einen mächtigen Kaiser, der im heiligen Land starb und keinen anderen Erben hinterließ als seine Schwester: nun begehrte diese aber ein gewisser Herzog zum Weibe und sie hatte sich vorgenommen, nie zu heirathen: darum hat nun jener aus Rache dieses ganze Reich, mit Ausnahme dieser einzigen Stadt, mit starker Hand in Besitz genommen.[19] Der Ritter aber sprach: darf ich Dir ein Geheimniß meines Herzens sicher kundthun? Jener aber entgegnete: Ja Herr, das kannst Du. Jener aber sagte: bei meinem Schwerte, ich bin ein Ritter, sey so gut und gehe morgendes Tages zum Palast und rede mit dem Seneschall wegen mir und sage ihm, daß so er mir Löhnung giebt, ich dieses Jahr für das Recht seiner Gebieterin kämpfen will. Darauf versetzte der Bürger: Herr, ich zweifle nicht, daß er sich von ganzer Seele über Deine Ankunft freuen wird: morgen früh will ich nach dem Palaste gehen und diese Sache zu Stande bringen. Er stand also früh auf, machte sich zum Seneschall auf den Weg und meldete ihm die Ankunft jenes Ritters: der aber freuete sich nicht wenig, und schickte einen Boten nach dem Ritter Gregorius. Als er ihn aber erblickt hatte, stellte er ihn seiner Gebieterin vor und empfahl ihn derselben auf's Dringendste. Wie ihn diese aber sah, betrachtete sie ihn genau,[20] wußte aber natürlich nicht, daß er ihr Sohn war, denn sie dachte, daß der schon vor vielen Jahren von dem Meere verschlungen sey. Der Seneschall aber miethete ihn in Gegenwart seiner Gebieterin, auf daß er ihm ein volles Jahr seine Dienste weihete, und am folgenden Tage rüstete er sich zum Streite. Nun befand sich damals gerade jener Herzog mit einem großen Heere auf einer Ebene, der Herr Gre-

19 Passage am Rand markiert von »Jener aber« bis »genommen«.
20 Am Rand mit Ausrufezeichen versehen.

gorius griff dieses an, bahnte sich durch Alle einen Weg, bis er auf den Herzog stieß, welchen er an demselben Orte niederstieß,[21] ihm das Haupt abhieb und den Sieg gewann. Derselbige Ritter aber machte von Tage zu Tage immer größere Fortschritte, der Ruf seiner Siege ging vor ihm her, und ehe noch ein Jahr voll war, hatte er schon das ganze Reich aus den Händen der Feinde wiedererobert. Hierauf begab er sich zum Seneschall und sprach: mein Lieber, es ist Euch bekannt, in welchem Zustande ich Euch antraf und in welche Lage ich Euch gebracht habe: ich bitte Euch also, gebt mir meinen Sold, denn ich gedenke in ein ander Land zu ziehen. Der Seneschall aber sprach: Herr, Du hast weit mehr verdient, als wir Dir unserer Uebereinkunft nach zu zahlen schuldig sind: darum will ich zu meiner Gebieterin gehen, um mit ihr wegen Deiner Anstellung und Belohnung abzuschließen. Wie er aber zur Prinzessin kam, sprach er: o theuerste Frau, ich will Euch einige wichtige Worte sagen: seitdem wir ein Oberhaupt entbehren mußten, haben wir jegliches Unglück erfahren, es dürfte gut für Dich seyn, einen Mann zu nehmen,[22] vermittelst dessen wir über die Zukunft sicher seyn können. Euer Reich hat Ueberfluß an Reichthümern, darum rathe ich Euch nicht einen Mann seiner Schätze wegen zu nehmen. Darum weiß ich nicht, wo Ihr einen Mann hernehmen wollt, der für Euere Ehre und das Heil des ganzen Volkes besser geeignet wäre, als Herr Gregorius. Jene aber pflegte stets zu antworten, ich habe Gott gelobt, mich nicht mit einem Manne zu verbinden.[23] Allein auf die Rede ihres Seneschalls machte sie sich einen Tag Bedenkzeit zu einer Antwort aus, und wie der Tag da war, sprach sie zu Allen, die es hörten: weil der Herr Gregorius uns und unser Reich tapfer aus den Händen der Feinde befreit hat, will ich ihn zum Manne nehmen. Jene aber, als sie Solches hörten, freuten sich sehr. Sie bestimmte also einen Tag zur Vermählung, und als nun Beide, der Sohn mit seiner Mutter,

21 Randnotiz: »Parzival, Zweikämpfe«.

22 Am Rand mit Ausrufezeichen versehen.

23 Randnotiz: »Mit diesem ist es was andres«.

mit großem Jubel und Beifall des ganzen Landes verehelicht worden waren und keines von ihnen wußte, wer der andere war, so entstand zwischen ihnen ein gar innige Liebe. Nun begab es sich eines Tages, daß Herr Gregorius auf die Jagd gegangen war und eine Magd zu ihrer Gebieterin also sprach: o theuerste Frau, habt Ihr denn unsern Herrn, den König, in irgend etwas beleidigt? Jene aber entgegnete: in nichts. Ja ich meine, daß in der ganzen Welt nicht zwei Eheleute gefunden werden mögen, die sich gegenseitig so lieb haben, wie mein Herr und ich.[24] Sage mir also, meine Liebe, was Dich zu diesen Reden veranlaßt hat. Jene aber sprach: alle Tage, wenn die Tafel gedeckt wird, geht unser Herr König ganz froh in sein geheimes Zimmer, wenn er aber wieder herauskommt, stößt er Wehklagen und Thränen aus: nachher aber wäscht er sich das Gesicht, und ich weiß durchaus nicht, weshalb er das macht. Wie das die Fürstin gehört hatte, ging sie in das geheime Gemach, sah in jedes Fach, bis sie endlich zu dem Schrein kam, worin das Täfelchen lag, worin er alle Tage zu lesen pflegte, wie er ein Sohn zweier Geschwister wäre, und dann bitterlich weinte.[25] Das war aber dasselbe Täfelchen, welches in seiner Wiege gefunden worden war. Als aber die Fürstin dieses Täfelchen fand, erkannte sie es sogleich wieder, öffnete es und las ihre eigene Handschrift. Da dachte sie bei sich: wie wäre dieser Mann zu dem Täfelchen gekommen, wenn er nicht mein Sohn wäre? Hierauf begann sie mit lauter Stimme zu schreien[26] und zu sagen: wehe mir, daß ich geboren und auf die Welt gekommen bin: wäre doch meine Mutter am Tage meiner Empfängniß gestorben. Da sie nun dieses Geschrei erhob, hörten es die Ritter, so bei Hofe waren, und eilten mit Andern zu ihrer Gebieterin und fanden sie am Boden liegend, standen auch lange Zeit um sie herum, bis sie einige Worte von ihr erhalten konnten. Darauf aber

24 Passage von »Jene aber« bis »und ich« am Rand angestrichen.

25 Am Rand angestrichen von »aber wäscht« bis »Geschwister« wäre.

26 Passage von »öffnete es« bis »zu schreien« am Rand markiert und mit Ausrufezeichen versehen.

öffnete sie den Mund und sprach: so Ihr mein Leben lieb habt, suchet meinen Herrn. Die Ritter aber, als sie das vernahmen, sprangen auf ihre Rosse, jagten zum Kaiser und sprachen zu ihm: Herr, die Königin liegt in tödtlicher Noth darnieder. Er aber, als er das hörte, gab das Jagdspiel auf und eilte zu seinem Schlosse und in das Gemach, wo seine Gemahlin lag. Wie ihn aber die Fürstin erblickte, sprach sie: o Herr, laßt Alle hinausgehen, damit Niemand als Ihr höre, was ich Euch sagen will. Wie aber Alle hinaus waren, sprach die Königin: Herr, sagt mir, von welcher Herkunft Ihr seyd. Er aber versetzte: das ist eine sonderbare Frage: Du weißt ohne Zweifel, daß ich aus fernen Landen stamme. Jene aber entgegnete: ich schwöre Dir bei Gott, daß, so Du mir nicht die Wahrheit sagst, Du mich gleich des Todes sterben sehen wirst! Der aber antwortete: Nun wohl, ich sage Dir, daß ich arm war und außer den Waffen, mit welchen ich Euch und Euer ganzes Land von der Sclaverei frei gemacht habe, nichts besaß. Jene aber sprach: sage mir also nur, aus welchem Lande Du entsprungen bist und wer Deine Eltern waren, denn so Du mir die Wahrheit nicht sagen wirst, will ich nie wieder Speise zu mir nehmen. Und jener erwiederte: ich will Euch ein Geständniß der Wahrheit gemäß ablegen. Ein gewisser Abt hat mich von meiner Kindheit an erzogen und mir öfters gesagt, daß er mich in einer Wiege in einem Fasse liegend gefunden habe, und von der Zeit an bis jetzt hat er mich dann bei sich behalten, bis ich in dieses Land gekommen bin.[27] Wie das die Fürstin gehört hatte, zeigte sie ihm das Brieftäfelchen und sprach: Kennst Du diese Schreibtafel? Wie der diese erblickt hatte, fiel er zur Erde nieder, jene aber sprach: o mein süßer Sohn, Du bist mein einziges Kind: Du bist mein Mann und mein Herr. Du bist mein und meines Bruders Sohn: o mein süßes Kind,[28] ich habe Dich nach Deiner Geburt mit jenem Täfelchen in das Faß gelegt. Weh mir, o mein Gott, warum hast

27 Am Rand angestrichen von: »Ein gewisser« bis »gekommen bin«.
28 Unterstrichene Passage am Rand mit Ausrufezeichen versehen.

du mich lassen geboren werden, da so vieles Böse durch mich verübt worden ist? Ich habe meinen eigenen Bruder erkannt und Dich geboren; wäre ich doch verzehrt worden, daß mich kein Auge sähe, und wäre ich doch gleich vom Leibe meiner Mutter zu Grabe getragen worden. Damit rannte sie mit dem Kopfe gegen die Mauer und sprach: o mein Herrgott, siehe mein und meines Bruders Sohn ist mein Gatte.[29] Darauf sprach der Herr Gregorius: ich glaubte schon der Gefahr entronnen zu seyn und bin so in des Teufels Netz gefallen: laß mich, meine Frau, daß ich mein Elend beklage. Weh mir, wehe! Hier ist meine Mutter, meine Freundin, meine Gattin: also hat mich der Teufel umgarnt.[30] Wie die Mutter den Sohn also in Trauer sah, sprach sie: o theuerster Sohn, ich will um meiner Sünden willen mein ganzes Leben hindurch in die weite Welt gehen, Du aber magst das Land verwalten. Der aber entgegnete: so soll es nicht seyn, vielmehr sollst Du, Mutter, im Lande verbleiben, ich aber will so lange herumwandern, bis uns von Gott unsere Sünden vergeben sind.[31] Er stand also mitten in der Nacht auf, zerbrach seine Lanze, zog Reisekleider an, nahm Abschied von seiner Mutter und machte sich mit bloßen Füßen auf den Weg. Nun kam er in einer dunklen Nacht in eine Stadt an das Haus eines Fischers und bat ihn um Gottes Willen um eine Herberge. Der Fischer aber schaute ihn sorgfältig an,[32] und als er die Feinheit seiner Gliedmaßen und seine ganze Haltung betrachtet hatte: sprach er: mein Lieber, Du bist kein wirklicher Reisender, wie aus Deinem Körperbau deutlich hervorgeht. Jener aber sprach: wenn ich auch kein armer Reisender bin, so bitte ich Dich doch diese Nacht um Gottes Willen um Aufnahme. Wie das die Fischersfrau sah, bat sie mitleidig, er möchte ihn doch hereinlassen. Sobald er aber in das Haus getreten war, ließ ihm der Fischer hinter der Thüre ein Lager zurichten, gab ihm Fische,

29 Satz am Rand mit Ausrufezeichen versehen.

30 Am Rand mit Ausrufezeichen versehen.

31 Von »o theuerster Sohn« bis »vergeben sind« am Rand angestrichen.

32 Randnotiz: »Bretagne?«

Brod und Wasser und sprach zu ihm: Fremder, so Du einen sichern Platz finden willst, so solltest Du in die Einsamkeit gehen. Jener aber entgegnete: Herr, ich würde das sehr gern thun, allein ich kenne keinen solchen Ort. Der aber versetzte: gehe morgen mit mir, ich will Dich an einen einsamen Ort bringen. Jener aber antwortete: das lohne Dir Gott. Früh morgens aber weckte der Fischer den Fremden, der aber war so eilig,[33] daß er seine Brieftafel hinter der Thür liegen ließ.[34] Der Fischer aber ging mit dem Fremden auf die See und fuhr darin wohl sechzehn Meilen weit, bis er an einen Felsen kam, hier ließ er sich Fesseln an seine Füße legen, welche ohne einen Schlüssel nicht geöffnet werden konnten, sobald er aber dieselben verschlossen hatte, schleuderte er den Schlüssel in's Meer. Hierauf kehrte der Fischer nach Hause zurück, der Fremde aber blieb siebzehn Jahre lang in der Buße. Nun begab es sich aber, daß der Papst starb, und als er gestorben war, kam eine Stimme vom Himmel herab und sprach: Suchet den Mann Gottes Gregorius[35] und setzet ihn zu meinem Stellvertreter ein. Wie das die Wähler hörten, freuten sie sich sehr und sendeten Boten durch alle Theile der Welt, welche ihn aufsuchen sollten. Endlich kehrten diese in dem Hause jenes Fischers ein, wie sie aber bei Tische saßen, sprachen sie zu dem Fischer: o mein Lieber, wir plagen uns recht, indem wir durch alle Länder und Schlösser ziehen und einen heiligen Mann Namens Gregorius suchen, den wir zum Papst machen sollen, und finden ihn nicht. Als der sich aber an jenen Fremden erinnerte: sprach er: es sind jetzt siebzehn Jahre, daß ein Fremder mit Namen Gregorius in diesem Hause einkehrte, den ich an einen Felsen führte und dort verließ. Ich weiß aber, daß er bereits seit langer Zeit gestorben ist. Nun begab es sich, daß er an demselbigen Tage Fische fing, und wie er den einen Fisch herauszog, fand er den Schlüssel,[36] welchen

33 Wort im Text mit Fragezeichen versehen.

34 Am Rand mit Ausrufezeichen versehen.

35 Am Rand mit Ausrufezeichen versehen.

36 Am Rand angestrichen von »Nun begab« bis »fand«.

er vor siebzehn Jahren in's Meer geworfen hatte, in demselben. Sogleich rief er mit lauter Stimme aus: o Ihr Lieben, sehet hier den Schlüssel, welchen ich in's Meer geworfen habe, ich hoffe, Ihr sollt Euch nicht vergebliche Mühe gemacht haben. Wie das die Boten hörten und sahen, freuten sie sich sehr. In der Frühe aber standen sie auf und baten den Fischer, er möchte sie zu dem Felsen führen, und also geschah es. Wie sie aber dort anlangten und jenen erblickten, so sprachen sie: o Gregorius, Du Mann Gottes, komm zu uns und steige im Namen des allmächtigen Gottes zu uns herab, denn es ist der Wille Gottes, daß Du zu seinem Stellvertreter auf Erden gesetzt werdest. Jener aber entgegnete: so das Gott gefällt, so geschehe sein Wille.[37] Damit führten sie ihn vom Felsen herab. Ehe er aber in die Stadt[38] hinein kam, da läuteten alle Glocken derselben von sich selbst,[39] und die Bürger, wie sie das hörten, sprachen: gesegnet sey der Höchste, denn jetzt kommt der, welcher Christi Stellvertreter seyn soll. Hierauf gingen ihm Alle entgegen, empfingen ihn mit großen Ehrenbezeugungen und setzten ihn zu Christi Stellvertreter ein. Wie aber der heilige Gregorius zum Verweser Christi bestellt worden war, benahm er sich in Allem gar löblich und der Ruf von ihm flog durch den ganzen Erdkreis, daß ein so heiliger Stellvertreter Christi eingesetzt worden sey. Nun kamen Viele aus allen Theilen der Welt herbei, auf daß sie seinen Rath und Hülfe erhielten. Wie aber seine Mutter hörte,[40] daß ein so seliger Mann zum Stellvertreter Christi erhoben worden sey, da dachte sie bei sich: wo kann ich denn besser hingehen, als zu diesem heiligen Manne und ihm mein Leben anvertrauen? Indessen wußte sie durchaus nicht, daß es ihr Sohn und Mann sey.[41] Sie machte sich

37 Am Rand angestrichen von »o Gregorius« bis »sein Wille« und mit Ausrufezeichen versehen.

38 Thomas Mann malt ein Kästchen um »die Stadt« und notiert am Rand: »Rom«.

39 Am Rand mit Ausrufezeichen versehen.

40 Am Rand mit Ausrufezeichen versehen.

41 Von »Stellvertreter Christi« bis »Sohn und« am Rand markiert.

also auf den Weg gen Rom und beichtete dem Stellvertreter Christi: vor der Beichte erkannte aber Keines das Andere, allein wie der Papst die Beichte seiner Mutter gehört hatte, da erkannte er sie wohl und sprach: o meine süße Mutter, Frau und Freundin, der Teufel gedachte uns zur Hölle zu führen, allein durch die Gnade Gottes sind wir ihm entgangen. Wie jene das hörte, fiel sie vor seinen Füßen nieder und weinte bitterlich vor Freude: der Papst aber hob sie vom Boden auf und baute in ihrem Namen ein Kloster, wo er sie zur Aebtissin machte, und innerhalb weniger Zeit gaben Beide an Gott ihre Seelen zurück. [42]

Neuhochdeutsche Übersetzung des *Gregorius*
von Marga Bauer und Samuel Singer[43]

Mein Herz hat oft meine Zunge gezwungen, Dinge zu sprechen, die nach der Welt Lohn streben: das riet ihm seine Jugend. Nun weiss ich wahrhaftig, dass, wer nach dem Rat des höllischen Schergen sich auf seine Jugend verlässt und drauflos sündigt, wie ihn die Jugend antreibt und denkt: »Du bist noch ein junger Mann; all Deiner Missetaten mag noch wohl Rat werden, du büssest sie wohl im Alter« – der denkt anders, als er soll. Er wird leicht eines anderen belehrt, weil die echte Not seinen Willen unterbindet, wenn der bittre Tod den Vorsatz straft und sein Leben mit einem schnellen Ende zerbricht. Der der Gnade Entfremdete hat dann das bösere Teil erkoren. Und wäre er so alt wie Abel, Adams Sohn, und sollte seine Seele sündlos bleiben bis zum jüngsten Tag, er hätte nicht zu viel gegeben für das ewige Leben, das ohne Anfang und Ende ist. Daher wäre ich gerne bereit, ge-

42 Am Rand angestrichen von »der Papst« bis »Seelen zurück«.
43 Tippfehler sind stillschweigend korrigiert. Das TMA hat die Seiten 1962 binden lassen. Notiz von fremder Hand am Anfang, die die Quelle für die Übersetzung angibt. Signatur: A-I-Mat. 7/1a. Die über die Seiten gezogenen Bleistiftlinien stammen von Thomas Mann, der auf diese Weise Abschnitte markiert.

mäss dem Willen Gottes die Wahrheit zu erzählen und auch damit die grosse Beschwerde der Sündenlast ein wenig geringer würde, die ich um mich zu beschäftigen, mit Worten auf mich genommen habe. Denn daran zweifle ich nicht – wie es uns auch Gott an einem Mann gezeigt und bewährt hat –: nie war eines Mannes Missetat in dieser Welt so gross, dass er ihrer nicht ledig und frei geworden wäre, wenn sie ihn von Herzen reute und sich nicht wiederholte.

Die Schuld des Mannes, von dem ich Euch nun erzählen will, war so gross und mannigfaltig, dass sie zu hören ein »starkes Stück« ist; ganz abgesehen davon, dass man sie um eines Vorteils willen nicht verschweigen darf: damit alle sündigen Leute, die der Teufel durch seinen Rat auf den Weg der Hölle gebracht hat dies begreifen: wenn ihrer einer die Schar der Gotteskinder vermehren und selbst auf die Strasse der Seligkeit wiederkehren will, so lasse er die Verzweiflung, die so Manchen in die Hölle bringt. Wer sich an Todsünde erinnert, von der er vielleicht manche an sich hat, der handelt gegen dies Gebot, wenn er an Gott verzweifelt und meint, dieser kümmre sich nicht um ihn, den Gnadesuchenden, wenn er glaubt, niemals in den Himmel kommen zu können – dann hat die Verzweiflung ihm den Ertrag der Reue genommen, das heisst das wahre Zutrauen, das er zu Gott haben sollte, nämlich Buss nach Beichte. Denn die so bittre Süssigkeit zwingt seine Füsse auf die Heerstrasse: dies hat weder Stein noch Steg, weder Sumpf noch Gebirge noch Wald, auf ihr ist es weder heiss noch kalt, man geht sie ohne leibliche Not und sie führt hin zum ewigen Tod.

Andererseits ist die Strasse der Seligkeit in gewisser Weise rauh und enge. Auf ihr muss man dauernd wallfahrten und klettern, waten und schwimmen, bis sie sich schliesslich aus diesem Elend ausweitet zu einem süssen Ende. Auf diesen Weg geriet ein Mann: er entrann zur rechten Zeit aus der Gewalt der Mörder. Er war in ihren Hinterhalt gefallen; dort hatten sie ihn niedergeschlagen und ihn frevelhaft des Kleides seiner Vernunft beraubt und ihm dafür viel marternde Wunden angelegt. Damals war seiner Seele Armut gar gross. So liessen sie ihn nackt wie einen Finger und halb tot liegen. Da verweigerte Gott ihm nicht seine gewohnte Barmherzigkeit und sandte ihm zwei Kleider: Hoffnung und Furcht, die Er selbst gewirkt hatte, damit sie ihm und allen Sündern ein Schutz seien. Furcht: dass er stürbe, Hoffnung: dass er nicht verdürbe. Er wäre wieder umgesunken, hätte ihn nicht die Hoffnung so behende gemacht, dass er, wenn auch taumelnd, sitzen blieb; dazu stärkte ihn immer mehr das mit der Reue vermischte geistliche Vertrauen. Sie taten ihm viel Gutes und reinigten ihn vom Blut. Sie gossen ihm in seine Wunden Oel und Wein: diese Salbe ist wohltuend und auch schmerzhaft; das Oel ist die Gnade, der Wein das Gesetz; beide muss der Sünder haben, damit ihm die Krankheit vergehe. So hob ihn Gottes Gnade, wie sie ihn fand, an seiner Hand auf ihr mildes Achselbein und trug ihn zur Pflege heim. Da wurden ihm alle seine tödlichen Wunden verbunden, so dass er ohne Narben davon kam und seither ein wahrer Kämpe wurde, er allein über allen anderen Christen. Noch habe ich Euch nicht gesagt, welcher Art die Wunden waren, von denen er so schwer gesundete, wie er sie empfing und wie er ohne sie den ewigen Tod ertrug. Jeder Mensch, der von bergschweren Sünden belastet ist, muss hören und begreifen, dass ihn Gott gerne empfängt, wenn er wieder zu Seiner Huld eilt; denn die Fülle Seiner Gnade will nicht und verbietet es, wegen irgendeiner Missetat an Ihm zu verzweifeln. Es gibt keine Sünde, deren man nicht durch Reue ledig würde, unbemakelt und schön und rein, ausser allein von der Verzweiflung. Diese ist eine Giftgalle und führt zum ewigen Falle, Niemand kann sie versüssen noch Gott dafür Busse leisten.

Der diese Geschichte berichtet und deutsch gedichtet hat, war Hartmann von Aue. Hier fangen erst die seltsamen Geschichten von dem guten Sünder an.

Es gibt ein welsches Land mit Namen Aquitanien, nahe am Meer. Der Herr dieses Landes bekam von seinem Weibe zwei

Kinder, einen Sohn und ein Töchterlein, schöner konnten keine Kinder sein als diese. Bei ihrer Geburt starb ihre Mutter. Als die Kinder zehn Jahre alt waren, da packte den Vater auch der Tod. Als dieser ihm seine Ankunft anmeldete, so dass er sein Weggenosse würde, und sich infolge der Krankheit auf das Sterben gefasst machte, da benahm er sich wie ein kluger Mann. Er beschickte die Vornehmsten seines Landes, denen er zu trauen Ursache hatte und wollte ihnen seine Seele und seine Kinder empfehlen. Wie sie nun vor ihn gekommen sind, die Familie, die Vasallen und Dienerschaft, da sah er seine Kinder an: jedes von ihnen war körperlich so wonnevoll gestaltet, dass sogar ein hartes Weib hätte lächeln müssen, hätte sie sie sehen dürfen.[44]

Das machte seinem Herzen gar bitteren Schmerz: des Herren Jammer wurde so gross, dass ihm der Augen Regen auf das Bettlaken floss. Er sprach: »Es ist nun nichts dagegen zu machen, ich muss von Euch scheiden. Jetzt wäre erst die Zeit da, dass ich mit Euch Beiden mich des Lebens freuen und das Alter geniessen sollte. Diese Zuversicht ist dahin: der Tod hat mich gefangen.« Nun empfahl er sie ohne Weiteres den Landesherren, die seinetwegen hingekommen waren. Hier hörte man lautes Weinen: ihr Jammer und ihre Treue schuf da grosse Trauer. Alle, die da waren, gebärdeten sich so wie eine gute Familie es für ihren guten Herrn zu tun pflegt.

Als er die Kinder weinen sah, sprach er zu seinem Sohne: »Sohn, warum weinst Du? Nun fällt Dir doch mein Land und grosse Ehre zu. Hingegen fürchte ich für Deine schöne Schwester. Ihretwegen ist mein Jammer grösser und zu spät beginne ich es zu beklagen, dass ich mein Leben lang nicht besser für ihre Zukunft gesorgt habe: so sollte sich ein Vater nicht benehmen.«[45]

Er nahm sie beide bei der Hand und sagte: »Sohn, nun sei

44 Von »Vasallen« bis »dürfen« am Rand angestrichen.

45 Von »grösser« bis »benehmen« am Rand angestrichen und mit Ausrufezeichen markiert.

daran gemahnt, dass Du immer die letzte Lehre bewahrst, die Dein Vater Dir gab. Sei treu, beständig, freigebig, demütig, entschlossen und zugleich gütig, auf Deinen Anstand bedacht, stark gegen die Vornehmen, gütig gegen die Armen. Du sollst die Deinen ehren, aber auch die Fremden Dir anhänglich machen. Sei gerne in Gesellschaft der alten Weisen und fliehe die der jungen Narren. Vor allen Dingen liebe Gott und richte gerecht nach seinem Gesetz. Ich befehle Dir meine Seele und dies schöne Kind, Deine Schwester, dass Du Dich ihr gegenüber bewährst und sie brüderlich behandelst: das wird Euch beiden zum Vorteil werden. Gott, der sich meiner erbarmen möge, geruhe, sich Eurer anzunehmen«. Hiermit entwich ihm die Sprache und die Kraft des Herzens und es schied sich die Gemeinschaft von Seele und Leib. Da weinten Männer und Frauen. Und er bekam ein Begräbnis, wie es sich für einen Fürsten geziemte.

Als nun diese Kinder Doppelwaisen geworden waren, da widmete sich der Jüngling seiner Schwester und behandelte sie so gut er konnte und wie es seiner Treue entsprach. An Leib und Gut tat er ihr alles zuliebe und nie hatte sie Beschwernis durch ihn. Er betreute sie vielmehr so (ich will Euch sagen wie), dass er ihr nichts versagte, was immer sie von ihm verlangte, sei es an Kleidern und sonstiger Bequemlichkeit. Sie waren in allen Dingen Gesellen und Genossen. Sie waren selten allein, sondern lebten allezeit beieinander (wie sich für Beide schickte). Weder bei Tisch noch sonstwo trennten sie sich. Ihre Betten standen einander so nahe, dass sie sich sehen konnten. Man kann nur sagen, dass er sie so gut behandelte, wie ein treuer Bruder seine liebe Schwester behandeln soll. Die Liebe aber, die sie für ihn hegte, war noch stärker. So führten sie ein fröhliches Leben.

Als der Feind der Welt diese Wonne und Annehmlichkeit sah, er, der um seines Hochmuts und Neides willen gefesselt in der Hölle liegt, da verdross ihn ihrer beider Ehren (denn sie deuchten ihn allzu gross) und er bewies seine Art: immer nämlich war und ist es ihm leid, wenn es Jemandem gut geht und er zögert nicht, dies zu ändern. So gedachte er sie ihrer Ehren und Freuden zu berauben und sie in Schaden zu verwandeln. So riet er dem Junker seine Schwester zu minnen und seine Treue so in Falschheit zu verwandeln. Die Liebe nahm ihm den Verstand als eines, als Zweites die Schönheit seiner Schwester, das Dritte war des Teufels Bosheit, das vierte seine Jugend, die mit dem Teufel gegen ihn kämpfte, bis sie ihn auf den Gedanken brachte, mit seiner Schwester zu schlafen. Wehe, Gott, wehe, über des Höllenhundes List, dass er uns so gefährlich ist! Warum erlaubt ihm Gott, so manchen grossen Hohn an seiner Hände Werk zu verüben, das er doch nach sich selbst geformt hat!

Da er nun nach des Teufels Rat sich entschloss diese grosse Sünde zu tun, lebte er Tag und Nacht noch liebevoller mit seiner Schwester denn vorher seine Gewohnheit war. Nun war das einfältige Kind blind solcher Liebe gegenüber und wusste als ein reines junges Mädchen nicht, vor was sie sich hüten sollte und gewährte ihm, was er wollte. So liess sie denn der Teufel nicht eher, als bis sein Wille an ihr geschehen war.

Er schob es auf bis zu einer Nacht, in der die Jungfrau tief in Schlaf versenkt war. Ihr Bruder aber schlief nicht: der Törichte – stand auf und schlich ganz leise zu ihrem Bett und hob das obere Gewand so auf, dass sie es nicht bemerkte, bis er darunter zu ihr kam und sie in seine Arme nahm. Oweh, was wollte er darunter? Besser läge er allein. Sie hatten beide keine Kleider an, nur ein Bettlachen. Als sie erwachte, da hatte er sie umfangen. Ihrer beider Mund und ihre Wangen fand sie so festgekittet, als wäre der Teufel im Begriff zu siegen.

Nun begann er sie zu liebkosen, mehr als es in Gegenwart der Leute sonst seine Art war. Dadurch verstand sie, dass es ernst war. Sie sprach: »Wie, mein Bruder? Was willst Du tun? Lass Dich nicht vom Teufel um Deinen Verstand bringen. Was bedeutet dieses Ringen?« Sie dachte: »Schweige ich, so erfüllt sich des Teufels Willen und ich werde die Frau meines Bruders. Mache ich aber Lärm, so haben wir unsere Ehre für immer verloren.« Dieser

Gedanke[46] lähmte sie, bis er so lange mit ihr gerungen hatte (denn er war stark und sie zu schwach) und es gegen ihren Willen zu Ende gebracht hatte. Das war zu viel Anhänglichkeit gewesen. Danach blieb es stille. So wurde sie in dieser Nacht schwanger von ihrem Bruder. Die Lockspeise der Teufelsverhetzung fing an sie weiter zu treiben und sie begannen an den Sünden Lust zu finden. Sie verbargen ihr Treiben, bis die Frau bemerkte, dass sie schwanger sei. Da wurde ihre Freude zu Kummer, weil ihr nichts, dies zu verbergen half. Man merkte ihr ihre Betrübnis an.

Ihnen war der Fehltritt durch die grosse Vertraulichkeit geschehen. Hätten sie diese vermieden, so wären sie ohne Tadel geblieben. Das sei eine Warnung für jeden Mann, seiner Schwester oder Nichte nicht allzu vertraulich zu sein. Das reizt zu Unanständigkeit, wie man sie wohl für unmöglich gehalten hätte.

Als der junge Mann solche Verwandlung an seiner Schwester sah, nahm er sie beiseite und sprach: »Liebste Schwester, sage mir, Du siehst so betrübt aus, was fehlt Dir? Ich habe wahrgenommen, dass Du ganz traurig aussiehst: das war ich nicht an Dir gewohnt.« Darüber begann sie von Herzen zu seufzen. Ihren Kummer und ihre Schmerzen zeigten ihre Augen. Sie sprach: »Ich leugne es nicht: ich habe Grund zur Trauer. Bruder, ich bin zwiefach tot, an Seele und Leib. Oweh mir armen Weibe! Wozu ward ich geboren? Denn ich habe Deinetwegen Gott und die Menschen verloren. Nicht länger mehr kann das Verbrechen, das wir bis heute der Welt verborgen haben, verhohlen bleiben. Ich hüte mich gar wohl, es zu sagen: aber das Kind, das ich hier trage, tut es den Leuten kund.« Jetzt half der Bruder seiner Schwester trauern: sein Jammer ward noch grösser.[47]

46 Von »Ringen« bis »Gedanke« am Rand angestrichen.

47 Auf der Rückseite des Blattes handschriftlich notiert: »S. Maria in Dominica« und »S. Maria in Cosmedin«. Ende der ersten Lieferung, der dann eine zweite folgte. Vgl. hier zur Entstehungsgeschichte S. 53.

An diesem Unglück zeigte Frau Minne wieder ihre traurige Gewohnheit: immer macht sie aus Lust Leid. So wurde ihnen der Honig zusammen mit der Galle aufgekocht. Er begann sehr zu weinen und unterstützte sein Haupt trauervoll mit der Hand wie Einer, der ganz den Sorgen zugewandt ist. Es ging um seine Ehre, doch beklagte er mehr den Kummer seiner Schwester als sein eigenes Leid.

Die Schwester sah ihren Bruder an und sprach: »Benimm Dich wie ein Mann und lass Dein weibisches Klagen (es ist uns leider damit nicht geholfen) und find uns irgendeinen Rat. Wenn wir schon durch unseren Fehltritt ohne die göttliche Huld sein müssen, so soll doch unser Kindlein nicht mit uns verloren sein, damit nicht drei fallen. Auch hat man uns oft gesagt, dass ein Kind niemals die Schuld seines Vaters trägt. Darum soll es Gottes Huld nicht verloren haben, wenn wir auch zur Hölle geboren sind, denn es hat an unserer Missetat keinerlei Schuld.«

Jetzt begann sein Herz gar manchen Gedanken zu bewegen. Er sass eine Weile schweigend. Er sprach: »Schwester, wohlan! Ich habe einen Rat für uns gefunden, der uns zu Statten kommt um unsere Schande zu verbergen. In meinem Lande habe ich einen sehr weisen Mann, der uns gut raten kann, auf den mein Vater mich auch aufmerksam machte und dessen Belehrung er mir empfahl, als er im Sterben lag; denn auch er fragte ihn um Rat. (Ich weiss wohl, dass er treu ist) und wenn wir seiner Belehrung folgen, so wird unsere Ehre gerettet.«

Die Frau ward durch diesen Rat froh. Ihre Freude war derart, als es ihr jetzt zustand: ihr war keine volle Freude möglich. Alles, was sie noch an Trauer hatte, da dieser Kummer geschwunden war, das war auch alles, was ihr an Freude zu Gebote stand: nämlich dass sie zu weinen aufhörte. Der Rat behagte ihr sehr und sie sprach: »Den, der uns da raten soll, Bruder, nach dem sende beizeiten, denn meine Zeit ist nicht fern.«

Da wurde gleich nach ihm gesandt: der Bote brachte ihn sofort. Er ward freundlich empfangen: dann ging man allein mit ihm in eine Kemenate, wo sie ihn um Rat baten. Folgendermassen sprach der junge Mann: »Ich habe nicht um Kleinigkeiten nach Dir senden lassen. Ich kenne aber augenblicklich Niemanden, der mein Land bewohnt, dem ich so sehr vertrauen kann. Da nun Gott Dich so sehr geehrt hat (er gab Dir Treue und hohen Rat), so lass uns daran teilhaben. Wir wollen Dir ein Geheimnis kundtun, das unserer Ehre Unheil bereiten kann, wenn nicht Dein Rat durch Gottes Hilfe uns davon befreit.« Sie fielen beide weinend zu seinen Füssen nieder. Er sprach: »Herr, diese Begrüssung dünkte mich zu gross, auch wenn ich Euresgleichen wäre. Um Gotteswillen, so steht auf, Herr, lasst mich Euren Willen hören, gegen den ich nie handeln will, und setzt dieser Rede ein Ziel. Sagt mir, was Euch bekümmert. Ihr seid von Geburt an mein Herr: ich rate Euch, so gut ich kann, zweifelt nicht daran.«

Da gaben sie ihm Kenntnis von ihrer Angelegenheit. Er half ihnen da sogleich voll Leid in ihren Klagen (er dachte an sie alle beide) und tröstete sie, so gut es möglich war, wie man es bei einem Kummer des Freundes tun soll, den doch Niemand abwenden kann. Folgendermassen sprach der Jüngling zu dem Alten: »Herr, nun finde uns einen Rat, der jetzt besonders wichtig ist, denn für uns kommt nun die Zeit, da meine Schwester darniederliegt: wo sie des Kindes genesen kann, damit ihre Geburt verheimlicht bleibe. Ich selber überlege, ob ich inzwischen nicht fern von meiner Schwester ausserhalb des Landes wohnen soll, damit unsere gemeinsame Schande desto besser verschwiegen bleibe.«

Der Alte sprach: »So rate ich Folgendes: Ihr sollt alle, die Euer Land verwalten, die Jungen mit den Alten, und die Euren Vater berieten, zu Hofe aufbieten. Ihr sollt Ihnen mitteilen, dass Ihr sogleich um Gottes Willen zum Heiligen Grabe fahren wollt. Verlangt von uns mit Bitten, dass wir der Frau den Lehnseid ablegen (niemand wird sich dagegen wehren), damit sie sich um das Land kümmere, solange Ihr unterwegs seid. Dort büsst Eure Sünde, wie Gott Euch dazu antreibt. Gegen ihn hat Euer Leib gehandelt: den gebt Ihm auch zur Busse. Und sollte der Tod Euch da ereilen, so ist der Eidschwur sehr nötig, damit sie unsere Herrin sei. Befehlt sie meiner Treue vor all den Herren: das muss ihnen wohl gefallen, denn ich bin unter ihnen allen der Aelteste und auch der Reichste. Ich nehme sie alsdann heim zu mir: und ich werde ihr solche Bequemlichkeit verschaffen, dass sie das Kind ohne alles Aufsehen gebiert. Gott sende Euch wieder zurück, Herr: darin vertraue ich ihm. Bleibt Ihr aber dann unterwegs, so möge Euch Gottes Segen zufallen. Wahrlich, mein Rat ist nicht dieser, dass sie um ihrer Sünde willen der Welt entfliehe und dem Lande sich entziehe. Bleibt sie im Land, so vermag sie ihre Sünde und Schande besser zu büssen. Sie vermag mit Gut und Güte den Armen zu begrüssen, wenn ihr das Gut bleibt. Hat sie aber kein Gut, so hat sie nur Güte: was aber frommt ihr dann ihre Güte ohne Gut? Was nützt die Güte ohne Gut oder Gut ohne Güte?[48] Um ihretwillen erscheint mir das gut, dass sie Gut und Güte bewahre: sie vermag so mit dem Gut die Güte zu vollbringen, wie es Gott recht scheint für die Güte, das Leben und das Gut. Auch rate ich Euch beiden zu derselben Güte.« Der Rat deuchte sie beide gut und so folgten sie sogleich seinem guten Rat.

Als die Herren über Land zu Hof beschickt wurden, als sie da kamen und ihrem Herrn zuhörten, da ward alsogleich seiner Bitte Folge geleistet. Dem Alten befahl er zur Hand seine Schwester. Denn er gedachte sein Land zu verlassen. Der Besitz, den ihr Vater hinterlassen hatte, wurde jetzt mit ihr geteilt.

So trennten sie sich beide mit grossem Herzeleid. Hätten sie nicht Gott gefürchtet, sie hätten eher der Welt Spott geduldet als die Trennung. Da konnte man von ihnen beiden grossen Jammer sehen.

Möge mir niemals so grosses Unglück geschehen wie es den Liebenden[49] geschah, als sie sich trennen mussten. Wahrlich die

48 Unterstrichene Passage am Rand mit Ausrufezeichen versehen.

49 Unterstrichene Passage am Rand mit Ausrufezeichen versehen.

Freude ward für sie beide so spärlich wie das Eis in dem Feuer. Als sie sich hier trennen mussten, da vollzog sich die Wanderung der Treue: sein Herz folgte ihr, ihres blieb bei dem Mann.[50] Natürlich schmerzte sie die Trennung: sie sahen einander nimmermehr.

Nun führte dieser alte Mann seine junge Herrin mit sich in sein Haus von dannen, wo ihr viel Gutes und Angenehmes gegeben wurde. Seine Gattin war eine Frau, die ihre Gedanken und ihr Leben ganz in Gottes Dienst gestellt hatte: keine Frau konnte ein besseres Leben führen. Sie half ihnen treulich und verbarg den Kummer ihrer Herrin, wie es weiblicher Güte wohl ansteht, so dass ihre Niederkunft ohne Aufsehen erfolgte. Sie gebar einen Sohn, den guten Sünder, von dem diese Geschichte zuerst sich anhob. Es war ein reizendes Kind. Bei der Geburt des Kindes war Niemand anwesend als diese beiden Frauen. Der Hausherr ward da geholt: und als er das Kind sah, sagte er mit den Frauen, nie wäre ein so schönes Kind zur Welt gekommen.[51]

Nun berieten sie sogleich untereinander, wie die Sache verborgen bleiben könnte. Sie sagten, wie schade es wäre, dies Kindlein verloren zu geben: nun sei es aber mit so grossen Sünden geboren, dass Gott ihnen nicht verkündigen wollte und sie keinen Rat wussten. Auf Gott hatten sie den Rat gesetzt, damit er sie vor jedem Missgriff in dieser Angelegenheit bewahren möge. Da musste es ihnen wohl gelingen, denn dem, der sich recht auf ihn verlässt, der kann nicht fehlgehen.

Nun kam ihnen in den Sinn, es wäre nichts so gut, als wenn sie es auf das Meer aussetzten. Da ward nicht mehr gezögert: heimlich ging der Hausherr hin und holte heimlich ein sehr festes Fässchen und zwar das allerbeste, das es gab. Dahinein wurde das schöne Kindlein mit vielen Tränen gelegt, darunter und darüber üppige seidene Kleider gebreitet, bessere konnte Niemand haben. Auch wurden zu ihm da hinein gelegt, wie man mir berichtet hat,

50 Unterstrichene Passage am Rand mit Ausrufezeichen versehen.

51 Von »Der Hausherr« bis »gekommen« am Rand angestrichen.

zwanzig Goldmark, damit sollte man es aufziehen, wenn Gott es jemals zu Land sende.

Eine Schreibtafel ward zu der Frau getragen, die das Kind geboren hatte, diese war aus sehr gutem Elfenbein, schön verziert, wie ich las, mit Gold und Edelsteinen, niemals gewann ich je eine so gute Tafel. Darauf schrieb die Mutter, so viel sie konnte, von der Art des Kindes; denn sie hoffte, dass es Gott den Leuten bringen sollte, die Gott an ihm erkannten.

Darauf stand Folgendes geschrieben: es sei von hoher Abkunft und die es geboren hätte, sei seine Cousine, sein Vater sei sein Onkel, es sei auf das Meer ausgesetzt worden um das Verbrechen zu verbergen. Dann schrieb sie noch mehr: man solle es taufen und mit dem Gold aufziehen, und wenn sein Finder auch ein Christ wäre, möge er ihm den Reichtum mehren und es lesen lehren, seine Tafel ihm aufheben und ihn der Schrift mächtig machen, damit es, wenn es je zu einem Manne würde, diese ganze Geschichte darauf lesen könne; so würde es sich nicht überheben und seinen Sinn zu Gott wenden und dadurch jederzeit treulich seines Vaters Missetat abbüssen; er möge auch derer gedenken, die ihn zur Welt brachte: das wäre ihnen beiden um des ewigen Todes willen nötig. Es ward da weder Leute noch Land, weder Geburt noch Heimat mitgeteilt: dies zu verbergen schien ihnen gut.[52]

Als der Brief fertig war, wurde die Tafel zu ihm in das kleine Fass gelegt. Da schlossen sie dieses so sorgfältig, damit keinerlei Böses dem Kinde geschähe, weder von Regen noch Wind, noch vom Ungestüm der Wogen auf der Wasserreise von zwei oder drei Tagen. So trugen sie es nachts zum Meer: am Tage konnten sie es nicht. Dort fanden sie ein leeres und starkes Boot: dahinein legten sie jammernd diesen kleinen Schiffer. Da sandte ihnen der liebe Herr Christus, der mehr als gnädig ist, den richtigen Wunschwind: sie stiessen ab, hin glitt das Kind.

52 Der komplette Absatz ist am Rand angestrichen.

Ihr wisst wohl, dass ein Mann, der niemals weder rechte Lust noch grosses Herzeleid gewann, dass dem der Mund nicht so geschickt ist davon zu sprechen, wie dem, der es gewöhnt ist. Von diesen beiden bin ich abgetrennt, denn mir geschahen sie nicht: ich gewann nie weder Lust noch Unheil, ich lebe weder gut noch böse. Darum kann ich nicht, wie ich sollte, das Leid der Frauen aufzeigen und mit Worten erreichen, auch wenn mit ihrem Kummer tausend Herzen beladen wären.

Dreier Art Leid trug die eine Frau in ihrem Herzen und jedes davon wäre genug für vieler Frauen Herzen. Sie trug den einen Schmerz wegen des Verbrechens, das sie mit ihrem Bruder begangen hatte, den sie hinfahren liess. Der zweite war die Krankheit, dass sie das Kind geboren hatte. Der dritte war die Furcht, gewirkt aus dem Jammer um ihr liebes Kind, das sie dem wilden Wind auf dem Meer anheim gegeben hatte und von dem sie nicht wusste, wie es ihm ergangen war, ob es gerettet oder tot sei. Zu grosser Qual war sie geboren. Noch war es nicht genug mit diesen drei Schmerzen. Nicht viele Tage vergingen, bis böse Märe zu ihr kam und das grösste Unglück, das ihr im Leben je geschah, nämlich dass ihr Bruder tot sei. Aus der Not der Sehnsucht kam ihm der Tod. Als sie sich von ihrem Bruder trennte, so wie es ihnen Beiden der Weise geraten hatte, da begann er alsogleich hinzusiechen (dazu zwang ihn der Liebe Fessel) und musste seine Reise, die er um Gott unternommen hatte, bleiben lassen. Sein Jammer ward so gross nach seiner lieben Schwester, dass er zu keiner Zeit Trost fand. So verdorrte sein Leib. Man sagt zwar, dass die Frauen schmerzlicher lieben als die Männer, aber dem ist nicht so. Das sei an Folgendem bewiesen: sein Herzeleid nämlich, das vor ihm ausgebreitet lag, das war klein gegenüber der einen Liebe, die ihm ein Ziel des Todes war;[53] davon hätte sie vier haben können und wäre doch davon gekommen: So sehr ergriff ihn die sehnende Not, dass er vor Herzenstrauer tot lag. Diese Nachricht wurde ihr

53 Am Rand mit Ausrufezeichen versehen.

kund gemacht, gerade drei Tage ehe sie zur Kirche gehen sollte. Nun zog sie mit grosser Klage hin und begrub ihren Bruder und Mann. Als sie nun das Land in Besitz nahm und die Nachricht davon in alle Lande drang, da begehrte sie manch reicher Fürst von nah und fern zum Weibe. Durch Geburt und Gestalt, durch Reichtum und Jugend, durch Schönheit und Tugend, durch Wohlerzogenheit und Güte und durch ihr ganzes Wesen war sie eines guten Mannes wert; doch wurden alle abgewiesen.

Für ihre Liebe hatte sie weiss Gott einen starken Helden erwählt, den teuersten Mann, der je Liebe gewann. In dessen Gegenwart schmückte sie ihren Leib wie eine liebende Frau für einen guten Mann tun soll, dem sie angenehm sein will. Wenn es auch wider die Sitte ist, dass ein Weib den Mann bitte, so bat sie ihn doch um alles, wenn sie Gelegenheit dazu hatte, zu jeder Zeit mit dem Herzen und auch mit dem Munde: ich meine den gnädigen Gott. Seit ihr des Teufels Spott seine Huld entzogen hatte, war sie so sehr in Furcht geraten, dass sie um seiner Huld willen auf Freude und Bequemlichkeit verzichtete und Tag und Nacht solcher Beschäftigung sich widmete, die dem Leib unangenehm ist. Mit Wachen und Beten, mit Almosen und Fasten liess sie ihrem Leib nie Ruhe. Die wahre Reue war darin, die von allen Sünden frei macht.

Nun lebte nicht fern von ihr ein Fürst, an Ruhm ihr gleich, beide waren sie adelig und reich: dieser bemühte sich, dass sie ihn zum Gemahl nähme. Und da er mit Botschaften und Bitten ihr seinen Zoll errichtet hatte, wie es sich gebührte und sie nichts von ihm wissen wollte, da glaubte er sie auf folgende Weise zu gewinnen: mit Drohungen und Krieg bestand er sie alsogleich und verwüstete ihr Land. Er raubte ihr die besten Städte und Burgen, bis er sie so weit vertrieben hatte, dass ihr nur die Hauptstadt blieb. Diese ward auch täglich belagert. Wollte der gute Gott sie nicht mit seiner Gnade unterstützen, so muss sie auch diese verlieren.

Nun lassen wir diese Erzählung und berichten, wie es dem Kind dieser Frau erging, das die wilden Winde umherwarfen, wohin Gott es gebot, in Leben oder Tod. Unser guter Herrgott nahm sich seiner an, er, durch dessen Gnade auch Jonas in dem Meer gerettet wurde, der drei Tage und drei Nächte in den Wogen vom Bauch eines Fisches bedeckt war. Er war die Amme des Kindes, bis er es heil zu Land sandte. In zwei Nächten und einem Tag kam es durch der Wellen Schlag zu einer Insel, zu der Gott es sandte. Ein Kloster lag am Strande, dem ein geistlicher Abt vorstand. Dieser befahl zwei Fischersleuten, dass sie am frühen Morgen auf See fischen sollten. Da war ihnen das Wetter ungünstig und der Sturm so scharf, dass sie weder kleine noch grosse Fische zu fangen vermochten. Sie drehten bei. Bei der Rückkehr fanden sie des Kindes Boot auf den Wogen dahingleiten. Nun wunderte es sie sehr, wie es so ganz ohne Mannschaft dahin gekommen wäre. Sie ruderten so nahe heran, dass sie das winzige Fass darin liegen sahen. Sie hoben es heraus und legten es in ihr eigenes Schiff: das Boot trieb leer ab.

Die Windstösse waren so heftig, dass es sie verdross auf See zu bleiben. Sie hatten keine Gelegenheit nachzusehen, was in dem Fasse sei; das war ihnen aber gleichgültig, denn sie dachten, wenn sie es nach Hause gebracht hätten, würden sie mit Ruhe ihren Fund betrachten. Sie warfen ihre Kleider darüber und ruderten eilig an Land.

Inzwischen war es Tag geworden. Der Abt, der dem Kloster vorstand, erging sich am Meer, er allein und sonst Niemand, und wartete auf die Fischer um zu sehen, ob sie Glück gehabt hätten. Da ruderten sie gerade herzu: das deuchte dem Abt zu früh. Er sprach: »Wie ists gegangen? Habt Ihr etwas gefangen?« Sie sagten: »Lieber Herr, wir waren zu weit aufs Meer hinausgefahren. Noch niemals war uns das Wetter so leid: beinahe wären wir zu Tode gekommen, wir haben kaum das Leben gerettet.« Er sprach: »Nun lasst die Fische sein: Gott sei gedankt, dass Ihr davon gekommen seid und an diese Stätte zurückgekehrt.« Er bat sie, ihm zu sagen, was das sein möge und zwar meinte er das Fässchen, das mit dem Kleid zugedeckt war. Die Frage war ihnen beiden unangenehm und sie sagten, warum ein Herr so genau den Sachen armer Leute zu ihrem Unglück nachfrage. Da langte er mit dem Stab hin, warf das Kleid ab und sah das winzige Fass. Er sprach: »Woher nahmt Ihr das?« Nun überlegten sie sich manche Lüge um den Abt zu betrügen und es ihm abzuschwätzen und sie hätten das auch wohl getan, wäre er es nicht durch die Liebe unseres Herrn inne geworden.

Als er die Frage bleiben lassen und wieder in sein Kloster gehen wollte, da weinte das Kind laut auf und tat dem Gottestrauten kund, dass es da wäre. Der Getreue sprach: »Da drinnen ist ein Kind. Sagt mir um der Liebe willen, woher Ihr es genommen habt? Wie ist es zu Euch gekommen? Das will ich wissen, crede mihi.« Da überlegten sie und erzählten es ihm, wie ich Euch zuvor, wie sie es auf dem Meer gefunden hatten. Nun befahl er es auf den Strand zu hissen und die Bande zu lösen. Da sah er darin einen seltsamen Fund liegen, ein Kind, von dem sein Herz ihm sagte, er hätte nie ein schöneres gesehen.

Die arme Waise lachte mit süssem Munde den Abt an, denn sie konnte keinerlei Leid von nirgendher fürchten. Und es las der gelehrte Mann an seiner Tafel ab, wie das Kind gboren worden war (dass man es taufen sollte und mit dem Gold aufziehen); das konnte er wohl verschweigen. Er begann sich vor Gott zu neigen, zum Himmel hob er heimlich Hände und Augen und lobte Gott für den Fund und das heile Kind.

Sie fanden das Kindlein in Decken gehüllt, die zu Alexandria gewirkt waren. Nun wussten es diese Drei: es wurde auch nicht weiter verbreitet. Auch sagt uns die Wahrheit von den Fischern, dass sie Brüder waren. Diese mussten ihm beide mit heiligen Eiden schwören und versichern, es niemals weiter zu erzählen.

Die Brüder waren einander ungleich an Rang, der eine war arm, der andere reich. Der Arme wohnte nah beim Kloster, der Reiche wohl eine Meile davon entfernt. Der arme hatte viele Kinder: der reiche nur eine Tochter, die verheiratet war. Nun kam der Abt mit ihnen überein, dass sich der Aermere des Kindes annähme und es in der Nähe bei sich aufziehe; und wenn irgendwann einer fragte, woher er das Kind genommen habe, so solle er den Leuten vorlügen, es sei von seines Bruders Tochter zu ihm gekommen (es war die beste List, die er sich ausdenken konnte); und dass sie es, sobald sie gegessen hätten, bis nach der Messezeit, hertrügen und den Abt bäten, er möchte so gut sein und das Kind selber taufen; damit erkaufe er Gott und ihre Dienerschaft. Der Rat war richtig und gut.

Nun entschloss sich da der Abt, nahm das Gold und die seidenen Kleider und gab dem Armen gleich zwei Goldmark, womit er es aufziehen sollte, dem anderen eine Mark, damit er es gut verhehle. Das Uebrige trug der gute Mann mit sich von dannen. Er verwahrte es ihm so gut er vermochte, denn er machte es zu Profit, bis es ihm gut gemehrt war.[54]

Der arme Fischer tat genau, wie es ihm sein Herr befohlen hatte. Als es Mittag wurde, nahm er das Kind auf den Arm: seine Frau begleitete ihn nach bäuerlicher Sitte zum Kloster, wo er den Abt unter seinen Brüdern sah. Er sprach: »Herr, dies Kind senden Euch Leute, die Euch ergeben sind, die Tochter meines Bruders und ihr Mann, und hoffen sehr, dass, wenn Ihr selber das Kind tauft, ihm damit ein seliges Leben erkauft sein möge; und geruht auch, ihm Euern Namen zu geben.«

Ueber diese Bitte spotteten die Mönche. Sie sagten: »(Gott helf Euch), schaut den Bauer an, wie gut er reden kann«. Der Herr nahm die Rede gut auf, wie ein Demütiger tun soll. Als er das Kind sah, sprach er vor seiner Bruderschaft folgendes: »Es ist ein so schönes Kind; da sie Gotteshausleute sind, wahrlich, so sollen wir es ihnen nicht verweigern.« Er befahl, das Kind zur Taufe zu tragen, er hob es selber auf und benannte es nach seinem Namen, Gregorius.

54 Am Rand mit Ausrufezeichen versehen.

Da das Kind die Taufe empfangen hatte, sagte der Abt: »Weil ich nun hier sein geistlicher Vater geworden bin, so will ich es zum Gewinn meines Seelenheiles (es ist so lieblich gestaltet) gern an Kindes Statt halten.« Sehr liebevoll bat er nun seinen Fischer, dass er sich um das Kind Mühe gebe. Er sagte: »Nun zieh es mir gut auf, damit ichs Dir ewig lohne«. Es halfen dem Kinde sehr seine zwei Mark, dass man es umso besser pflegte: auch liess der Herr nur selten einen Tag vergehen ohne selber sich zu überzeugen, wie es dem Kinde ging.

Als nun der Fischer und seine Frau des Kindes Leben bis zu seinem sechsten Jahr gut gepflegt hatten, da nahm der Abt es von ihnen fort zu sich in das Kloster und bekleidete es mit solcher Kleidung, die pfäffisch ist, und hiess es lesen lernen. Wie wenig floh es da vor all dem, was immer zu Treue und Ehre und Frömmigkeit hinzog! Wie gerne es ohne Schläge nur auf Bitte allein hin den Willen seines Lehrers tat! Es liess sich nicht zurückhalten, es wollte nur Dinge erfragen, die gut sind zu wissen, wie ein gutes Kind.

Die Kinder, die vor drei Jahren zu ihm gesetzt worden waren, überholte es durch sein Wissen so schnell, dass der Lehrer selber schwur, noch nie unter allen Arten der Begabung hätte er ein so vernunfterfülltes junges Wesen gesehen. Er war (ich belüge Euch damit nicht) an Jahren ein Kind, an Verstand ein Mann.

Mit elf Jahren gab es wirklich keinen besseren Grammaticus als das Kind Gregorius. In den drei folgenden Jahren besserte sich sein Verstand so, dass ihm Divinitas ganz klar wurde: das ist die Wissenschaft von der Gottheit. Was immer ihm vorgelegt wurde zum Frommen von Leib und Seele, er begriff sogleich die innerste Idee. Danach hörte er de legibus und auch in diesem Fach wurde das Kind ein hervorragender Legist: diese Wissenschaft handelt vom Gesetz. Er hätte noch mehr erlernt, wäre er darin nicht irre gemacht worden, wie ich Euch sofort erzählen kann.

Durch Armut litt der Fischer grosses Leid. Seine Äcker lagen auf dem Meer: das war für sein Leben eine Mühsal, denn er brachte sich so durch und hatte dem bitteren Hunger seiner Kinder durch die tägliche Fischjagd abgewehrt, bevor er das Kind fand. Von da an war sein Leben viel leichter geworden, da ihm die zwei Goldmark gegeben worden waren: dadurch besserten sich alle seine Angelegenheiten in bezug auf Besitz und Bequemlichkeit. Nun liess sein unwissendes Weib ihn nicht in Ruhe mit täglicher Frage. Sie legte ihm manche Falle: spät und früh wandte sie ihre List an um zu erfahren, woher das Gold komme. Sie schwur ihm gar manchen Eid, bis sie vernahm, von wo das Gold gekommen war, wie Ihr es früher gehört habt. Als die Frau herausgefunden hatte, es wäre Niemandem bekannt, wer Gregorius wäre, brachte sie die Geschichte nicht aus. Sie bewahrte das Geheimnis, das ist wahr, bis zu seinem fünfzehnten Lebensjahr.

Nun hatte Frau Glückseligkeit in jeder Beziehung ihren stätigen Stempel auf ihn gelegt. Er war schön und stark. Er war treu und gut und er hatte einen geduldigen Sinn. Er hatte genügend Fähigkeiten, Wohlerzogenheit und Geschicklichkeit. Durch Sanftmut besiegte er unehrsamen Zorn. Alle Tage gewann er neue Freunde und verlor keinen von ihnen. In Freude und Klage bewahrte er rechtes Mass. Er war der Belehrung zugänglich und freigebig mit dem, was er hatte, mutig, wo er sollte, sanftmütig, wo er wollte, in der Art eines Kindes, das den Weg zur Weisheit eingeschlagen hat. Sein Wort war nicht wankelmütig. Er tat nichts ohne Überlegung. Wie es ihm die Weisheit befahl, wurde er wegen keiner seiner Taten schamrot. Er suchte Gnade und Rat zu allen Zeiten bei Gott und hielt sich fest an seine Gebote.

Gott stellte Fortuna über ihn, so dass er Leben und Verstand nach seinem Werte meisterte. Was immer auf der Erde an einem Mann zu loben ist, das mangelte ihm nicht. Fortuna hatte ihn so ausgeformt, dass sie seiner, als ihres Kindes, froh wurde, denn sie hatte nichts an ihm vergessen. Hätte sie ihn besser erschaffen können, sie hätte es getan. Die Leute, die ihn sahen, sagten, dass ein so wundersamer Jüngling niemals von Fischern abstammen könne: es wäre schade, dass man ihn nicht als Einen adeligen Geschlechtes rühmen könne, und sie wiederholten, wäre es ihm durch Geburt gegeben, so wäre ein reiches Land wohl seiner Gutheit wert.[55]

Nun geschah es eines Tages, dass der Knabe Gregorius mit seinen Spielgenossen zu einem Spiel zusammen kam. Wunderlich fügte es sich da so (es war nicht sein Wille): er tat (das geschah ihm nie mehr) dem Kind des Fischers so weh, dass es zu weinen begann. Schreiend lief es davon. Als die Mutter es so weinend kommen hörte, rannte sie in grosser Ungezogenheit ihrem Kind entgegen und rief: »Sag mal, was weinst Du so?« »Gregorius hat mich geschlagen«. »Warum hat er Dich geschlagen?« »Mutter, ich kann es Dir nicht sagen.« »Sag an, tatest Du ihm etwas?« »Mutter, bei Gott, nein.« »Wo ist er jetzt?« »Am Meer.« »Weh mir armen Frau, weh! Er dummer ungeschickter Narr! Hab ich ihn dazu erzogen, dass er meine Kinder verhaut, die so gute Freunde hier haben! Es ziemt seinen Freunden nicht, dass ich diese Schande von einem Menschen dulden soll, der hier keine Verwandten hat. Dass er, der sich hierher verlaufen hat, es wagt, Dich zu schlagen, das wird mir immer leid sein. Wenn man es ihm nicht um Gottes Willen verziehe, so duldete man es nicht lange. Weiss doch Niemand, wer er ist [und bei meinem Leben, ich sage es der ganzen Welt, er ist ein Findling (Christus steh mir bei), wie hoch er auch jetzt gesellschaftlich gestiegen sein mag. Er hat ganz vergessen, wie elend er gefunden worden ist, eingebunden in ein Fass in einem Boot auf dem Meer. Tut er meinem Kinde weh, so wird das nicht lange geduldet. Weiss doch niemand hier, wer er ist].[56] Weh mir, was bildet er sich ein? Der Teufel hat ihn hergebracht, mir zu einer Kümmernis. Gut kenne ich seine Herkunft. Er armer Findling! Wollte er, dass man seine Schande verschwiege? Da lebte er wohl ruhig. Hole

55 Am Rand angestrichen von »Jüngling« bis »wert«.

56 Eckige Klammern von Marga Bauer mit Tinte eingefügt.

der Teufel die Fische, die ihn nicht gefressen haben, als er auf das Meer ausgesetzt wurde. Glücklich war seine Fahrt, so dass es zu dem Abte kam. Wenn er ihn nicht Deinem Vater genommen hätte und sein Almusenier ist, so müsste er uns ganz anders untertänig sein, bei Christus: die Rinder und die Schweine müsste er uns aus- und eintreiben. Wo hatte Dein Vater seinen Verstand, er, der ihn mit kalter Hand auf dem Meer fand, dass er ihn zum Abt liess und ihm niemals befahl, ihm selber zu dienen, wie es Recht ist, als sein Diener und Knecht?«

Als Gregorius das Kind geschlagen hatte, wurde er sehr traurig und lief ihm zum Hause nach. Er war so eilig, denn er fürchtete, das Kind könnte ihm die Liebe seiner Amme entziehen. Da hörte er sie drinnen masslos schimpfen. Er stand auf der Strasse, bis er ihren Vorwitz vernahm und unversehens zu dem Schluss kam, er sei ein Fremdling in diesem Land – denn sie nannte ihn oft. Seine Freude wurde von diesen neuen Sorgen verhüllt. Mit grosser Beschwernis überlegte er, ob diese Rede Lüge oder Wahrheit sei, die seine Amme getan hatte, und eilte sogleich zum Kloster, wo er den Abt fand und den getreuen Mann von den Leuten abseits führte.

Er sprach: »Lieber Herr, ich kann Euch nicht so viel mit dem Munde danken, als ich, wenn ich könnte, gerne täte. Nun schwöre ich treulich, bis zu meinem Tode den, der keine gute Tat je unbelohnt lässt, darum zu bitten, er möge Euch mit himmlischer Krone dafür belohnen, weil Ihr mich fremden Knaben und Findelkind so zärtlich vor all Eurem Gesinde erzogen habt. Leider bin ich in dieser Beziehung betrogen: ich bin nicht der, welcher ich zu sein glaubte. Nun sollt Ihr, mein lieber Herr, mich um Gottes Willen verabschieden. Ich soll und muss mich der Not und Angst fügen (das ist recht so) als ein fremder Knecht. Mir hat meine Amme gesagt (im Zorn ist das geschehen), dass ich ein Findling bin. Leib und Seele überwältigt mir die Unehre, höre ich das jemals wieder. Weiss Gott, ich werde es nimmer mehr hören, denn ich bleibe nicht länger hier. Sicherlich finde ich irgendwo das Land, aus dem ich stamme und das Keinem bekannt ist. Ich habe Können und Verstand, ich werde nicht zugrunde gehen, so Gott will. Zu sehr fürchte ich den Hohn: lieber will ich in der Wüste leben, als länger in diesem Lande bleiben. Fürwahr, die Schande vertreibt mich. Die Frauen sind so geschwätzig: hat sie es erst einem gesagt, so wissen es bald drei und vier und danach alle, die hier sind«.

Der Abt sprach: »Mein liebes Kind, nun höre zu: ich will Dir gut raten, wie ich es mit einem lieben Menschen tun soll, den ich von Kind auf erzogen habe. Gott hat sehr gut an Dir gehandelt: seine Liebe hat Deinem Leben und Deiner Vernunft ganz freie Wahl gegeben, so dass Du nun Dein Leben zu Schande oder zu Ehre schaffen und wenden kannst. Nun musst Du diesen Kampf, den man in diesen Jahren, zu dieser Zeit, zwischen diesen beiden zu bestehen hat, nach Deiner Wahl entscheiden und auch das, was Du Dir erwerben willst: Rettung oder Verderben. Sohn, nun sei Dir selber gut gesinnt und folge meiner Lehre (so wirst Du Tugend und Ehre vor Laster und Spott wählen), damit Du in Deinem jugendlichen Zorn nicht so schnell handelst und es Dich darnach gereue. Du bist ein guter Junge: Deine Dinge stehen Dir nach Wunsch. Dein Beginn ist sehr gut, die Leute hier haben Dich gern. Nun folge mir, mein liebes Kind. Du bist an die Geistlichkeit gewöhnt; entziehe Dich ihr nicht, Du bist der Bücher kundig: ich bin an Jahren ein Greis, mein Leben ist schier am Ende. Nun will ich Dir in Wahrheit versprechen, es Dir zu ermöglichen, wenn ich in unserem Konvent sterbe, dass du über die Alten und Jungen Herr wirst. Was kann Dich das Kläffen einer Närrin verwirren? Auch traue ich es mir wohl zu, zu erreichen, dass dieses Geschwätz von Stund an nimmer aus ihrem Mund kommt.«

Gregorius sprach: »Herr, Ihr habt Gott sehr an mir Armen geehrt und Euer Heil vermehrt und eben das Beste vorgebracht. Doch ist meine Jugend so sehr erzürnt und lässt mich nicht Euch Folge leisten. Drei Dinge vertreiben mich zu meinem Unglück aus diesem Land. Das eine ist die Schande, die ich durch üble

Nachrede habe. Das andere ist so beschaffen, dass es mich auch vertreibt: ich weiss jetzt, dass ich nicht dieses Fischers Kind bin. Wie also, wenn meine Ahnen solchen Geschlechtes gewesen waren, dass ich wohl Ritter sein könnte, hätte ich das Wollen und die Ausrüstung? Weiss Gott, immer lag es mir im Sinn, Ritter zu werden, hätte ich Geburtsadel und Geld. Der süsse Honig ist bitter für einen Menschen, der ihn nicht geniessen kann. Ihr habt das angenehmste Leben, das Gott auf der Welt gegeben hat: wer es sich mit Recht erwählt hat, der ist selig. Ich bliebe hier gern für immer, hätte ich den Willen dazu, den habe ich aber leider nicht. Meine Sehnsucht richtet sich auf die Ritterschaft.«

»Sohn, Deine Rede ist nicht gut: um Gottes Willen, wende Deinen Sinn davon ab. Wer sich vom Vorbild der Priesterschaft und dadurch von Gott entfernt und Ritterschaft begehrt, der muss mit mancher Missetat Leib und Seele verwirken. Welcher Mann oder welcher Frau sich von Gott abwendet, die werden dadurch in Schande getrieben und der Hölle zugesellt. Sohn, ich hatte Dich zu einem Gotteskind erwählt: fände ich das an Dir, immer wollte ich froh darum sein.«[57]

Da antwortete Gregorius ihm folgendermassen: »Ritterschaft, das ist ein Leben, wer dem Mass zu geben vermag, dem kann nichts besseres werden. Lieber Gottes Ritter sein als ein betrügerischer Klostermann.«

»Sohn, jetzt fürchte ich auch das für Dich: Du weisst nichts von Ritterschaft. Sieht man Dich nicht gewandt reiten, musst Du ewig den Spott anderer Ritter erdulden. Lieber Sohn, um Gottes Willen, lass es bleiben.« »Herr, ich bin ein junger Mensch und lerne, was ich nicht kann. Wozu ich meine fünf Sinne nötig habe, das werde ich schnell lernen.« »Sohn, mir hat mancher der Ritterschaft Kundige gesagt: Wer zur Schule geht und dort 12 Jahre ohne zu reiten verbleibt, der müsse sich fürwahr immer wie ein Priester gebärden. Du bist sehr gut zu einem Gotteskind ge-

57 Am Rand angestrichen von »Missetat« bis »sein«.

schaffen und zur Chorherrenschaft: nie stand einem Mann die Kutte besser.« »Herr, nun probiert auch das und gebt mir ritterliches Gewand: wahrhaftig, steht es mir schlecht, so gönne ich es gern einem Anderen und ziehe die Kutte wieder an. Herr, man hat Euch recht berichtet: wer ein guter Ritter sein will, braucht gute Kenntnisse. Auch habe ich das von Kindheit an gut mit meinem Verstand gelernt: nie kam es mir aus dem Sinn. Ich sage Euch, seit der Stunde, da ich über Gut und Böse nachdenken konnte, seit damals stand mein Sinn nach Ritterschaft. Nie dachte ich daran, ein Bayer oder Franke zu werden: welch Ritter auch immer im Hennegau, in Brabant und im Haspengau als Bester zu Pferde sass, in Gedanken konnte ich es besser. Herr, was immer ich an Büchern kenne, das reut mich nicht und ich wüsste gern mehr davon: jedoch, wenn man mich sehr zu den Büchern hinzwang, so turnierten meine Gedanken. Wenn man mich bei den Büchern glaubte, wie sehnte sich da mein Herz und wie spielte mein Gedanke gegen einen Schild! Auch begehrte ich statt des Griffels den Speer, statt der Feder das Schwert: das wars, was ich immer begehrte. Nie war es meinen Gedanken wohler, als wenn ich zu Pferd stieg, den Schild zum Hals und den Speer in die Hand nahm, seinen Schaft unter den Arm schlug und das Ross mich im Sprung davon trug. Da liess ich meine Schenkel fliegen: die konnte ich so biegen, dass ich das Pferd weder an den Flanken noch am Bug mit den Sporen antrieb, sondern einen Fingerbreit dahinter, wo der surzengel (von frz. sursangle, wahrscheinlich »Obergurt«) liegt. Neben der Mähne flogen die Beine: wie ein Gemälde wäre ich dem, der mich gesehen hätte,[58] auf dem Sattel erschienen. Mit gutem Gehaben ritt ich, ohne Mühe des Leibes, ich behandelte ihn sanft und glimpflich, als wärs ein Scherz, und wenn ich mich auf einem langen puneiz (mfz. poingneis von lat. pungere, stossendes Anrennen auf den Gegner) der Sporen befleissigte, so konnte ich das Pferd gut mit beiden Händen drehen.

58 Am Rand mit Ausrufezeichen versehen.

Wann immer ich gegen einen Mann ansprengte, nie verfehlte ich, auf die vier Nägel an der Hand zu zielen. Nun helft mir, lieber Herr, die Gier nach Ritterschaft in die Tat umzusetzen, dann habt Ihr gut an mir gehandelt.«

»Sohn, viel hast Du mir gesagt, mir manches deutsche Wort vorgebracht, so dass ich mich sehr über Dich wundern muss, crede mihi, und nicht weiss, wo das hinaus will: ich könnte genau so gut Griechisch vernehmen. Unser Meister, der sich Deiner annahm und Dich bis heute belehrte, hat Dir das nicht beigebracht. Von wo Du diese Worte auch haben magst, ich merke wohl, Du bist im Geiste kein Klostermann. So will ich Dich nicht mehr davon abbringen. Gott gebe, dass es Dir wohl ergehe, und er möge Dir durch seine Kraft Heil zu Deiner Ritterschaft geben.«

Nun richtete er es so ein, dass man ihm ein Kleid aus denselben Stoffen zuschnitt, die er damals bei ihm gefunden hatte; bessere waren nie in das Land gekommen. Er sah wohl, dass ihm daran lag und er machte ihn danach zum Ritter, so gut es ihn dünkte und er es konnte.[59]

Als nun Gregorius Ritter war, hätte er ihm dennoch nicht offenbart, wie es mit seiner Tafel und seinem Gold stand. Er liebte ihn so sehr und darum verbarg er es ihm listig. Er dachte nämlich: »Da er jetzt ein Ritter ist und doch kein Geld hat, so hört er vielleicht auf meinen Rat und bleibt noch um der Annehmlichkeiten willen.« Er versuchte es wieder und sprach: »Bleibe noch bei mir, lieber Sohn. Wahrhaftig, ich füge es so, dass Du eine reiche Heirat tust, wie sie ganz nach Deinem Willen sein mag. Du hast den Titel eines Ritters gewonnen: jetzt musst du Dich Deiner Armut schämen. Was taugt Ritterschaft, wenn Dir die Macht des Goldes fehlt? Du kommst in ein Land, wo Du Niemanden kennst: Du hast weder Freunde noch Vorfahren. Sieh, da gehst Du zugrunde. Bekehre Dein Herz und bleibe: das ist gut für Dich.«

59 Absatz am Rand angestrichen.

Gregorius sprach: »Herr, versucht es nicht länger. Wenn ich Gemach der Ehre vorzöge, so folgte ich Eurem Rat und liesse meinen Vorsatz fallen: denn hier hätte ich gut Gemach. Doch schadet es Manchem, der zu viel davon hat: er verliegt sich der Bequemlichkeit halber, was dem Armen nie geschieht, der rechten Mut hat; denn er bemüht den Leib um des Gutes willen auf mannigfache Weise. Wie könnte er es besser machen? Denn wenn er sich zu Würde erheben kann, wird er vielleicht ein glücklicher Mann und durch die Länder hin vor manchem Herrn erkannt. Dass man mich arm nennt, daran bin ich unschuldig. Ich trage die Ländereien, die mir mein Vater liess, allesamt mit mir. Ist es nun mein Schicksal, dass das Glück mich flieht und ich um seines[60] Grusses willen mit Tüchtigkeit dienen muss, wahrhaftig, so kann ich es wohl erjagen, es wolle sich mir denn mehr versagen, als es sich noch irgendwem versagte, der es mit Recht jagte. So soll man es erreichen, indem man mit Kummer Glück kauft. Ich zweifle nicht daran: werde ich ein guter Mann an Leib und Geist, so verdiene ich wohl seine Liebe: bin ich aber ein Feigling, so möge ich nur drei Tage leben, sobald ich von hier fortgehe. Was sollte ich ohne Ehre? Wenn ich mit rechter Mühe, mit Verstand und Mannheit Gut und Ehre erwerbe, so wird man mich mehr preisen als den, dem sein Vater Wunderbares vermachte und der es mit Schanden zergehen liess. Was brauche ich mehr als ich habe? Meine Pferde sind gut und wohlbeschaffen, meine Knechte ehrbar und gut und getreu: so bin ich wohl geharnischt. Ich getraue mich wohl, dort mein Heil zu finden, wo man Gut erjagt.[61] Hiermit sei der Rede ein Ende: Herr, ich neige mich vor Eurer Gnade und verzeiht es mir huldvoll, dass ich nicht länger hier bleibe.«

»Sohn, so will ich Dich jetzt nicht länger mehr zurückhalten (ich sehe, dass es Dir ernst ist), wie ungerne ich Dich auch ent-

60 Von »Dass« bis »seines« am Rand angestrichen.

61 Von »Was« bis »erjagt« am Rand angestrichen und mit Fragezeichen versehen.

behre. Lieber Sohn, nun gehe mit mir: denn ich will Dir zeigen, was ich noch von Deinem Eigentum habe.«

Danach führte ihn der getreue Mann mit vielen Tränen hinweg zu einer Kemenate, die er gut gefüllt mit seidenen Kleidern fand und gab ihm seine Tafel in die Hand, damit er lese, wie es um alle seine Dinge bestellt sei. Darüber ward er[62] traurig und froh. Seine Trauer war so, wie ich es Euch hier erzähle: er weinte über die Sünde, durch die er geboren war. Andererseits hatte er grosse Freude daran, dass er von hoher Herkunft, von reichem Besitz abstammte, was er vordem nicht gewusst hatte. Da sprach der in Treue Starke, der sein Herr gewesen war: »Sohn, nun hast Du ja gelesen, was ich Dir bisher verschwiegen hatte: Deine Tafel hat es Dir wohl gesagt. Ich habe mit dem Gold getan, wie ich nach dem Gebot Deiner Mutter tun sollte: mit Gottes Hilfe habe ich es Dir sehr vermehrt. Hundertfünfzig Mark haben wir Dir Profit gemacht von den siebzehn,[63] so gut wir es konnten seit der Zeit, da wir Dich fanden. Ich gab drei und nicht mehr den Leuten, die Dich mir vom Meer herbrachten. So gross ist nun Dein Besitz geworden: damit kannst Du gut zu anderem Gewinn kommen, wenn Du es vernünftig anstellst.«

Da antwortete ihm Gregorius unter vielen Tränen: »Oweh, lieber Herr, ohne eigene Schuld bin ich tief gestürzt. Wie kann ich Gottes Huld gewinnen nach der Sünde, die hier von mir geschrieben steht?« »Mein lieber Sohn, das will ich Dir sagen. Wahrhaftig, glaube mir, bleibst Du bei der Ritterschaft, so wird sich die Macht Deiner täglichen Sünde mehren und es wird sich nie mehr Rat für Dich finden: darum lass den Irrtum, in dem Du befangen bist und diene hier Gott. Niemals hat er einen Dienst übersehen. Sohn, so bleibe hier, bete zu Gott dein Miserere und verkaufe um des ewigen Lebens willen Deine kurzen Tage. Sohn, diesen Rat will ich Dir geben.« »Oweh, lieber Herr, noch stärker ist meine

62 Thomas Mann korrigiert »er« in »der Jüngling«.
63 Am Rand mit Ausrufezeichen versehen.

Gier zur Welt als vorher. Ich werde nie mehr ruhen und ich will immer ein Fahrender sein, bis Gottes Gnade mir kundtut, woher ich bin oder wer ich sei.« »Sohn, das möge Dir der aufzeigen, nach dem Du geformt bist, da Du meinen Rat verwirfst.«

Ein Schiff ward ihm bereitet, dort hinein legte man alles, was er für seinen Leib brauchte, Speise, sein Geld, seine Kleider. Und als er zum Schiff ging, verliess ihn der Abt nicht, bis er es betreten hatte. So verliess er diese Stätte. Wie sehr auch die Tugend des Alters und der Jugend verschieden ist, es erging doch von ihnen beiden eine Trennung voll Klage. Sie vermochten es nicht, einander aus den Augen zu verlieren, bis sie einander wegen der Breite des Meeres nicht mehr sehen konnten.[64]

Nun streckte der Heimatlose Herz und Hände gen Himmel und bat inbrünstig, unser Herr möge ihn in irgendein Land senden, wo seine Reise ein Ziel fände. Er befahl den Schiffsleuten, sich den Winden anheimzugeben und das Schiff gehen zu lassen, wohin die Winde es trieben und es nicht wo anders hin zu wenden. Da wehte ein starker Wind: der blieb ihnen und so wurden sie in kurzer Zeit von einem Sturm zum Land seiner Mutter getrieben. Dieses war verheert und verbrannt, wie ich es Euch früher erzählt habe, so dass ihr nichts mehr geblieben war als die Hauptstadt und auch diese war mit Not gefüllt. Und als er die Stadt erblickte, befahl er den Schiffsleuten, dorthin die Segel zu wenden und dort zu landen.

Als die Bürger sahen, wie das Schiff herzueilte, setzten sie sich mit Heeresmacht gegen dies Schiff zur Wehr. Da zeigte ihnen der Heimatlose seine friedlichen Hände und fragte die Bürger, was ihre Angst bedeute. Sie wunderten sich alle sehr, von wo der Herr aus der Ferne wohl gekommen sein möge, dass er das nicht wüsste. Der Beste unter ihnen tat ihm kund, wie ich Euch früher, was mit ihnen los war. Als er ihre Not vernommen hatte, sprach er: »So bin ich recht gekommen. Das ist es, worum ich Gott immer

64 Von »es erging« bis »konnten« am Rand angestrichen.

bat, nämlich er möge mich dahin bringen, wo ich zu tun fände, damit ich mit meiner Jugend nicht müssig läge, wo man des Kampfes pflegt. Erlaubt es meine gnädige Frau, so will ich ihr Söldner sein.«

Sie sahen, dass er an Leib und Gut zu loben sei: williglich ward ihm da Herberge gegeben. Die Frau war des Gastes froh: doch hatte sie ihn noch nicht gesehen. Es erging ihm gut: denn der den er als Wirt erhielt, war ein sehr frommer Mann, einer der besten der Stadt. Was er ihm befahl und worum er ihn bat, das geschah, wie er es wünschte. Er bezahlte es recht mit seinem Gelde.[65] Seine Nahrung war reichlich und doch so vernünftig, dass es ihm an nichts fehlte: so war er ein werter Gast.

Als er vernahm, die Frau wäre jung, schön und ohne Mann und der Krieg und die Ungnade geschehe ihr, weil sie dem Herzog Nein gesagt und dauernd auf Männer verzichtet hatte, da hätte er sie gerne gesehen: und wie das ohne Unzukömmlichkeit vonstatten gehen könne, fragte der Fremde. Auch war ihr von ihm über seine gute Erziehung und seinen Anstand berichtet worden, so dass auch sie ihn sehr gerne sehen wollte, welches da selten einem Gast geschah. Denn das war ihr immerwährender Brauch: damit bezeugte sie die Schwere ihrer Angst (denn Freude war ihr gleichgültig): Arm oder Reich, Gast oder Vertrauter, Keinem zeigte sie sich, ausser im Münster, wo sie betete, wie sie zu allen Zeiten tat, mochte es sie im Schlaf oder im Essen auch stören.[66]

Nun riet der Wirt dem Gast, er solle ihren Truchsessen bitten, ihn dorthin zu bringen, wo er sie sehen könnte. Eines Tages holte er ihn, früh zur Zeit einer Messe, und führte ihn an seiner Hand dorthin, wo er sie im Gebete fand und hiess ihn, sie gut zu betrachten. Der Truchsess sprach zu der Frau: »Herrin, grüsset diesen Mann, denn er kann Euch gute Dienste leisten.« Als einen

65 Am Rand mit Ausrufezeichen versehen.

66 Von »Angst« bis »stören« am Rand angestrichen.

Gast empfing sie ihr Kind: auch war sein Herz in dieser Beziehung blind und es ihm ganz unbekannt, dass ihn diese gleiche Dame getragen hatte.

Sie sah ihn oft an und mehr, als je einen Mann früher: und zwar wegen seiner Kleider. Während sie diese genau betrachtete, sagte sie zu sich selbst, dass das seidene Gewand, welches sie mit eigener Hand zu ihrem Kind gelegt hatte und das Kleid dieses Gastes ganz gleich an Güte und Farbe seien: es war wahrhaftig dasselbe Gewand oder beide waren von der gleichen Hand gewirkt worden. Das erinnerte sie an ihr Leid. Nun gefiel ihm die Frau so gut, wie eine Frau ohne Fehl einem Mann gefallen soll: auch gefiel ihr der Gast besser als je ein Mann. Das kam von den Ratschlägen dessen, der auch Frau Eva verriet, als sie sich von Gottes Gebot abwandte.[67]

Die Gute befahl ihn in des Truchsess' Hut[68] und sie trennten sich. Sein Herz liess er bei ihr und bemühte sich noch mehr um Lobpreis und Ehre, seitdem er sie gesehen hatte. Ihm war so Liebes damit geschehen, dass er sich voll Freude fühlte. Nun wurden täglich ritterliche Taten vor der Stadt getan, wie immer sie des Mannes Herz ersehnt, zu Pferd und zu Fuss. Da blieb er nicht müssig. Dadurch ward er bald bekannt: wenn die Bürger mit den Feinden aneinander gerieten und Schaden dabei nahmen, so endete dies selten, ohne dass er nicht irgendetwas getan hätte, wodurch er vor allen berühmt und belobt wurde.[69]

Das trieb er solange, bis er Ritter geworden war, wie man ihrer begehrte, mit Speer und Schwert. Da er die Kunst nun täglich geübt hatte und wirklich wusste, er sei der Beste (er hatte Tüchtigkeit und Kraft und ganze Begabung zur Ritterschaft), da erst ward seine Kühnheit gross! Wie wenig ihn die Mühe beküm-

67 Von »Leid« bis »abwandte« am Rand angestrichen.

68 Mit Tinte unterstrichen, also möglicherweise eine spätere Unterstreichung.

69 Von »er sich voll« bis »belobt wurde« am Rand angestrichen.

merte! Er war der Hagel der Feinde, im Jagen ein Haupt, in der Flucht ein Schwanz.

Nun war der Römer berühmt wegen seiner Tapferkeit, nämlich der Herzog, der ihnen, mehr als irgendein anderer Mann, das Land verheert und verbrannt hatte. Auch hatte er so viel Erfolg, dass er allgemein der beste Ritter in allen Ländern genannt wurde. Er hatte die Gewohnheit, allein zum Einzelkampf vor das Tor zu reiten. Da zeichnete er sich ritterlich aus: denn welch Ritter auch immer mit ritterlichem Mut herauskam um mit ihm zu kämpfen, den führte er als Gefangenen fort vor allen Bürgern und fürchtete sie nicht im geringsten. Dies alles hatte er so lange getrieben, bis Niemand mehr übrig geblieben war um ihn weiterhin zu bestehen: doch versuchte er es immer wieder.[70]

Nun schämte sich Gregorius, dass ein einziger Mann ihnen auf diese Weise ein grosses Heer weggeführt hatte, und man sich nicht seiner hatte erwehren können. Da überlegte er genau: »Nun sehe ich oft, dass ein Mann das Brettspiel sehr liebt, wenn er das Geld gewinnt, das er daran wagen will, und findet er dann einen ebenbürtigen Partner, so kommt er sich sehr reich vor: ists aber ein unebenbürtiger, so riskiert er einen guten Würfelwurf. Jetzt habe ich die Wahl eines Spieles: bin ich so tapfer, dass ich mein geringes Gut gegenüber so reichem Besitztum wage, dann fällt mir der Gewinn zu. Ich bin ein unberühmter Mann und würde doch deswegen nicht verzagen, ich denke alle Tage daran, wie ich Fortuna erjagen könnte, damit ich zu hohem Ruhm gelange. Ich weiss aber nicht, wie das gehen wird: wage ich nicht mein Leben dafür, so hält man mich für immer für ein Weib und ich bin um die Ehre betrogen. Kann ich diesen Herzog mit Gottes Gnade bestehen? Ich weiss aber, dass ich beides habe: Kraft und Mut. Beim Eid, ich will dies geringe Gut bei diesem Spiel wagen. Man wird mich nicht zu sehr beklagen, wenn ich durch ihn tot liegen bleibe: wenn ich ihn aber besiege, so werde ich an Ehren reich in

70 Von »und fürchtete sie« bis »wieder« am Rand angestrichen.

alle Ewigkeit. Das möge Mann und Weib wissen, ich ziehe vor, meinem Leben bewusst ein Ende zu bereiten als in Schande zu leben.«[71]

Gregorius überlegte sich, dass er keinen Tag länger mehr warten wolle, um Gottes und der Ehre willen wollte er sein Leben verlieren oder die unschuldige Frau von der Hand des Herrn befreien, der ihr das Land geraubt hatte. Dies sagte er nur Einem, der ihm dabei nützen und schaden konnte, dem obersten Herrn: niemand sonst wollte er es sagen. Am Morgen, bei Tagesanbruch, hörte er eine Frühmesse, und bereitete sich so vor wie Einer, der zu Felde ziehen will. Dem Wirt wurde das zu Gehör gebracht: dieser half ihm, die Stadt zu verlassen. Inständig bat er ihn aufzupassen, wann er zurückkäme, damit er ihn wieder einliesse, sei es mit Verlust oder Gewinn.

So kam der Gute mit männlichem Sinn über jenes Feld dahergeritten bis vor das Zelt des Herzogs, worin er ihn wusste. Der Mutfeste[72] erspähte ihn und waffnete sich sogleich, sich allein und Niemand sonst. Alle, die er da hatte, riefen, man möge ihm sofort sein Pferd vorführen: er fürchtete, dass jener ihm entrinnen möge. Als Gregorius ihn kommen sah, benahm er sich sehr vernünftig. Er wich ihm aus bis hin zu den Seinen vor dem Tor. Dort erwartete er ihn, um ihn in Not zu bringen, und damit Niemand von seinem Heer ihm zu Hilfe eilen möge. Nun sassen auf der Burgmauer und der Burgwehr eine Menge Ritter und Frauen um zu sehen, welchem es gelingen würde. Da säumte der Junge nicht länger.

Beide bemühten sich um einen langen puneiz. Gegeneinander anzurennen waren sie begierig. Rasch schlugen sie die Speere unter die Arme, die Pferde trugen sie einander entgegen. Die Speere waren kurz und dick, so dass es ihnen beiden misslang:

71 Von »dies geringe« bis »leben« am Rand angestrichen.

72 Das Wort Herzog von Thomas Mann über »Mutfeste« mit Bleistift eingefügt.

denn Jeder stach mit seiner Lanze so, dass sie in Stücke brach, während sie selbst fest sassen.[73]

[74]Wie wenig vergassen sie da ihre Schwerter! Seht, sie begannen zu fechten, zwei gleichstarke Männer, deren keiner je auch nur eines Haares Breite unrühmliche Feigheit hatte (das sei Euch fürwahr gesagt) und wirklich musste ihren Zweikampf Können und Glück entscheiden. Als Jeder von ihnen lange genug mit dem Schwert dreingeschlagen hatte, da bedrängte ihn Gregorius derart, dass er ihn am Zaum fasste und ihn mit Macht fest gegen das Burgtor drängte. Das war noch verschlossen und er wurde nicht gleich hineingelassen. Das hatten des Herzogs Ritter bemerkt. Sie eilten mit ganzer Kraft ihrem Herrn zu Hilfe. Als die Bürger das sahen, warfen sie das Burgtor auf. So erging davor der härteste Kampf, der je vorher oder nachher von so vielen Menschen geschah. Doch Gregorius hielt seinen Gefangenen fest und führte ihn ritterlich hinweg. Sie schlugen das Burgtor zu. Ein harter Ansturm erhob sich draussen: bald aber waren sie seiner müde.[75]

Auf diese Weise hatte der glückselige Gregorius die grosse Ehre des Tages errungen und das Land seiner Mutter mit seiner starken Hand von grossem Leid erlöst. War schon vorher sein Ruhm so gross, dass kein guter Mann überdrüssig wurde, seine Ehre zu verkünden, so hatte er jetzt noch mehr gewonnen. Auch war durch seine hilfreiche Hand die Not der Herrin und ihres ganzen Landes überwunden. Was immer sie an Schaden erlitten hatte, ward ihr vollkommen ersetzt, so wie sie es befahl und erbat, und sie erhielt die rechtliche Zusicherung, dass er ihr fürderhin keinerlei Leid mehr antäte. Diesem Versprechen blieb er immer treu.[76]

---

73 Absatz am Rand angestrichen.
74 Handschriftlich über der Seite notiert: »Der Kampf«.
75 Gesamter Absatz am Rand angestrichen.
76 Von »Schaden« bis »treu« am Rand angestrichen.

Als dies notvolle Land so sein Leid besiegt hatte und friedlich war wie früher, da tat den Landesherren die tägliche Angst des Zweifels weh, es möge ihnen noch einmal so ergehen, wenn sie wieder irgendein Gewaltiger angreifen wollte. Sie sagten, ein so grosses Land wäre durch eine Frau schlecht bewahrt vor frevelichem Uebermut, »und wenn wir einen Herrn hätten, so möchte es uns nicht fehlgehen.«

Nun berieten sie unter sich, dass sie die Frau inbrünstig bitten wollten einen Mann zu nehmen, der ihr Herr sein sollte: das würde für sie alle gut sein. Sie wüssten wohl, dass sie um Gottes Willen ihren Sinn darauf gerichtet hatte, niemals einen Mann zu haben. Daran täte sie unrecht: ihr Leben wäre übel bewahrt, liesse sie ein so reiches Land ohne Erben zugrunde gehen. Ihr Rat war, sie handle besser gegenüber der Welt und Gott (und hielte derart besser sein Gebot), wenn sie einen Mann nähme und Erben bekäme. Dies war wirklich der beste Rat: denn eheliche Heirat ist das allerbeste Leben, das Gott der Welt gegeben hat.

Als man ihr nun die rechte Wahrheit so oft vorbrachte, folgte sie ihrem Rat und ihrer Bitte und versprach in Gottes Namen einen Mann zu nehmen. So erging ihr aller Wille. Nun rieten alle, dass man ihr es freistelle zu nehmen, wen sie wolle. Da das so sein sollte, überlegte die Gute bei sich, wen besseren sie wohl nehmen könne als den Mann (und es gefiel ihr das sehr), den Gott ihr gesandt hatte um sie und ihr Land zu befreien.[77] Das war ihr Sohn Gregorius. Derart ward er bald der Mann seiner Mutter. So erfüllte sich des Teufels Wille.

Als sie den Herren mitteilte, wer ihr zur Ehe angenehm sei, da waren sie alle ausserordentlich froh: und sie akzeptierten ihn als Herrn. Niemals gab es solche Glückseligkeit, als wie sie die Herrin und der Herr miteinander hatten, denn sie waren von Liebe und grosser Treue geführt: seht, da ward Unglück daraus. Er war ein guter Richter, bekannt durch seine Milde. Was immer an

77 Von »Als man« bis »befreien« am Rand angestrichen.

wonnevollem Leben auf dieser Welt einem Mann gegeben werden mag, das war seinem Wunsche zur Wahl gestellt: jählings stürzte es zusammen.

Sein Land und seine Gaue befriedete er, wer immer mit Argmut daran rührte, dem zerstörte er Ehre und Gut. Er war festen Sinnes: hätte er es nicht um Gottes willen unterlassen, so hätten ihm alle Länder untertan sein müssen. Er aber wollte massvoll sein: um der Ehre Gottes begehrte er nicht mehr, als dass man ihm dienen solle: mehr wünschte er nicht.[78]

Die Tafel, die bei ihm gefunden worden war, hatte er immer in heimlicher Hut auf seiner Burg verborgen, wo Niemand von ihr wusste. Von ihr las er täglich seine sündenvolle Geschichte ab, ein Ungemach für die Augen: wie er geboren worden war und die sündenvolle Lust seiner Mutter und seines Vaters. Um ihretwillen betete er zu unserem Herrgott und erkannte nicht die Schuld, die auf ihm selber lastete, die er Tag und Nacht mit seiner Mutter verübte und mit der er Gott betrübte.

Nun war da am Hof eine Magd, genügend gescheit, wie man so sagt, um seine Klage wohl zu verstehen, wie ich Euch jetzt erzählen werde, denn sie räumte die Kemenate auf, in der die Tafel lag. Für seine Klage hatte er immer eine bestimmte Zeit des Tages ausgewählt, an die er auch nie vergass. Nun merkte die Jungfrau folgendes: nämlich, wenn sie ihn dort zurückliess, ging er lachenden Mundes hinein, aber wie ein Reuiger mit roten Augen ging er immer von dannen.

Da bemühte sie sich immer mehr und von ganzem Herzen, wie sie das wohl ausfindig machen könne, warum die Klage geschähe, und eines Mittags schlich sie ihm nach, als er wieder nach seiner Gewohnheit in die Kemenate ging um zu klagen. Da war die Jungfrau drinnen und versteckte sich, bis sie sein klägliches Unglück erspähte und er es wie immer von seiner Tafel ablas. Nachdem er dies weinend und betend getan hatte, trocknete er seine

78 Absatz am Rand angestrichen.

Augen und glaubte sein Geheimnis wohl bewahrt vor aller Welt. Aber die Dienerin hatte es so erfahren: und sie sah genau, wohin er die Tafel legte.

Als seine Klage beendet war, eilte die Dienerin zu ihrer Herrin und sprach: »Herrin, was für ein Unglück ist das, über das mein Herr so trauert, während Ihr nicht mit ihm bekümmert seid?« Die Frau sprach: »Was meinst Du? Ist er doch vor kurzem heiter von mir gegangen: was für eine Nachricht könnte er denn inzwischen vernommen haben, die ihn so traurig gemacht hätte? Wäre ihm irgendetwas dergleichen eingesagt worden, er hätte es mir nicht verschwiegen. Ihm ist nichts widerfahren, das zum Weinen wäre: sicher hast Du Dich verschaut.« »Herrin, leider habe ich das nicht. Wahrhaftig, ich sah ihn heute in Kummer gehüllt, der mir ans Herz ging.«

»Sieh, von jeher war es Deine Art und Du hast mir damit manchen Aerger bereitet: niemals bringst Du gute Nachricht. Es wäre besser, Du schwiegest,[79] als Du erzähltest solche Lüge, die mir Schaden brächte.« »Herrin, das ist keine Lüge. Wahrhaftig, meine Klage ist nichts anderes als Wahrheit, die ich Euch sage.« »So meinst Du das im Ernst?« »Bei meiner Treu, ja, er ist traurig. Ich glaubte, Ihr wüsstet es viel besser, Herrin, was mag das sein, was er sogar vor Euch verbirgt, da er doch sonst nichts vor Euch versteckt? Herrin, wahrlich, was immer es sein möge, grosse Beschwernis ist es. Ich habe es auch mehr als einmal wahrgenommen: ich bin zu dem Schluss gekommen, dass er einen Kummer trägt, so gross, dass er ihn noch Niemandem gesagt hat. Seit er in diesem Land ist, ist noch kein Tag vergangen, dass er nicht immer wieder morgens allein und heimlich in die Kemenate gegangen wäre, voller Freude: wie fröhlich er aber auch hineinging, immer kam er schliesslich wieder traurig heraus. Doch nie habe ich es so genau gesehen wie heute. Als ich ihn hineingehen sah, da stahl ich mich mit ihm hinein und versteckte mich und schaute ihm

79 Am Rand handschriftlich notiert: »Schilt«.

und seinem ganzen Gebaren zu. Ich sah ihn und wie er sich in unmännlicher kummervoller Klage erging,[80] und er hatte vor sich ein Ding, auf dem etwas geschrieben stand: als er das anschaute und las, da schlug er sich auf die Brust und fiel auf seine Knie mit vielen Gebeten und manchem Aufblick. Niemals sah ich Jemanden so sehr weinen. Daran erkannte ich gut, dass sein Herz voll Leides war: denn ich zweifle nicht wenn ein so beherzter Mann so zum Weinen gezwungen wird, wie ich das heute an ihm erblickte, so geschieht das nicht ohne Herzenskummer.«

Die Fürstin antwortete traurig: »Oweh, Du mein lieber Herr! Was mag ihn wohl kränken? Mir ist sein Kummer nicht bekannt: denn er ist jung, gesund und reich, wie es sich gehört. Dazu lasse ich ihn nie im Stich, ich willfahre seinem Willen, wie ich soll. Es ist wahr, ich tue es gern, denn er verdient es. Kein Weib hat einen besseren Mann, wirklich, ich versichere, dass, weiss Gott, kein besserer je geboren ward. Oweh mir armen Frau! Nie ging es mir im Leben so gut und wird es mir so gut gehen als durch seine Tugend allein. Was aber mag ihm in seiner Jugend geschehen sein, dass er darum so weinen muss, wie ich Dich es erzählen höre? Nun rate mir, da er es mir verschwiegen hat, wie ich sein Leid erfahren kann ohne ihn zu verlieren. Ich fürchte, dass, wenn ich ihn bitte, es mir zu sagen, ich ihn dadurch verliere. Ich weiss gut, was immer an aussprechbarem Leid oder Unglück ihm geschähe, er würde es mir nicht lange verschweigen. Nun begehr ich doch nicht, etwas gegen seinen Willen zu wissen, aber aus einem Grunde ist mir dies zu wissen nötig, denn vielleicht ist seine Beschwernis so, dass ich ihm helfen und sie ihm nehmen könnte. Ich bin nicht gewohnt, dass er mir irgendeine Freude oder ein Leid verschweigt und ich bin sicher, dass er mir dies ungerne sagen würde.«

»Ich rate Euch«, sprach die Dienerin, »so, dass Ihr es erfahrt

80 Am Rand handschriftlich notiert: »Christlich«, darunter: »Zwiespalt von Männlichkeit u. Christentum«.

und doch seine Huld bewahrt. Ich merkte mir die Stelle genau wo er stand und sein Unglück beklagte und ich werde sie Euch zeigen. Nachdem er lange genug geweint und sich an die Brust geschlagen hatte, versteckte er das, was er vor sich liegen hatte, schnell in einem Mauerloch oberhalb seiner. Diese Stelle merkte ich mir. Wenn Ihr es erwarten könnt (denn er will auf die Pirsch reiten), Herrin, so führe ich Euch hin und zeige es Euch: so lest Ihr, was darauf geschrieben steht. Dadurch erfahrt Ihr es. Es kann sein, es steht etwas von seinen Sorgen, die er Euch verschwiegen hatte, darauf geschrieben.«

Als er nun wie gewöhnlich in den Wald zur Pirsch geritten war, da tat sie sogleich nach dem Rat der Dienerin und ging dahin, wo sie die Tafel fand und erkannte sofort, dass es dieselbe war, von der man Euch früher in der Geschichte erzählte, nämlich jene, die sie zu ihrem Kinde gelegt hatte.[81] Und als sie darauf las, dass sie wiederum in die abgrundtiefen Wogen der tödlichen Sünden versenkt worden war, da schien sie sich unselig genug. Sie schlug sich an die Brüste und riss ihre schönen Haare aus. Sie bedachte, dass sie fürwahr zur Hölle geboren wäre und dass Gott ihre Herzensreue von sich gewiesen hätte, die sie getreulich um ihre frühere Missetat geübt hatte, wie Euch früher erzählt worden ist; da er den Teufelsrat nun wieder verhängt hatte, sei sie neuerdings auf den Grund der Sünde gestürzt.

Die Sonne ihrer Freude bedeckte sich mit todfinsterer Nacht. Ich glaube, ihr Herz wäre durch die Beschwernis zerbrochen, hätte nicht eine kleine Hoffnung ihrem Sinn Erleichterung gebracht, und ihr ganzer Trost baute sich darauf. Sie dachte: »Wie, wenn meinem Mann diese Tafel gebracht worden wäre, anders, als ich gedacht habe? Wenn Gott meinen Sohn gesund zu Land gesendet hat und ihn Jemand dort fand, dann hat dieser die Tafel und das Kleid meinem Herrn zum Kauf angeboten. In dieser

81 Handschriftliche Notiz darunter am Ende der Seite: »Nicht sogleich realisieren. Ausflüchte«.

Hoffnung will ich leben, bis ich die echte Rede erfahre.« Da ward ein Bote sogleich zu ihrem Herrn in den Wald gesandt.

Der Bote eilte alsbald dahin, wo er seinen Herrn fand. Und so sprach er zu ihm: »Herzog Gregorius, wenn immer Ihr Eure Gemahlin lebend wiedersehen wollt, so eilt schnell zu ihr oder Ihr kommt zu spät. Ich liess sie in grossem Ungemach zurück.« Darüber ward Gregorius sehr traurig und unfroh. Er sprach: »Geselle, was redest Du? Verliess ich sie doch vor kurzem ganz froh und gesund.« »Herr, das will ich auch bestätigen. Wahrlich, es ist soeben geschehen.«

Da ward nicht mehr im Wald gezögert, sofort ritten sie nach Hause. Es ward (ich versichre es Euch) unterwegs nicht gerastet, bis er dorthin kam, wo seine Freude ihr Ende fand. Denn er musste an seiner lieben Frau eine bittre Augenweide haben. Ihren Wangen war vor Leid die Rosenfarbe entflohen, die schöne Farbe verblichen: er fand sie totenbleich. Da floh auch ihn die Freude. Sehr grosser Jammer erhob sich da: denn nie sah eines Menschen Auge zwei stärker Liebende. Der gute Sünder sprach: »Frau, was fehlt Euch?« Mühsam antwortete sie ihm, weil das Seufzen ihr die Sprache zerbrach. Mit halben Worten sagte sie: »Herr, ich muss wohl traurig sein.« »Was verwirrt Euch, meine liebe Frau?« »Herr, so viel, ich will es Gott klagen, dass ich je zur Welt kam: denn mir ist das Glück gram. Verflucht war durch den Mund Gottes die Stunde, in der ich geboren wurde. Unglück hat auf mich geschworen und bewahrt mir den Eid, denn mir ist tausendmal Herzeleid gegen eine Lust geschehen. Herr, sagt mir, von wem Ihr geboren seid. Früher wäre es für diese Frage an der Zeit gewesen, die ich jetzt stelle: ich glaube, ich stelle sie zu spät.« »Frau, nun weiss ich, warum Ihr klagt: irgendjemand hat Euch berichtet, ich sei ein niedrig geborener Mann. Wüsste ich, wer Euch so zu Leid brachte, ich ruhte nimmer, bis er tot läge: möge er sich gut verbergen, das ist ihm nötig. Wer immer er sei, er hat gelogen: ich stamme von einem Herzog ab. Ohne Zorn sollt Ihr mir gehorchen und wir hiemit die Rede beendigen: denn mehr vermag ich Euch wahrlich nicht zu sagen.«

Da antwortete ihm die Frau: »Nicht so geht die Rede, Herr. Gewiss, ich sähe weiss Gott den Mann nicht mehr freundlich an, der mir von Euch etwas berichtete, was Euch unangenehm wäre: er fände hier keine gute Antwort. Aber ich fürchte im Gegenteil, dass Eure Geburt mir nur allzu ebenbürtig sei.« Sie zog die Tafel hervor und sprach: »Seid Ihr der Mann (verhehlt mir das nicht), von dem hier geschrieben steht, dann hat der Rat des Teufels uns Seele und Leib versenkt: ich bin Eure Mutter und Eure Frau.«

Nun sagt, wie da dem guten Sünder zumute war. Er war im Gebot des Leides. Seinen Zorn hob er zu Gott auf und sprach: »Das ist es, worum ich gebetet hatte, dass Gott mich zu der Stätte brächte, wo mir so wohl geschehe und ich mit Freuden meine liebe Mutter erblickte. Du reicher, sehr guter Gott,[82] anders hast Du es mir gewährt, als ich es von Dir erbeten hatte. In meinem Herzen begehrte ich Liebe und Reichtum: nun habe ich sie so gesehen, dass ich ihrer nie mehr froh sein werde, denn besser wäre es, ich entbehrte ewiglich ihren Anblick, als dass ich ihr so heimlich beiwohnte.«

Ich weiss wohl, dass Judas nicht reuiger war, als er sich vor Leid erhängte, denn die beiden hier. Auch trauerte David nicht mehr damals, als er die Nachricht erhielt, es seien Saul und Jonathan erschlagen und Absalon, der schönste Mann, den je ein Weib zum Sohn hatte.

Wer ihren Jammer und ihre Klagen ganz erzählen möchte, der müsste klüger sein als ich. Ich glaube, es wäre unmöglich, sie Euch mit einem Munde ganz zu berichten. Mit dieser Not hätte der Tod sich ganz gut messen können: sie hätten ihn, wäre er zu ihnen gekommen, gastlich aufgenommen. Im gleichen Leide waren ihrer beider Seele und Leib geeint.[83] Wo erfuhr je Mann oder Frau solche Qual ohne jeglichen Trost? Die Seele fürchtete den Höllenrost: so bekümmerte sich ihr Leib um ihrer Trennung wil-

82 Am Rand mit Ausrufezeichen markiert.

83 Von »Wer ihren« bis »geeint« am Rand angestrichen.

len. Es hatte Gott eine missmutige Gemeinschaft geschaffen, die doch durch Seele und Leib zusammenblieb. Denn was dem Leib gut ist, das ist schlecht für die Seele: womit aber die Seele gesund wird, das wird zum Leid für den Leib. Nun litten sie in beiden Not: das war ein zwiefältiger Tod.

Die Frau sprach aus grossem Jammer, denn sie sah den grossen Jammer vor sich: »Oweh mir verfluchtem Weib! Wahrlich, mancher quält den Leib, damit die Seele des froh werde: dem geschieht wie mir. Mancher Mann und manche Frau verzichten um des Leibes willen auf die Seele und leben gut in dieser Welt. Nun will und mag ich meinem Leibe nicht das zubilligen, was ihm angenehm war: denn wenn meine Seele verloren ist, so stürzt der glühende Zorn Gottes auf mich so stark hernieder wie auf alle Verfluchte. Mich wundert, dass die Erde es wagt, mich noch zu tragen nach der Sünde, die mein Leib verübt hat. Sohn und Herr, könnt Ihr mir sagen (denn Ihr habt viele Bücher gelesen), ob es irgendeine Busse gibt für so schändliche Missetat, ob hier kein Rat ist (ich muss es wohl glauben) und ich die Hölle bewohnen muss, und womit ich es erreichen könnte, dass sie mir doch ein wenig sanfter sei als Manchem, der auch der Hölle überantwortet wurde?«

»Mutter«, sprach Gregorius, »redet nicht so: es ist wider das Gebot. Verzweifelt nicht an Gott: Ihr sollt gerettet werden. Wahrlich, ich habe einen Trost gelesen: Gott nimmt die wahre Reue als Busse für alle Sünden an. Sei auch Eure Seele noch so krank, wenn Euer Auge nur eine Stunde von Herzensreue nass wird, so seid Ihr gerettet, glaubet das. Bleibt in Eurem Land. Ihr sollt dem Leib Speise und Kleidung entziehen, Freude und Bequemlichkeit fliehen. Ihr sollt Euer Besitztum nicht so bewahren, wie Ihr etwas mit weltlicher Ehre verwaltet, sondern vielmehr damit Gott dienen. Denn es tut dem Herzen weher, wenn es die Wahl eines guten Lebens hat und darauf verzichtet, als wenn irgendeiner es entbehrt, der es nie kannte. Ihr seid ein schuldbeladenes Weib: lasst das den Leib entgelten durch tägliche Mühsal, dadurch, dass ihm versagt sei, was er am allermeisten begehrt. Haltet ihn so in der Trauer Fessel, bis er Euch gehorsam ist. Teilt den Ertrag Eures Landes mit den Armen: so muss Gott sich Eurer erbarmen. Stiftet Euer Eigen zu reichen Klostergründungen (das ist gut): so besänftigt Ihr seinen zornigen Sinn, den wir so sehr herausgefordert haben. Auch ich will mich ihm mit Busse stellen. Frau, meine liebe Mutter das soll die letzte Rede sein, die ich zu Euch spreche. Wir sollen es erreichen, dass uns Gott als Gleiche in seinem Reich vereine. Ich sehe Euch nimmermehr: wir wären besser früher voneinander geschieden. Land und Gut und weltlichem Sinn, ihnen sei heute Fehde angesagt.« Er tat die reichen Kleider von sich und verliess das Land im Gewand eines Bettlers.

Es war dem reichen Bettler jegliche Gnade entzogen ausser diese: seine Mühsal mit willigem Herzen zu ertragen. Er begehrte in seinem Herzen, dass Gott ihn in eine Wüstenei sende, wo er bis an seinen Tod büssen könnte. Spielend bestand er diese Not. Masslos scheute er die Menschen und die Strasse und das offene Gefilde: nur der Wildnis zu richtete der Arme seine Wege. Er durchwatete die Wasser neben der Brücke. Mit blossen wunden Füssen strich er durch Wald und Feld und pflag seines Gebetes bis zum dritten Tag.

Nun ging ein Steig (er war schmal) nah bei einem See zu Tal. Den schlug der Mann ohne Leben ein und folgte ihm alsdann, bis er ein kleines Haus sah: dorthin wandte sich der Arme um zu rasten. Ein Fischer war da zu Hause, dem deuchte, das Fischen wäre nirgends sonstwo leichter. Diesen bat der Büsser um Gottes Willen um Herberge. Von ihm erduldete er mehr Spott, als er gewohnt gewesen war. Als der Fischer seinen schönen Leib sah, schüttelte er den Kopf und sprach: »Ja, Du starker Schwindler! Wäre ich so närrisch, Dich Vielfrass zu behalten, wie nichts würdest Du dann, Du grober Schlingel, wenn ich und mein Weib einschliefen, uns beiden um unseres Besitzes willen das Leben nehmen. Oweh, was für eine schlechte Welt, deren Menschen unter sich solch Unwerten und so manchen Nichtsnutz dulden, an dem Gott nie Ehre gewann, und der doch die Leute ausbeutet. Ein breites Feld wäre gut für Deine Arme: Deiner Hand ziemte besser eine Hacke und ein Ochsenstachel als Deine Herumlumperei. Das ist wohl ein gutes Brot (der Teufel hol Dich!), das Du Fresser verschwendest. Schäme Dich Deiner Kraft! Sofort verlasse das Haus.«[84]

Nun war es sehr spät. Dar arme Sünder nahm dies Geschimpfe ohne Klagen auf und mit lachendem Herzen. Folgendermassen antwortete ihm der Gute[85]: »Herr, Ihr habt die Wahrheit gesagt. Sich selber gutes Gewahrsam schaffen, ist vernünftig.« Er wünschte ihnen Gute Nacht und ging lachend von dannen. Der weglose Mann hörte diesen Spott gern und lobte Gott für diese Schmach. Welche Schmach und welches Leid auch immer seinem Leibe geschehen wären, gerne hätte er ihnen entgegengeblickt. Hätte der Niedriggeborene ihm im Zorn harte Schläge über den Rücken gegeben, er hätte es gerne ertragen um die Schwere seiner Sünden dadurch desto mehr zu verringern.[86]

Das Weib des bösen Fischers erbarmte sich seiner. Es deuchte sie, er sei kein Betrüger. Das Geschimpfe ihres Mannes um seiner bescheidenen Bitte willen füllte ihre Augen mit Tränen. Sie sagte: »Das ist gewiss ein guter Mann: wahrhaftig, ich sehe es ihm an. Gott möge es Dich nicht entgelten lassen. Du hast ein solches Schimpfen getan, dass es um Dein Heil geht. Du weisst, dass Dein Haus fern von denen anderer Leute steht. Wenn Dich unser Herr an Dein Glück erinnerte und Dir seinen Boten sandte,[87] so solltest Du ihn besser aufnehmen und gut bedenken: nie kam ein Bedürftiger hierher, seit wir hier wohnen, ausser diesem armen Mann, der auch nicht viel davon hatte. Wenn ein Mann sich

84 Daneben handschriftliche Notiz mitten auf der Seite: »Schimpfen des Fischers«.

85 Notiz am linken Rand: »Askese«.

86 Von »Hätte« bis »verringern« am linken Rand angestrichen.

87 Notiz dazu am linken Rand: »Vielleicht ist er der Heiland selbst.«

täglich von seinem Verdienst erhalten muss, wie Du es ohne Zuversicht tust, der sollte Gott vor Augen haben: tu das, ich rate es Dir. Gott möge Dir helfen und Du mir erlauben, ihn zurückzurufen. Seine Reise ist wenig angenehm. Er mag noch so sehr eilen, er muss doch im Wald übernachten. Fressen ihn da die Wölfe nicht, was leicht möglich ist, so muss er dort hungrig liegen und auf alle Wohltat verzichten. Ueberlass es mir, ihn heute hier zu behalten.« So besänftigte sie mit Güte das Gemüt des Fischers und er gestattete ihr, sogleich dem Weglosen nachzulaufen um ihn zurückzurufen.

Nachdem sie ihn herbeigeholt hatte, ward das Abendessen des Fischers bereitet. Um die grosse Schmach, die er ohne alle Notwendigkeit dem edlen Armen angetan hatte, zu mildern, begann sein Weib, ihm die allerbesten Speisen vorzusetzen. Diese lehnte der Weise ab, wie sehr sie ihn auch dazu nötigte. Ein Ranft von Haferbrod ward ihm da gegeben und ein Trunk aus dem Brunnen. Er sagte der Frau, sein sündiger Leib sei kaum der Speise wert. Als ihn der Fischer so Schlechtes essen sah, beschimpfte er ihn wieder und sprach: »Weh mir, dass ich das sehen muss! Gut erkenne ich Betrüger und alle Art Schwindel. Bis jetzt hast Du Dich nicht mit so ärmlicher Speise erhalten. Deine Wangen zeigen weder Kälte noch Hungers Not: sie sind fett und rot. Weder Mann noch Frau sah je einen stattlicheren Leib: den hast Du nicht von Brod und Wasser. Du bist sehr gut gemästet, gerade Schenkel, geschweifte Füsse, Zehen, ebenmässig und gerade, die Nägel sauber und rein. Deine Füsse sollten unten breit sein und zerschunden wie bei einem Landfahrer. Weder Fall noch Stoss erspähe ich an Deinen Schenkeln: nicht lange sind sie nackt gewesen. Gut sind sie vor der Berührung von Frost und Wind bewahrt gewesen! Sauber und unverwirrt ist Dein Haar und Deine Haut einem gemästeten Fresser gleich. Deine Arme und Hände sind ohne Makel: sie sind so tadellos und so weiss: Du gebrauchst sie anders, wenn Du allein bist, als wie Du hier dergleichen tust. Ich mache mir darüber keine Sorgen, dass Du Dich schon morgen über diese Entbehrungen lustig machen wirst. Du kannst besseren Aufenthalt finden, da, wo er Dir feilgeboten wird, und da wirst Du bei Gott alle Deine Not los sein, in der dies dürre Haferbrod und dieser Brunnentrunk Deinem Munde zuwider waren.«[88]

Diese Rede nahm der Gute lachenden Mundes an und genoss es vor Gott, dass er so grossen Hohn von einem so niedrig Geborenen erdulden musste. Er antwortete ihm nicht, bis er ihn fragte, was für ein Mann er sei. Er sprach: »Herr, ich bin ein Mann, der all seine Sündenschuld nicht erachten und wissen kann und ich suche um Gottes Huld willen eine Stätte in dieser Wildnis, an der ich immer bis zu meinem Tod mit der Not meines Leibes büssen möchte. Heute ist der dritte Tag, seit dem ich der Welt entsagte und in die Wildnis ging. Ich versah mich nicht, hier ein Haus oder einen Menschen zu finden. Da mich aber heute mein Weg zu Euch geführt hat, so suche ich Gnade und Rat. Wisst Ihr hier irgendwo eine Stätte, die mir gebührte, einen wilden Stein oder eine Höhle, so zeigt sie mir: Ihr tut wohl daran.«

Da antwortete ihm der Fischer: »Begehrst Du so was, Freund, sei froh. Weiss Gott, ich bringe Dich wohl hin. Ich weiss hier bei uns einen Felsen, ein wenig weiter über diesen See: da mag Dir wohl weh werden. Erreichen wir es und bringen Dich dorthin, so kannst Du dann in schweren Tagen Deinen Kummer genug beklagen. Der ist Dir schroff genug. Gibt es irgend etwas, wonach Dein Reuesinn steht, so weiss ich Dir einen prächtigen Rat. Ich habe eine eiserne Fessel lange aufgehoben: die will ich Dir leihen, damit Du Dein Leben auf diesem Felsen verbringst. Die schliesse an Dein Bein. Reut Dich dann der Einfall, so musst Du doch gegen Deinen Willen ausharren. Der Felsen ist so geformt, dass auch, wer die Füsse frei hat, schwer heruntergeht. Ist es Dir ernst damit, so geh schlafen und stehe früh auf, Deine Eisenfessel

88 Von »Du bist« bis »zuwider waren« am Rand angestrichen. Oben auf der Seite handschriftliche Notiz: »Hält es für einen dilettierenden Jux des Reichen.«

nimm zu Dir, setz Dich zu mir in das Schiff, wenn ich vor Tag zum Fischen ausfahre. Ich wende mich Dir zuliebe dorthin und helfe Dir auf den Felsen und befestige Dir Deine Beine mit der Fessel, so dass Du dort alt werden musst und wahrhaftig nie wieder mir auf dieser Erde lästig fällst. Darum bin ich ohne Angst.« Wie sehr er ihn mit Hohn überschüttete, dies war der Rat, ganz wie er wünschen würde, wenn er wünschen könnte.

Der böse Mann bestand darauf, ihm keine Bequemlichkeit und auch nur das geringste Obdach in seinem Hause zu gönnen. Seine Frau konnte mit allen Bemühungen es nicht erreichen, dass er im Haus hätte bleiben können. Wie ein Hund ward er vor die Tür auf den Hof gejagt. Fröhlich ging er hinaus.

Für die Nacht wurde er gegen seine Gewohnheit in ein so armseliges Häuslein verbracht, ein armseligeres gab es nicht: es war zerfallen, ohne Dach. Man bereitete dem Fürsten solche Bequemlichkeit, wie sie selbst seinem Aschenmann unangenehm gewesen wäre. Weder Stroh noch Bettkleidung waren da: die gute Frau trug ihm ein wenig Schilf herbei als Lager. Da legte er seine Eisenfessel und seine Tafel dazu um sie am Morgen dort zu finden.

Wie wenig ruhte er diese Nacht! Er pflag seines Gebetes, bis die Müdigkeit ihn überwältigte. Als er in Schlaf fiel, war es beinah Tag. Da fuhr der Fischer zum Erwerb aus: dazu war er früh bereit nach seiner Gewohnheit. Nun rief er nach seinem Gaste: da schlief dieser so fest, wie es von grosser Müdigkeit geschieht, und hörte sein Rufen nicht. Er rief und wieder und sprach: »Mir war von Anfang an klar, dass es diesem Schwindler nicht ernst war. Ich rufe nicht mehr nach Dir.« So eilte er zum See.[89]

Als das die gute Frau sah, weckte sie ihn auf und sprach: »Guter Mann, wenn Du mitfahren willst, so versäume Dich nicht. Mein Mann will auf den See fahren.« Da wurde nicht mehr gezögert. Er fürchtete sehr, dass es zu spät sei; doch wurde er wieder im

89 Von »Er rief« bis »zum See« am Rand angestrichen.

Herzen froh, weil er ihn dorthin führen wollte, wie er es ihm versprochen hatte. Lust und Leid, beide waren schuld daran, dass er die Tafel vergass, die er immer bei sich getragen hatte. Die Eisenklammer trug er von dannen und eilte dem Manne nach.

Er rief um Gottes Willen, er möge seiner warten. So führte er ihn gröblich zu jenem wilden Stein: dort schloss er ihm die Beine fest in die Eisenfessel ein. Er sprach: »Hier musst Du alt werden. Führt nicht der Teufel mit allen seinen Listen Dich von hier weg, so kommst Du hier nie mehr herunter.« Den Schlüssel warf er in den See. Er sprach: »Das weiss ich ohne Einbildung, dass Du sündlos und sicherlich ein Heiliger bist, wenn ich den Schlüssel aus der Wellentiefe geborgen haben werde.«[90] Danach verliess er ihn und ging von dannen.

Der arme Gregorius blieb also auf dem wilden Stein, bar aller Gnade. Er hatte keine andere Bequemlichkeit als das Himmelsdach über sich. Er hatte keinen Schutz mehr, weder vor Reif noch vor Schnee, weder vor Regen noch vor Wind, nichts als den Gottessegen. Er besass keine Kleider, nur ein härenes Hemd: seine Beine und Arme waren nackt. Von der Speise, die er genoss, wie ich Euch jetzt genau sagen will, hätte er weiss Gott seinen Hunger nicht vierzehn Tage fristen können, hätte nicht der Trostgeist Christi ihm etwas gegeben, das ihn vor Hunger bewahrte. Ich sage Euch, was seine Speise war. Es sickerte aus dem Felsen ein wenig Wasser. Darunter grub er ein Loch: das füllte sich mit einem Trunk. Es war so klein, nach dem Bericht davon wurde es zwischen Nacht und Tag kaum voll. Das trank der gnadenlose Mann. Auf diese Weise lebte er siebzehn Jahre. Das scheint Manchem nicht wahr: seinen Glauben muss ich falsch nennen. Denn Gott ist nicht unmöglich zu tun, was er will: ihm ist kein Wunder zu viel.

Als der Gnadenlose auf dem wilden Stein siebzehn Jahre ge-

90 Von »Er sprach« bis »werde« am Rand angestrichen.

sessen und Gott an ihm seine Todsünde vergessen hatte mit Ausnahme seiner Huld, da starb, wie ich las, Jener, der da Papst zu Rom war. Kaum war er gestorben, als jeder Römer besonders für seine Sippschaft sich darum bewarb, durch Gottes Gunst dieselbe Gewalt zu erhalten. Ihr Streit war so vielfältig, dass sie sowohl aus Neid wie aus Ehrgeiz keinen Entschluss fassen konnten, wem sie den Stuhl gönnten.

Nun beschlossen sie, die Wahl unserem Herrgott zu überlassen, damit seine Gnade und sein Gebot kundtue, wer ihm ein guter Richter wäre. Durch Dienst gedachten sie seiner, den sie auch mit Almosen und Gebet vollzogen. Da war Gott gnädig, der immer der guten Frage Rat erteilt. Er offenbarte zwei weisen Römern, an denen Treue und Wahrheit so vollkommen erschien, dass ihr Wort wie ein Eid war. Als sie abseits lagen und ihrem Gebet sich widmeten, sprach die Gottesstimme zu ihnen, sie sollten am nächsten Tag früh die Römer bitten, zusammenzutreten und ihnen kundtun, was Gottes Wille bezüglich ihres Richters sei. Es sässe allein auf einem wilden Stein ein Mann in Aquitanien (von dem Niemand wusste) seit vollen siebzehn Jahren: fürwahr, diesem gehöre der Stuhl und sein Name sei Gregorius. Er offenbare ihnen beiden das aus dem Grund, weil eines Mannes Mund nicht gut bezeugen kann, was grosse Wirkung haben soll.

Nun wusste Keiner von beiden von dieser Geschichte, nämlich dass ihnen beiden diese Kunde nachts beschieden worden war, bis sie zusammen kamen und es einer vom anderen vernahm. Sie taten, wie sie gehört hatten, und Einer sagte seine Rede und der Andere sprach mit. Da glaubten die Römer gern dieser Botschaft: zu Gott bezeugten sie ihre Freude. Die beiden alten Herren wurden als Boten in das Land Aquitanien gesandt, damit sie den guten Mann suchten und dann hierherbrächten.

Nun bekümmerte es sie, dass der Felsen, auf dem er lebte, ihnen nicht genannt worden war. Zweifelnd fuhren sie zu dem Land. Dort forschten sie eifrig, wohin immer ihr Weg sie führte:

da konnte Niemand ihnen etwas sagen. Von Herzen klagten sie das dem, der den erhört, der seine Gnade sucht. Da gab ihnen Gott ein, ihn in der Einöde zu suchen. Deshalb eilten sie dem Gebirge zu, in die Wildnis zu dem See. Der Zweifel schmerzte sie, denn sie wussten nicht, wo ihn finden.

Da wies sie die Wildnis vom Gefild zum Wald. So wanderten die weglosen Leute, wie ihr Herz es ihnen riet, irrend bis zum dritten Tag. Sie schlugen einen Steig ein, den kein Pferdehuf je betreten hatte: darüber waren sie froh. Der ungepflegte grasige Weg brachte sie fern zu einer Halbinsel, wo der Fischer bei dem See wohnte,[91] von dem ich Euch früher erzählt habe, er, der den Glückseligen so ungezogen in seiner Armut empfing, und die Bosheit, die er an ihm beging, indem er ihn aus Hass dorthin brachte, wo er noch hauste: auf den dürren wilden Stein, und indem er seine Beine in die Eisenfessel einschloss. Als die beiden Alten das Häuschen sahen, beglückwünschten sie sich, weil sie in ihrer Müdigkeit dort die Nacht über ruhen konnten.

Sie hatten Speise mit sich gebracht (das war klug gewesen), die sie für ihre Notdurft brauchten, Wein und Brot, und dazu, was sonst ihnen als gut erschien um es mitzuführen. Darum nahm der Fischer ohne Beschwerde mit Freude die wohl beratenen Gäste auf. Er sah genau und wusste, dass er Nutzen von ihnen haben würde: darum verdross es ihn nicht, ihnen reiche Bequemlichkeit zu verschaffen, denn er sah sie wohl beraten. Das tat er mehr um ihres Reichtums willen als aus Mildtätigkeit. Er nahm sie besser auf als den Gast, dem Geld fehlte: den reinen Mann Gregorius: ihm deuchte, daran wäre kein Nutzen.

Als sie bequem untergebracht waren, sprach der Fischer zu den Gästen: »Mir ist es sehr gut ergangen, da ich hier solch gute Leute sehen sollte: ich habe heute einen sehr schönen Fisch gefangen.« Er ward auf einen Tisch vor die Herren niedergelegt. Er hatte nicht gelogen, denn er war lang und gross, was ihm für sein Geld

91 Am Rand handschriftlich notiert: »Halbinsel im See«.

von Nutzen war. Sie handelten nicht lange; sie befahlen, ihm den Fisch zu bezahlen und baten den Hausherrn selbst, ihn zu zerteilen. Er begann ihn zu zerschneiden, sodass sie alle zusehen konnten. Da fand der geldgierige Mann den Schlüssel in seinem Magen, von dem Ihr früher gehört habt, mit dem er Gregorius gröblich vor siebzehn Jahren eingeschlossen und den er dann in den See geworfen hatte, wobei er sagte, sobald er den Schlüssel aus der Tiefe des Sees berge, wäre Jener ohne Sünde. Als er ihn nun in dem Fische fand, erkannte er sogleich, wie irre er geredet hatte und griff mit beiden Händen in sein Haar. Ich hätte ihm wahrlich dabei geholfen, wenn ich bei ihm gewesen wäre, obwohl ich ihn im Uebrigen auch nicht leiden kann.

Als er sich lange genug das Haar zerrauft und an die Brust geschlagen hatte, fragten ihn die Herren, was ihn ärgere, weil sie ihn so heftig klagen sahen. Nun begann er ihnen viel von Gregorius, seinem Gast, zu erzählen, es fehlte ihm nicht an Stoff. Ich glaube, es ist überflüssig für mich, das früher Erzählte noch einmal mit Worten kund zu machen: es würden dann nur aus einer Rede zwei. Die Boten freuten sich sehr, denn sie spürten aus der Geschichte, dass er derselbe sei, von dem ihnen Gott selbst gesprochen und den er zum Papst bestimmt hatte.

Nachdem er ihnen beiden gleichermassen offen seine Beichte abgelegt hatte, fiel er ihnen bittend zu Füssen, damit sie ihm irgendeinen Rat gäben wegen seiner Missetat. Als sie mit geistlicher Treue die grosse Reue des Armen sahen, erbarmte er sie und sie versprachen ihm, dass, wenn er sie morgen zu dem Felsen bringen wolle, er so am besten von seinem Verbrechen frei werden würde. Da sahen die Greise, wie seine Augen überflossen, wie die heissen Tränen in seinen grauen Bart rannen. Er sprach: »Was nützt uns die Fahrt? Gern will ich Euch dorthin bringen: die Fahrt aber machen wir sicher umsonst. Ich weiss es wohl, er ist schon lange tot. Ich liess ihn in mancher Not auf dem wilden Stein: hätte er nur eine davon, so hätte er noch sein Leben retten können. Ihr dürft weder hoffen noch begehren, dass wir ihn noch am Leben finden: wenn er nicht von den kalten Winden und vom Frost getötet worden ist, so hat ihn der Hunger getötet.« Da erkannten sie Gottes Macht,[92] die so stark und vielfältig ist; wenn er für ihn hatte sorgen wollen, so hatte sein Segen ihn sicher vor allem Unglück bewahrt. Hoch und heilig ward er ermahnt, die kurze Reise zu tun: die gelobte er ihnen sogleich.

Frühmorgens wandten sie sich dem Felsen zu. Mit Mühe richteten sie die Leiter[93] her, um auf den Felsen zu kommen, auf dem Gregorius, der lebende Märtyrer hauste, den sie sehen wollten: einen sehr schönen Mann, an dem durchaus kein Hunger oder Frostschaden oder irgendeine Not sich kundtat, von zierlichem Wesen und Kleidung, bessere mit Edelsteinen verzierte, aus Seide und Gold gewirkte nach Wunsch zugeschnittene konnte niemand haben, der lachend mit strahlenden Augen daherkäme und liebe Freunde empfänge, mit goldfarbenem Haar, sodass es Euch fürwahr gelüstete ihn zu sehen, mit wohl geschorenem Barte, in jeder Beziehung so getan, als ob er zum Tanze gehen wollte, mit so gefügter Beinkleidung, wie sie die schönste in der Welt ist, – einen solchen Mann fanden sie keineswegs dort:[94] er mochte wohl anderswo sein.

Ich sage Euch, was sie fanden. Als sie auf dem wilden Stein zu suchen begannen, da erblickte der Gute und Reine sie sofort. Er wollte vor ihnen entfliehen; denn seine Scham war gross: er war nackt und bloss. Nun konnte er nicht schnell laufen, denn er hatte Fesseln an jedem Bein. Er fiel auf den Felsen: auf diese Weise wollte er sich verbergen. Wie er sah, dass sie auf ihn zugingen, da pflückte er vor die Scham ein Kraut. So fanden sie den Gottesliebling, einen Bettler auf der Erde, vor Gott in hohem Wert, den Leuten widerwärtig, dem Himmel angenehm.

92 Am Rand handschriftlich notiert: »Sind überzeugt daß er lebt«.

93 Das Wort »Leiter« mit einem Kästchen markiert. Der unterstrichene Satz am Rand mit einem Ausrufezeichen markiert.

94 Von »Hunger« bis »dort« am Rand markiert und dazu handschriftlich notiert: »Aussehen eines feinen Mannes«.

Der Arme war wahrlich von Haar überwachsen, das an Kopf und Bart zu einer Schwarte zusammen geklebt war: früher war es rechter Art gerade gewesen, jetzt von Leid russfarben. Früher waren seine Wangen rötlich überhaucht und mit weiss gemischt gewesen, wohl gepflegt, jetzt schwarz und eingefallen, das Antlitz bleich. Früher waren seine Augen fürwahr strahlend und klar gewesen, der Mund zur Freude gestaltet, jetzt bleich und kalt, die Augen tief, trüb und rot, wie es der Mangel erzwingt, mit rauhen und langen Brauen überhangen, früher das Fleisch an allen Gliedern üppig, jetzt bis auf die Knochen abgefallen: er war an Beinen und Armen gleichmässig armselig, es konnte Gott erbarmen.

Wo ihm die Eisenfesseln Tag und Nacht anlagen, da hatte sich oberhalb des Fusses das Fleisch sehr schmerzhaft bis auf den Knochen zurückgebildet, so dass sie allzeit mit Blut von den frischen Wunden begossen war. Das war seine schwärende Mühsal, neben anderer Not, die er erlitt. Ich mache den Vergleich in diesen Dingen so: wie Einer, der ein Leintuch über Dorn ausbreitet: man hätte ihm alle seine Knochen, die grossen und die kleinen, durch die Haut zählen können.

Wie sehr der Gottesliebling am Leib durch die Beschwernis verwandelt war, der heilige Geist war doch sein Helfer und so vollkommen gewesen, dass er sein altes Wissen von Worten und von Büchern bis zu diesem Tage behalten hatte. Als jene, die ihn da suchten, ihn so sahen, wie ich es Euch erzählt habe, so arm an Leib, da erbarmte er sie so, dass der Fluss ihrer Augen wie Regen ihre Kleider begoss. Sie beschworen ihn bei Gott und bei seinem Gebot, er möge sie wissen lassen, ob er Gregorius hiesse. Als er so sehr darum ermahnt wurde, da tat er ihnen kund, dass er Gregorius sei. Nun sagten sie ihm, warum sie hierher gekommen wären, wie Ihr es früher vernommen habt, als Gott in der Nacht sich ihnen beiden offenbarte, dass er ihn genannt und selbst erwählt und bestimmt und zum Richter eingesetzt habe hier auf der Erde an seiner Statt.[95]

95 Oben auf der Seite handschriftliche Notiz: »Absage Gregorii«.

Als er die Botschaft vernahm, wie ging sie seinem Herzen nah! Der Gotteswerte senkte das Haupt mit vielen Tränen zur Erde. Er sprach, ohne sie anzublicken: »Seid Ihr Christen, so ehret Gott heute und eilt schnell von mir, denn ich entbehre wohl der Ehren, dass mir die Gnade geschehe, Jemanden Guten mit so sündhaften Augen anzublicken. Gott ist es nicht verborgen: mein Fleisch ist so unrein, dass ich mit Recht bis zu meinem Tode allein bleibe. Damit meine Seele die ewige Not überwinde, erkaufe ich das auf der Erde. Wäre ich heute bei ihnen, so müssten gute Leute für meine Sünde büssen, so hoch ist meine Schuld. Baum und Gras und was an Grün je um mich war, möchte von dem Grimme meiner unreinen Stimme verdorren und von der Härte meiner nackten Füsse. Dass der süsse Wettergruss, von dem die Welt leben muss, und die heimliche Lindigkeit von Regen und Wind mir gemeinsam sind, als ob ich rein wäre, dass der lichte Sonnenschein so demütig geruht, mich voll anzuscheinen wie einen Menschen, dieser Gnaden ist mein Fleisch unwert. Dass Ihr mich zum Meister begehrt, ist ein ausgedachter Hohn.[96] Ich habe leider viel mehr den zornigen Hass unseres Herrgotts verdient als seine Gnade und die Ehre, die ein Papst haben soll. Man kann meiner in Rom wohl entbehren: Euch wäre mit mir nicht wohl getan. Könnt Ihr nicht meinen Leib sehen? der ist so scheusslich und widerwärtig den Ehren. War mir je Herrenart kund, die ist zu dieser Stunde vergessen. Ich bin der Leute ungewohnt: es ist billig, dass ich ihnen fern sei. Ihr Herren, seht selbst: mein Sinn, mein Leib und meine Art sind sehr verwandelt und sie alle sollen mit Recht bei dem sein, der grosser Gewalt pflegen muss; ich zieme nicht zu einem Papst. Ihr viellieben Leute, nun lasst mir das heute ein Glück sein, dass Ihr mich hier gesehen habt, und geruht, Euch über mich sehr Armen zu erbarmen und gedenket meiner um Gottes willen. Wir haben von seinem Gebot gehört: wer für einen Sünder bittet, erlöst sich selbst damit. Jetzt ist es

96 Von »Dass der süsse« bis »Hohn« am Rand angestrichen.

Zeit, dass wir uns trennen: was frommt Euch beiden das? Ihr erfreut an mir des Teufels Herz. Meine Kurzweil ist zu gut. Ich wohne hier wahrlich im siebzehnten Jahr und sah keinen Menschen. Ich fürchte, die Freude und Annehmlichkeit, die ich im Gespräch mit Euch hatte, muss ich büssen vor dem, der keine Missetat jemals ungerächt lässt.«[97]

So stand er auf und wollte von hinnen. Da beschworen ihn die zwei Männer bei Gott und seinem zu fürchtenden Gebote, er möge verweilen und ihre Rede weiter anhören. Sie boten ihm beide mit Treuschwur eine solche Sicherheit der Rede, die ihm da vorgetragen worden war, dass er ihnen mehr glaubte. Er sprach: »Ich war ein vollgefülltes Gefäss sündhafter Schanden, als ich mit diesen Fesseln, die Ihr hier an meinen Beinen seht, an diesen Fesseln geschmiedet wurde. (Ich trage sie mit Schmerzen. Der Schlüssel ward versteckt, mit dem ich darein fest versperrt bin: er ward in den See geworfen. Der ihn da hineinwarf, der sprach nichts anderes, als dass ich ohne Sünde sein würde, wenn er ihn wiederfände). Nun ist keines Menschen Sünde so gross, er, dessen Gewalt die Hölle aufschloss, dessen Gnade ist noch grösser. Wenn unser Herrgott meine vielen Sünden um seines Trostes willen vergessen hat und wenn ich rein geworden bin, so muss er uns dreien ein rechtes Wahrzeichen geben oder mein Leben muss auf diesem Felsen enden. Er muss den Schlüssel wiedersenden, mit dem ich hier fest beschlossen bin oder ich verlasse diesen Platz niemals.«

Da fiel der Fischer mit vielen Tränen vor ihm nieder und sprach: »Sehr lieber Herr, ich bin der gleiche sündhafte Mann, der sich darin verging, ich armer Verlorener, dass er Euch zornig aufnahm. So war die Gastfreundschaft, die ich Euch bot: ich gab Euch anstelle von Brot Geschimpfe, mit manchem Scheltwort gab ich Euch zu trinken. Ich behielt Euch eine Nacht mit Unwürde und grossem Gegröhle. Ich bin alt geworden ohne diese Sünde zu

97 Von »Ich fürchte« bis »lässt« am Rand angestrichen.

büssen: das steht der Seele noch bevor, es sei denn, ich erhalte den Lohn für die Fahrt, die ich mit Treuen hierhergetan habe, sonst muss ich noch volle Busse leisten. Danach gab ich Eurer Bitte Gehör, aber ich tat es aus Hohn: ich brachte Euch auf diesen Felsen. Dann fesselte ich Eure Beine und warf den Schlüssel in den See. Ich gedachte Eurer nie mehr, bis gestern meine sündige Hand den Schlüssel in einem Fische fand. Das sahen die Herren wohl, so dass sie es mir bezeugen können.«

Er schloss die Eisenfesseln auf. Da teilten die Alten mit ihm ihre Priesterkleider; und als er angekleidet war, führten sie den sündlosen Mann mit sich fort, herab von dem wilden Stein. Nun war die Kraft seines Leibes sehr gering.[98] Sie blieben die Nacht über bei dem Fischer. Dessen Jammer war sehr heftig: er suchte Busse und Rat für seine grosse Sünde, die er früher an ihm begangen hatte, als er ihn so mit Hohn empfing. Die grosse Treue, die vollkommene Reue und die Flut der Augen wusch den Flekken seiner Sünde ab, so dass seine Seele gesundete.[99]

Damals, als Gregorius in der Gewalt der Sünden war, wie Euch vorher erzählt wurde, als er von seiner Herrschaft liess, der Fischer ihn so elend in seinem Haus aufnahm und ihn mit Unbequemlichkeit in der Nacht beherbergte, damals, als er am Morgen von dannen ging, vergass er die Tafel: nichts schmerzte ihn, während er auf dem Felsen sass, so sehr als dies. Nun erinnerte er sich aber daran und bat den Fischer, er möge sie ihm um Gotteswillen wieder geben, wenn er sie gefunden hätte, damit die Bürde seiner Sünden desto geringer[100] würde. Da sprach der Fischer: »Leider sah ich sie nie. Sagt, wo liesset Ihr sie hier oder auf welche Weise vergasset Ihr sie?« »Ich liess sie«, sprach Gregorius, »in dem Häuschen, wo ich schlief. Als man mich am Morgen rief, war meine Furcht gross, ich möchte zu spät sein: ich fuhr aus dem Schlaf empor, eilte Euch nach und war leider so hastig, dass ich die Tafel

98 Handschriftliche Notiz am Rand: »Santitá«.
99 Handschriftliche Notiz am Rand: »Absolution«.
100 Von »der Nacht« bis »geringer« doppelt am Rand angestrichen.

vergass.« Der Fischer sprach: »Was hülfe es uns, sie zu suchen? Dort, wo sie liegt, ist sie schon längst verfault. Oweh, mein lieber Herr, das Häuschen stand nach Eurem Weggang nicht länger als 12 Wochen, bis es zusammenstürzte[101]: ich habe alles verbrannt, Dach und Wände. Ich war Euch da so hart gesinnt: wäre es noch für Wind und Regen gut gewesen, hättet nur Ihr nicht darinnen gelegen! Wo vorher das Häuslein stand, da wächst nun wertloses Gras, Nesseln und Unkraut.«[102]

Da seufzte der Gottesliebling; er bat Gott ihm zu helfen, denn er wolle die Stätte nicht verlassen, bevor er sie gefunden hätte. Nun gingen sie sogleich mit Gabeln und Rechen daran das Unkraut und den Mist abzureissen. Da zeigte der, der da gnädig ist, an dem guten Gregorius ein sehr grosses Zeichen, denn er fand seine Tafel so neu wieder, als käme sie aus der Hand dessen, der sie gemacht hatte.[103] Freude und Furcht empfanden jene, die das sahen: weinend sagten sie, er wäre ein glückseliger Mann. Damit logen sie nicht.

Als sie am nächsten Morgen ihre Fahrt nach Rom antraten, da bemerkten sie oft unterwegs, wie der tätige Segen Gottes sich um diesen reinen Mann eifrig Tag und Nacht bemühte. Auf der Reise betraf sie keinerlei Ungemach: ihre Speise wurde ihnen so gut zuteil, dass ihre Gefässe immer gefüllt waren, wie viel sie auch daraus entnahmen, bis sie nach Rom kamen.[104]

Von einer Gnade will ich Euch erzählen. Drei Tage vor ihrer Ankunft erhob sich zu Rom ein grosses Getöse: überall begannen die Glocken von selber zu läuten[105] und kündeten den Menschen, dass die Ankunft ihres Richters nahe sei. Daran erkannten Mann und Weib wohl seine Heiligkeit. Sie fuhren ihm sogleich die drei

101 Auch am Rand angestrichen.

102 Von »Wo vorher« bis »Unkraut« am Rand angestrichen.

103 Von »Da zeigte« bis »gemacht hatte« am Rand doppelt angestrichen.

104 Von »Auf der Reise« bis »kamen« am Rand angestrichen.

105 Am Rand handschriftlich notiert: »Wer läutet«.

Wegreisen nach Aquitanien entgegen. Einen göttlichen Ruhm hatten sie auf der Reise: sie trugen ihr Heiligtum in Wolle gehüllt und barfuss. Er hörte willigen Gruss bei seinem Empfange, und Lobgesang. Auf der Strasse lagen die Kranken in Masse[106]: sie waren dahingekommen in der Hoffnung erlöst zu werden. Sein Segen ward Manchem unterwegs zum Heil. Wen immer er berührte, während man ihn hinführte, durch seinen guten Willen oder mit seiner Hand, mit seinem Wort oder mit seinem Gewand, der ward sogleich von seinem Leid erlöst.[107] Das berühmte Rom empfing seinen Richter mit fröhlichem Sinn. Das kam ihnen allen zugute: denn es ward da nie ein Papst eingesetzt, der ein besserer Arzt der Seelenwunden gewesen wäre.

Er konnte wohl richtig leben, denn ihm war durch die Lehre des Heiligen Geistes das Mass gegeben worden. Das Recht hütete er sehr. Es ist recht, in der Macht die Demut zu bewahren (das ist ein Glück für die Armen), aber man soll doch festen Sinn durch Furcht zeigen und mit Recht Jene beugen, die wider das Recht sind. Wenn aber ein Teufelskind der Stola zuliebe nichts tut, dann muss man Gewalt brauchen. Dazu sind die geistlichen und weltlichen Gerichte gut: sie lehren das Recht, sie bestrafen den Uebermut. Man soll dem Sünder seine Beschwernis mit sanfter Busse verringern, so dass ihm die Reue süss sei. Das Recht ist so belastend, will Einer den Sünder zu eifrig verfolgen, so vermag das dessen Leben nicht gut zu ertragen. Will er Gnade suchen und man legt ihm zu jähe Busse auf, so verzagt er leicht dadurch und entsagt wiederum Gott und wird wiederum des Teufels Knecht. Darum geht Gnade vor Recht. Auf diese Weise konnte er dem geistlichen Leben das rechte Mass geben, durch das der Sünder gerettet wurde und der Gute beständig blieb.[108] Durch seine star-

106 Am Rand mit Ausrufezeichen markiert.

107 Am Rand handschriftlich notiert: »Auch durch den Tod« und mit einem Ausrufezeichen versehen.

108 Von »Das Recht« bis »beständig blieb« am Rand angestrichen.

ke Lehre wuchs die Ehre Gottes mächtig im römischen Reiche empor.

Als seine Mutter, seine Base, seine Frau (diese drei hatten einen Leib) in Aquitanien von dem Papst hörte, der ein solcher Tröster der Sünder war, da suchte sie ihn wegen ihrer Todsünde um Rat auf, damit sie durch ihn von der Sündenbürde befreit würde. Als sie ihn sah und vor ihm beichtete, da wusste die gute Frau nicht, dass der Papst ihr Sohn war: auch hatte sie sich in Reue und Mühsal gekleidet, seit sie sich voneinander getrennt hatten, so dass ihr Leib vor Leid schwach an Kräften und an Farbe geworden war und er sie nicht erkannte, bis sie ihren Namen genannt hatte und das Land Aquitanien. Nachdem er ihre Beichte vernommen hatte (sie sagte ihm nichts anderes denn dieselbe Geschichte, die auch ihm einst kund gewesen war), da erkannte er sie sogleich als seine Mutter. Der Gute und Getreue freute sich, weil sie seinem Gebot so lange Folge geleistet hatte: denn er sah wohl, dass sie sich um Reue und rechte Busse bemüht hatte. Mit willigem Grusse empfing er da seine Mutter und freute sich herzlich, weil ihm das Glück geschah, sie vor ihrem Ende zu sehen und weil er die alte Frau beschützen und ihr geistlichen Rat für Seele und Leib geben konnte.

Dennoch war ihr unkund, ihn je vorher gesehen zu haben. Listig sprach er da zu ihr: »Frau, um Gottes Willen, saget mir, habt Ihr seit damals nicht gehört, wohin Euer Sohn geraten ist, ob er lebend oder tot ist?« Da seufzte sie: das musste sie wohl. Sie sprach: »Wahrlich, nein, Herr. Ich weiss wohl, dass er aus Reue derartige Not auf sich genommen hat, dass ich, höre ich nicht die Wahrheit, nicht glaube, er lebe noch.« Er sprach: »Wenn es je durch Gottes Gabe geschehen möchte und man liesse ihn Euch sehen, saget, getraut Ihr Euch ihn wieder zu erkennen?« Sie sprach: »Wenn meine Sinne mich nicht trügten, so würde ich ihn, sähe ich ihn, wohl erkennen.«

Er sprach: »Nun sagt, ich bitte Euch darum, wäre es Euch lieb oder leid, ihn sehen zu müssen?« Sie sprach: »Ihr könnt es wohl wahrnehmen, dass ich mich des Leibes und Gutes, der Freude und des Glücks so entäussert habe wie ein armes Weib: keine grössere Freude könnte mir in diesem Leben geschehen als die, ihn zu sehen.«

Er sprach: »So seid froh, denn ich verkünde Euch Freude. Vor kurzem sah ich ihn und er sagte mir bei Gott, er hätte keinen treueren und stetigeren, keinen lieberen Freund als Euch.« »Gnade, Herr«, sprach die Frau, »lebt er noch«? »Ja, er lebt.« »Wie das?« »Es geht ihm gut und er ist hier.« »Kann ich ihn sehen, Herr?« »Sicher, er ist nicht weit.« »Herr, so lasst mich ihn sehen.« »Frau, das kann wohl geschehen: da Ihr ihn sehen wollt, ist es unnötig, dass Ihr das verschiebt. Sehr liebe Mutter, seht mich an: ich bin Euer Sohn und war Euer Mann. Wie gross und schwer auch die Last meiner Sünden gewesen ist, Gott hat sie nun vergessen und so habe ich diese Herrschaft von Gott in Besitz genommen. Durch sein Gebot wurde ich hierher gewählt: so habe ich ihm Seele und Leib zugeeignet.«

So ward die gnadelose Frau von ihrem Leid befreit. Gott sandte sie wunderlich dahin zu ihrer gemeinsamen Freude. Sie blieben ungeschieden bis zu ihrem gemeinsamen Tod. Was ihr Gregorius befohlen und zur Busse angeraten hatte, als er von ihrem Land schied, das hatte sie mit Leib und Gut, mit harrendem Sinn ganz geleistet und es blieb ihr kein Rest davon. Wie viele Jahre sie auch seither in Rom zusammen verbrachten, die waren ihnen beiden so durch Gott beschieden, dass sie nun für immer zwei auserwählte Gotteskinder sind. Auch für seinen Vater erreichte er es, dass er mit ihm zusammen den Stuhl einnahm, auf dem keine Freude zergeht[109]: wohl dem, der ihn besitzt.

Durch diese gute Märe von diesen Sündern, die nach grosser Schuld die Huld Gottes erwarben, soll irgendein sündiger Mensch niemals böses Beispiel daran nehmen. Wenn er Gott fern

109 Am Rand handschriftlich notiert: »Losbeten«.

ist, soll er nicht denken. »Nun sei Du ein lustiger Frevler: wie solltest Du verloren sein? Wenn diese zwei nach ihrer grossen Untat gerettet worden sind, so wird sich auch für Dich Rat finden und wenn ich gerettet werden soll, so werde ich auch gerettet werden.« Wen so der Teufel antreibt, dass er auf den Trost hin sündet, den hat er besiegt und in seine Gewalt gebunden: und ist auch seine Sünde gering, so kommt der gleiche Gedanke mit tausendfältiger Missetat und es wird seiner nimmer Rat. Da soll der sündige Mensch sich ein gutes Beispiel nehmen, damit seiner doch gut Rat wird, wieviel er auch gesündigt haben mag, wenn er die Reue auf sich nimmt und die rechte Busse besteht.

Hartmann, der seine Mühe an dieses Lied gewandt hat, um Gottes und Eurer Liebe willen, begehrt dadurch das zu gewinnen, dass Ihr als Lohn aller, die es hören oder lesen, ihm die Gefälligkeit erweist darum zu beten, damit er Euch im Himmel wiedersieht. Darum sendet er diesen guten Sünder als Boten unserer Beschwernis, auf dass wir in diesem Elend ein ebenso gutes Ende nehmen, wie sie da nahmen. Das gebe uns Gott. Amen. ––––[110]

Thomas Manns Notizblätter

69 Notizblätter zum *Erwählten* werden im TMA aufbewahrt (A-I-Mp XI 9a grün). Bei zweien davon (unter den Archivnummern [21] und [22]) handelt es sich vermutlich um eine aus der Handschrift ausgeschiedene Passage (deren erstes Blatt dann auf der Rückseite auch als Notizblatt verwendet wurde). Alle übrigen enthalten Exzerpte aus den von Thomas Mann benutzten literarischen und wissenschaftlichen Quellen (einschließlich Briefwechseln etwa mit Marga Bauer und Samuel Singer) sowie Listen von Namen, Orten, Gegenständen u.Ä. – zu alldem also, was für Thomas Manns amplifizierendes »Genaumachen« seiner Erzählung so wichtig war. Anders als bei früheren Romanen finden sich

110 Gesamter letzter Absatz am Rand angestrichen.

unter diesen Blättern keine umfangreicheren abweichenden Entwürfe zu Teilen des Textes oder konzeptionelle Skizzen zu Geschehensverläufen, zur Charakterisierung von Figuren oder zu thematischen Fragen.

Eine vollständige Wiedergabe der Notizblätter wäre, abgesehen von Detailfragen zur Quellennutzung, nur als Einblick in Thomas Manns recherchierende Arbeitsverfahren aufschlussreich; dies ist in der GKFA jedoch bereits mit den weitaus umfangreicheren und diverseren Notizen und Entwürfen zum Roman *Königliche Hoheit* exemplarisch dokumentiert worden (vgl. GKFA 4.2, 329–522). Im Blick darauf begnügen wir uns hier mit einem annotierten Verzeichnis aller Blätter, und zwar in der mutmaßlichen Reihenfolge ihrer Entstehung, soweit sie sich ermitteln und zusammenfassend darstellen lässt, und mit der (jeweils eingerückten) Wiedergabe aller Passagen, die über Exzerpte hinausgehen.

Hinweise auf die Entstehung geben einerseits Einträge Thomas Manns im Tagebuch, andererseits seine eigenen Ansätze zu einer fortlaufenden Nummerierung; dieser Versuch ist jedoch unvollständig (29 Blätter sind nicht von Thomas Mann nummeriert) und uneinheitlich durchgeführt (die Nummern 1 bis 3 finden sich zweimal). In der folgenden Liste sind die Blätter in der mutmaßlichen Reihenfolge ihrer Entstehung mit stichwortartigen Angaben zum Inhalt aufgelistet. Dabei steht jeweils in eckigen Klammern die zufällig und ohne Blick auf die Zusammenhänge vorgenommene Nummerierung im TMA am Anfang (in der auch eindeutig aufeinander folgende Notizblätter keine Folgenummern erhalten haben), die in einigen Forschungsbeiträgen bereits zugrunde gelegt worden ist. Darauf folgen Datierungen, soweit sie sich eindeutig ermitteln lassen.

Der hier unternommene Rekonstruktionsversuch stößt dort an seine Grenzen, wo Thomas Mann ein einzelnes Blatt mehrfach benutzt hat, wo er bereits vorhandene Exzerpte auf einem weiteren Blatt neu zusammenstellt (also Exzerpte von Exzerpten erstellt) und wo er offenbar zeitlich getrennt Vorder- und Rückseite eines Blattes nutzt. Auskünfte zu den exzerpierten Quellen finden sich hier im Abschnitt Quellenlage.

[19] und [18] Tb. 7.9.1947 »Excerpte [...] Namen« und 30.12.1947 »Notizen, Einzel-Auszüge, Namen«, von Thomas Mann mit den Überschriften »Namen« und »Namen II« versehen.

[33] [TM *nummeriert 1*] Tb. 21.12.1947 »Studien, Notizen, Fragen«: Zusammenfassung der *Gesta*-Erzählung, Exzerpte aus *Meyers Lexikon* über Päpste, die Gregor hießen, den Vatikan, Rom, die Schelde.

[34] [TM *nummeriert 2*] Exzerpte aus *Meyers Lexikon* über mhd. Dichter; Fragen über den Roman (welcher Papst ist das Vorbild, Handlungsort, Papstwahl), vgl. nebenstehende Abb.

[35] [TM *nummeriert 3*] Tb. 25.12.1947 »Nachforschungen über Hartmann v. Aue und seine Legende«: Fortsetzung der Fragen, Exzerpte aus Scherer, *Geschichte* (S. 155–157), über Hartmann und seinen *Gregorius*.

[37] [TM *nummeriert 4*] Tb. 26.12.1947: »Gelesen in Scherers deutscher Literaturgeschichte über das Anfängliche«: Fortsetzung der Exzerpte aus Scherer, *Geschichte* (S. 24–45) über die Christianisierung in Mitteleuropa durch irische Mönche.

[38] [TM *nummeriert 5*] Exzerpte aus Scherer, *Geschichte* (S. 54 u. 161) über St. Gallen, Notker und Chrétien de Troyes, aus Dieffenbacher, *Privatleben* (S. 119–145), über Anredekonventionen.

[39] [TM *nummeriert 6*] einzelne Exzerpte aus Scherer, *Geschichte* (S. 49–72) u. a. über die Normannen.

[40] [TM *nummeriert 7*] diverse Exzerpte aus Scherer, *Geschichte* (S. 81 u. 87); Heil, *Städte* (S. 113f.) über Krankheiten; *Parzival* I (S. 11–44).

[41] [TM *nummeriert 8*] Exzerpte aus *Parzival* I (S. 45–70) über Kleidung, Leben am Hof.

[42] [TM *nummeriert 9*] Exzerpte aus *Parzival* I (S. 75–98).

Gottfried v. Straßburg, bürgerlich, verfaßte um 1205–10 nach französischer Quelle das Epos, „Tristan u. Isolde"

Hartmann von Aue, ca 1165 bis 1210. Höfisch ritterliche Legende „Gregorius vom Steine" (!) (herausgegeben von Paul 1919)

Wolfram von Eschenbach (bei Ansbach): „Parzival", 1200–1210.

Verfasser oder Compilator der „Gesta" ein deutscher oder englischer Mönch namens Elimandus oder Helinandus, der 1227 starb. Hat aus älterem Werk geschöpft.

Ist etwa d. „Gregorius" historisch zu lokalisieren? Mit welchem Papst hat man die Sage in Verbindung zu bringen, mit Gregor dem Großen (6. bis 7. Jahrhundert) [illegible], oder mit Gregor VII. (1073–1085)? Oder ist der Name (wie Parzival, „Grigorß") allgemein u. [illegible] als großer Papstname eingesetzt?

Wo hat man sich den Ort, die Orte der Handlung zu denken? In welcher mittelalterlichen Landschaft? Die Burg, wo das Kind, ausgesetzt, [illegible] u. den Wellen überantwortet wird, liegt offenbar am Meer. Lothringen? Kanal? Wo das Mönchskloster, wo das Faß, „Kind aus Sünden", am 6. Februar" gefunden wird?

Um die Hand der fürstlichen Mutter hält ein Herzog von Burgund an. Man könnte schließen, daß alles einer [illegible] Landschaft, etwa der Schelde-Gegend [illegible]. Kein Name nötig.

Frage der Papstwahl [illegible]. Wer sind die Wähler? Seit Gregor VII. [illegible] (unter der [illegible]). Heinrich III. setzte nach Gutdünken Bischöfe von Rom ein. Hintereinander 4 deutsche Päpste. [illegible] kann der Held nach (1017–1056) Gregor VI (bis 1046) gewesen sein.

2

Fragen Thomas Manns zu Schauplätzen des Romans und zu Gregorius, Notizblatt [34].

[43] [*TM nummeriert 10*] Exzerpte aus *Parzival* I (S. 99–116) u. a. Namen.

[44] [*TM nummeriert 11*] Exzerpte aus *Parzival* I (S. 118–140).

[45] [*TM nummeriert 12*] Exzerpte aus *Parzival* I (S. 140–184).

[46] [*TM nummeriert 13*] Exzerpte aus *Parzival* I (S. 187–210).

[47] [*TM nummeriert 14*] Exzerpte aus *Parzival* I (S. 213–234).

[48] [*TM nummeriert 15*] Exzerpte aus *Parzival* I (S. 234–260).

[49] [*TM nummeriert 16*] Exzerpte aus *Parzival* I (S. 261–289).

[50] [*TM nummeriert 17*] Exzerpte aus *Parzival* I (S. 289–405) und II (S. 81–85).

[51] [*TM nummeriert 18*] Exzerpte aus *Parzival* II (S. 84–86, 153, 159, 377–379).

[52] [*TM nummeriert 19*] Exzerpte aus *Parzival* II (S. 379–414).

[53] [*TM nummeriert 20*] Verse vom Schluss des *Parzival* II (S. 414), Exzerpt Philippson, *Verhältnis*, und Singer, *Thomas von Britannien*, *Meyers Lexikon* über Burgund.

[54] [*TM nummeriert 21*] Tb. 3.1.1948 »Geographische Exploration (mittelalt. Gebiete)«: weiter mit *Meyers Lexikon* über Flandern.

[55] [*TM nummeriert 22*] Tb. 4.1.1948 »Kunstgeschichtliche Ausforschungen, Burgen, Irland etc.«: *Meyers Lexikon* über die Bretagne; Irland, Fingal.

[56] [*TM nummeriert 23*] keltische Kreuze aus Baum, *Malerei* (S. 167f.), über Burgen aus Clasen, *Baukunst* (S. 214f.).

[57] [*TM nummeriert 24*] weiter über Burgen, *Meyers Lexikon* über Mönche und Benedikt; Exzerpte aus dem Nachwort der *Gesta* II (S. 292f.).

[58] [*TM nummeriert 25*] weiter *Gesta* II (S. 294–303); Eicken, *Weltanschauung* (S. 171–189), wiederum über irische Mönchsmission und Klöster in Franken.

[59] [*TM nummeriert 26*] Tb. 7.1.1948 »Explorationen bei Eicken u. Scherer«: Fortsetzung der Exzerpte aus Eicken, *Weltanschauung* (S. 197–201); Scherer, *Geschichte* (S. 90–92).

[60] [*TM nummeriert 27*] weiter aus Scherer, *Geschichte* (S. 93–97).

[61] [*TM nummeriert 28*] weiter aus Scherer, *Geschichte* (S. 98–100).

[62] [TM *nummeriert 29*] weiter aus Scherer, *Geschichte* (S. 145f.); Baum, *Malerei* (S. 17), über Völkerwanderungen in Germanien.

[63] [TM *nummeriert 30*] Tb. 10.1.1948: »›Malerei und Plastik des Mittelalters‹«: Exzerpte aus Baum, *Malerei* (S. 18–22), über Völker Mitteleuropas.

[64] [TM *nummeriert 31*] weiter aus Baum, *Malerei* (S. 23), über das Verhältnis der Völker zur Kirche.

[65] [TM *nummeriert 32*] weiter aus Baum, *Malerei* (S. 23f., 114–119), über Klosterkunst; über England.

[66] [TM *nummeriert 33*] weiter aus Baum, *Malerei* (S. 120–122), über Benediktiner und Gelehrtenschulen.

[67] [TM *nummeriert 34*] weiter aus Baum, *Malerei* (S. 123f.), über Klöster und Britannien.

[68] [TM *nummeriert 35*] weiter aus Baum, *Malerei* (S. 124); Gregorovius, *Wanderjahre* (S. 416–437, 209–213), über Klöster; über den hl. Benedikt und die hl. Scholastika.

[69] [TM *nummeriert 36*] weiter aus Gregorovius, *Wanderjahre* (S. 232–261), über Sehenswürdigkeiten Roms; Exzerpt aus *Meyers Lexikon*.

[28] Tb. 1.1.1948 »Exzerpte, kostümlich etc.« Exzerpte aus *Parzival* I (S. 11–289) u.a. zu Bekleidung und Stoffen; Exzerpte aus Auerbach, *Mimesis* zum *Iwein* (S. 125–132).

[3] Tb. 15.1.1948 »Römische Kirchen des Mittelalters«: Liste römischer Kirchen.

[36] Tb. 18.1.1948 »Rekapitulation des Materials Namensbestimmungen u. dergl.«: Exzerpte aus Pauls *Gregorius*-Vorwort; Notizen zu möglichen Namen und Exzerpte aus *Meyers Lexikon*.

[17] Tb. 11.2.1948 »Gregorius mittelhochdeutsch. Notizen.«: mittelhochdeutsche Wendungen aus *Gregorius*. Dazwischen eingeschaltet Notizen zur Romanhandlung:

[Exzerpte aus »Gregorius«, V. 173–961]

Die Fischer wollen das Fäßlein für ihr bescheidenes Eigentum ausgeben, aber das Kind drinnen beginnt zu schreien, und der Abt insistiert

[Exzerpte aus »Gregorius«, V. 1025–1196]

Eifersucht der Fischersfrau auf den schönen u. klugen, allgemein gefeierten Gregorius für ihre eigenen Bamsen. Wut, als er einen verletzt. Er ist 15 jährig.

[Exzerpte aus »Gregorius«, V. 1323–2543]

Als Papst sagt er ihr, daß sie noch viel heiliger, als er, da sie ihren Mann mit ihrem Bruder erzeugt hat, er aber nur mit seiner Mutter geschlafen hat

[Exzerpte mit mhd. Worterklärungen]

Sie hofft, nach Art der Jokaste, daß er die Tafel von einem anderen bekommen, geraubt, gefunden hat. Versuchung für ihn, diese Fiktion anzunehmen.

Er glaubt sie nur darüber beruhigen zu müssen, daß er nicht niederer Abkunft, sondern eines Herzogs Sohn ist. Sie will das garnicht wissen.

[Exzerpte aus »Gregorius«, V. 2623–2652]

Entsetzen, Grigorß! Soll ich sagen »Geliebter Sohn« oder Sohn-Geliebter, oder Bett-Sohn, oder Bruder meiner Kinder, der aus meinem Leibe kam nur ihnen u. in ihm sie zeugte?

Daß mich die Erde noch trägt! Aber du, wie konntest du fähig sein an meinem Leibe. Ich gebe dir die Schuld! Nein, es ist meine Strafe, weil ich's mit dem Bruder, deinem Vater tat u. machte ihn zu deinem Onkel ...

[*Exzerpte mit Worterläuterungen*]

Des Fischers Frau ist bange, den bittenden Wanderer abzuweisen, weil er immer ein Engel oder der Herr Krist selber sein kann.
Sie sehen beide seinen schönen Leib in der Bettlerhülle.

[*Exzerpte aus »Gregorius«, V. 2892–2910*]

[2] Tb. 18.2.1948 »Studien bei Gregorovius«: Fortsetzung der Notizen zu mhd. Wörtern und Wendungen aus *Gregorius* (V. 2914–3971, z.T. mit Übersetzung); kurze Notizen zum Romangeschehen; Exzerpte aus Gregorovius, *Rom I* (S. 9 bis 57), über Constantin, über die Entstehung der christlichen Kirche und die Rolle Roms, über die Stadt Rom, über ihre Verwaltung, den Vatikan (Petersdom), die Familie der Anicier.

[21] April 1948: Altfranzösisches (entsprechend den brieflichen Fragen an Samuel Singer); Inhaltsübersicht über die Kapitel I bis VIII. Eine Romanpassage aus dem Kapitel *Die Kinder*, mit geringen Abweichungen gegenüber dem veröffentlichten Text, fortgesetzt auf dem folgenden Blatt.

[22] Fortsetzung der Romanpassage aus dem Kapitel *Die Kinder*. Der Text beider Blätter lautet vollständig (hier ohne Korrekturen):

[21] Frauen, deren Hauben Stirn und Kinn umhüllten, und die sie päppelten mit Seim und süßem Brei, sie badeten in Kleiewasser und ihnen mit Wein die Mäulchen wuschen! So wurden sie mit jedem Monde größer und schöner, denn der

Mond nimmt ab, nachdem er rundgewachsen, sie aber nahmen nur immer zu an Wuchs und ranker Anmut, wie mit den wechselnden Monden, so nun gar mit den Jahren, welche bekränzt und falb und eisgrau und wieder bekränzt hingingen über Burg und Land. Es waren siebenzehn Jahre – nicht weniger doch leider auch nicht mehr –, um die Herr Grimald die Wöchnerin unterm Stein überlebte, ehe der Tannewetzel ihn traf wovon gleich mehr. Vorerst war ihm Frist gegeben, – wie lange, ist uns Menschen verhüllt – auf Weidegang zu gehen, des Glaubens hohe Feste zu halten mit Kirchgang und Waffenspiel, durch seinen Seneschall des Landes Zins zu nehmen und es im Gegendienst zu richten, der Runde seiner Herren im Klaret Bescheid zu tun und sich unter alldem des Erblühens der Kinder zu freuen von Jahr zu Jahr.

Mit fünfen waren sie wie selige Englein vom Himele, ich kann's nicht anders sagen und blicke mit Wonne zwar, doch auch nicht ohne Bedenken auf so viel schelmischen Liebreiz, bei dem man nie ganz sicher sein darf, ob er auch ganz von Gott ist, oder ob nicht etwa Herr Valand, alles Blendwerks Meister, die Hand im Spiel hat und Entzücken streut, wo er Gräuliches ausdenkend sich das Maul leckt. Nicht solche Sorgen fochten den Herzog an, wenn die Englein, eins golden und eins bräunlich (Willo war bräunlich von Mutters-seite), in ihren brokatnen Kleidchen von den Haubenfrauen vor seinen Stuhl geführt wurden, worauf die Pflegerinnen lächelnd mit gesenkten Häuptern mehrere Schritt zurücktraten, um nicht durch ihre niedere Nähe das hohe Familienglück zu stören. Zuweilen blieben sie auch gleich an der Türe stehen und ließen die Zauberhaften, Händchen in Händchen, allein durchs Gemach zum Vater trippeln, den sie mit Silber-

[22] Stimmchen »Mein Herre« nannten, und vor dem Wiligis bereits nach Ziem und Zucht ein Knie zu beugen wußte, was

seiner zieren kleinen Person zum Lachen reizend anstand. Dann plauderte und scherzte der Vater mit ihnen, nannte sie jolie espèce de nains und Trutgesindlin, fragte nach ihren Spielen und empfahl sie endlich an Saint Esperit, indem er den Willo tätschelte, Sibylla aber küßte. Er sprach: »Gehabt euch baß!« Sie aber sprachen gemeinsam: »Nu lohn euch Gott!« und gingen rückwärts von ihm hinweg nach sittiger Gebühr, indeß die Pflegefrauen zu ihnen eilten und sie beiderseits an den Händchen nahmen, den äußeren, an denen sie sich nicht hielten.

Hand in Hand sah man sie immer, mit achten noch und zehnen, denn sie waren wie ein Paar Vöglein »Unzertrennlich«, zusammen Tag und Nacht und teilten von je das Schlafgemach, zu dritt vorerst mit einer ihrer Frauen. Ihre Spiele waren dieselben in frühen Tagen,

[24] Exzerpte zum Kapitel *Die Kinder*, das im April 1948 entsteht. Notiz zum Roman:

Liebe zwischen Bruder u. Schwester, Benedict und Scholastica. Ihre Abenteuer, Einsamkeit, Wanderung, Zerstörung alter Heidentempel, Bau von Klöstern. Der rauhe Egoismus weltabgeschiedenen Einsiedlerlebens wird gemildert.

[1] Exzerpte über Brügge aus *Meyers Lexikon*.

[23] Exzerpte aus *Parzival*; aus *Meyers Lexikon* über Burgund; Zeitberechnungen zum Verlauf des Minnekriegs im Roman.

[7] Notizen zum Kapitel *Die schlimmen Kinder*, das im Mai 1948 entsteht: mhd. Begriffe, Namen, französische Wendungen; Exzerpte aus Auerbachs *Mimesis* zum Liebesdialog Adams und Evas.

[26] Exzerpte aus *Parzival* I (S. 40–150).

[25] Notizen zum Kapitel *Die fünf Schwerter*, das im Juni 1948 entsteht: Exzerpte *Parzival* I (S. 154–223); Berechnungen von Zeitverläufen im Kapitel.

[27] Notizen zum Kapitel *Die Fischer von Sankt Dunstan*: Altersberechnungen für Figuren des Romans; vermischte Exzerpte

aus *Meyers Lexikon* (zum Ärmelkanal, zu den Kanalinseln, zum Kloster); aus Eicken, *Weltanschauung* (S. 489–517), und Baum, *Malerei* (S. 23 u. 118); Exzerpte aus Philippson, *Verhältnis*, der hier notierte Name »Kloster ›Not Gottes‹, ›Agonia Dei‹« ist von dort übernommen.

[8] Notizen zum Kapitel *Die Entdeckung*, das im Februar 1949 entsteht: Exzerpt aus dem englischen Thesaurus zum Wortfeld Kampf und Auseinandersetzung; auf der Rückseite ein komplettes Kapitelverzeichnis.

[29] Notizen zum Kapitel *Herr Poitewin*, das im September 1949 entsteht: Namen, Notizen aus *Meyers Lexikon* über Fische, Segelboote, Vogelarten.

[32] [*TM nummeriert 1*] Exzerpte aus *Parzival* I, über Kleidung, Rüstung, Belagerung.

[31] [*TM nummeriert 2*] Notizen über Belagerungsmaschinen (aus dem *Parzival*), Exzerpte aus Scherer, *Geschichte*.

[30] [*TM nummeriert 3*] Notizen aus *Parzival* und anderes (hauptsächlich Begriffe).

[11] Notiz und Formulierungsentwurf zum Kapitel *Die Begegnung* (vgl. Textband S. 151):

Brokat, Pfellel aus Morgenland, dunkel-bunt, von Goldfäden durchwoben; und hielt ihre Augen an, derart, daß ihre Lippen sich öffneten und ihre Brauen sich in Betrachtung zusammenzogen

[15] Notizen zu dem Kapitel *Die Begegnung*, das im September 1949 entsteht: Exzerpte aus Dieffenbacher, *Privatleben*, über Verwandtschaftsverhältnisse, höfisches Benehmen, Bekleidung, Stoffe und Turniere und *Meyers Lexikon* über Marienfeste und Rüstungen.

[20] Tb. 6.11.1949 »Mariengebete«: Exzerpte aus Waag, *Gedichte* (*Die Hochzeit*, *Arnsteiner Marienlied*, *Vorauer Sündenklage*).

[5] Tb. 19.1.1950 »Dann nachgelesen fürs nächste Kapitel. [...] Stöberte im Gregorovius«: Exzerpte aus Gregorovius, *Rom* I (S. 57–67, 104–107, 126–160), zu weiteren römischen Kirchen,

zu Papst-und-Gegenpapst-Konstellationen, zu den Erfolgen Papst Leos; Liste der römischen Titularbasiliken.

[4] Schluss der Liste von Kirchen aus Gregorovius und Notizen zu einzelnen Kirchen; diverse weitere Notizen und Exzerpte aus Hertz' Nachwort zu *Tristan* (S. 547–568).

[6] Notizen zur Arbeit an den betreffenden Kapiteln *Der zweite Besuch* bis *Der sehr große Papst* ab April 1950: Notizen aus *Parzival*; Exzerpte aus *Meyers Lexikon* zur Stadt Rom und dem Vatikan; aus Eicken, *Weltanschauung* (S. 185f.), über Ehen unter Familienmitgliedern; zwei Einträge aus Gregorovius' *Wanderjahren*. Notizen zum Romanverlauf, unterbrochen durch Exzerpte aus Gregorovius, *Rom* I, über große Taten und Einzüge von Päpsten; Notizen zu Süßwasserfauna und Fischerei aus *Meyers Lexikon*.

[*Exzerpte aus dem »Parzival«*]

Er ist Schwiegersohn seines Großvaters Grimald und Schwager seines Vaters (da er dessen Schwester heiratet)
Seine Töchter ...

[*Exzerpte aus Meyers Lexikon, aus dem Schluss des »Parzival« und aus Eicken*]

Der Papst sagt zu ihr, daß sie noch heiliger, als er, da sie ihren Mann mit ihrem Bruder erzeugt hat, er aber nur mit seiner Mutter geschlafen.

Sie erzählt ihm ihren Traum, daß sie einen Drachen gebäre, der ihr den Mutterschoß zerriß, den sie an ihren Brüsten nährte und der sich von ihr losriß, sodaß sie ihn zu ihrem Leide niemals wiedersah

[*Exzerpte aus Gregorovius, »Rom« und Meyers Lexikon*]

[13] Arbeit an den entsprechenden Kapiteln *Der sehr große Papst* und *Die Audienz* im Juli 1950: Exzerpt über Leistungen der Päpste aus Gregorovius, *Rom* I, über die liturgische Kleidung des Papstes, über die Ketten Petri.

[12] Fortsetzung der Exzerpte aus Gregorovius, *Wanderjahre* und *Rom* I, sowie aus Bernhart, *Vatikan*.

[10] Notizen aus Bernhart, *Vatikan*; Exzerpte aus Gregorovius, *Rom* I, über Ämter der Kurie sowie aus Bernhart Beschreibung der päpstlichen Räume und Kleidung.

[16] Exzerpte aus Dieffenbacher, *Privatleben*, über Landschaften; aus Bernhart, *Vatikan*, zumeist über Papst Leo; aus Eicken, *Weltanschauung*, über Armut.

[9] Zu den Kapiteln *Penkhart* und *Die Audienz*, die im Oktober 1950 entstehen: Notizen zum Romanverlauf (Sibylla nach dem Weggang des Gregorius) sowie Altersberechnungen:

Das Asyl zu Füßen der Burg Belrapeire, an der Landstraße. Es ist recht ärmlich, denn Werrimbald, ein entfernter Vetter, der noch durch Grigorß' Abgängigkeit Herzog von Flandern-Artois wurde, [*gestrichen:* schmälert] macht Gebrauch von ihrem Verlangen das Wasser der Demut zu trinken und schmälert ihr gleich ihr Wittumsgut. Dort gebiert sie ihr zweites Kind, die Tochter ihres Sohnes, also ihr Großkind, Humilitas. Herrad, die Ältere nennt sich auch um, nämlich Stultitia. Nimmt auch die Obdachlosen, Alten, Gebrechlichen, Kranken u. Krüppel. Labt die Siechen, wäscht ihre Wunden, badet sie u. deckt sie zu. Gibt Almosen aus an wandernde Bettler, wäscht ihnen die Füße. Die Töchter, heranwachsend, helfen ihr, das Wasser der Demut zu trinken, die zweite ungetauft.

So hat sie sich in Reue und Mühsal gekleidet, seit sie sich von einander getrennt, sodaß ihr Leib vor Leid schwach an Kräften und Farbe geworden.

Seine Mutter, seine Base, sein Weib (die drei haben einen Leib) hört von dem großen Papst, der erstanden und ein Tröster der Sünder ist. Kommt, ihm zu beichten.

Natur hat zugelassen, daß ihre eigene Richtung, Zeit u. Zeugung sich verkehren und Einer nicht vorwärts zeugt in der Zeit, sondern zurück in den Mutterschoß u. sich Nachfahren erweckt, denen das Gesicht im Nacken sitzt.

Herrad (Stultitia) nicht waelisch bräunlich-blaß, sondern weiß und apfelrot.

Schmied, Schlosser, Blechschmied, Flaschner, Klempner, Keßler, Spengler, Gürtler, Schuster, Bett-Schreiner, Zimmermann, Kerzengießer, Kaminbauer, Bienenvater

[14] Exzerpte aus *Parzival* und Eicken. Notizen zum Romanverlauf:

Er ist Schwiegersohn seines Großvaters Grimald und Schwager seines verstorb. Vaters, da er dessen Schwester geheiratet. Seine Töchter ...

Er ist es, der den Kaiser Trajan um einer Handlung mitleidiger Gerechtigkeit willen, aus der Hölle los gebetet.

[Exzerpte aus dem »Parzival« und Eicken]

Als Papst erklärt Gregor die Scheidung von seiner Mutter. Hat Schlüsselgewalt, die Eltern von ihrer Schuld zu lösen (auch sich selbst? Er ist durch Gnade und Erhöhung bereits gelöst.)

X Ist er heilig, so sagt er der Mutter, sie sei es noch mehr, da sie ihren Mann mit ihrem Bruder erzeugt hat, er aber nur mit seiner Mutter geschlafen.

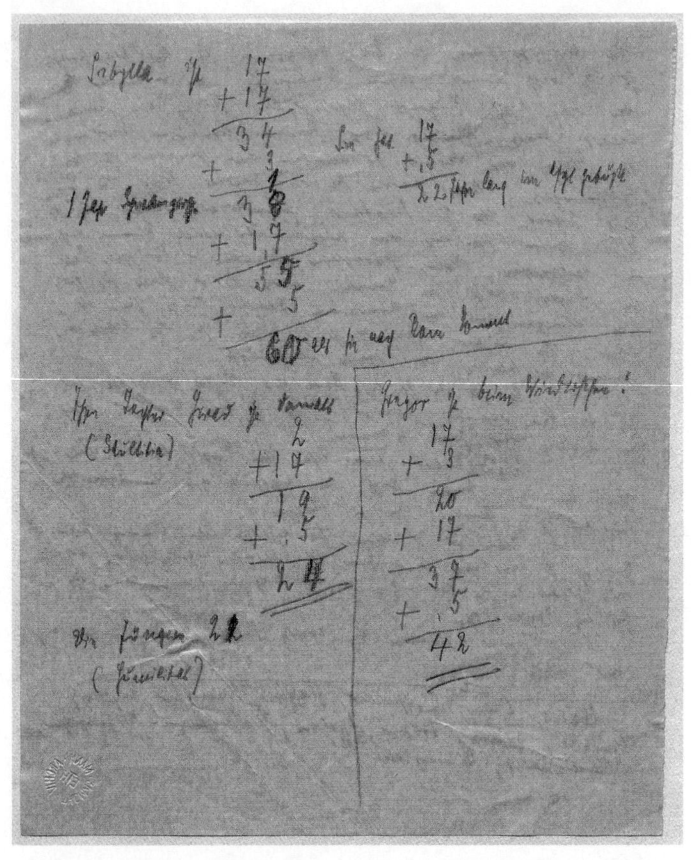

Altersberechnungen Thomas Manns, Rückseite von Notizblatt [14].

Klappentext zu dem Roman ›Der Erwählte‹

Für den Klappentext verwendet Thomas Mann die einführenden Bemerkungen zu seinem Roman, die im Mai 1950 dem Vorabdruck dreier Kapitel (*Die Hochzeit – Jeschute – Der Abschied*) in der *Neuen Rundschau* vorangingen. Es gibt lediglich drei unbedeutende Änderungen am Text: In der *Rundschau* hieß, es *Der Erwählte* sei »ein kleiner legendärer Roman«, der Titel von Hartmanns Werk wird als *Gregorius auf dem Steine* zitiert, und Thomas Mann streicht den Satz, der auf die abgedruckten Kapitel hinweist: aus »Die folgenden Kapitel erzählen die Entdeckung dieses komplizierten Greuels.« wird »Es kommt zur Entdeckung dieses komplizierten Greuels.«

»Der Erwählte« ist ein legendärer Roman, dessen Handlung in den Hauptzügen dem Versepos »Gregorius« von Hartmann von Aue folgt, der seinerseits sein Werk einer altfranzösischen Vorlage nachgedichtet hat. Es gibt auch mittelenglische, lateinische, koptische Bearbeitungen der Legende.

Hier ist der Erzähler ein irischer Mönch, der als Gast des Klosters Sankt Gallen im Alemannenland die Geschichte zu seiner und seiner Leser Unterhaltung und Erbauung aufzeichnet. Gregorius oder Grigorß ist die Frucht der Sünde, erzeugt von einem Geschwisterpaar, Sibylla und Wiligis, den Kindern Grimalds, des Herzogs eines Reiches Flandern-Artois. Er wird bald nach seiner Geburt aufs Meer ausgesetzt und wächst heran auf einer normannischen Insel, wo ein frommer Abt sich seiner annimmt. Dieser bewahrt ihm die Tafel, die seine Mutter ihm bei der Aussetzung mitgegeben und auf der die Bewandtnisse seiner Geburt in allgemeinen Zügen geschrieben stehen. Mit siebzehn Jahren wird er durch Zufall wissend über die Art seiner Herkunft und verläßt die Insel, um seine Heimat und seine Eltern zu suchen. Er gerät in das Land seiner Mutter, das sich durch einen von ihr verschmähten Freier in Kriegsnot befindet, besiegt diesen Fürsten im Zweikampf und wird des Landes Herzog als Gatte der eigenen Mutter. Es kommt zur Entdeckung dieses komplizierten Greuels. Sie führt zu einer unerhörten Buße, nach welcher Gott den aus Sünde Entsprossenen und so tief in Sünde Getauchten durch ein Gnadenwunder auf den päpstlichen Stuhl erhöht.

Thomas Mann

Einführungsansprache zum ›Erwählten‹

Am 16. Januar 1951 stellt Thomas Mann seinen neuen Roman bei der *Society for Jewish Culture* vor, als Dank für die Veranstaltung zu seinem 75. Geburtstag, an der er wegen seiner Europa-Reise nicht teilnehmen konnte. Der Lesung aus dem Roman gingen einleitende Worte voran:

Meine Damen und Herren, – der Besuch, den ich heute dem Jewish Club of 1933 abstatte, ist eine Dankesvisite. Ich möchte mich dem Club und seinen Leitern dankbar erweisen für die Ehrung, die er mir im vergangenen Sommer zu meinem 75. Geburtstag erwiesen hat mit einer Veranstaltung, der ich leider fern bleiben mußte – ich war in Europa damals –, über deren Verlauf ich aber sehr Schönes gehört habe – kein Wunder, da so geistvolle Männer wie Lion Feuchtwanger und Ludwig Marcuse die Redner waren. So werden Sie verstehen, daß ich mit Vergnügen diese Gelegenheit ergriffen habe, mich für so viel Aufmerksamkeit erkenntlich zu zeigen, indem ich Ihnen, den Mitgliedern des Clubs, wieder einmal, wie schon vor Jahren einmal, etwas aus einer neuen, kürzlich abgeschlossenen gerade in Druck gegangenen Arbeit vorlese, aus der bisher, von ein paar Proben abgesehen, die in der »Neuen Rundschau« erschienen sind, nur nahen Freunden Einzelnes bekannt geworden ist.

Es handelt sich um einen legendären Roman, der sich nach den Hauptzügen seiner Handlung – es sind allerdings nur die Hauptzüge – auf das Versepos ›Gregorius vom Steine‹ des mittelhochdeutschen Dichters Hartmann von Aue gründet. Hartmann hat seine ritterliche Mär aus dem Altfranzösischen übernommen, aber es gibt auch mittelenglische und mehrere lateinische Bearbeitungen des Stoffes, sogar eine koptische. Viele Dichter also, überall, haben sich von der Fabel angezogen gefühlt, und hier nun, in meiner Erzählung ›Der Erwählte‹, gewinnt sie noch einmal Form, – wohl zum letzten Mal – eine ganz andere natürlich, als in früheren Zeiten. Mein Verhältnis dazu ist ungefähr das meiner Josephsromane zu dem knappen Bericht der Genesis: es ist eine Amplifizierung und Realisierung, ein genau machendes Heranbringen der alten Geschichte von Gregorius oder Grigorß, der, ein mittelalterlicher Ödipus, aus Versehen seine Mutter heir[*at*]et, aber, schlimmer als Ödipus, selbst schon die Frucht der Sünde, des Inzestes, das Kind zweier sehr hochmütiger, nur vom eigenen Blute angezogener Geschwister ist, sodaß also ein wahrer Knäuel von Sündhaftigkeit und verwandtschaftlichem Unheil vorliegt, was aber die ewige Gnade nicht hindert, Grigorß, der ein ebenso großer Büßer wie Sünder ist, schließlich auf den päpstlichen Stuhl zu erhöhen.

Wieder einmal will nicht ich es sein, der die Geschichte vorträgt, sondern ein Erzähler ist vorgeschoben; kein deutscher Gymnasialprofessor diesmal, sondern ein *irischer Mönch*, ein frommer und dabei nicht ganz humorloser Mann, der als Gast des Klosters Sankt Gallen im Allemannenland die Tragödie mit dem happy end zu seiner und seiner Leser Unterhaltung und Erbauung aufzeichnet. Ihn hören Sie nun also von einem Reiche Flandern-Artois berichten, dessen Herzog Grimald und dessen Herzogin Frau Baduhenna bitter lange auf Nachkommenschaft haben warten müssen. Endlich wird ihre Ehe mit einem Zwillingspärchen, Knabe und Mädchen gesegnet, aber der Mutter kostet die Geburt das Leben, und Herzog Grimald bleibt mit den Kindern allein auf seiner in den Hügeln des Artois gelegenen Burg ›Belrapeire‹ zurück. Von diesem zur Sünde vorbestimmten Kinderpaar also ist in dem Kapitel, das ich zuerst lesen möchte, die Rede.

* * *

Nun vollzieht sich also, kaum daß Herzog Gr[*imald*] das Zeitliche gesegnet hat, das höchst Anstößige, und Sibylla trägt von ihrem Bruder ein Kind unter dem Herzen, das sie nach dem Tode des alten Herzogs auf dem Wasserschloß eines treuen Lehnsmannes ihres Vaters zur Welt bringt. Wiligis ist beim Versuch einer Bußfahrt ins Heilige Land ums Leben gekommen. Für das Kind –

einen Knaben – ist keine Stätte auf Erden. Es wird in einem Fäßchen, das einem Kahn eingebunden ist, aufs Meer ausgesetzt, aber seine Mutter gibt ihm eine Tafel mit, auf der die Bewandtnisse seiner Geburt in allgemeinen Zügen geschrieben stehen; außerdem ein paar mit Gold gefüllte Brote und einige kostbare Stoffe aus Morgenland. Das folgende Kapitel erzählt nun, wie das verstoßene Sündenkind glücklich zu Lande geführt wird. Es heißt »Die Fischer von Sankt Dunstan« und spielt auf einer Kanal-Insel, einer der zwischen Frankreich u[*nd*] England gelegenen sogenannten Normannischen Inseln, wo ein frommer Abt namens Gregorius seines Amts als Vorsteher eines Klosters ›Agonia Dei‹ waltet. Der Erzähler hat für diesen Mann eine besondere Sympathie. Er schildert ihn so:

Bemerkungen zu dem Roman »Der Erwählte«

Diesen Text verfasste Thomas Mann im Auftrag seines amerikanischen Verlegers Alfred Knopf, der ihn am 26. März 1951 um Auskünfte zum Stoff des Romans gebeten hatte: »write me at a little length about its origin – just where and when you discovered the story on which the novel is based, possibly a bit about Aue von Hartman, anything in fact that will help us place the story in historical perspective. I know that this will be of assistance to me and I think it will also help all of the men who will be working at Sales, Publicity, Advertising and the like.« (TMA, wiedergegeben in Tb. 1951–52, 404f.) Dieser Bitte kommt Thomas Mann gern nach. »Arbeit für den Knopf-Verlag über die Ursprünge des ›Holy Sinner‹«, verzeichnet er am 4. April im Tagebuch. Schon zwei Tage danach schließt er den »Gregorius-Kommentar für Knopf ab, las ihn vor und gab ihn zur Abschrift.« (Tb. 7.4.1951).

Meine erste Berührung mit der Gregorius-Legende fiel in die Zeit der Arbeit am »Dr. Faustus«. Damals war ich auf der Suche nach produktiven Motiven für Adrian Leverkühn und las in dem alten Buch »Gesta Romanorum«, dessen Verfasser oder vielmehr Compilator ein um 1230 verstorbener deutscher oder englischer Mönch namens Elimandus gewesen ist, einige Geschichten nach, die ich meinem Komponisten zur Verarbeitung als groteske Puppenspiele aufgab. Bei Weitem am besten von ihnen gefiel mir eine, die in den *Gesta* auf wenig mehr als einem Dutzend Seiten erzählt ist und dort den Titel trägt: »Von der wundersamen Gnade Gottes und der Geburt des seligen Papstes Gregor«. Tatsächlich gefiel sie mir so gut, und so große erzählerische Möglichkeiten schien sie mir der ausspinnenden Phantasie zu bieten, daß ich mir gleich damals vornahm, sie dem Helden meines Romans eines Tages wegzunehmen und selber etwas daraus zu machen.

Ich wußte nicht, daß der Reiz, der auf mich von dem Gegenstande ausging, schon von vielen geteilt worden war und sie zur Nachbildung verlockt hatte. Außer der Geschichte von Joseph ist vielleicht keine so oft erzählt worden, wie diese; aber nur Schritt für Schritt ließen mich meine Nachforschungen ihrer historischen Hintergründe und ihrer weitverzweigten, über ganz Europa bis nach Rußland hinreichenden Beziehungen, Verwandtschaften und Abwandlungen gewahr werden. Daß sie aus der Antike stammt, ein Ableger der Ödipus-Sage ist, liegt auf der Hand. Sie gehört in den Kreis, oder vielmehr in die lange Reihe von Ödipusmythen, in denen das vom Schicksal verhängte Motiv des Inzest-Greuels mit der Mutter (neben dem des Mordes am Vater) seine Rolle spielt, und von denen die Legende von Judas Ischariot ein Beispiel ist. Nach dieser wurde Judas auf Grund eines unheilverkündenden Traumes als kleines Kind ausgesetzt, tötete, in die Heimat zurückgekehrt, gelegentlich eines Diebstahls, seinen Vater und heiratete seine Mutter. Als die Verwirrung an den Tag gekommen, begibt er sich zur Reinigung unter die Jünger Jesu, – was bekanntlich auch nicht gerade zu seinem Besten geriet.

Serbische Volkslieder besingen den Gegenstand. In einer bulgarischen Legende heißt der unselige Held Paulus von Caesarea. Eine ältere ist aufgetaucht, worin er Andreas heißt, und die ebenfalls mit der sich unausweichlich erfüllenden Weissagung eines Doppel-Greuels beginnt. Der Entwicklungsweg der Sage scheint von Ödipus über Judas, Andreas, Paulus von Caesarea zu Gregorius zu gehen, wobei hie und da das Motiv des Vatermordes durch eine zweite – und zwar wissentliche – Inzest-Versündigung ersetzt wird, entweder begangen zwischen Vater und Tochter oder zwischen Bruder und Schwester.

In dieser Form, daß der Mann, der in der Verblendung die eigene Mutter heiratet, selbst schon ein Sohn der Sünde, die Frucht einer Geschwisterliebe ist, hat West-Europa die Fabel ausgeformt und damit die Herkunft großer Papstgestalten legendär umsponnen. Gregorius ist nun in Frankreich, England, Deutschland der Name des Helden. Sein Ursprung ist Schande, sein Leben Sünde und schonungslose Buße, sein Ende Verklärung durch die göttliche Gnade. Ein altfranzösisches Gedicht, »La Vie de Saint Grégoire«, von dem auch ein mittelenglisches stammt, diente dem Schwaben Hartmann von Aue als Vorbild und Vorlage zu einem kleinen Versepos, das er »Gregorius vom Steine«, oder einfach »Gregorius«, oder »Die Geschichte vom guten Sünder« nannte.

Hartmanns poetische Tätigkeit fällt in das letzte Jahrzehnt des 12. und die ersten Jahre des 13. Jahrhundert. Er war ein ritterlicher Dienstmann (Vasall) der Herren von Aue und nahm an dem Kreuzzug von 1197 teil. Zugleich war er ein Buchgelehrter und ein Epiker von großen Gaben, die zum Beispiel Gottfried von Straßburg im »Tristan« begeistert rühmt. Obgleich er sich, wie die deutschen Dichter damals allgemein, meistens an französische Meister, namentlich Chrestien de Troyes, anlehnt, verdankt die deutsche Literatur seiner Sprachkunst und der geistigen Lebendigkeit, mit der er seine Gegenstände durchdringt, bedeutende Förderung. Er ist der kunstreiche Nacherzähler von Chrestiens »Erec« und »Ivein« und vor allem der Dichter des »Armen Heinrich«, seinem selbständigsten Werk, aus dessen Stoff noch Gerhart Hauptmann ein schönes Drama geformt hat. Sein »Gregorius« wird literarhistorisch aufgefaßt als die erste Äußerung einer Reaktion der geistlichen Interessen gegen die des weltlichen Rittertums innerhalb der ritterlichen Kreise selbst. Er zog eine Menge von zugleich höfischer und frommer Legendendichtung nach sich und trug nicht wenig bei zur Popularisierung der Geschichte vom guten Sünder und hochbegnadeten Büßer. Sie wurde wieder und wieder erzählt, lateinisch und deutsch, in Versen und Prosa. Ein gewisser Arnold von Lübeck trug sie in lateinischen Reimen vor, ein anderer in Hexametern nach dem Muster Ovids. Sogar eine koptische Bearbeitung existiert.

Ich gestehe, daß ich Hartmanns mittelhochdeutsches Gedicht zum erstenmal studiert habe, als die knappe und primitive Fassung der *Gesta* mir Lust zu dem Stoff gemacht hatte. An den äußeren Gang der Handlung, wie Hartmann sie sich angeeignet, hielt ich mich so getreu, wie bei den Josephsromanen an die Daten der Bibel. Und wie damals war mein eigenes Dichten ein Amplifizieren, Realisieren und Genaumachen des mythisch Entfernten, bei dem ich mir alle Mittel zunutze machte, die der Psychologie und Erzählkunst in sieben Jahrhunderten zugewachsen sind. Den Schauplatz verlegte ich aus dem »Aquitanien« der Legende in ein scheinhistorisches Herzogtum Flandern-Artois und erfand mir ein zeitlich ziemlich unbestimmtes übernational-abendländisches Mittelalter mit einem Sprachraum, worin das Archaische und das Moderne, altdeutsche, altfranzösische, gelegentlich englische Elemente sich humoristisch mischen. In manchen Stücken, fand ich, hatte Hartmann, hatte die Legende selbst es sich zu leicht gemacht. So sollte Gregorius die siebzehn Jahre seiner Buße auf dem nackten Felsen überlebt haben, nicht nur ohne jeden Schutz seines Menschenleibes gegen die Unbilden der Witterung, sondern auch ohne andere Nahrung, als »das Wasser, das aus dem Felsen sickerte«. Das war unmöglich, und das handgreiflich Unmögliche konnte ich bei meiner Realisierung der Geschichte nicht brauchen. Ich mußte es mit einer Art von Schein-Möglichkeit umkleiden, und darum nahm ich das antike Motiv der Erdmilch, mit der der kindliche Frühmensch sich nährte, zu Hilfe, ja ließ den Büßer zum verzwergten Naturwesen und Winterschläfer, schließlich zum bloßen bemoosten Naturding, unempfindlich gegen Wind und Wetter, herabgesetzt werden. Ich mußte es in den Kauf nehmen, daß das zugleich eine Herabsetzung der Schwere seiner Buße bedeutete. Sein Wille zur radikalen Buße schien mir das Entscheidende, und die Gnade erkennt diesen Willen an, indem sie den tief Erniedrigten wieder zum Menschen, ja über alle Menschen erhebt.

»Der Erwählte« ist ein Spätwerk in jedem Sinn, nicht nur nach den Jahren seines Verfassers, sondern auch als Produkt einer Spätzeit, das mit Alt-Ehrwürdigem, einer langen Überlieferung sein Spiel treibt. Viel Travestie – nicht lieblos – mischt sich hinein. Höfische Epik, Wolframs »Parzival«, alte Marienlieder, das Nibelungenlied klingen parodistisch an, – Merkmale einer Spätheit, für die Kultur und Parodie nah verwandte Begriffe sind. Amor fati – ich habe wenig dagegen, ein Spätgekommener und Letzter, ein Abschließender zu sein und glaube nicht, daß nach mir diese Geschichte und die Josephsgeschichten noch einmal werden erzählt werden. Als ich ganz jung war, ließ ich den kleinen Hanno Buddenbrook unter die Genealogie seiner Familie einen langen Strich ziehen, und als er dafür gescholten wurde, ließ ich ihn stammeln: »Ich dachte – ich dachte – es käme nichts mehr.« Mir ist, als käme nichts mehr. Oft will mir unsere Gegenwartsliteratur, das Höchste und Feinste davon, als ein Abschiednehmen, ein rasches Erinnern, Noch-einmal-Heraufrufen und Resümieren des abendländischen Mythos erscheinen, – bevor die Nacht sinkt, eine lange Nacht vielleicht und ein tiefes Vergessen. Ein Werkchen wie dieses ist Spät-Kultur, die vor der Barbarei kommt, mit fast fremden Augen schon angesehen von der Zeit. Aber wenn es das Alte und Fromme, die Legende parodistisch belächelt, so ist dies Lächeln eher melancholisch, als frivol, und der verspielte Stil-

Roman, die Endform der Legende, bewahrt mit reinem Ernste ihren religiösen Kern, ihr Christentum, die Idee von Sünde und Gnade.

Auszug aus einem Brief Thomas Manns an den DDR-Germanisten Eberhard Hilscher vom 3.11.1951[111]

[...] ich fürchte, es gehört ein besserer Advokat dazu, als ich es bin, um die moralische Existenzberechtigung eines Buches wie »Der Erwählte« in unserer Zeit apologetisch herauszuhauen. Was Sie über diese Zeit und die Forderungen sagen, die sie an den Schriftsteller stellt, ist ja *richtig*. Ich erkenne darin wieder, was ich vor vielen Jahren zu Tolstois 100. Geburtstag schrieb: »Tolstoi begriff, daß eine Epoche angebrochen sei, der mit nur lebensteigernder Kunst nicht wahrhaft genug geschehe, sondern in welcher der leitende, entscheidende und erhellende, sozial sich bindende und dienende Geist dem objektiven Genie, das Sittliche und Intelligente dem unverantwortlich Schönen voranstehen müsse ...« Ich teile dieses Begreifen – obgleich es, wie bei Tolstoi, ins Absurd-Kulturwidrige und dazu führen kann, Mrs. Beecher-Stowe aus moralischen Gründen über Shakespeare zu stellen – teile es heute mehr denn je. Und doch bleibt in dieses Begreifen ein Glaube eingeschlossen an die Autonomie der Kunst und daran, daß von ihr unter allen Umständen, auch wenn sie sich nicht als gesellschaftliche Fackelträgerin gebärdet, eine läuternde, befreiende, befriedende Wirkung ausgeht auf den Menschengeist; anders gesagt, ein platonischer Glaube an das Schöne, das frei Spielende, Reizende, das Gefühl der Anmut Verbreitende ist damit verbunden, und wie ich bin, kann ich nicht hoffen oder wünschen, diesen – mag sein altmodisch-idealistischen – Glauben je zu besiegen.

111 Eberhard Hilscher: *Thomas Mann. Sein Leben und Werk.* (Ost-)Berlin: Volk und Wissen 1971, S. 252–255.

Paradigma der Kunst ist ja doch wohl die Musik, und sie hat sich des »Formalismus« nie recht entschlagen wollen, ohne ihrer Würde dadurch etwas zu vergeben. In Ihrer Zone ist gerade eben ein Buch erschienen: »Musikantengeschichten«, worin ein hübsches Fragment aus den Erinnerungen des Ditters von Dittersdorf vorkommt. Er hat da ein Gespräch mit dem Kaiser Joseph, der ihn fragt: »Was halten Sie aber von *Haydns* Stücken für die Kammermusik?« – »Daß sie in der ganzen Welt Sensation machen, und das mit allem Rechte.« – »*Tändelt* er nicht manches Mal gar zu viel?« – »Er hat die Gabe zu tändeln, ohne jedoch die Kunst herabzuwürdigen.« – Kaiser: »Da haben Sie recht.« – Recht hat er! Und wenn man die frommen Scherze des »Erwählten« als Tändelei bezeichnen will, – die Kunst, soviel ich sehe, würdigen sie nicht herab, noch auch nur die altersgraue Legende, die durch diese Tändeleien eine letzte heitere Auffrischung erfährt.

Eine letzte. Nicht ungern fühle ich mich als einen Späten und Letzten, einen Abschließenden und einen Vollender. Das ist mein Traditionalismus, der sich auf eine für diese Übergangszeit wohl charakteristische Weise mit dem Experimentierenden mischt. Nach mir wird kaum noch einer die Josephsgeschichte erzählen, und auch dem »Gregorius« habe ich wohl die Spät- und Endform gegeben. Endbücher zu schreiben scheint seit »Buddenbrooks« meine Aufgabe zu sein, – ja zuweilen kommt es mir vor, als sei unsere ganze höhere Literatur nichts anderes als ein rasches Rekapitulieren des abendländischen Mythus, der abendländischen Kulturüberlieferung – vor Torschluß, vorm Fallen des Vorhangs, der sich gewiß nur zu einem sehr neuen Stück wieder heben kann, – einem Stück, zu dem wir Künder des Endes, eben als solche, doch auch schon gewisse Beziehungen haben.

»Warum haben Sie den ›Erwählten‹ geschrieben?«

Und wenn ich nun antwortete: »Ich wollte einfach eine schöne Geschichte erzählen«, – würde es sehr frivol klingen? Habe ich sie etwa nicht schön erzählt und sie ausgeschmückt, wie es der Vielerzählten noch nie geschehen war? Was einen Schriftsteller auf einen Stoff verfallen läßt, wird immer von außen schwer zu erkennen sein. Gewöhnlich liegt der Keim zum Neuen im Vorigen. Dichtungen sind Sprachwerke, und als Sprachwerk knüpft der »Erwählte« dort an, wo im »Dr. Faustus« die barocke und lutherische Sprach-Perspektive des Deutschland-Romans durch das Schweizerisch des Kindes Echo ins Mittelhochdeutsche vertieft wird. Da sprang eine Sprach-Idee auf; der Gegenstand, anziehend durch das groteske Übermaß seiner Sündhaftigkeit, dem die Gnade sich humoristisch gewachsen zeigt, war (zunächst nur durch die »Gesta Romanorum«) zur Hand, und, gestützt von einiger Studien-Lektüre (bei weitem nicht so vieler wie im Falle des »Joseph«) spielte ich ziemlich aus dem Handgelenk mein christlich-übernationales oder vornationales Mittelalter in die Luft, – Sprachkurzweil in erster Linie, aber nicht ohne Herzensbeziehung zum Thema erwählter Sündhaftigkeit.

In aller Unbescheidenheit darf ich sagen, daß ich damit etwas Neues in die deutsche Literatur gebracht habe, etwas, was es vorher nicht gab, ein Einmaliges, nur in sich selbst Mögliches und also *Unwiederholbares*, – womit Ihre Frage, ob es »die Eröffnung einer neuen Schaffensperiode« darstelle, beantwortet ist. Glauben Sie auch nicht an die berühmte »Sackgasse«! Ich bin schon in vielen »Sackgassen« gewesen und immer frei wie der Vogel daraus hervorgegangen. Als 1913 der »Tod in Venedig« erschienen war, hieß es: »Hier führt kein Weg weiter!« Dann kam der »Zauberberg«, und als diese Sackgasse durchschritten war, kam wieder anderes. Mein Neuigkeitsbedürfnis ist stark, und es hat den Wünschen des Publikums getrotzt, das nach den »Buddenbrooks« im Grunde wollte, ich möchte fortan lauter »Buddenbrooks« schreiben. Ich habe das nicht getan, sondern immer Neues versucht, obgleich der Wille zum Semper idem, zum festen Zusammenhalten meines Lebens und Werkes doch auch von Einfluß war und ein in sich geschlossenes Lebenskunstwerk mir von jeher als Wunschbild vorschwebte. Widersprüche besagen nichts gegen diese Einheit. Der Optimismus des Menschheitsliedes von

Joseph scheint durch den düsteren »Faustus« aufgehoben oder »zurückgenommen«, – und dann folgt die in Gott vergnügte Geschichte vom ganz aus Sünde gemachten Grigorß. Man sollte *das Ganze* sehen, die Kritiker aber sehen immer nur Stückwerk. Immer beim letzten Buch denken sie: »Das ist es nun« und wollen mich darauf festnageln. Sie zerren an der Schlangenhaut, die jüngst ich abgelegt, und glauben, ich sei noch in Jena, wenn ich schon in Erfurt bin [...]

Der Brief hier gibt mir einigen Grund, mich zu schämen: wenn ich nämlich bedenke, daß Tolstoi, als ein junger Franzose ihn um Rat und Zuspruch gebeten, ihm einen Traktat von 20 Seiten über Gott und die wahre Gesellschaft schrieb. Und ich habe Ihnen nur über den »Erwählten« geschrieben, obgleich ich doch sehr wohl weiß, daß Sie mich einzig und allein im Hinblick auf die wahre Gesellschaft und seine Beziehungen zu ihr über ihn befragt haben. Diese Beziehungen sind locker, das gebe ich zu. Die Geschichte selbst hat ja etwas so Lockeres, daß ein deutscher Kritiker schreiben konnte, ich stellte mich darin mit Gott auf den »Neckfuß«. Nun, mit Goethe habe ich mich auch schon auf den Neckfuß gestellt, – warum nicht gleich mit dem lieben Gott? Ich bin überzeugt, daß Er Spaß versteht; Er hätte sonst die Künstler-Kreatur überhaupt nicht ins Leben gerufen. Daß die eine zweideutige Kreation ist, darüber habe gerade ich mich früh und spät ergangen. Aber irgendwie ist sie geistverbunden und, der Schlechtigkeit spottend, die Dummheit unterminierend, zielt sie schließlich doch auch auf die wahre Gesellschaft [...]

ANHANG

DANK

Zu danken ist zuerst dem Gegenleser Ruprecht Wimmer und dem beobachtungsscharfen Mitleser Per Øhrgaard, dem unermüdlichen Lektor Roland Spahr, den zuverlässigen Korrekturleserinnen Svenja Brand und Waltraud John, Norma Schneider und Ingo Ebener für die Einrichtung der Register sowie dem Thomas-Mann-Archiv (Zürich), namentlich Katrin Bedenig, Gabriele Hollender, Katrin Keller und Rolf Bolt, für ihre zuverlässige, jederzeit hilfsbereite und geduldige Unterstützung. Bei der Materialbeschaffung waren Ute Olliges-Wieczorek (Thomas-Mann-Sammlung der Universitäts- und Landesbibliothek Düsseldorf), Britta Dittmann (Buddenbrookhaus Lübeck) und Christian Wilke (Sammlung Jonas der Universitätsbibliothek Augsburg) hilfreich; Jessica Tubis (Beinecke Rare Book and Manuscript Library, Yale University) machte Thomas Manns Typoskript zugänglich. Anna-Lena Markus prüfte die Transkription der Notizblätter. Stephan Stachorski gab in der ersten Phase der Kommentierung wichtige Anregungen. Freundliche Auskunft zu unterschiedlichen Einzelfragen von der Sprach- und Begriffs- bis zur Rezeptionsgeschichte gaben Jörg Bank, Bernd Busch, Daniel Göske, Wilhelm Heizmann, Karin Hoff, Marita Keilson, Dorothea Klein, Ruth Klüger †, Frido Mann, Birgitt Mohrhagen, Fidel Rädle †, Hannah Rieger, Stefania Sbarra, Udo Schöning, Hans Rudolf Vaget und Theo Voss. Anregungen verdankt diese Ausgabe auch der lebendigen Diskussionsbereitschaft der Teilnehmerinnen und Teilnehmer von Seminaren zum *Erwählten* in Kiel und Göttingen. Das Thomas Mann House in Pacific Palisades, die University of Southern California, Los Angeles, CA, das benediktinische Kloster St. Ansgar in Nütschau und das Seminar für Deutsche Philologie im Göttinger Jacob-Grimm-Haus waren inspirierende Arbeitsorte. Karl Stackmann † hat mit seinen Arbeiten und Vorlesungen zu Thomas Mann und dem Mittelalter die ersten Spuren zur Arbeit an dieser Ausgabe gelegt.

Br. I–III	Thomas Mann: Briefe 1889–1936; 1937–1947; 1948–1955 und Nachlese. Hg. von Erika Mann. 3 Bde. Frankfurt am Main 1961–1965.
Collegheft	Thomas Mann: Collegheft 1894–1895. Hg. von Yvonne Schmidlin u. Thomas Sprecher. Frankfurt am Main 2001 (= TMS XXIV).
DüD II u. III	Dichter über ihre Dichtungen. Bd. 14/II u. III: Thomas Mann. Teil II: 1918–1943. Teil III: 1944–1955. Hg. von Hans Wysling unter Mitwirkung von Marianne Fischer. [München] 1979 u. 1981.
E I–VI	Thomas Mann: Essays. Hg. von Hermann Kurzke u. Stephan Stachorski. 6 Bde. Frankfurt am Main 1993–1997.
EA	Erstausgabe: Thomas Mann: Der Erwählte. Roman. Frankfurt am Main 1951 (= Stockholmer Gesamtausgabe).
FA 39	Johann Peter Eckermann. Gespräche mit Goethe in den letzten Jahren seines Lebens. Hg. von Christoph Michael. Frankfurt am Main 1999 (= Johann Wolfgang Goethe: Sämtliche Werke, Briefe, Tagebücher und Gespräche, Bd. 39).
GKFA	Thomas Mann: Große kommentierte Frankfurter Ausgabe. Werke – Briefe – Tagebücher. Frankfurt am Main 2002ff. [siehe die Aufstellung am Ende dieses Bandes].
GW I–XIII	Thomas Mann: Gesammelte Werke in dreizehn Bänden. 2. Auflage. Frankfurt am Main 1974.
HOM	Thomas-Mann-Sammlung »Dr. Hans-Otto Mayer«, Universitäts- und Landesbibliothek Düsseldorf.
Hs.	Manuskript des *Erwählten*, TMA, Signatur A-I-Mp XI 9 grün.

KHM	Kinder- und Hausmärchen der Brüder Grimm.
Nbl.	Notizblätter zum *Erwählten*, TMA, Signatur A-I-Mp XI 9a grün.
Reg.	Die Briefe Thomas Manns. Regesten und Register. Bearb. u. hg. von Hans Bürgin u. Hans-Otto Mayer. Überarb. u. ergänzt von Gert Heine u. Yvonne Schmidlin. 5 Bde. Frankfurt am Main 1976–1987.
Tb.	Thomas Mann: Tagebücher 1918–1921 u. 1933–1943. Hg. von Peter de Mendelssohn; Tagebücher 1944–1955. Hg. von Inge Jens. 10 Bde. Frankfurt am Main 1977–1995.
TM/Adorno	Theodor W. Adorno/Thomas Mann: Briefwechsel 1943–1955. Hg. von Christoph Gödde u. Thomas Sprecher. Frankfurt am Main 2002.
TM/AM	Thomas Mann/Agnes E. Meyer: Briefwechsel 1937–1955. Hg. von Hans Rudolf Vaget. Frankfurt am Main 1992.
TM/Amann	Thomas Mann: Briefe an Paul Amann 1915–1952. Hg. von Herbert Wegener. Lübeck 1959 (= Veröffentlichungen der Stadtbibliothek Lübeck, N. R., Bd. 3).
TM/GBF	Thomas Mann: Briefwechsel mit seinem Verleger Gottfried Bermann Fischer 1932–1955. Hg. von Peter de Mendelssohn. Frankfurt am Main 1973.
TM/Hamburger	Thomas Mann/Käte Hamburger: Briefwechsel 1932–1955. Hg. von Hubert Brunträger. Frankfurt am Main 1999 (= TMS XX).
TM/Hesse	Hermann Hesse/Thomas Mann: Briefwechsel. Hg. von Anni Carlsson u. Volker Michels. 3., erw. Ausgabe. Frankfurt am Main 1999.
TM/Jacobson	Thomas Mann, Katia Mann – Anna Jacobson. Ein Briefwechsel. Hg. von Werner Frizen u. Friedhelm Marx. Frankfurt am Main 2005 (= TMS XXXIV).
TM/Kahler	Thomas Mann – Erich von Kahler: Briefwechsel 1931–1955. Hg. u. kommentiert von Michael Ass-

mann. Hamburg 1993 (= Veröffentlichungen der Deutschen Akademie für Sprache und Dichtung Darmstadt, Bd. 67).

TM / Kerényi — Thomas Mann – Karl Kerényi: Gespräch in Briefen. Hg. von Karl Kerényi. Zürich 1960.

TM / Lesser — Thomas Mann: Briefe an Jonas Lesser und Siegfried Trebitsch 1939–1954. Hg. von Franz Zeder. Frankfurt am Main 2006 (= TMS XXXVI).

TM / Preetorius — Aus dem Briefwechsel Thomas Mann – Emil Preetorius. Hg. von Hans Wysling. In: Blätter der Thomas Mann Gesellschaft Zürich. Nr. 4 (1963).

TM / Reisiger — Thomas Mann – Hans Reisiger. Briefe aus der Vor- und Nachkriegszeit. Hg. von Hans Wsyling. In: Blätter der Thomas Mann Gesellschaft Zürich. Nr. 8 (1968).

TMA — Thomas-Mann-Archiv der ETH Zürich

TMJ — Thomas Mann Jahrbuch. Begründet von Eckhard Heftrich u. Hans Wysling. Hg. von Katrin Bedenig u. Hans Wißkirchen. Frankfurt am Main 1988ff.

TMS — Thomas-Mann-Studien. Hg. vom Thomas-Mann-Archiv der ETH in Zürich. Bern / München. 1967–1988 bzw. Frankfurt am Main 1991ff.

Ts. — Typoskript des *Erwählten*, Exemplar von Helen T. Lowe-Porter, Beinecke Rare Book and Manuscript Library, Yale University, Signatur YCGL MSS 5, Box 5, Folder 69–72.

BIBLIOGRAPHIE

WERKE THOMAS MANNS

Theodor W. Adorno/Thomas Mann: Briefwechsel 1943–1955. Hg. von Christoph Gödde u. Thomas Sprecher. Frankfurt am Main 2002.

Aus dem Briefwechsel Thomas Mann – Emil Preetorius. Hg. von Hans Wysling. In: Blätter der Thomas Mann Gesellschaft Zürich. Nr. 4 (1963).

Briefe an Paul Amann 1915–1952. Hg. von Herbert Wegener. Lübeck 1959 (= Veröffentlichungen der Stadtbibliothek Lübeck, N. R., Bd. 3).

Briefe an Jonas Lesser und Siegfried Trebitsch 1939–1954. Hg. von Franz Zeder. Frankfurt am Main 2006 (= TMS XXXVI).

Briefe 1948–1955 und Nachlese. Hg. von Erika Mann. Frankfurt am Main 1965.

Briefwechsel mit seinem Verleger Gottfried Bermann Fischer 1932–1955. Hg. von Peter de Mendelssohn. Frankfurt am Main 1973.

Collegheft 1894–1895. Hg. von Yvonne Schmidlin u. Thomas Sprecher. Frankfurt am Main 2001 (= TMS XXIV).

Essays. Hg. von Hermann Kurzke u. Stephan Stachorski. 6 Bde. Frankfurt am Main 1993–1997.

Der Erwählte. Roman. Frankfurt am Main 1951 (= Stockholmer Gesamtausgabe).

Gesammelte Werke in dreizehn Bänden. 2. Auflage. Frankfurt am Main 1974.

Große kommentierte Frankfurter Ausgabe. Werke – Briefe – Tagebücher. Frankfurt am Main 2002ff. [s. die Aufstellung am Ende dieses Bandes].

Hermann Hesse/Thomas Mann: Briefwechsel. Hg. von Anni Carlsson u. Volker Michels. 3., erw. Ausgabe. Frankfurt am Main 1999.

Tagebücher 1918–1921 u. 1933–1943. Hg. von Peter de Mendelssohn; Tagebücher 1944–1955. Hg. von Inge Jens. 10 Bde. Frankfurt am Main 1977–1995.

Thomas Mann/Agnes E. Meyer: Briefwechsel 1937–1955. Hg. von Hans Rudolf Vaget. Frankfurt am Main 1992.

Thomas Mann/Käte Hamburger: Briefwechsel 1932–1955. Hg. von Hubert Brunträger. Frankfurt am Main 1999 (= TMS XX).

Thomas Mann, Katia Mann – Anna Jacobson. Ein Briefwechsel. Hg. von Werner Frizen u. Friedhelm Marx. Frankfurt am Main 2005 (= TMS XXXIV).

Thomas Mann – Erich von Kahler: Briefwechsel 1931–1955. Hg. u. kommentiert von Michael Assmann. Hamburg 1993 (= Veröffentlichungen der Deutschen Akademie für Sprache und Dichtung Darmstadt, Bd. 67).

Thomas Mann – Karl Kerényi: Gespräch in Briefen. Hg. von Karl Kerényi. Zürich 1960.

Thomas Mann – Hans Reisiger. Briefe aus der Vor- und Nachkriegszeit. Hg. von Hans Wsyling. In: Blätter der Thomas Mann Gesellschaft Zürich. Nr. 8 (1968).

QUELLEN

Viele der hier genannten Quellen, die in Thomas Manns Nachlassbibliothek erhalten sind, sind mittlerweile über das TMA digital einsehbar: https://nb-web.tma.ethz.ch/digibib.home.

Auerbach, Erich: *Mimesis. Dargestellte Wirklichkeit in der abendländischen Literatur.* Bern: Francke 1946 (Signatur: ThomasMann 3499).

Benz, Richard: *Gregorius auf dem Stein. Eine alte deutsche Legende.* Jena: Diederichs 1920 (Signatur: ThomasMann 2852).

Bernhart, Joseph: *Der Vatikan als Thron der Welt.* Leipzig: List 1930 (Signatur: ThomasMann 4859).

Busse-Wilson, Elisabeth: *Das Leben der heiligen Elisabeth von Thüringen. Das Abbild einer mittelalterlichen Seele.* München: Beck 1931.

Degering, Hermann (Hg.): *Der Nibelungen Not. In der Simrockschen Übersetzung nach dem Versbestande der Hundeshagenschen Handschrift.* Bearbeitet und mit ihren Bildern hg. von Hermann Degering. Berlin: Wegweiser 1924 (Signatur: ThomasMann 2857).

Dieffenbacher, Julius: *Deutsches Leben im 12. und 13. Jahrhundert.* Bd. II: *Privatleben.* Leipzig: Göschen 1907 (= Sammlung Göschen, Bd. 328) (Signatur: ThomasMann 2803).

Die Werke Hartmanns von Aue. IV: *Gregorius.* Hg. von Hermann Paul. 2. Auflage. Halle an der Saale: Niemeyer 1900 (= Altdeutsche Textbibliothek, Bd. 2).

Eicken, Heinrich von: *Geschichte und System der mittelalterlichen Weltanschauung.* Stuttgart: Cotta 1887.

Gräße, Johann Georg Theodor (Hg.): *Gesta Romanorum, das älteste Mährchen- und Legendenbuch des christlichen Mittelalters.* Übersetzt und hg. von Johann Georg Theodor Gräße. 3. Ausgabe Leipzig: Löffler 1905 (Signatur: ThomasMann 70:1+2).

Gregorovius, Ferdinand: *Geschichte der Stadt Rom im Mittelalter.* 2 Bde. Dresden: Jess 1926 (Signatur: ThomasMann 2800:1+2).

Gregorovius, Ferdinand: *Wanderjahre in Italien. Mit sechzig Bildtafeln nach zeitgenössischen Stichen.* Dresden: Jess 1925 (Signatur: ThomasMann 2805).

Heil, Bernhard: *Die deutschen Städte und Bürger im Mittelalter.* 2. verbesserte Auflage. Leipzig: Teubner 1906 (Signatur: ThomasMann 2804).

Kerényi, Karl: *Urmensch und Mysterium.* In: *Eranos-Jahrbuch* 15 (1947), S. 41–74 (Signatur: ThomasMann 4812).

Kerényi, Karl: *Zeus und Hera. Der Kern der olympischen Götterfamilie.* In: *Saeculum,* Jg. 1, H. 2, 1950, S. 228–257 (Signatur: ThomasMann 2644).

Lexer, Matthias: *Mittelhochdeutsches Taschenwörterbuch.* Leipzig: Hirzel. [Welche Auflage Thomas Mann benutzt hat, konnte nicht ermittelt werden.]

Meyers kleines Lexikon in drei Bänden. 8. Auflage. Leipzig: Bibliographisches Institut 1931/32.

Michael, Wolfgang F.: *Die Geistlichen Prozessionsspiele in Deutschland.* Baltimore: Johns Hopkins Press, Göttingen: Vandenhoeck & Ruprecht 1947 (Signatur: ThomasMann 2855).

Parzival. Höfisches Epos von Wolfram von Eschenbach. Aus dem Mittelhochdeutschen übersetzt von Karl Pannier. 2 Bde. [hier zu einem zusammengebunden] 3. Auflage. Leipzig: Reclam 1897 (Signatur: ThomasMann 2860–61).

Philippson, Ernst Alfred: *Über das Verhältnis von Sage und Literatur.* In: *Publications of the Modern Language Association of America*, Jg. 2, Nr. 1, März 1947, S. 239–261 (Signatur: ThomasMann 3484).

Scherer, Wilhelm: *Geschichte der Deutschen Litteratur.* Berlin: Weidmann 1894 (Signatur: ThomasMann 3323).

Schwab, Gustav: *Die Deutschen Volksbücher für Jung und Alt wiedererzählt.* Gütersloh und Leipzig: Bertelsmann 1880.

Singer, Samuel: *Sprichwörter des Mittelalters.* 3 Bde. Bern: Lang 1944–1947.

Singer, Samuel: *Dogma und Dichtung des Mittelalters.* In: *Publications of the Modern Language Association of America*, Jg. 2, Nr. 4, Dezember 1947, S. 861–872 (Signatur: ThomasMann 2853).

Singer, Samuel: *Thomas von Britannien und Gottfried von Straßburg.* In: *Festschrift für Edouard Tièche.* Bern: Lang 1947 (= Schriften der Literarischen Gesellschaft Bern, H. 6), S. 87–101.

Stoessl, Franz (Hg.): *Antike Erzähler von Herodot bis Longos.* Zürich: Manesse 1947.

Thesaurus of English Words and Phrases. By Peter Mark Roget, enlarged by John Lewis Roget, new. ed. revised and enlarged by Samuel Romilly Roget. London: Longmans, Green & Co. 1946 (Signatur ThomasMann 3853).

Tristan und Isolde von Gottfried von Straßburg. Neu bearbeitet und nach den altfranzösischen Tristanfragmenten des Trouvere Thomas ergänzt von Wilhelm Hertz. Stuttgart: Kröner 1877 (Signatur: ThomasMann 2871).

Verbesserter und Nützlicher Almanach Der ehrsamen und gar lobenswerten Gallus Stadt 1948. St. Gallen: Zollikofer 1947 (Signatur: ThomasMann 2807).

Waag, Albert (Hg.): *Kleinere Deutsche Gedichte des XI. und XII. Jahrhunderts.* Halle an der Saale: Niemeyer 1916 (= Altdeutsche Textbibliothek, Bd. 10) (Signatur: ThomasMann 33).

REZENSIONEN UND FRÜHE FORSCHUNGSLITERATUR BIS 1955

Abegg, Emil: Oedipus in Indien. Neue Zürcher Zeitung, Jg. 172, Nr. 706, 3. 4. 1951, S. 1f.

Agoston, Gerty: Der unerschöpfliche Born. Zu Thomas Manns neuem Roman »Der Erwählte«. In: Staats-Zeitung und Herold. New York, 13. 5. 1951, Sonntagsbeilage, S. 6C.

Aler, Jan: Een nieuwe roman van Thomas Mann: Der Erwählte bevestigt de lijn in zijn productie. In: De Groene Amsterdammer, Jg. 75, Nr. 29, 21. 7. 1951, S. 6.

[Anonym]: »Der Erwählte«: Vorlesung von Thomas Mann. In: Neue Zürcher Zeitung, 18. 6. 1950.

–: [Eliza Marian Butler]: View of the alcove. Thomas Mann: Der Erwählte. In: The Times Literary Supplement. London, Vol. 50, Nr. 2569, 27. 4. 1951, S. 257.

–: Thomas Mann: »Der Erwählte«. In: Die Quelle, Jg. 2, H. 9, September 1951, S. 511.

–: Books. Pope Oedipus. In: Time, Jg. 58, Nr. 11, 9. 10. 1951, S. 102.

–: Books out today. The Holy Sinner. In: New York Herald Tribune, 10. 9. 1951.

–: An Involved Past. In: The Times Literary Supplement. London, Jg. 51, Nr. 2622, 2. 5. 1952, S. 293.

Augustin, Elisabeth: Van chaos naar orde. In: Critisch Bulletin, Jg. 20, April 1953, S. 166–171.

Bab, Julius: Thomas Manns Legendenroman. In: Staats-Zeitung und Herold. New York, 20. 5. 1951.

Bardin, John Franklin: Thomas Mann's Mythical Romance. In: The New Leader, Jg. 34, 24. 9. 1951, S. 16–18.

Barzel S.J., W.: Der Erwählte. Roman von Thomas Mann. In: Stimmen der Zeit, 6/1951, S. 240.

Basler, Otto: Der neueste Roman von Thomas Mann. In: Das Bücherblatt. Zürich, Jg. 14, Nr. 4, 20. 4. 1951.

–: »Der Erwählte«. Zu Thomas Manns neuem Roman. In: National Zeitung. Basel, Jg. 32, Nr. 194, 29. 4. 1951, S. 3.

Bauer, Heinrich: Thomas Mann vergreift sich – wieder einmal. Ein

Wort zu seinem Roman »Der Erwählte«. In: Trierische Nachrichten, 20. 1. 1952.
Becht, Michael: Thomas Mann und Papst Gregorius. In: Rheinischer Merkur, 23. 7. 1949, S. 6.
Beer, Otto F.: Thomas Manns jüngstes Werk. »Der Erwählte« – die Legende Gregors auf dem Stein. In: Der Standpunkt. Meran, Jg. 5, Nr. 14, 6. 4. 1951, S. 7.
Behl, C[arl] F[riedrich] W[ilhelm]: Legendencocktail. In: Deutsche Rundschau, Jg. 77, H. 6, Juni 1951, S. 571.
Ben-Chorin, Schalom: Der Erwählte. Zu Thomas Manns neuem Roman. In: Hakidmah. Tel Aviv, 13. 7. 1951, S. 8.
Biermann-Ratjen, Hans Harder und Hans-Egon Holthusen: Eine Welt ohne Transzendenz? Gespräch über Thomas Mann und seinen Dr. Faustus. Hamburg 1949.
Boesch, Bruno: Die mittelalterliche Welt und Thomas Mann's Roman »Der Erwählte«. In: Wirkendes Wort, 2. Jg. (1951/52), S. 340–349. Auch als: Das Mittelalter in Thomas Manns Roman »Der Erwählte«. In: Neue Zürcher Zeitung, 173. Jg., Fernausgabe Nr. 253, 13. 9. 1952, S. 4f.
Borgese, Giuseppe Antonio: L'ultimo Mann. In: Il Corriere della sera, Jg. 76, 5. 6. 1951, S. 3.
Boucher, Maurice: Lettres allemandes. In: Hommes et Mondes. Paris, Jg. 6, Nr. 59, Juni 1951, S. 143–145.
Bradley, Van Allan: Mann at His Best In Lively Retelling Of Medieval Legend. In: The Chicago Daily News, 12. 9. 1951.
Brann, Henry Walter: Thomas Mann. »Der Erwählte«. In: Books Abroad, Jg. 25, Nr. 4, Herbst 1951, S. 351f.
Breit, Harvey: Reader's Choice. In: The Atlantic Monthly, Jg. 188, Oktober 1951, S. 76–79; über den Erwählten, S. 77f.
Burgert, Helmuth: Verborgene Christlichkeit. Eine Anmerkung zu Thomas Mann. In: Die Zeichen der Zeit. Evangelische Monatsschrift für Mitarbeiter der Kirche, Jg. 7, 1953, S. 338–340.
Cases, Cesare: Thomas Mann et lo »spirito del racconto«. In: Notiziario Einaudi, Jg. 4, Nr. 6–7, 1955, S. 7–9.
C. E. L. [Christian Ernst Lewalter]: Der Sündigste. Zur Theologie eines deutschen Romanciers. In: Die Zeit, Jg. 6, Nr. 13, 29. 3. 1951, S. 12.

Cohén, Henri: Thomas Mann. In: Der öffentliche Dienst. Zürich, Jg. 46, Nr. 47, 11. 12. 1953. Auch in: Schweizerische Beamten-Zeitung, Jg. 42, Nr. 5, 1954.
Cori, Alba: Il nuovo romanzo di Thomas Mann: La leggenda di Papa Gregorio. In: Annali della Scuola Normale Superiore di Pisa; Lettere, Storia e Filosofia. Firenze, Jg. 20, Nr. 1, 1951, S. 140–155.
Dunlap, Katherine: New Novel By Mann. In: The Philadelphia Inquirer Magazine, 16. 9. 1951, S. 32.
Dupee, Frederick W.: Book Reviews. Dupee on Mann. In: Perspectives, Jg. 1, Januar 1953, S. 160–164; zuvor bereits in: Kenyon Review, Jg. 14, Nr. 1, Winter 1952, S. 149–152.
Düwel, Hans: Die Bedeutung der Ironie und Parodie in der Struktur von Thomas Manns Roman »Der Erwählte«. Rostock 1953. [Masch.; Habil].
Eberhardt, Walter: Eulenspiegelei um einen Heiligen. In: Oberhessische Presse, 31. 3. 1951. Auch in: Badener Tageblatt, 17. 4. 1951 und Nordwest-Zeitung, 26. 4. 1951.
Edel, Leon: The World of Books: Thomas Mann Writes A Jewelled Masterpiece. In: Compass, 9. 9. 1951.
Engle, Paul: A »Holy Sinner's« Triumph Over Evil. Thomas Mann's New Novel Based on Medieval Legend. In: Chicago Sunday Tribune, 9. 9. 1951, Teil 4, S. 4.
Eulenberg, Hedda: Der Erwählte. Ein neuer Roman von Thomas Mann. In: Der Mittag, 7. 3. 1951.
Fiedler, Leslie A.: Myth and Irony in Thomas Mann. In: The Nation, Jg. 173, Nr. 15, 13. 10. 1951, S. 307–309.
Flügel, Heinz: Dichtung der Zeit. Thomas Mann: »Der Erwählte«. Evangelischer Literaturbeobachter. Beilage zu: Kirche in der Zeit 11/1951, S. 70.
Dr. G: Der Altersstil Thomas Manns. »Die neue Sprache« seines letzten Romans »Der Erwählte«. In: Badische Neueste Nachrichten, Nr. 156, 6. 7. 1951.
Gerster, Georg: Der Zwang zur Ironie. In: Die Weltwoche. Zürich, Jg. 19, Nr. 912, 2. 5. 1951, S. 5.
Giesmar, Maxwell: Mann Retells Old Tale With Charm and Grace. In: New York Post, 9. 9. 1951.

Glaeser, Ernst: Ironische Legende? Zu dem neuen Roman von Thomas Mann »Der Erwählte«. In: Stuttgarter Zeitung, Jg. 7, Nr. 114, 21. 5. 1951.

Goes, Albrecht: Die Geschichte von Gregorius auf dem Stein. Überlegungen und Bemerkungen zu Thomas Manns neuem Roman »Der Erwählte«. In: Die neue Zeitung, Jg. 7, Nr. 88, 14./15. 4. 1951, S. 19.

Goldschmit, Rudi: Der neue Thomas Mann. In: Das ganze Deutschland, Jg. 3, Nr. 18, 28. 4. 1951, S. 7. [Zuvor bereits in: Heidelberger Tageblatt, 3. 4. 1951.]

Gray, Ronald D.: Alleluia on a toy trumpet. In: German Life & Letters. Oxford, Jg. 5, H. 1, Oktober 1951, S. 57–61. [BBC-Sendung: 3. 7. 1951; Typoskript im TMA.]

Hamburger, Käte: Gregorius påStenen. In: Göteborgs Handels- och Sjöfarts-Tidning, Jg. 120, Nr. 92, 23. 4. 1951.

Hatfield, Henry: Realism in the German novel. In: Comparative Literature. Eugene/Oreg., Jg. 3, Sommer 1951, S. 234–252.

Hausmann, Manfred: Thomas Mann: Der Erwählte. In: Weser-Kurier, Jg. 7, Nr. 112, 2. Beibl., 19. 5. 1951.

Hennecke, Hans: Für und wider Thomas Mann I. In: Das literarische Deutschland, 2. Jg., Nr. 8, 20. 4. 1951, S. 1f.

Hermlin, Stephan: Deutsches Tagebuch in Ost und West. In: Aufbau. Berlin, Jg. 7, H. 9, September 1951, S. 836–844.

Hillard, Gustav: Kritik. Parodistische Legende. In: Merkur, Jg. 5, H. 11 (45), Nov. 1951, S. 1091–1093.

Hilscher, Eberhard: Die Neugestaltung von Hartmanns Gregoriuslegende durch Thomas Mann. (Ost-) Berlin 1952. [Masch.; Diss.]

Hohoff, Curt: Über neue Romane. In: Hochland, Jg. 44, H. 2, 12/1951, S. 169–174.

Holmberg, Olle: »Den utvalde«. In: Dagens Nyheter, 14. 4. 1951, S. 2.

Holmqvist, Bengt: Kommentar till en utvald. In: BLM. Bonniers litterära magasin, Jg. 21, Nr. 9, November 1952, S. 674–680.

Holthusen, Hans Egon: Die Welt ohne Transzendenz. Eine Studie zu Thomas Manns »Dr. Faustus« und seinen Nebenschriften. Hamburg 1949. [Als Essay erstmals im Merkur, H. 11–12, = Jg. 3, H. 1 u. 2, Jan. u. Febr. 1949, S. 38–58 u. 161–180.)

Jacob, Heinrich Eduard: Literarische Welt. Thomas Manns neuestes Werk. In: Aufbau. New York, Jg. 17, H. 17, 27. 4. 1951, S. 11.

Kahler, Erich: Die Erwählten. In: Die neue Rundschau, Jg. 66, H. 3, 1955, S. 298–311.

Karsch, Walther: Der gute Sünder. Zu Thomas Manns »Der Erwählte«. In: Der Tagesspiegel, Jg. 7, Nr. 1734, 27. 5. 1951, 3. Beiblatt, S. 1.

Kästner, Erhart: Thomas Mann – neuer Carossa. In: Schwäbische Landeszeitung, 5./6. 5. 1951.

F. Kauz [Kuno Fiedler]: Thomas Manns »Erwählter«. In: Volksstimme, Jg. 47, Nr. 106, 9. 5. 1951.

Kesser, Armin: Dichtung und Sympathie. Zum Gregorius-Roman Thomas Manns. In: Neue Zürcher Zeitung, Jg. 172, Nr. 135, Fernausgabe, 19. 5. 1951, S. 4f.

Klipstein, Editha: Nachdenkliches zu Thomas Manns letztem Roman. In: Die neue Rundschau, Jg. 62, H. 3, 1951, S. 140–145.

Korn, Karl: Im Legendenton. In: Frankfurter Allgemeine Zeitung, 17. 3. 1951, S. 16.

Kraus, Fritz: Thomas Manns »Erwählter«. In: Deutsche Zeitung und Wirtschafts Zeitung, Jg. 6, Nr. 38, 12. 5. 1951.

Krüger, Horst: Thomas Manns neuer Roman »Der Erwählte«. In: Der christliche Sonntag, Jg. 3, Nr. 19, 13. 5. 1951, S. 148.

Leeuwe, Hans de: De uitverkoren Zondaar. In: Litterair Paspoort, Jg. 6, November 1951, S. 204–206.

Lernet-Holenia, Alexander: »Der Erwählte«. Zu Thomas Manns neuem Roman. In: Die Presse. Wien, 31. 3. 1951.

Lesser, Jonas: Thomas Mann in der Epoche seiner Vollendung. München 1952.

Lind, Sidney E.: Growth of an Artist. In: The New Republic, Jg. 125, 19. 11. 1951, S. 20f.

Lüdecke, Heinz: Erwähltheit und Bewährung. Bemerkungen zu Thomas Manns Roman »Der Erwählte«. In: Aufbau. Berlin, Jg. 7, H. 12, Dez. 1951, S. 1081–1086.

Luft, Friedrich: Die sonderbaren Humore des Thomas Mann. In: Neue Zeitung, Jg. 7, Nr. 70, 25. 3. 1951, S. 20.

Mackensen, Lutz: Thomas Mann bearbeitet einen christlichen Stoff. In: Die neue Ordnung, Jg. 5, H. 5, Oktober 1951, S. 465–469.

Mandel, Siegfried: Woven in a Medieval Tapestry. In: Saturday Review of Literature. New York, 8.9.1951, S. 19f.
–:[Letter to The Editor.] In: Saturday Review of Literature. New York, 29.9.1951, S. 24.
Martin, Bernhard: Inzest-Probleme. Zu Thomas Manns neuem Werk »Der Erwählte«. In: Die Neue Schau, Jg. 12, H. 6, Juni 1951, S. 160f.
Martin, Edward H.: Thomas Mann Retells An Old Legend. A Book Review. In: The Evening Sun, 11.9.1951, S. 20.
Mayer, Karl L.: Ein Fest der Erzählung. Zu Thomas Manns neuem Roman »Der Erwählte«. In: Hüben und Drüben. Beilage zu: Argentinisches Tageblatt, Jg. 48, Nr. 17927, 8.7.1951.
McClain, William H.: Irony and Belief in Thomas Mann's »Der Erwählte«. In: Monatshefte. Wisconsin, Jg. 43, Nr. 7, Nov. 1951, S. 319–323.
Meyerhoff, Hans: Mann's Gothic Romance. In: Partisan Review, Jg. 18, Nr. 6, Nov./Dez. 1951, S. 715–718.
Montesi, Gotthard: Bücher der Zeit. Thomas Mann. In: Wort und Wahrheit, Jg. 6, 1. Halbjahr 1951, S. 380–382.
Morgan, Frederick: Seven Novels. In: The Hudson Review, Jg. 5, Nr. 1, Frühjahr 1952, S. 154–160; über den Erwählten S. 154–156.
Mühlberger, Josef: Thomas Mann in der Sackgasse? In: Esslinger Zeitung, 20.4.1951. Auch in: Neues Tageblatt, 21.4.1951, und Rhein-Neckar-Zeitung, 19./20.5.1951.
Muir, Edwin: The fatal chain. In: The Observer. London, Jg. 161, Nr. 8396, 4.5.1952, S. 7.
Nebel, Gerhard: Thomas Mann. Zu seinem 75. Geburtstag. In: Frankfurter Allgemeine Zeitung, 6.6.1950, S. 7.
o. h. f.: Thomas Mann – Zynismus und Anbetung. In: Christ und Welt, Jg. 4, Nr. 33, 16.8.1951, S. 8.
O. K.: Thomas Manns neuer Roman: Ein weises Märchen. In: Aufbau. New York, 11.8.1950, S. 8.
Pauline, G.: Thomas Mann: Der Erwählte. In: Études Germaniques. Jg. 8, Nr. 2/3, April/Sept. 1953, S. 222.
Österling, Anders: Thomas Manns nya roman. In: Stockholms-Tidningen, Nr. 80, 30.3.1951, S. 4.

Peacock, Ronald: A Myth by Thomas Mann. In: The Manchester Guardian, 29. 5. 1951, S. 4.
Pfeiffer-Belli, Erich: Mit spielerischer Sicherheit. Zu dem neuen Roman von Thomas Mann. In: Münchner Merkur, 18. 3. 1951. Auch in: Bayerische Heimat, 17./18. 3. 1951.
Poore, Charles: New Works from Old Hands. In: Harper's Magazine, Oktober 1951, S. 105–108, über den Erwählten, S. 106f.
Pouillon, Jean: Le Roman selon Thomas Mann. In: Les Temps Modernes, Jg. 8, Nr. 84/85, Okt./Nov. 1952, S. 811–817.
Prescott, Orville: Books of the Times. In: The New York Times, 11. 9. 1951.
Dr. Ra. [Friedrich Rasche]: Der heilige Sünder. Thomas Manns neuester Roman »Der Erwählte«. In: Hannoversche Presse, 6. Jg., Nr. 87, 14. 4. 1951.
Regula, Erika Charlotte: Die Darstellung und Problematik der Krankheit im Werke Thomas Manns. Diss. Albert-Ludwigs-Universität, Freiburg i. Br. 1952.
Reich, Hanns: Der neue Thomas Mann. Zu dem Legenden-Roman »Der Erwählte«. In: Badische Zeitung, Jg. 6, Nr. 54, 7./8. 4. 1951.
Reindl, L[udwig] E[manuel]: Thomas Mann und »Gregor auf dem Steine». In: Südkurier, Nr. 30, 23. 7. 1949, S. 3.
Risse, Heinz: Für und wider Thomas Mann II. In: Das literarische Deutschland, Jg. 2, Nr. 8, 20. 4. 1951, S. 9.
Rizzo, Franco: »L'Eletto« di Thomas Mann. In: Letterature moderne, Jg. 5, Nr. 1, Jan./Febr. 1954, S. 223–228.
Schneider, Reinhold: Ironie der Distanz. In: Die österreichische Furche, 20. 10. 1951.
Schwarz, Alice: Thomas Mann, die Deutschen und Israel. In: Yedioth Hayom. Haifa, 27. 7. 1951.
Schwarz, Georg: Lob eines verfemten Buches. Über den Roman »Der Erwählte« von Thomas Mann. In: Die Deutsche Woche, Nr. 8, 4. 8. 1951. Unter dem Titel »Der Erwählte«. Zu Thomas Manns neuem Roman auch in: Welt und Wort, Jg. 6, Nr. 8, August 1951, S. 299f.
Schwerte, Hans: Die Vorheizer der Hölle. Zu Thomas Manns

»archaischem Roman«. In: Die Erlanger Universität, Jg. 5, 13. 6. 1951, S. 1f.

Sieburg, Friedrich: Thomas Manns neuer Roman. In: Die Welt, Jg. 6, Nr. 63, 15. 3. 1951, S. 3. Unter dem Titel: In der Sackgasse. In: Die Gegenwart, Nr. 127 (Jg. 6, Nr. 6), 15. 3. 1951, S. 19f.

Soeteman, Cornelis: De Gregoriuslegende bij Hartmann von Aue en Thomas Mann. In: Duitse Kroniek, Jg. 4, Nr. 2, Juni 1952, S. 38–46.

Spender, Stephen: Mr. Mann's Tale of Agony and Love. In This Oedipus Novel, a Miracle Performs The Ultimate Magic of Making Evil Good. In: The New York Times Book Review, 9. 9. 1951, S. 1 u. 24.

Stadler, Willy: Thomas Manns Theologie. In: Wort und Wahrheit, Jg. 8, Sept. 1953, S. 686–691.

Stock, Irvin: Mann's Christian parable: A View of »The Holy Sinner«. In: Accent, Jg. 14, Nr. 2, Frühjahr 1954, S. 98–115.

Störi, Fritz: Thomas Mann: »Der Erwählte« oder Scherz, Satire, Ironie und tiefere Bedeutung. In: Neue Schweizer Rundschau, Jg. 19, H. 1, Mai 1951, S. 54–57.

Stössinger, Felix: Zum »Erwählten«. In: Neue Schweizer Rundschau, Jg. 19, H. 7, November 1951, S. 461f.

Sturm, Vilma: Zweimal: ein Erwählter. In: Europäische Revue, 1/1952.

Süskind, W[ilhelm] E[manuel]: Schöpferische Parodie? In: Süddeutsche Zeitung, Jg. 7, Nr. 158, 12. 7. 1951.

Trimble Sharber, Kate: Mann Recreates Ancient Legend. In: The Nashville Tennessean, 9. 9. 1951.

Usinger, Fritz: Schlüsselgewalt des Geistes. Zu Thomas Manns Roman »Der Erwählte«. In: Frankfurter Neue Presse, Jg. 6, Nr. 119, 26. 5. 1951, S. 11.

Wb. [Werner Weber]: »Der Erwählte«. Zum neuen Roman von Thomas Mann. In: Neue Zürcher Zeitung, Jg. 172, Nr. 683, Morgenausgabe 31. 3. 1951, S. 1f.

Weigand, Hermann J.: Thomas Mann's »Gregorius«. In: The Germanic Review. New York, Jg. 27, Nr. 1 u. 2, Februar u. April 1952, S. 10–30 u. 83–95.

Wentinck, Ch.: De fabel van een uitverkorene. In: Elseviers Weekblad, Jg. 7, Nr. 19, 12. 5. 1951, S. 28.

West, Anthony: Books. In: The New Yorker, Jg. 27, 6. 10. 1951, S. 122f.

West, Ray B.: Thomas Mann: Moral Precept as Psychological Truth. In: The Sewanee Review, Jg. 60, Nr. 2, 1952, S. 310–317.

Winklhofer, Alois: Die Humanisierung des Mythos bei Thomas Mann. Zu seinem neuen Buch »Der Erwählte«. In: Universitas, Jg. 6, H. 10, Oktober 1951, S. 1079–1082.

FORSCHUNGSLITERATUR

Ahn 1987 — Ahn, Sam-Huan: Spuren der Exilerfahrung in Thomas Manns Roman »Der Erwählte«. In: Heinrich-Mann-Jahrbuch 5 (1987), S. 88–108.

Bennewitz 2012 — Bennewitz, Ingrid: Wenig erwählt. Frauenfiguren des Mittelalters bei Thomas Mann. In: TMJ 25 (2012), S. 59–73.

Bronsema 2005 — Bronsema, Carsten: Thomas Manns Roman »Der Erwählte«. Eine Untersuchung zum poetischen Stellenwert von Sprache, Zitat und Wortbildung. Osnabrück 2005 (online: https://repositorium.ub.uni-osnabrueck.de/handle/urn:nbn:de:gbv:700-2008102415).

Bußmann 2013 — Bußmann, Britta: ›Alter Ego‹ Parzival. Zur Funktion der Wolfram-Zitate in Thomas Manns Wiedererzählung des »Gregorius«. In: Mitteilungen des Deutschen Germanistenverbandes. Jg. 60, H. 2, 2013, S. 127–140.

Danius 2002 — Danius, Sara: The Senses of Modernism: Technology, Perception, and Aesthetics. Ithaca, NY [u. a.] 2002.

Detering 2012 — Detering, Heinrich: Thomas Manns amerikanische Religion. Theologie, Politik und Literatur im kalifornischen Exil. Frankfurt am Main 2012.

Detering 2016 — Detering, Heinrich: Das Meer meiner Kindheit. Thomas Manns Lübecker Dämonen. Heide 2016.

Elsaghe 2012 — Elsaghe, Yahya: Wie Jappe und Do Escobar boxen –

oder sich doch nur prügeln? Sport in Thomas Manns Erzählwerk. In: Colloquium Helveticum 43/2012, S. 18–48.

Emig 1996 — Emig, Christine: Arbeit am Inzest. Richard Wagner und Thomas Mann. Frankfurt am Main u. a. 1996.

Frey 1976 — Frey, Erich A.: Thomas Mann. In: John M. Spalek/Joseph Strelka (Hg.): Deutsche Exilliteratur seit 1933. Band I. Kalifornien. Teil 1. Bern u. München 1976, S. 473–526.

Giller 2015 — Giller, Philipp: »Alle Erwählung ist schwer zu fassen«. Die komische Realisierung des Wunders in Thomas Manns »Der Erwählte«. In: Carsten Jakob / Christine Waldschmidt (Hg.): Witz und Wirklichkeit: Komik als Form ästhetischer Weltaneignung. Bielefeld 2015, S. 293–315.

Grothues 2005 — Grothues, Silke: Thomas Manns Roman *Der Erwählte* als im Mittelalterbild vermittelte ironische Referenz zu seinem Lebenswerk. In: Walter Delabar / Bodo Plachta (Hg.): Thomas Mann (1875–1955). Berlin 2005 (= Memoria, Bd. 5), S. 285–304.

Hilscher 1952 — Hilscher, Eberhard: Die Neugestaltung von Hartmanns Gregoriuslegende durch Thomas Mann. [Typoskript Diss.] Berlin 1952.

Hilscher 1971 — Hilscher, Eberhard: Thomas Mann. Sein Leben und Werk. Berlin 1971.

Jeßing 1989 — Jeßing, Benedikt: Der Erzählte. Roman eines Romans. Zu Thomas Manns »Der Erwählte«. In: Zeitschrift für deutsche Philologie 108 (1989), S. 575–596.

Jonas 1969 — Jonas, Ilsedore B.: Thomas Mann und Italien. Heidelberg 1969.

Klein 2019 — Klein, Dorothea: Stichische Rede als elementare Form einer »Poetik des Widerspruchs«. In: Elisabeth Lienert (Hg.): Poetiken des Widerspruchs in vormoderner Erzählliteratur. Wiesbaden 2019, S. 237–263.

König 1997 König, Werner: Lortzings van Bett in Thomas Manns »Erwähltem«. In: Neophilologus 81 (1997), H. 4, S. 601–603.

Kurzke/Stachorski 1999 Kurzke, Hermann u. Stachorski, Stephan: Im Unterholz der Dichtung. Thomas Manns Essays und ihre Quellen. In: TMJ 12 (1999), S. 9–29.

Lichtenstein 2004 Lichtenstein, Sabine: Abschied von »Palestrina«. Die Bedeutung Pfitzners in Thomas Manns »Der Erwählte«. In: Mitteilungen der Hans Pfitzner-Gesellschaft, H. 64 (2004), S. 61–76.

Lorek 2015 Lorek, Karsten: Legendarische Wirklichkeit und erdichtete Geschichte: Überlegungen zur Gregorovius-Rezeption in Thomas Manns Gregorius-Roman *Der Erwählte*. In: Dominik Fugger (Hg.): Transformationen des Historischen. Geschichtserfahrung und Geschichtsschreibung bei Ferdinand Gregorovius. Tübingen 2015, S. 105–129.

Lugowski 1976 Lugowski, Clemens: Die Form der Individualität im Roman. Frankfurt am Main 1976.

Mádl/Győri 1977 Mádl, Antal u. Győri, Judith: Thomas Mann und Ungarn. Essays, Dokumente, Bibliographie. Köln u. Wien 1977.

Makoschey 1998 Makoschey, Klaus: Quellenkritische Untersuchungen zum Spätwerk Thomas Manns. »Joseph, der Ernährer«, »Das Gesetz«, »Der Erwählte«. Frankfurt am Main 1998 (= TMS XVII).

Martínez 1996 Martínez, Matías: Doppelte Welten. Struktur und Sinn zweideutigen Erzählens. Göttingen 1996.

Marx 2002 Marx, Friedhelm: »Ich aber sage ihnen …«. Christusfigurationen im Werk Thomas Manns. Frankfurt am Main 2002 (= TMS XXV).

Mazzetti 2009 Elisabetta Mazzetti: *Thomas Mann und die Italiener*. Frankfurt am Main 2009 (= Maß und Wert, Bd. 5).

Mertens 2012	Mertens, Volker: Mit Wagners Augen? Thomas Manns »mittelalterliche« Werke: *Tristan*-Film und *Der Erwählte*. In: TMJ 25 (2012), S. 129–143.
Ohly 1995	Ohly, Friedrich: Desperatio und Praesumptio. Zur theologischen Verzweiflung und Vermessenheit. In ders.: Ausgewählte und neue Schriften zur Literaturgeschichte und zur Bedeutungsforschung. Hg. von Uwe Ruberg u. Dietmar Peil. Stuttgart/Leipzig 1995, S. 177–216.
Plate 1984	Plate, Bernward: Hartmann von Aue, Thomas Mann und die ›Tiefenpsychologie‹. In: Euphorion 78 (1984), S. 31–59.
Rieger 2015	Rieger, Hannah: »Die altersgraue Legende«. Thomas Manns ›Der Erwählte‹ zwischen Christentum und Kunstreligion. Würzburg 2015.
Rölleke 2017	Rölleke, Heinz: »Um mehr nicht und nicht weniger«. Von den Zahlen und ihrer Bedeutung in der Gregorius-Legende des Hartmann von Aue und in Thomas Manns Roman »Der Erwählte«. In: Euphorion, 111 (2017), H. 3, S. 297–342.
Rufener 2014	Rufener, Janine: Wer läutet. Quellenkritische Untersuchung zu Thomas Manns »Der Erwählte«. In: Germanistik in der Schweiz 11 (2014), S. 91–111.
Schlüter 2012	Schlüter, Bastian: Ein rechtes Kind des 19. Jahrhunderts? Thomas Mann und die Bilder vom Mittelalter. In: TMJ 25 (2012), S. 41–57.
Sommer 2001	Sommer, Andreas Urs: Neutralisierung religiöser Zumutungen. Zur Aufklärungsträchtigkeit von Thomas Manns Roman »Der Erwählte«. In: Rüdiger Görner (Hg.): Traces of Transcendency. Spuren des Transzendenten. Religious Motifs in German Literature and Thought. München 2001, S. 215–233.
Stachorski 2005	Stachorski, Stephan (Hg.): Fragile Republik. Thomas Mann und Nachkriegsdeutschland. Überarbeitete Ausgabe Frankfurt am Main 2005.

Stachorski 2014 Stachorski, Stephan: Thomas Mann, die deutsche Schuld und »Der Erwählte«. In: TMJ 27 (2014), S. 79–94.

Stackmann 1959 Stackmann, Karl: »Der Erwählte«. Thomas Manns Mittelalter-Parodie. In: Euphorion 53 (1959), S. 61–74. [Auch in Helmut Koopmann (Hg.): Thomas Mann. Darmstadt 1975 (= Wege der Forschung, Bd. 335), S. 227–246.]

Stackmann 1974 Stackmann, Karl: Philologie und Lehrerausbildung. Göttingen 1974 (= Göttinger Universitätsreden, Bd. 57).

Stoellger 2016 Stoellger, Philipp: Gott gegen Gott. Zur Narratologie des »Erwählten« oder: ›kraft der Erzählung‹. In: TMJ 29 (2016), S. 163–193.

Streim 2008 Streim, Gregor: Das Ende des Anthropozentrismus. Anthropologie und Geschichtskritik in der deutschen Literatur zwischen 1930 und 1950. Berlin/New York 2008.

Thirlwall 1966 Thirlwall, John C.: In Another Language. A Record of the Thirty-Year Relationship between Thomas Mann and His English Translator, Helen Tracy Lowe-Porter. New York 1966.

Vaget 2011 Vaget, Hans Rudolf: Thomas Mann, der Amerikaner. Leben und Werk im amerikanischen Exil 1938–1952. Frankfurt am Main 2011.

Vaget 2014 Vaget, Hans Rudolf: Der Unerwünschte. Thomas Mann in Nachkriegsdeutschland. In: TMJ 27 (2014), S. 17–31.

Wapnewski 1972. Wapnewski, Peter: Hartmann von Aue. 5., ergänzte Auflage. Stuttgart 1972.

Wimmer 1991 Wimmer, Ruprecht: Die altdeutschen Quellen im Spätwerk Thomas Manns. In: Eckhard Heftrich/Helmut Koopmann (Hg.): Thomas Mann und seine Quellen. Frankfurt a.M. 1991, S. 272–299.

Wimmer 1998	Wimmer, Ruprecht: Der sehr große Papst. Mythos und Religion im »Erwählten«. In: TMJ 11 (1998), S. 91–107.
Wimmer 2012a	Wimmer, Ruprecht: Schwer datierbares Mittelalter. Epoche und Zeit in Thomas Manns »Erwähltem«. In: TMJ 25 (2012), S. 99–114.
Wimmer 2012b	Wimmer, Ruprecht: Religion und Theologie in Thomas Manns »Erwähltem«. In: TMS XLV (2012), S. 101–115.
Wißkirchen 2012	Wißkirchen, Hans: »Lübeck ist überhaupt die Stadt des Totentanzes«. Mittelalterliches im Lübeck-Bild Thomas Manns. In: TMJ 25 (2012), S. 27–40.
Wolf 1962	Wolf, Alois: Gnade und Mythos. Zur Gregoriuslegende bei Hartmann von Aue und Thomas Mann. In: Wirkendes Wort 12 (1962), S. 193–209.
Wysling 1967	Wysling, Hans: Thomas Manns Verhältnis zu den Quellen. Beobachtungen am »Erwählten«. In: TMS I (1967), S. 258–324.
Wysling 1975	Bild und Text bei Thomas Mann. Eine Dokumentation. Hg. von Hans Wysling unter Mitarbeit von Yvonne Schmidlin. Bern u. München 1975.

ABBILDUNGSNACHWEIS

Thomas-Mann-Archiv der ETH Zürich: S. 138, 144, 152, 154, 155, 157, 178, 356, 475, 486
S. Fischer Verlag: S. 106
Stiftung Deutsche Kinemathek: S. 26

VERZEICHNIS DER ERWÄHNTEN EIGENEN WERKE

Kursiv gesetzte Seitenzahlen verweisen auf den Kommentarband; unterstrichene Seitenzahlen beziehen sich auf Abbildungen.

VERZEICHNIS DER ERWÄHNTEN PERSONEN UND FREMDEN WERKE

Kursiv gesetzte Seitenzahlen verweisen auf den Kommentarband; unterstrichene Seitenzahlen beziehen sich auf Abbildungen. Die nach dem Tod Thomas Manns erschienene Forschungsliteratur ist im Register nicht berücksichtigt.

INHALT

Kommentar

Materialien und Dokumente

Anhang